Richard Friede
Die Welt in der Nu

SERIE PIPER
Band 517

Zu diesem Buch

»Die Welt in der Nußschale«, das ist ein Internierungslager für Deutsche, die der Kriegsausbruch 1939 in England überrascht hat. Menschen aus den unterschiedlichsten Schichten, mit ganz gegensätzlichen Überzeugungen müssen hier auf engstem Raum miteinander leben, etwas Gemeinsames gestalten. Wie das gelingt, erzählt dieser durch die Fülle seiner Perspektiven so fesselnde Roman, der gleichzeitig eine liebevolle Miniatur des menschlichen Zusammenlebens und ein politisch-soziales Experimentierstück ist. In den Mittelpunkt stellt der Autor, der hier das spätmittelalterliche Bild des Weltschiffs auf eine zufällige Schicksalsgemeinschaft überträgt, dabei immer die menschliche Natur, der es gelingt, jede Art von Umgebung, in die sie versetzt wird, aufzunehmen und zu verwandeln, und jede Art von Welt zu *ihrer* Welt zu machen.

Richard Friedenthal (1896–1979) wurde in München als Sohn eines Universitätsprofessors geboren. Nach seiner Jugend in Berlin studierte er Literaturgeschichte, Philosophie und Kunstgeschichte, u. a. als Schüler Heinrich Wölfflins, Fritz Strichs und Max Webers. Bis zu seiner Emigration nach England im Jahr 1938 war er als freier Schriftsteller, Lektor, Herausgeber und schließlich als Verlagsleiter tätig, von 1945–1950 dann als Herausgeber und Redakteur der »Neuen Rundschau« im S. Fischer Verlag. Bis 1955 arbeitete Friedenthal wieder als Verlagsleiter. Danach lebte er bis zu seinem Tod in London. Berühmt geworden sind seine großen Biographien »Goethe«, »Luther« und »Karl Marx«.

Richard Friedenthal

Die Welt in der Nußschale

Roman

Piper
München Zürich

Von Richard Friedenthal liegen in der Serie Piper
außerdem vor:

ISBN 3-492-00817-8
Neuausgabe 1986
2. Auflage, 6.–12. Tausend August 1986
(1. Auflage, 1.–7. Tausend dieser Ausgabe)
© R. Piper GmbH & Co. KG, München 1956, 1986
Umschlag: Federico Luci,
unter Verwendung des Holzschnitts
»Das Narrenschiff« von Sebastian Brant
Satz: Graphische Werkstätten Kösel, Kempten
Druck und Bindung: Clausen & Bosse, Leck
Printed in Germany

VORSPRUCH

Dieser Roman einer Schicksalsgemeinschaft erzählt die Geschichte eines Volkes, eines Lagervolkes, das der Sturm der Zeit in einem Winkel unserer Welt zusammengeweht hat. Menschen, zu Garben gebündelt, werden auf einen Haufen geworfen. Sie richten sich auf. Sie schließen sich zusammen. Sie bilden eine Einheit.

Auf freier Heide ausgesetzt, unter dem Sommerhimmel, der zuweilen von kleinen Schrapnellwölkchen bestäubt wird, formen sich die drei Stämme. Eine Insel, die Menscheninsel genannt, nimmt sie auf. Da führen sie, ganz auf sich gestellt, unfrei und doch frei, ihr seltsames Leben im unbewegten Zentrum des Taifuns. Es sind Menschen aller Stände und Berufe, mit ihren Schicksalen, von denen sie uns berichten, 'kleine Leute' und 'Große Männer', Gute und Schlechte, zielbewußte und irrende Gestalten. Sie streiten sich und müssen lernen, miteinander auszukommen. Sie disputieren über Gott und die Welt. Die Künste, die Wissenschaften florieren, Scharlatane treiben ihr Wesen. Es geht hoch her in dieser kleinen Gesellschaft, und zuweilen geht es tief hinunter. Auch die Frauen, die räumlich so weit entfernten, sind dabei. Die Zeit steht still, und sie strömt reißend dahin. Das große Tor öffnet sich. Sie ziehen hinaus und gehen auseinander, der eine hierhin, der andere dorthin.

Es ist kein Sonderfall, den wir beschreiben, so absonderlich auch seine Umstände sein mögen. Unendlich viele Menschen unserer Zeit haben einen Abschnitt ihres Lebens in einer solchen Lagerwelt zubringen müssen. Nicht wenige sind von einer Gefangenschaft in die andere getrieben worden. Ganze Völker haben hinter Stacheldrahtzäunen gelebt, und die Narben, die sie sich dabei rissen, sind kaum verheilt. Bei jedem Witterungswechsel schmerzen sie. So soll diese Welt in der Nußschale das Leben unserer großen Welt widerspiegeln, getreu und versöhnlich, in Idylle und Terror, in den wunderlichen, oft recht komischen oder auch kleinlichen Zügen der Menschennatur wie der Großartigkeit, die sie zuweilen annehmen kann bei ihrer Wanderung über unsere tief aufgepflügte und unzerstörbare Erde.

ERSTES BUCH

MENSCHEN, ZU GARBEN GEBÜNDELT

1

DAS HAUS DER PASSLOSEN

»Sie kommen, wahrhaftig, sie kommen und holen ihn ab, und noch dazu in der 'Schwarzen Marie'!« rief die Vermieterin vom Fenster her.

»Und warum nicht die 'Schwarze Marie'?« fragte die Erzieherin, die seit Kriegsausbruch das kleine Zimmer neben der Küche bewohnte. Ihr kleiner, grauer Schildkrötenkopf beschrieb eine fahrig gezeichnete Ellipse und kehrte wieder in die Ausgangsstellung zurück. »Ist er etwa zu gut dafür? Einstecken, die ganze Gesellschaft von Ausländern, alle, das ist das einzige, und zwar schleunigst.«

»Eine Schande für mein Haus«, sagte die Vermieterin und schüttelte bekümmert ihre Haare, die in einer schweren grauen Mähne bis fast auf die Schultern herabhingen. »Er ist ein ordentlicher Mensch, und nun holen sie ihn ab wie einen Verbrecher.«

»Er ist ein Deutscher«, meinte die Erzieherin. »Das vergessen Sie wohl? Und schließlich ist Krieg.«

»Na ja«, erwiderte die Vermieterin, »es ist schon eine ganze Weile Krieg, und man hat ihn in Ruhe gelassen. Er hat ja auch einen Ausweis bekommen. Er hat ihn mir gezeigt.«

»Sie haben wohl nicht den Rundfunk gehört gestern abend? Ich kenne die Leute. Ich war drei Jahre beim Fabrikanten Herweg in Altona. Das waren sehr nette Menschen, ein erstklassiges Haus. Und dann hatte der älteste Sohn eine Uniform an, und dann der zweite und sogar die beiden Mädchen und schließlich, kurz bevor ich abreiste, auch noch der Vater, und jetzt stehen sie da drüben am Kanal und wollen herüber. Hören Sie denn nicht die Nachrichten?«

»Nicht oft«, sagte die Vermieterin, »das ist doch alles nur so deprimierendes Zeug. Und was reden Sie denn da für Unsinn von 'herüberkommen'? Das gibt es doch nicht! Das hat es noch nie gegeben!«

»Großer Gott«, meinte die Erzieherin, »haben Sie nicht gelesen, was den Norwegern passiert ist, und den Holländern und jetzt den Franzosen? Und immer haben sie erst ihre Spione vorangeschickt, zu Tausenden und Zehntausenden, und wenn sie kamen, dann standen die plötzlich in Uniform da, schwer bewaffnet, und zeigten ihnen den Weg.« Ihr Kopf kam wieder hervor und bewegte sich leicht zitternd vorwärts. »Soll das hier auch so werden, ich frage Sie?«

»Aber der doch nicht«, sagte die Wirtin.

»Der auch, natürlich! Und, um ganz offen zu sein, die andern merkwürdigen Mieter hier im Hause, der dunkelhaarige im ersten Stock, ein Spanier ist er angeblich, und der Herr mit der Schreibmaschine im Zimmer neben mir, der fortwährend tippt, mit seiner Frau, die wahrscheinlich gar nicht seine Frau ist, und der Russe, der immer laut mit sich selber spricht . . ., ich sage: hinter Schloß und Riegel mit all denen!«

»Hören Sie, Miß«, erklärte die Wirtin, »das ist meine Sache. Ich vermiete hier, und ich sehe mir meine Leute an, und da irre ich mich selten, das kann ich Ihnen sagen, ziemlich selten. Mein Haus ist ein anständiges Haus, und das sind anständige Leute, wenn sie auch manchmal etwas verquer sind.«

Die Erzieherin brachte ihren Kopf wieder zwischen die Schultern und wies mit dem Finger auf die Treppe, auf der die Schritte der Polizisten zu hören waren.

»Einen Augenblick«, sagte die Wirtin und eilte hinaus. »Der Mann hat doch noch nicht sein Frühstück. So geht das nicht. Was denken die sich denn?«

Die Polizisten, die in Zivil waren, fragten sie nach dem Zimmer eines gewissen Herrn Gärtner. Jawohl, der wohne hier, bitte, dort die zweite Tür. Aber müsse man wirklich zu fast nachtschlafender Zeit die Leute aus den Betten holen, morgens um halb sieben? Und noch dazu mit der 'Schwarzen Marie'? Sei das nötig?

»Tja«, meinte der ältere der beiden Polizisten, »wir haben hier eine ziemliche Liste, so Stücker zwanzig, und mit der müssen wir bis Mittag fertig werden, fragen Sie mich nicht wie. Manche stehen schon um fünf Uhr früh auf und gehen den ganzen Vormittag im Regents Park spazieren, damit man sie nicht zu Hause antrifft. Ein hübsches Stück Arbeit, die zusammenzukriegen.«

»Aber er hat noch nicht gefrühstückt«, sagte die Wirtin.

»Na, dann machen Sie ihm sein Frühstück«, erwiderte der Polizist. »Wir kommen in einer Stunde wieder. Länger darf es nicht dauern.«

»Mit der 'Schwarzen Marie'?« fragte die Wirtin.

»Mit der 'Schwarzen Marie'«, sagte der Polizist. »Aber erst einmal müssen wir ihn uns ansehen.«

Sie klopften an die Tür und traten ein. Der Raum war grün getüncht, von der Decke hing eine kleine Lampe mit einem bräunlich gewordenen Papierschirm. Vor einem mit Wachstuch bezogenen Küchentisch stand der Flüchtling Konrad Gärtner, ein fünfzigjähriger Mann von stämmiger Statur. Er hatte auf dem Tisch seine Papiere ausgebreitet. In der Ecke neben dem noch ungemachten Bett stand sein gepackter Handkoffer; über dem Stuhl hing griffbereit der Regenmantel.

»Guten Morgen!« sagten die Polizisten. Er erwiderte den Gruß. Sie fragten ihn nach seinem Namen, und er wies auf die Papiere.

Ein schmales graues Pappheft, das die Nummer 78 432 trug,

unter der Aufschrift 'Aliens Registration Book', enthielt eine Reihe von Eintragungen und Stempeln, aus denen hervorging, daß Konrad Gärtner, geboren zu Berlin am 12. Juli 1890, vom Ausländer-Tribunal in Hampstead, London NW 3, als Flüchtling vor dem nationalsozialistischen Regime anerkannt und in die Klasse C eingereiht sei. Daneben lag der deutsche Reisepaß, in dem die Einreise nach England im Herbst 1938 vermerkt war, ferner der Geburtsschein, das Impfzeugnis und das Diplom der Technischen Hochschule Hannover über das mit »gut« bestandene Examen als Diplomingenieur. Die Polizisten überprüften das Ausländermeldebuch flüchtig.

»In Ordnung«, sagte der ältere Polizist. »Sie haben noch eine Stunde Zeit, dann holen wir Sie ab. Inzwischen können Sie pakken.«

»Ich habe meine Sachen schon gepackt«, sagte Gärtner.

»Schön. Dann frühstücken Sie. Ihre Wirtin legt Wert darauf, daß Sie gefrühstückt haben.« Sie gingen.

Gärtner räumte seine Papiere zusammen und versorgte sie im Koffer. Dann ging er in die Küche, wo die Vermieterin vor dem Gasherd stand. Sie schüttelte immer wieder ihre schwere graue Mähne, ließ das Gas unter der Pfanne hoch aufsteigen, daß der Speck zu schreien begann, stieß die Pfanne mit dem Boden laut auf den Eisenring, drehte das Feuer plötzlich ab und zündete es wieder an. Sie schlug die beiden Eier dazu und warf die Schalen mit einer verachtungsvollen Geste in den Abfalleimer. Auf dem breiten Küchentisch breitete sie sorgfältig das Gedeck aus und deutete Gärtner an, er möge sich setzen. Sie hütete sonst die Küche eifersüchtig als ihre eigene Domäne und sah es sehr ungern, wenn ihre Mieter sich länger als unbedingt notwendig darin aufhielten.

Gärtner aß schweigend, und sie sah ihm zu. Nachdem er das Mahl beendigt hatte, half er ihr beim Abwaschen. Sie reichte ihm das Trockentuch, und er rieb den Teller und die Tassen blank. Eine Weile standen sie noch, etwas ratlos und ohne ein Wort zu sagen, dann wandte sich der Flüchtling zum Gehen. In der Tür drehte er sich um, zog ein halb zerdrücktes Päckchen mit Zigaretten heraus und bot der Wirtin eine davon. Sie nahm sie, zündete sie an und blies den Rauch in langen Strähnen durch die Nasenlöcher. Auch Gärtner rauchte.

»Da ist nichts mehr zu sagen«, meinte die Vermieterin. »Schreiben Sie mir eine Postkarte, wie es Ihnen geht, Mr. Gärtner. Vielleicht bringt man Sie nach Kanada, das wäre nicht so übel.«

Gärtner suchte ihr zu danken, aber sie wehrte ab. Sie drückte das Zigarettenende in einer Untertasse aus und sagte:

»Ich habe es denen aber gesagt, was ich über die 'Schwarze Marie' denke, ich habe es ihnen gesagt.«

»Das macht doch gar nichts«, erklärte Gärtner, »mir macht das wirklich nichts aus.«

»Doch«, erwiderte die Wirtin, »es macht etwas aus. Es ist eine Schweinerei. Und nun: alles Gute!«

Gärtner ging auf sein Zimmer und trat ans Fenster. Auf der anderen Seite der Londoner Vorstadtstraße war eine hohe Backsteinmauer, hinter der ein alter, stillgelegter Gasometer schwarz und kompakt vor dem wolkenlosen Junihimmel stand. Die Mauer war mit Plakaten beklebt, die in täuschend ähnlicher Wiedergabe eine Backsteinmauer und darauf in flüchtiger Kreideschrift den Namen einer bekannten Biermarke zeigten. Der Mauerkranz war dicht mit einzementierten Glassplittern besetzt.

Der Straßenverkehr war schwach; trotzdem bebten und schütterten die Fenster fortwährend, und zuweilen stießen die hölzernen Schieberahmen mit einem trockenen Geräusch an. Gärtners vom ersten Kriege her geschultes Ohr erkannte das in der Ferne lodernde Geschützfeuer der großen Schlacht, die kaum mehr als hundert Kilometer in der Luftlinie entfernt dort drüben an der

Kanalküste geschlagen wurde. Das Feuer sank zusammen, es schwelte wie in feuchtem Stroh und brach dann wieder in lichten Wellen aus, unendlich fern und doch furchtbar nah. Die letzten »Kesseljagden« waren da im Gange, wie es in der Jägersprache dieses zweiten Krieges hieß. Paris würde in wenigen Tagen fallen. Vielleicht wurden die Landeboote für die Invasion schon herangeschafft und bereitgestellt. Die Fenster zitterten. Das strikkende Geräusch, wie von einer riesenhaften Maschinerie, deren Zähne mit leisem Reiben eiserne Maschen ineinanderfügten, ließ nicht ab. Auch Gärtner zitterte. Es war ihm, als ob ihn jemand ständig auf die Schulter tippte.

Gärtner blickte auf die Uhr. Ihm blieb noch etwa eine halbe Stunde. Es war sieben Uhr, der 3. Juni 1940. In einigen Wochen spätestens würde die Invasion beginnen. Die Aussichten für eine Landung waren nicht ungünstig; für ihn selber waren sie in diesem Falle schlecht. Man würde ihn höchstwahrscheinlich sogleich erschießen bei der Gefangennahme, und es war im Grunde gleichgültig, ob das in den Straßen von London geschah oder am Zaun eines Interniertenlagers. Etwa im Juli, zur Zeit seines fünfzigsten Geburtstages, konnte es so weit sein. Ein halbes Jahrhundert hatte man dann hinter sich gebracht. Der größte Teil davon, und vor allem die besten Jahre, waren Kriegsjahre gewesen, Umsturzjahre, Inflationsjahre, Jahre der Arbeitslosigkeit und verzweifelten Suche nach einer Stellung, die auch für einen hochqualifizierten Brükkenbauer mit Spezialerfahrungen in Spannbetonkonstruktionen nicht zu finden war, Hitlerjahre, Jahre der Verbannung, des Wanderns, und neue Kriegsjahre hier im fremden Land, bestenfalls mehrere Jahre, wenn es den Engländern gelang, sich zu behaupten, wofür eine schwache Chance bestand. Man würde sie hinter Stacheldraht verbringen.

Gärtner wandte sich vom Fenster ab. Das Haus begann zu erwachen, und er flüchtete sein Ohr vor dem ominösen Geräusch der Scheiben in die vertrauten Töne. Im Zimmer unter ihm begann der Spanier auf seiner Gitarre zu klimpern. Er klimperte den ganzen Tag, mit verstimmten Saiten. Die Saiten waren kunstvoll und absichtlich verstimmt; Señor Caralt arbeitete an einem neuen System mit Viertel- und Achteltönen. Die Tür stand immer halb offen oder nur angelehnt. Wenn man hineinsah, erblickte man den kleinen, völlig kahlköpfigen Mann in Hockstellung vor dem kalten Kamin. Man konnte sein Gesicht fast nie erkennen; nur das gelbe Oval der Glatze stand wie ein merkwürdiges, exotisches Ei über dem kostbaren, mit Elfenbein und Ebenholz eingelegten Instrument, das sich der Professor aus Barcelona gerettet hatte.

Lauter ging es in dem anderen Zimmer zu, in dem das ungarische Pärchen wohnte. Sie hatten eine uralte, asthmatische Schreibmaschine, auf der sie Flugblätter zu Stößen und Ballen aushämmerten. Zwischendurch, zu den unwahrscheinlichsten Tageszeiten, gingen sie zusammen ins Bett, wo sie sich nicht minder geräuschvoll gebärdeten. Die Frau kreischte und jaulte; der Mann stieß trockene He-He-Laute aus, als feuerte er ein Gespann zu schärferer Gangart an. Fast unvermittelt sprangen sie dann auf und setzten wieder das Göpelwerk ihrer Schreibmaschine in Bewegung. Ihre Tür hielten sie streng verschlossen.

Dumpfe Schritte klangen aus dem winzigen Kämmerchen gegenüber. Dort wohnte der Russe, ein schwerer, schon fast weißhaariger Mann mit altväterischem, an Puschkinbilder erinnernden Backenbart. Er gehörte zum ältesten Adel der Emigration, denn er war bereits in den zwanziger Jahren geflüchtet und besaß längst keinen Paß mehr. Seine Füße steckten in hohen, weichen Muschikstiefeln aus feinem, mit Birkenrinde gegerbtem Juchtenleder; offenbar hielten sie auch nach zwanzig Jahren noch zusammen. Er sprach auf französisch, deutsch oder englisch mit den Hausgenossen und erzählte zuweilen von seinen Freundschaften mit

Lenin, mit Trotzkij, der Krupskaja, mit Meyerhof oder den Malern Levitan und Pasternak. Meist wanderte er in dem kleinen Käfig auf und ab und deklamierte mit außerordentlich wohlklingender Stimme im tiefsten Baß. Er behauptete, er sei einer der wenigen noch Lebenden, die das ganz reine, klassische Russisch, das Russisch Puschkins, Aksakoffs und Tolstojs, in echter Intonation beherrschten, und er wünschte sich das zu erhalten. Im Augenblick war wenig Bedarf danach, besonders seit dem Pakt zwischen Hitler und Stalin. Aber der Tag würde kommen, da er zu der jüngeren Generation seiner Landsleute zu sprechen hätte. Es war entscheidend wichtig, daß sie dann ein reines Russisch zu hören bekamen.

»Lernen Sie Russisch, Ingenieur«, hatte er zu Gärtner gesagt — und er sprach es wie 'Ruhssiesch' aus —, »das ist wichtiger als Ihr Beton. Zu Hause glauben sie freilich jetzt auch nur an Zement und Traktoren. Das ist wie ein Schwein frißt Apfelsinen. Abärr, abärr!«, und dabei hob er seine Hände, die wie in übergroßen Handschuhen von faltiger Haut steckten, »die Revolution hat erst begonnen. Sie frißt Menschen wie ein Bauer Kascha, so!« Er machte eine schaufelnde Bewegung zu seinem breiten Munde hin. »Sie hat erst begonnen. Sie legt sich auf die andere Seite, alle sieben Jahre, wie ein Mann, der schlecht schläft. Aber eines Tages wird sie erwachen, lernen Sie Russisch, Ingenieur. Aus Rußland kommt das Licht, früher oder später, Ihr anderen seid passé, ausgebraucht, oder wie saggen Sie? Es ist gut, die Sprache zu verstähänn, wenn der Tag kommt.«

Gärtner blätterte seinen Abreißkalender durch. Anfangs waren da noch einige Eintragungen: die Gänge zur Polizei, den Hilfsorganisationen, ein paar Verabredungen, die zu nichts geführt hatten. Die drei kurzen Begegnungen mit Barbara hatte er aus Scheu nicht festgehalten. Dann kamen nur noch weiße Blätter, ganze Monate weißer Blätter.

Auch von den Begegnungen mit Barbara verblieb im Grunde nur die Erinnerung an die letzte Nacht. Beide waren sie eigentlich todmüde gewesen: er vom langen Warten und dem ergebnislosen Herumlungern, das Mädchen, das als Barfrau im Colchester-Hotel arbeitete, todmüde vom Stehen und dem Mangel an Schlaf. Sie weckte ihn immer wieder aus dem Halbschlummer mit abgerissenen Worten aus ihrer Lebensgeschichte. Er sah sie mit aufgestützten Armen über sich gebeugt, noch im Morgengrauen. Die beiden Brüste standen schwarz gegen die blasse Helle des vorhanglosen Fensters. Er hörte ihre tiefe, sehr genau artikulierende Stimme, wie von einer Rundfunkansagerin.

Gärtner riß das letzte Blatt ab. Er schrieb mit seiner deutlichen, etwas steifen Handschrift einen Gruß an Barbara darauf:

»Es ist soweit. Sie waren hier. Ich schreibe, sobald ich kann. Alles Gute. K.«

Er steckte den Zettel in einen Umschlag, adressierte und klebte eine Briefmarke darauf. Das würde wohl die letzte Handlung als Zivilist und freier Mann sein; Gefangene benutzten keine »Freimarken«, wenn sie überhaupt Post versenden durften. Er drückte die Marke, mit der Faust leicht hin und her rüttelnd, fest.

Langsam stand er auf, nahm den Mantel über den Arm und den Koffer in die Hand.

Er stieg die Treppe herunter. Der Spanier klimperte auf seiner kunstvoll verstimmten Gitarre, aus dem Zimmer der Ungarn klang die asthmatische Schreibmaschine, aus dem Kämmerchen des Russen waren die dumpfen Schritte der juchtenledernen Stiefel zu hören. Die Wirtin ließ sich nicht mehr sehen.

Er öffnete die Haustür und blickte in die strahlende Junisonne. Der ferne Geschützdonner war hier in der freien Luft nicht mehr zu vernehmen. Über der Mauer mit den Bierplakaten hingen im blauen Äther die aluminiumfarbenen Hüllen der Fesselballons, die als Abwehrsperre gegen feindliche Flugzeuge dienen sollten.

Prall und lustig wie auf einem Jahrmarkt tanzten sie in der leichten Brise. Das Wetter war herrlich, wie stets zur Zeit großer Offensiven.

Die 'Schwarze Marie' kam flink und leise um die Ecke und hielt. Der Polizist stieg aus und blickte verwundert auf den Wartenden:

»Oh, Sie sind das?«

»Ja«, sagte Gärtner.

»Kommen Sie«, sagte der Polizist und öffnete die vergitterte Tür.

Gärtner blickte sich noch einmal um. Aus dem Zimmer im ersten Stock kam, leise ruckend, der Schildkrötenkopf der Erzieherin. Er beschrieb einen unsicheren Kreis und zog sich wieder zurück. Die Hauswirtin blieb unsichtbar. Gärtner nahm seinen Koffer und stieg ein. Das Auto hupte einmal kurz an und fuhr rasch davon.

2

DIE SCHWARZE MARIE

Die 'Schwarze Marie', außen ihrem Namen entsprechend in glänzender Rußfarbe lackiert, war innen lazarettweiß und roch wie eine leere Konservenbüchse. Die Längsseiten waren mit Holzpritschen ausgestattet, auf denen bereits zwei Häftlinge saßen: ein Fünfzigjähriger in elegantem Sommermantel, mit einer Melone über dem vollen Gesicht und einem breiten Schlips, der mit einer goldenen Nadel in Hufeisenform geziert war, und ein sehr alter Herr in abgetragenem dunklem Anzug. Er hielt den schmalen Kopf in die Hände gestützt und sah nicht auf. Der Sommermantel musterte Gärtner mit ungenierten Blicken, griff mit zwei

Fingern an den Hut und stellte sich vor: »Elzbacher.« Er zog eine krokodillederne Zigarrentasche aus der Brustseite seines Anzugs und zündete sich eine Importe an, nachdem er die Bauchbinde mit dem sorgfältig manikürten Daumennagel aufgeritzt, das Band zusammengeknifft und in seiner Westentasche versorgt hatte. Den Rauch blies er in langen Stößen vor sich hin. Dann fuhr er mit einem flüchtigen 'Pardon' durch die Schwaden, um sie mit der Hand zu zerstreuen. Der würzige Geruch der Havanna füllte den engen Raum des kahlen Polizeiwagens mit einem wunderlichen Hauch von Opulenz und Wohlbehagen.

»Eh«, sagte der Polizist im Vorderteil des Wagens und beugte sich über die eisernen Stangen zurück, die ihn von den Gefangenen trennten, »wer raucht da eine Zigarre?«

Elzbacher blickte ihn mit starren Augen an: »Ist Rauchen etwa verboten?«

»Nein«, erwiderte der Polizist und drehte sich wieder um.

»Na also«, sagte Elzbacher. Er rückte die Melone flott aus der Stirn, auf der kleine Schweißtropfen standen, und wandte sich an Gärtner:

»Ein komisches Volk. Eine Zigarre halten sie noch immer für etwas Besonderes. Jede Gemüsefrau auf dem Markt raucht Zigaretten und läßt die Asche auf ihren Blumenkohl fallen. Aber eine Zigarre, das ist etwas für Lords oder Klubleute und Aufsichtsratssitzungen. Ich habe übrigens zwei solche hohe Herren im Board meiner Firma, Lord Rascarrel und Lord Stembuster, wenn Ihnen das etwas sagt. EXCELSIOR Ltd. Wir machen die halbsteifen Kragen.« Seine Hand mit der Zigarre bebte heftig.

»Stembuster hat sofort mit dem Kriegsministerium telefoniert wegen meines Falles«, fuhr Elzbacher fort. Er machte kreisende Bewegungen mit der Zigarre, um das Zittern seiner Hand zu verbergen.

Der alte Herr blickte auf. Sein hagerer Hals steckte in einem zu weiten, sehr dünngewaschenen weißen Hemd, das gewendet war und etwas schief stand.

»Das Kriegsministerium?« fragte er. »Ich dachte, wir unterstehen der Polizei. Eine merkwürdige Erfahrung für einen alten Richter, von der Polizei abgeholt zu werden. Entschuldigen Sie, meine Herren: Krohnert ist mein Name. Senatspräsident Krohnert.«

»Angenehm«, sagte Elzbacher. »Natürlich unterstehen wir dem Kriegsministerium, die Polizei besorgt nur den Abtransport. Kriegsgefangene sind wir allerdings wieder nicht, in unserer Stellung als Refugiés. Man kann uns nur als Zivilinternierte behandeln. Insofern unterstehen wir dann dem Home Office. Unser Fall ist etwas kompliziert. Mein Anwalt bemüht sich intensiv, die Sache zu klären. Das dauert hier so seine Zeit, wie Sie wissen. Er wird dann sofort für mich einen Entlassungsantrag einreichen. Was soll denn aus meiner Firma werden? Wir haben ganze Stöße von Exportaufträgen nach Südamerika liegen. Das kann doch nicht alles zum Teufel gehen.«

»Mir ist das alles sehr fremd«, meinte der Senatspräsident. »Ich war nie von meiner lieben Frau getrennt seit unserer Verheiratung. Sie ist nur zwei Jahre jünger als ich. Als ich abgeholt wurde, hat sie einen völligen Nervenzusammenbruch erlitten. Womöglich muß sie in die Klinik gebracht werden. Aber wir haben doch keinerlei Ressourcen, wir sind mit den bekannten zehn Mark in der Tasche hier angekommen und haben von Unterstützungen gelebt. Glauben Sie, daß man noch einmal telefonieren kann?«

Elzbacher meditierte vor sich hin: »Stembuster wird sicherlich etwas unternehmen und Rascarrel vielleicht auch. Er war allerdings merkwürdig reserviert am Telefon.«

»Ich war nie beim Militär«, sagte der Senatspräsident. »Meine liebe Frau hat immer für mich gesorgt, in jeder Beziehung. Vor drei Jahren haben wir noch unsere goldene Hochzeit gefeiert, in unserer Charlottenburger Wohnung.«

»Der Anwalt ist erstklassig«, sagte Elzbacher. »Aber langsam, langsam, wie alles hier. Die Leute haben keinen Begriff von Zeit. Glauben Sie, daß die Engländer den Krieg gewinnen können?« Er wandte sich an Gärtner.

Der zuckte die Achseln: »Wir wollen es hoffen.«

»Vielleicht greifen die Amerikaner doch noch ein«, meinte der Fabrikant. »Sie müssen eingreifen, sie können sich nicht einfach heraushalten und das ganze Geschäft in ihre Tasche stecken. Herrgott, wir waren doch im besten Zuge! Ich habe den halbsteifen Kragen in Deutschland eingeführt, Sie kennen die Marke. Ich habe meine Firma hier wieder aufgebaut, mit großen Verlusten natürlich, aber es ging. Wir haben exportiert, nach Südafrika, nach Indien. Auch in Indien ist unser halbsteifer Kragen sehr populär. Und jetzt kommt dieser Wahnsinn.«

Der Wagen bremste und hielt. Ein lauter Disput erhob sich draußen. Die beiden Polizisten waren in ein rotes Backsteinhaus des Villenviertels gegangen, um den nächsten Häftling abzuholen. Sie erschienen nach einiger Zeit mit einem fast zwei Meter großen, kräftig gebauten Burschen von etwa zwanzig Jahren, der nur halb angezogen war und sich verzweifelt wehrte. Er schlug um sich und schimpfte laut in fließendem Englisch mit breiten amerikanischen Akzenten:

»Ihr lausigen Idioten! Was denkt Ihr Euch, mich aus dem Bett zu holen! Ich bin Amerikaner, amerikanischer Bürger, könnt Ihr das nicht kapieren? Ich bin hier in Euer dreckiges London gekommen, um mich als Freiwilliger bei Eurer verdammten Royal Air Force zu melden. Als Freiwilliger, versteht Ihr das nicht, Ihr Holzköpfe?«

»Kommen Sie, Mann«, sagte der ältere Polizist und drängte ihn mit professionell geschulten Muskeln unwiderstehlich auf die

Tür des Wagens zu. Als der Verhaftete das Gefährt sah, bekam er einen Tobsuchtsanfall.

»Die 'Schwarze Marie', was? Seid Ihr völlig von Gott verlassen? Da soll ich hinein? Mein Name ist Rittburger, ich bin amerikanischer Bürger. Mein Vater hat eine Brauerei in Milwaukee.«

Der Beamte wurde einen Augenblick stutzig bei der Aussprache der Namen. Der Verhaftete brüllte: »Zeigen Sie mir den Verhaftsbefehl vor, Sie!«

Der Polizist wies ihm die Liste.

»Was, dieser Dreckwisch? Das ist doch kein Verhaftsbefehl. Was steht denn da überhaupt? Sagte ich's nicht? Da steht Reitberger. Gott weiß, was das für ein lausiger Vogel ist. Mein Name ist Rittburger, R-i, zwei t, b-u-r-g-e-r, ich habe meinen verdammten Paß nicht bei mir, der ist auf der Botschaft, Sie können dort antelefonieren, fragen Sie nach Oberst O'Sullivan, unserem Militärattachee, der kennt mich, der wird Euch den Marsch blasen. Ich wollte als Freiwilliger . . ., soll man das glauben . . .«

Er riß sich plötzlich aus dem unsicher gewordenen Griff der Polizisten los und sprang mit einem riesigen Satz zurück in den Hauseingang. Dort richtete er seinen zerdrückten Kragen und fuhr sich durch die Haare. Dann brach er in ein unendliches Gelächter aus. Es klang, als ob Ketten auf die Stufen geschüttet würden. Die Polizisten gingen zum Wagen und kletterten auf den Vordersitz.

»Fahrt zu«, rief der Amerikaner, »fahrt zur Hölle! Verhaften, mich, Frank Harold Rittburger! Ich werde das nach Hause schreiben. Die werden sich totlachen, totlachen werden sie sich!«

Die 'Schwarze Marie' fuhr wieder an. Elzbacher wandte sich in ungezwungener Haltung an den Polizisten und fragte:

»Was war denn da los, Officer? Wollte der nicht mitkommen?«

»Nein, das wollte er nicht«, antwortete der Beamte. »Scheint, als ob wir den Falschen erwischt hatten. Das kommt vor.«

Die übrigen Abholungen gingen glatter vonstatten. Der nächste Häftling war ein rotbäckiger jüngerer Mann, der sich sogleich als Schreiner von Beruf, Antifaschist, Spanienkämpfer und Flüchtling seit 1933 bekannt machte. Er lachte fröhlich:

»Macht nichts, macht fast gar nichts, meine Herren. Sitzt doch nicht so verdattert da! Was haben sie mich schon eingespundet, erst Adolf, und dann in Spanien und in Frankreich, und jetzt hier beim Engländer! Wollen mal sehen, ob der das besser kann. Ein anständiger Mensch sitzt heute hinter Stacheldraht, das habe ich immer gesagt. Damit kriegt uns keiner klein, noch lange nicht.«

Er griff in die Hintertasche seiner weitgeschnittenen Hose und holte ein Spiel Karten hervor, schlug sie knallend in die linke Hand und ließ die Blätter geschickt zwischen den Fingern aufrauschen.

»Ein kleiner Skat gefällig, meine Herren? Die fahren doch noch gute zwei Stunden herum, ehe sie uns alle zusammen haben. Keine Meinung? Na, dann vielleicht später.«

Der Senatspräsident blickte auf und sagte leise:

»Glauben Sie denn, daß hier irgend jemand nach Kartenspielen zumute ist? Und schämen Sie sich gar nicht vor den Engländern?«

»Warum soll ich mich schämen?« erwiderte der Rotbäckige. »Die sollen sich schämen, daß sie mich verhaften als alten Antifaschisten. Aber reg Dich nicht auf, Großvater, reg Dich nicht auf! Wenn alles gut geht, dann bist Du in ein paar Jährchen wieder zu Hause bei Muttern.«

»Lästern Sie doch nicht, Mensch«, sagte der Senatspräsident mit aufgeregt erhobenen dünnen Händen. »Was reden Sie da von ein paar Jahren! Das überlebt doch kein Mensch.«

»Sie glauben gar nicht, was ein Mensch alles überlebt«, meinte der Schreiner und lachte trocken. »Das haben wir gesehen. Ich könnte Ihnen Geschichten erzählen.«

»Und womöglich verschicken sie uns nach Übersee«, jammerte der alte Richter.

»Immer zu, immer zu«, lachte der Rotbäckige. »Da sieht man noch was von der Welt. Ich wollte immer mal nach Australien. Da gibt es großartige Furnierhölzer, hart wie Eisen und mit der schönsten Maserung.«

Der Fabrikant Elzbacher winkte zornig mit seiner Zigarre: »Hören Sie auf, Sie! Das kann ja kein Mensch mit anhören. Sie sind ein junger Bursche, ohne Verantwortungen, ohne Familie. Hier sind Leute, die Frau und Kind haben, die ihr Geschäft von heute auf morgen im Stich lassen müssen. Meine Firma, was wird aus meiner Firma ...«

»Andere haben sich ohne Firma durchgeschlagen«, erwiderte der Schreiner. »Meine Betriebseinrichtung zum Beispiel besteht aus meinen beiden Händen.« Er hielt ihm seine stark verarbeiteten Finger hin. »Sie sind ein bißchen schwarz, von der Schwarzarbeit nämlich. Regulär läßt man doch unsereinen nicht arbeiten heutzutage. Wir haben uns ganz schön damit durchgeschlagen, in Polen, in Frankreich und hier. Und zwischendurch haben wir auch ein bißchen mit dem Karabiner gearbeitet, und zu einer Zeit, wo andere noch mit Hermann Göring auf die Wolfsjagd gingen. Wir kennen den Ernst des Lebens. Aber deshalb lassen wir uns die gute Laune nicht verderben. Das macht nichts, das macht fast gar nichts, sage ich.«

Beim nächsten Halt bestieg der Schriftsteller Heinrich Lesser den Polizeiwagen, ein langaufgeschossener, hagerer Vierziger mit einer Baskenmütze auf dem kurzgeschorenen Langschädel. Er trug eine Stahlbrille, die er immer wieder abnahm, am Henkel schwenkte und wieder aufsetzte und zurechtrückte. In außerordentlich fließendem und fast makellosem Englisch machte er sich bekannt und erzählte, daß er mitten aus seiner Arbeit an dem Buch 'Our greatest Ally' herausgeholt worden sei. Die ersten

Bogen seien bereits in der Maschine. Dann unterbrach er sich und fuhr auf deutsch fort:

»Ach so, jetzt sprechen wir erst einmal wieder in der Frau Muttersprache! Entschuldigen Sie, ich habe so lange hier und in den Staaten gelebt, daß ich mich wieder gewöhnen muß.«

Er zeigte auf eine flache Reiseschreibmaschine, die er unter seinem Regenmantel verborgen hatte. »Das Ding habe ich mitgebracht, denn ich muß die letzten Kapitel noch fertigschreiben. Wir wollen sehen, ob wir das durchschmuggeln können. Ich kenne die Prozedur. Ich war schon einmal viereinhalb Jahre Seiner Britannischen Majestät Gefangener, auf der Isle of Man, 1914–1918. Das waren allerdings andere Zeiten. Damals war die spanische Regierung für uns Schutzmacht. Heute wird sich kein Schwanz um uns kümmern. Es gab Geld wie Heu. Wir hatten Großkaufleute aus London im Lager, Bankiers, Schiffskapitäne, da wurde gepokert bis in die Hunderte und Tausende von Pfunden. Eine schöne Lehrzeit für einen Gymnasiasten. Sie hatten mich nämlich in ein englisches Internat gesteckt im Frühjahr 1914, weil ich zu Hause nicht zu bändigen war. Im August wurde ich dann interniert und im Dezember 1918 freigelassen. Wenigstens habe ich in der Zeit mein Abiturium gemacht. Die Prüfungsarbeiten wurden über Holland an das Kultusministerium in Berlin geschickt und kamen von da zurück.«

Aufgeregt drängten sich die Häftlinge um ihn und wollten wissen, wie es denn in der Internierung zuginge. Post? Verpflegung? Besuche? Könne man sich seinen Anwalt kommen lassen? fragte der Fabrikant Elzbacher.

»Wie es jetzt sein wird, weiß ich natürlich nicht«, sagte Lesser und schwenkte seine Stahlbrille am Henkel. »Korrekt wird man uns behandeln, das ist sicher. Aber der Kuddelmuddel ist bestimmt unglaublich. Ich sprach darüber mit meinem Verleger. Er war in einem der Camps. Sie haben nicht einmal genug Decken.«

»Und mit dieser Organisation wollen sie den Krieg gewinnen«, sagte Elzbacher. Seine Zigarre war ausgegangen, und er schob den kalten Stummel von einem Mundwinkel in den andern.

»Sie werden den Krieg gewinnen«, sagte der Schriftsteller mit nachdrücklichem Ton. »England verliert immer alle Schlachten, außer der letzten, und darauf kommt es an. Sie kennen die Leute nicht. Ich kenne sie. Sie sind zäh.«

»Das kann aber lange dauern«, meinte der Fabrikant, »und inzwischen geht alles, was man sich aufgebaut hat, zum Teufel.«

»Viel wird dabei zum Teufel gehen, das ist sicher«, sagte Lesser. »Ich hoffe nur, daß uns das deutsche Volk eines Tages zu Hilfe kommt. Davon handelt mein neues Buch. Solange es gut geht und sie siegen, sind natürlich die meisten für Hitler. Wenn aber erst einmal die großen Rückschläge kommen, und die müssen kommen, dann wird man sehen, wie sich das Blatt plötzlich wendet.«

»Da ist die Reichswehr«, fuhr Lesser in seinem Artikel fort. »Die haßt doch den österreichischen Gefreiten wie die Sünde. Sie wird die erste Gelegenheit benutzen, ihm den Kragen umzudrehen. Und da sind die Arbeiter. Die haben jetzt alle eine Waffe in der Hand. Sie werden sie eines Tages umdrehen, denken Sie an meine Worte.«

»Richtig!« rief der rotbäckige Schreiner. »Das haben wir immer gesagt, als das Gerede von der Aufrüstung losging: der Kerl wagt ja doch gar nicht, uns die Knarre in die Flossen zu geben!«

»Er hat es aber gewagt«, sagte Gärtner, der so lange geschwiegen hatte.

»Er hat es gewagt, tatsächlich«, meinte Lesser, »aber wir werden sehen, was dabei herauskommt. Eines Tages wird es ein furchtbares Erwachen geben. Und dann kommt das große Aufräumen, das versichere ich Ihnen.«

»Zunächst marschieren sie«, sagte Gärtner, »alle.«

»Das liegt nun einmal im Deutschen«, meinte Lesser. »Wenn der Befehl kommt, dann nehmen sie das Gewehr und ziehen los. Aber ebensogut schmeißen sie den ganzen Kram hin, wenn es ihnen nicht mehr paßt.«

»Wann waren Sie zuletzt in Deutschland?« fragte Gärtner.

»Ich war 1933 in Hollywood, als der Blödsinn losging«, erwiderte der Schriftsteller. »Nach Berlin bin ich gar nicht erst wieder zurückgefahren.«

»Sie kennen die Diktatur nicht«, sagte Gärtner. »Sie kennen den Terror nicht.«

»Ich war in Italien, während des abessinischen Krieges.«

»Nun ja, Mussolini. Das können Sie nicht vergleichen.«

»Wir haben unsere Informationen«, sagte Lesser und rieb etwas pikiert die Gläser seiner Stahlbrille auf dem Rockärmel ab. »Ich glaube sogar, daß wir etwas besser orientiert sind als die Leute, die so lange noch in Deutschland blieben. Und dann vergessen Sie eins nicht, meine Herren — ich habe das in meiner vorigen Broschüre 'Oil Will Win The War' ausgeführt —, dieser Krieg ist ein Rohstoffkrieg. Er wird mit Öl geführt. Hitler hat kein Öl. Öl gewinnt den Krieg. Gummi gewinnt den Krieg. Hitler hat keinen Gummi. Die deutsche Rohstofflage ist katastrophal. Darin sind sich alle Experten einig.«

»Sehr richtig«, erklärte der Fabrikant Elzbacher, »sehr richtig. Stembuster hat das auch immer betont, und der muß es schließlich wissen. Die deutsche Rohstofflage *ist* katastrophal.«

»Herrschaften, Herrschaften«, rief Gärtner, »was sind das für Illusionen! Inzwischen stehen sie dort drüben am Kanal. Wenn Ihr einen Augenblick still seid, könnt Ihr die Scheiben klirren hören. Wenn Ihr ...«

Der Senatspräsident unterbrach ihn mit beschwörend aufgereckten Händen:

»Aber lassen Sie doch, lieber junger Freund! Lassen Sie doch Herrn Lesser ausreden! Ich verstehe von all diesen wirtschaftlichen Dingen nichts. Aber wenn die angesehensten Fachleute der Welt sich darüber einig sind, dann muß doch daran etwas sein. An irgend etwas müssen wir doch glauben. Sonst müßte man ja verzweifeln.«

»Verzweifelt wird nicht!« rief der Schreiner. »Das wäre noch schöner. Die Brüder bekommen eines Tages ihr Fett.«

Gärtner blickte sich um. Die Augen der anderen Häftlinge waren voll Abneigung und Mißtrauen auf ihn gerichtet. »Ich will niemand seine Hoffnungen rauben«, sagte er leise.

»Von Hoffnungen ist hier nicht die Rede«, erklärte Lesser und rückte seine Brille auf der Nasenwurzel fest. »Wir sprechen von Tatsachen.«

»Ich liebe es nur nicht, mir etwas vorzumachen«, fuhr Gärtner eigensinnig fort, obwohl er spürte, daß er gegen die Strömung schwamm. »Die Tatsachen sprechen ihre eigene Sprache. Sie kümmern sich nicht um die Experten. Die reden heute so und morgen so. Unsere Sache steht im Augenblick schlecht. Damit müssen wir uns abfinden. Vielleicht steht sie eines Tages besser.«

»Nun also«, sagte der Senatspräsident, »das meinen wir ja alle, das meinen wir doch im Grunde alle, nicht wahr?«

Der Wagen hielt, und die Tür wurde geöffnet. Die Polizisten gaben Anweisung, auszusteigen.

»Zusammenbleiben, zusammenbleiben!« rief der Senatspräsident aufgeregt den anderen zu. »Wir kennen uns doch nun schon ein wenig. Es ist merkwürdig: man hat sich kaum gesehen und fühlt sich doch schon irgendwie zusammengehörig, fast wie eine Familie. Lassen Sie uns zusammenbleiben!«

In geschlossener Gruppe marschierten sie auf die Polizeistation zu. Ein uniformierter Beamter nahm sie in Empfang und führte sie in den Keller, wo sie in einer Ecke Platz nahmen.

Vor der 'Schwarzen Marie' standen die beiden Polizisten in Zivil und sahen noch einmal die Liste mit den Verhaftsbefehlen durch. »Die Zigarre, die der rauchte«, sagte der Ältere von den beiden.

»Eine halbe Krone mindestens«, meinte der Jüngere.

»Und die Namen, die Namen! Man könnte verrückt dabei werden. Sieh Dir das an! Da heißt einer ... ja, wie sollst Du das aussprechen, willst Du mir das sagen?« Er wies auf eine Zeile, in der »Schendschersitzky, Beruf Geiger, geboren 1912 in Glogau, Schlesien«, stand.

»Was für eine Sprache ist das denn?« fragte der Jüngere. »Polnisch vielleicht?«

»Die Polen sind Bundesgenossen«, sagte der Ältere.

»Dann ist er doch ein Deutscher?«

»Höchstwahrscheinlich. Er steht ja auf der Liste. Aber da kannst Du Dich auch täuschen. Der Amerikaner: Rittberger oder Reitbürger! Der Vater hat eine Brauerei in Milwaukee, was? Das kann sogar stimmen. Die Aussprache machte mich stutzig.«

»Meinst Du, daß er sich wirklich bei der Royal Air Force melden will?«

»Warum nicht? Da sind viele mit deutschem Namen in den Staaten. Und wie der Kerl lachte! Ich glaubte, eine Ader würde ihm platzen. Nun komm aber! Bei der nächsten Runde fahren wir auch bei der Bezirksbücherei vor. Da sitzen immer welche im Lesesaal, damit man sie nicht zu Hause antrifft. Dann kannst Du noch dreimal kommen. Großer Gott, was für eine Schererei das ist! Ich bin froh, wenn wir damit durch sind!«

»Ich auch«, sagte der Jüngere. »Rittbacker, tatsächlich! Du solltest es nicht für möglich halten.«

3

IM KELLER DER POLIZEISTATION

Die Fünf blieben zusammen. Sie nahmen in einer Ecke des sehr geräumigen Kellers Platz. Wie auf einer Kohlenschütte rollten immer weitere Schübe hilfloser Menschheit den engen Gang herunter und setzten unten auf. Aber sogleich begann eine mächtige, formbildende Hand sie zu ergreifen und zu ordnen: fast jede der neuangekommenen Gruppen, so zufällig sie im Polizeiwagen zusammengewürfelt sein mochten, blieb beieinander und bildete alsbald eine geschlossene Gemeinschaft. Nur wenige Einzelgänger lösten sich ab und wanderten ziellos umher oder hockten sich dumpf irgendwo hin.

Ein athletisch gebauter Mann ging mit leicht tanzenden Schritten, wie ein Boxer beim Sparring, auf und ab. Das Gesicht schien wie von den Krallen einer Raubkatze gezeichnet: lange, senkrecht laufende Narben, die Brauen und Lippen zerrissen hatten, gingen von der Stirn bis zum Kinn. Er hatte keinerlei Gepäck bei sich, sondern nur eine flache Segeltuchtasche vorn um den Hals gehängt. Seine braune Zunge hing weit heraus und wälzte sich unaufhörlich über den verwüsteten Lippen. Zuweilen nahm er sie herein und sprach zu sich selbst. Dann trat er an einige der Gruppen heran und sagte mit leiser, kaum hörbarer Stimme:

»Wißt Ihr, was die Glocke geschlagen hat? Ihr wißt es nicht. Ihr freßt und sauft und schlaft mit Euren Weibern und wartet auf den Messias, der kommen und Euch erlösen soll. Aber wenn er kommt, dann erkennt Ihr ihn nicht. Ich habe ihn erkannt, und ich sage Euch: Hitler ist der Messias. Hitler ist der Messias!«

Man versuchte ihn zunächst zu ignorieren. Er wurde immer erregter und lauter. Er begann zu brüllen:

»Höre, Israel! Du hast nie hören wollen, Du bist verstockt und verschlagen. Deshalb wirst Du ausgetrieben und gezüchtigt. Auch ich bin ausgetrieben und gezüchtigt worden. Ich habe die Stimme gehört, und ich sage Euch: Hitler ist der Messias! Er wird Euch mit Geißeln und Skorpionen zusammentreiben . . .«

»Aber das ist ja unerhört!« sagte Elzbacher. »Ist denn kein Arzt da? Es muß hier doch Ärzte geben unter uns. Der Mann ist ja krank.«

»*Du* bist krank«, sagte der Narbige drohend. »Du willst nicht hören. Du bist ersoffen in Wohlleben und Hoffart und Eitelkeit und trägst die Zeichen ganz frech zur Schau!« Dabei wies er mit dem Finger auf die goldene Schlipsnadel des Fabrikanten. »Steh auf, wenn ich mit Dir rede!« herrschte er ihn an.

»Wachhabender!« rief Elzbacher laut nach der Polizei. »Holt doch den Wachhabenden! Der Mann ist ja gemeingefährlich. Polizei!«

Bei dem Worte Polizei duckte sich der Narbige tief. Er hielt die Hände abwehrend über dem Kopf, als wollte er sich vor Schlägen schützen, flüchtete in die äußerste Ecke des Kellers und kauerte sich dort auf dem Boden hin.

»Nicht die Polizei rufen!« flüsterte er vor sich hin. »Nicht die Polizei. Ich bin still. Ich sage kein Wort mehr.«

Jemand gab ihm aus einer flachen Hüftflasche etwas zu trinken. Er schluckte gierig und lehnte sich mit halbgeschlossenen Augen zurück. Er tat so, als ob er schliefe. Unter den bis auf einen schmalen Schlitz heruntergelassenen Lidern wanderten seine Augen hin und her und beobachteten die anderen Häftlinge, die sich nur noch gedämpft unterhielten.

»Das Beste ist, man läßt ihn in Ruhe«, sagte Gärtner.

»Aber so kann das doch nicht weitergehen«, meinte Elzbacher, der unwillkürlich mit der Hand seinen Schlips bedeckt hielt. »Ich sage Ihnen, der Mann ist gemeingefährlich. Ich verstehe nicht, wie man ihn frei herumlaufen läßt. Er gehört in eine Anstalt. Womöglich kommt er aus einer Anstalt.«

»Der kommt ganz woanders her«, sagte der Schreiner. »Seht Ihr denn nicht, wie sie den zugerichtet haben? Wir kennen das. Kein Wunder, wenn der Mensch dabei etwas aus der Fasson kommt.«

»Wir lassen ihn jetzt in Frieden«, erklärte Gärtner mit Autorität. »Vielleicht schläft er wirklich ein. Blicken Sie nicht immer wieder herüber, Herr Elzbacher.«

Gehorsam wandte sich der Fabrikant ab. Nach kurzer Zeit war der Zwischenfall vergessen. Die Stimmen erhoben sich wieder. Man fragte ungeduldig, wie lange die Warterei denn dauern solle. Und wann würde es etwas zu essen geben? Wohin würde man zunächst gebracht?

Mit dem letzten Schub von Eingelieferten kam ein blutjunger Polizist in den Keller herunter. Die Häftlinge umringten ihn und bestürmten ihn mit Fragen.

»Um halb zwölf Uhr werden Sie abgeholt«, sagte der Polizist.

»Und wohin geht es dann?«

Er zuckte die Achseln.

»Kann man nicht inzwischen noch einmal telefonieren?« fragte Elzbacher. »Ich muß unbedingt noch einmal bei meiner Firma im Büro anrufen.«

Der Polizist schüttelte abwehrend den Kopf und lächelte verlegen.

»Kann ich nicht wenigstens Lord Stembuster persönlich anrufen?« fragte der Fabrikant. »Er ist Mitglied meines Aufsichtsrates, Excelsior Ltd., 44, King Williams Street. Das ist meine Firma.«

»Nein«, sagte der Polizist, »kein Telefonieren und keine Briefe. Aber Sie können sich etwas zu essen bestellen, wenn Sie Hunger haben.« Er nahm selbst die Aufträge entgegen.

»Na, das ist doch wieder sehr kulant von den Leuten«, meinte Elzbacher und füllte einen ganzen Abreißzettel aus seinem Notizbuch mit einer umfänglichen Liste. Er blickte sich dabei im Kreise der fünf um und sah, daß keiner der anderen etwas bestellte. »Natürlich für die ganze Gesellschaft«, sagte er schnell. »Sie erlauben, Herr Senatspräsident, und Sie, meine Herren? Wir sind doch gewissermaßen eine Familie.«

»Ich habe keinen Appetit«, meinte der rotbäckige Schreiner.

»Essen Sie nur ruhig, essen Sie nur mit«, sagte Elzbacher. »Essen und Trinken hält Leib und Seele zusammen, das ist eine alte Weisheit. Wer weiß, wann wir wieder etwas Ordentliches in den Magen bekommen.«

»Kein Bier, keine Spirituosen«, erklärte der junge Polizist, als er Elzbachers Zettel besah.

»Na, dann nehmen wir Orangensaft«, sagte der Fabrikant. »Wir sind mit allem zufrieden. Sehen Sie nur zu, daß wir nicht zuallerletzt darankommen.«

Der junge Polizist errötete leicht. »Ist das alles für heute? Und für Sie allein?«

»Aber nein, Officer«, versicherte Elzbacher hastig, »hier für die ganze Runde!« Er beschrieb einen weiten Kreis mit der Hand.

»Na schön«, sagte der Polizist und wandte sich zum Gehen.

Nach einiger Zeit kamen Laufjungen aus den Geschäften der Umgebung und brachten in großen Lieferkörben das Gewünschte. Es wurde eifrig verteilt, gegessen und getrunken. Die Unterhaltung belebte sich. Man zog Fotografien hervor und zeigte sie im Kreise herum.

»Das ist das Porträt meiner lieben Frau«, sagte der Senatspräsident. Das Foto zeigte eine alte Dame mit weißen Haaren, die im Nacken zu einem Knoten geflochten waren. Die hochgeschlossene, zeitlose Bluse war mit einer Kameenbrosche zusammengehalten. »Wir haben die Aufnahme in Venedig machen lassen, vor drei Jahren. Alle zehn Jahre sind wir zur Erinnerung an unsere Hochzeitsreise nach Italien gefahren, und meine Pension wurde mir ja immerhin noch ausgezahlt, bis wir fortgingen. Ach, Venedig! Sie kennen Venedig?« wandte er sich an den Schriftsteller Lesser.

»Allerdings. Ich habe da die Aufnahmen zu meinem Film 'Die Tochter des Condottiere' gemacht. In der Bar vom 'Gritti' trafen wir uns immer mit Hemingway. Sie wissen, er säuft wie ein Loch.«

»Das sind meine beiden Jungen«, erklärte Elzbacher. »Vierzehn und zwölf. Ich habe sie gleich nach Kriegsausbruch nach USA geschickt, auf die Ashley-School bei Stamford. Ein ganz erstklassiges Internat. Sie haben sicher davon gehört.«

Gärtner zögerte ein wenig, dann brachte er Barbaras Foto hervor und zeigte es den andern.

»Sehr apart«, sagte der Senatspräsident.

»Hübsch«, meinte Elzbacher. »Und das ist mein Büro in der King Williams Street, und da bin ich im Konferenzzimmer mit meinem ganzen Personal. Die Einrichtung hat ein Heidengeld gekostet, aber man muß ja hier anständig möbliert sein. Alles Mahagoni, massiv Mahagoni!«

»Ja«, sagte der rotbäckige Schreiner, »der Engländer hat noch schöne Hölzer. Da siehst Du so Sorten, die wir gar nicht kennen. Satinholz zum Beispiel, habt Ihr schon eine Schranktür in Satinholz gesehen? Das ist wie Seide, kann ich Euch sagen. Rosenholz, Zitronenholz, Eibe und Walnuß, aber nicht nur aufgelegt, sondern solide aus dem Stück gearbeitet! Und die Politur! Polieren können sie, das muß ihnen der Neid lassen. Da habe ich noch etwas gelernt auf meine alten Tage. Aber sonst wird hier auch schon mächtig geschludert. All das neue Zeug: nichts als Furnitur, und hauchdünn, hauchdünn, und die Lehnen im Dampf gebogen und die Beschläge aus Blech vernickelt.«

Der Fabrikant zog die goldene Hufeisennadel aus seinem Schlips: »Das war mein Ehrengeschenk vom Trabrennverein Ruhleben. Ich habe seinerzeit zusammen mit Bruno Cassirer die Trabrennen in Berlin eingeführt. Sie werden sicher meine Farben gesehen haben: orange und lila. Johnny Morgan war mein Trainer. Das war ein Genie, meine Herren, ein Mann mit dem echten Pferdeverstand und mit einem unfehlbaren Blick für das Wetter.«

Er steckte die Nadel zurück und blickte plötzlich scheu in den Winkel des Kellers. »Was wollte der Verrückte eigentlich gerade von mir? Schläft er jetzt?«

»Lassen Sie ihn doch!« sagte Gärtner streng. »Er schläft, oder jedenfalls ist er ganz ruhig.«

Der Schreiner zog erneut seine Karten aus der weiten Hose und schlug sie in die linke Hand: »Wie ist es jetzt mit einem Spielchen, meine Herren? Das dauert doch noch seine Weile.«

Der Senatspräsident ging eifrig und fast gierig auf den Vorschlag ein:

»Vielleicht kein schlechter Gedanke. Das lenkt uns etwas ab. Sie spielen doch auch mit, Herr Direktor Elzbacher?«

Der Fabrikant zögerte etwas, sich mit dem Handwerker zusammenzusetzen, aber er fand schließlich, daß die besonderen Umstände den Fall legitimierten, und erklärte sich bereit.

»Und Sie, Herr Lesser?« sagte der Senatspräsident.

»Danke. Ich bin ein völliger Kartenidiot. Ich spiele nicht einmal Bridge, höchstens Poker.«

»Oh!« machte der Senatspräsident. »Nein, das können wir uns nicht leisten. Aber wie steht es mit Ihnen, Herr Diplomingenieur?«

»Mäßig«, erwiderte Gärtner. »Ich habe wohl seit dem ersten Krieg keine Karte mehr in der Hand gehabt. Aber wir wollen es versuchen.«

»Sie geben, Hoher Gerichtshof«, sagte der Schreiner und schob dem Senatspräsidenten das rasch gemischte Spiel zu. »Und nun los! Heraus mit der Zicke an die Frühlingsluft! Pik ist Trumpf. Ich spiele aus. Hier kommt gleich einer, der ist nicht von schlechten Eltern. Und die Trabrennbahn geht drüber, jawoll, so muß es sein!«

»Einen Augenblick, einen Augenblick«, rief der Senatspräsident, »nicht so schnell! Ich muß meine Karten erst richtig sortieren. Die alten Hände wollen nicht mehr so recht.«

»Und der und die, begucken Sie sich die Dame mal von allen Seiten: fett wie eine Wachtel. Und hier das As«, rief der Schreiner. »Dieses kleine Aas macht fürn Sechser Spaß! Diese Runde wollen wir erst einmal für uns buchen. Ich schreibe mir 44 an, meine Herren.« Er zog einen breiten Zimmermannsbleistift heraus und vermerkte die Zahl auf einem Blatt.

Sie spielten, bis eine Stimme von der Kellertreppe her »Abmarsch!« und »Fertigmachen!« rief. Alle stürzten sich auf die Gepäckstücke und drängten zum Ausgang.

»Zusammenbleiben, zusammenbleiben, meine Herren!« klagte der Senatspräsident. »Wir werden ja auseinandergerissen! Um Gottes willen, zusammenbleiben!« Er war weit ins Hintertreffen geraten und drückte seine altmodische runde Reisetasche ungeschickt gegen die Brust.

»Kommen Sie, kommen Sie, Hoher Gerichtshof«, sagte der Schreiner, »ich trage Ihnen das Ding, halten Sie sich nur dicht an mich! Macht nichts, macht fast gar nichts. Kinder, schubst nicht so, Ihr kommt alle noch hinter den Stacheldraht!«

Vor der Polizeistation waren große Ausflugswagen vorgefahren, die hellblau, malvenfarben und weinrot in der Sonne glänzten. Die Häftlinge wurden von militärischen Wachmannschaften in Empfang genommen und verteilt.

»Halt, halt«, keuchte der Senatspräsident, »das geht nicht, wir gehören zu denen da in dem blauen Bus! Lassen Sie uns doch durch!« In seiner Verwirrung sprach er deutsch. Die Soldaten drängten ihn wortlos auf den zweiten Wagen zu.

Elzbacher, der seinen Koffer bereits mit einem mächtigen Ruck in dem blauen Autobus abgesetzt hatte, wandte sich zurück, trat an einen der Soldaten heran, sprach kurz mit ihm und drückte ihm etwas in die Hand. Es wurde für die beiden Nachkömmlinge Platz gemacht.

»Gott sei Dank!« ächzte der Senatspräsident, nachdem er sich gesetzt hatte. »Und unser junger Freund, der Herr Schreiner, ist auch noch mitgekommen. Sehr freundlich von Ihnen, Herr Direktor Elzbacher, daß Sie das so geschickt erledigt haben. Ich hätte das nicht gekonnt.«

Als einer der Letzten war der Narbige aus dem Keller hervorgekommen. Er blieb im Eingang stehen, zwinkerte mit den halbgeschlossenen Augen und machte mit den Händen weitausholende Bewegungen, als schaufele er die Häftlinge in die Wagen hinein. Seine Zunge spielte um die zerrissenen Lippen.

Ein Soldat trat an ihn heran und wies ihn auf den erst halbgefüllten roten Bus hin. Der Narbige nickte: »Jawohl, Herr Hauptmann. Ich gehe schon. Ich tue alles, was man mir sagt, wenn man es freundlich sagt.«

Er nahm Platz und ließ seine Lider weit herunterfallen. In dem schmalen Schlitz wanderten seine Augen hin und her.

4

DER RENNPLATZ

Die Autobusse fuhren zum Rennplatz Kempton Park im Süden von London. Etwa hundert andere Gefährte hielten bereits vor der Anfahrt. Am Eingang standen Posten der Buckingham Guards mit aufgepflanztem Bajonett. Der ganze Gebäudekomplex war mit Stacheldraht eingezäunt; in gewissen Abständen erhoben sich hölzerne Wachtürme.

Vor den Tribünen wogte wie bei einem großen Rennereignis eine tausendköpfige Menge ziellos auf und ab. Ein Feldwebel erschien und gab einige Kommandos. Die Masse gerann und formierte sich zu drei großen Schlangen, die auf die Eingangstüren des Verwaltungsgebäudes gerichtet waren.

»Was kommt denn jetzt?« fragte der Senatspräsident.

»Untersuchung«, sagte Lesser, der seine Reiseschreibmaschine unter den Regenmantel plaziert hatte und diesen lässig in der linken Hand trug.

»Untersuchung? Meinen Sie, daß man uns einer Leibesvisitation unterzieht? Mein Gott!«

»Kaum«, erwiderte der Schriftsteller. »Man will wohl bloß unser Gepäck kontrollieren.«

Drinnen waren in einer riesigen Halle lange Tische aufgestellt. Auf der ersten Tischreihe wurde das Gepäck inspiziert. Die Soldaten, die das Geschäft vornahmen, hatten neben sich große Pappkartons aufgestellt und warfen da die beschlagnahmten Gegenstände hinein: Rasierklingen, Taschenmesser, Scheren, Eßbestecke, Schreibpapier aller Art sowie Zeitungen und Zeitschriften oder Bücher.

Lesser führte einen vergeblichen Kampf um die Fahnen zum

ersten Teil seines neuen Buches, die er bei sich hatte. In seinem sehr fließenden und fast akzentlosen Englisch versuchte er dem Unteroffizier, der ihn abfertigte, zu erklären, daß er der Verfasser der Schrift 'Our greatest Ally' . . .

»Kommen Sie, kommen Sie!« sagte der Unteroffizier und steckte die Fahnen in den Behälter. »Alles Gedruckte jeder Art. Der Nächste!«

Lesser schob sich weiter, den Regenmantel mit der Schreibmaschine tief hängenlassend. Vor ihm stand der Senatspräsident, der mit zitternden Händen einen Seifenbeutel aus Wachstuch öffnete.

»Die Nagelschere brauche ich aber«, sagte er aufgeregt und in der Verwirrung wieder deutsch sprechend, »ich habe sehr brüchige Fingernägel. Helfen Sie mir doch, Herr Direktor Elzbacher, erklären Sie das den Leuten!«

Elzbacher war mit seinen eigenen Angelegenheiten beschäftigt. Die Soldaten holten aus seinem großen schweinsledernen Koffer vier seidene Pyjamas und breiteten sie auf dem Tisch aus.

»Reine Seide!« sagte der eine Soldat zu seinem Kameraden. »Elegant, was?«

»Ich habe eine sehr empfindliche Haut«, erklärte der Fabrikant.

»Eine was?« sagte der Soldat. »Vier Stück gleich. Zwei wären doch genug. Aber gehen Sie weiter! Da sind noch mehr Leute.« Er stopfte die Pyjamas zurück und schob ihm den schweren Koffer zu.

In der letzten Reihe saßen Offiziere und Beamte der Kriminalpolizei. Die Pässe und Personalpapiere wurden überprüft. Die Offiziere, vom Garderegiment des Königs, langweilten sich maßlos und fühlten sich durch die Zollassistententätigkeit, zu der man sie da abkommandiert hatte, leicht in ihrer Würde beeinträchtigt.

»Phantastisch«, sagte einer zu seinem Kameraden, »was sie da alles zusammengekratzt haben. Der Boden vom Faß. Das Gedränge! Die lauten Stimmen! Warum schreien sie bloß so furchtbar? Und von wo sie überall herkommen! Tschechoslowakei stand hier eben als Geburtsplatz. Ich dachte, die Tschechen wären unsere Bundesgenossen. Aus Polen, aus Rumänien. Ein Mohammedaner war dabei. Und dann diese zehntausend Deutschen.«

»Ich dachte, es wären zwanzig.«

»Gut, zwanzig.«

»Machen wir weiter.«

Ein wuchtiger Ledersack, in dem es klirrte, wurde von einem Häftling auf den Tisch gestellt. In schlechtem und kaum verständlichem Englisch sprudelte der Gefangene etwas heraus über den Rest seines Vermögens, fünfhundert Pfund in Gold, unter Lebensgefahr hierher gerettet, er wolle nach Ekuador auswandern, habe bereits alle Papiere zusammen, das Visum des amerikanischen Konsuls für die Durchreise, die Schiffskarte bezahlt, seine Frau sei schon vorausgefahren, die Kinder ...

»Phantastisch, dieses Kauderwelsch«, sagte der Offizier. Er nahm den Ledersack und reichte ihn dem Kriminalbeamten, der ihn beiseite legte.

»Bekomme ich eine Bescheinigung?« fragte der Häftling.

»Ist schon in Ordnung«, sagte der Offizier. »Ihre Papiere.«

Der Häftling reichte ihm die Dokumente, die einen handhohen Packen bildeten. Der Gardeoffizier blätterte sie an und gab sie ebenfalls an den Kriminalbeamten weiter, der sie zu den anderen Ausweisen stapelte.

»Halt, halthalthalt!« schrie der Häftling plötzlich auf, mit einer Stimme, die den Saal aufhorchen ließ. »Das geht nicht! Das geht nicht! Meine Papiere kann ich nicht aus der Hand lassen. Mein Paß, meine Affidavits, geben Sie mir die Papiere wieder, meinen Paß wenigstens, da sind doch alle Visen drin ...!«

Er begann zu toben, lehnte sich weit über den Tisch und suchte die Papiere an sich zu reißen. Ein Sergeant trat heran, griff ihn um die Hüften und trug ihn aus dem Saal.

Der Offizier schüttelte den Kopf. »Grotesk. Ich dachte, er wollte seine Goldstücke grapschen, aber der Paß, was hat er sich so mit dem Paß? Ich habe mein Lebtag keinen Paß gebraucht. Komische Vögel.«

Die Schlange wälzte sich zur Tür hinaus. Jeder Häftling hatte einen fingerbreiten Streifen Durchschlagpapier erhalten, auf dem seine Gefangenennummer mit Schreibmaschinenschrift verzeichnet stand. Sie standen in der Sonne und starrten gebannt auf die Schicksalsbuchstaben.

»Macht nichts, macht fast gar nichts«, sagte der Schreiner zu den Genossen. »Jetzt sind wir wieder mal eine Nummer. 80 164, Kinder, was ist das für eine hohe Hausnummer! Aber das haben wir schon öfters erlebt.«

»Mir ist das doch alles sehr fremd«, erklärte der Senatspräsident. »Aber immerhin ist es eine Art Ausweis. Man wird darauf wohl die Sachen nach ein paar Tagen zurückbekommen.«

»Darauf würde ich keine Häuser bauen«, meinte Elzbacher. »Haben Sie die Unordnung nicht bemerkt? Ich habe vorsichtigerweise beglaubigte Abschriften bei meinem Anwalt hinterlegt.«

»Sehr vernünftig«, sagte der Senatspräsident. »Aber meine Nagelschere. Wenn ich wenigstens meine Nagelschere zurückbekommen könnte. Ich bin ganz verloren ohne meine Nagelschere.«

»Ich werde mal sehen, was ich für Sie tun kann«, meinte Elzbacher. »Ich will mir sowieso nachher von den Soldaten meine Rasierklingen zurückkaufen.«

Der Senatspräsident blickte ihn entsetzt an: »Ja, haben Sie denn noch Geld? Wir sollten doch alles abgeben, denke ich.«

»Schön dumm«, sagte der Fabrikant. »Etwas Kleingeld muß man immer bei sich haben, für alle Fälle.«

»Anordnungen muß man sich fügen«, erklärte der Senatspräsident, nicht eben scharf, um den neugewonnenen Kameraden nicht zu verletzen, aber mit Bestimmtheit. »Ich habe mich sogar streng an die Vorschriften der deutschen Behörden gehalten, obwohl deren Rechtsgültigkeit einem ja manchmal recht zweifelhaft erscheinen mußte.«

»Auch das noch!« rief der Fabrikant. »Das sind doch keine Behörden, das ist eine Verbrecherbande. Rechtsvorschriften! Denen noch Lösegeld zahlen? Ich habe verschoben, was ich konnte, und ich versichere Sie, Herr Präsident, ich habe noch genug zurücklassen müssen.«

»Mir sind solche Gedankengänge sehr wenig vertraut«, sagte der Richter behutsam. »Ich bin in ganz anderen Anschauungen groß geworden. Vielleicht, wenn ich auch ins kaufmännische Leben gegangen wäre . . .«

»Wir haben unsere Kaufmannsehre«, erwiderte Elzbacher pikiert. »Da gelten vor allem ungeschriebene Gesetze: Treu und Glauben, ein Mann ein Wort; mit Handschlag wird das abgemacht.«

»Ja«, sagte der Senatspräsident, »so habe ich mir den anständigen Kaufmann auch immer vorgestellt. Es gibt allerdings wohl auch andere.«

»Die gibt es in allen Berufen«, meinte Elzbacher. »Und was wird nun mit uns?«

»Jetzt müssen wir uns erst einmal um unsere Unterkunft kümmern«, sagte Lesser, der mit der Miene des Fachmannes in Internierungsfragen die Führung übernahm. »Kommen Sie, kommen Sie schnell, meine Herren! Wir müssen Decken holen und uns eine Schlafstelle sichern. Nachher gibt es ein furchtbares Gedränge.«

»Wo sollen wir denn überhaupt schlafen?« fragte der Senatspräsident.

»Dort drüben in den Hallen mit den Wettschaltern.«

»Aber da können doch unmöglich Betten für all diese Tausende aufgestellt werden.«

»Von Betten ist gar keine Rede«, erklärte der Schriftsteller ungeduldig. »Wir können froh sein, wenn wir ein Stück Fußboden ergattern.«

»Auf dem bloßen Fußboden?« sagte der Richter fassungslos. »Ich war nie beim Militär, mein Brustumfang genügte damals nicht. Aber ich habe immer gehört, daß man da wenigstens Strohsäcke . . .«

»Kommen Sie«, rief Lesser, »eh' die andern etwas merken! Dann finden wir überhaupt keinen vernünftigen Platz mehr.«

»Kommen Sie, meine Herren!« stimmte Elzbacher ein.

Sie erhielten von einem riesigen Sergeanten jeder zwei staubig riechende graue Woilachs auf den Arm gelegt, nachdem sie ihre Koffer in einer Ecke abgestellt hatten. Lesser ging mit langen Schritten voran, er hatte die beiden Decken noch über den Regenmantel mit der Schreibmaschine gebreitet, die er nicht aus der Hand ließ. Der Senatspräsident trug sie gefaltet wie ein Samtkissen mit Orden vor sich her.

Sie traten in die Wetthalle ein. Der langgestreckte, niedrige Schuppen lag in der Nachmittagssonne kahl und leer da. Durch die kleinen Seitenfenster der Wettschalter fiel das Licht in hellen Balken ein. Das Dach war wie von einem gewaltigen Gestühl von dunklen Schatten abgestützt. An einigen Stellen hatten sich schon kleinere Gruppen niedergelassen.

»Kommen Sie, Herr Präsident!« sagte Lesser. »Sie sind der Älteste. Sie bekommen den Ehrenplatz hier in der Ecke. Da haben Sie sogar ein Stück Holzboden unter dem Leibe.«

Der Richter legte seine beiden Decken, sorgfältig aufeinandergeschichtet wie einen Aktenstapel, nieder und setzte sich darauf.

»Das ist mir alles doch sehr fremd«, sagte er. »Ich habe noch niemals außer dem Hause übernachtet. Ich bin kein großer Sportsmann. In meiner Jugend habe ich etwas Tennis gespielt. Wenn meine liebe Frau mich hier sehen würde ...«

»Macht nichts, macht fast gar nichts!« rief der rotbäckige Schreiner. »Wir können froh sein, wenn wir es immer so haben.« Er hatte seinen Platz wie ein Goldgräber nach allen vier Ecken hin abgesteckt, legte sich ohne Umstände auf den Boden und zog die beiden Decken über sich. »Am besten, wir machen schnell ein kleines Nickerchen. Heute nacht werden wir nicht viel zum Schlafen kommen, das sage ich Euch schon jetzt.«

Elzbacher belegte eine Stelle in doppelter Breite und stellte am Fußende als Barriere seinen großen Schweinslederkoffer auf.

Lesser war mit seiner Schreibmaschine beschäftigt, die er an dem Kopfende seines Platzes unter dem zusammengelegten Regenmantel und einer seiner beiden Decken versteckte.

Gärtner erhob sich und ging hinaus. Dicht hinter der Schlafhalle verlief die erste Reihe Stacheldraht. Dann kam ein wenig freier Raum und dahinter ein höherer Drahtzaun, der an Pfosten aufgehängt war. Ein paar Internierte standen vor dem Hindernis und betrachteten die Anlage mit den fachmännischen Augen früherer Soldaten.

»Sieh Dir das an«, sagte der erste. »Wie liederlich die Drahtrollen verzogen sind! Einfach abgeladen vom Auto und hier irgendwo hingeschmissen. Alles krumm und schief.«

»Das gehört mit 'Schweinsohren' am Boden festgemacht«, meinte der zweite. »So hält es nicht. Richtig eingeschraubt in die Erde.«

Gärtner sah den Narbigen aus dem Keller der Polizeistation mit tänzelnden Schritten herankommen. Die braune Zunge hing weit heraus und spielte um die Winkel der verwüsteten Lippen. Der Mann bückte sich von Zeit zu Zeit und nahm eine lose Strähne des Stacheldrahtes auf. Er prüfte die Spitzen vorsichtig und zupfte einen der fester gespannten Drähte an. Es gab einen leisen metallenen Ton. Er nickte wie in stillem Einverständnis.

»Laß das sein!« rief der erste Internierte ihm zu. »Die Posten auf dem Wachturm können das sehen.« Er wies auf das hölzerne Gerüst, das hinter einer Gruppe von Zitterpappeln in den wolkenlosen Junihimmel ragte.

Der Narbige ließ den Draht fallen, als ob er glühend wäre, und sprang ein paar Schritte zurück. »Wachtürme?« fragte er mit seiner kaum hörbaren Stimme.

»Kannst Du nicht sehen?«, sagte der Internierte. »Da, und da, und da!« Er deutete nach allen Ecken des Lagers.

Der Narbige folgte dem Finger aufmerksam und machte mit dem Oberkörper wiegende Bewegungen wie bei einer Verbeugung. »Jawohl, jawohl, zu Befehl, natürlich«, flüsterte er. Langsam trat er noch weiter zurück.

Plötzlich nahm er die Segeltuchtasche, die vor seiner Brust hing, ab, warf seine Jacke von sich und sprang mit geballten Fäusten in mächtigen Sätzen mitten in den Stacheldraht. Er verfing sich in den losen, wippenden Rollen, schlug um sich, griff mit den bloßen Händen in die Stacheln, daß das Blut über die Finger lief. Das ganze Drahtgebäude kam ins Wanken. Hinter der Baumgruppe wurde ein knatterndes Geräusch hörbar.

»Weg!« schrie einer. »Maschinengewehr!«

»Unsinn«, rief Gärtner, »das ist ein Lastwagen! Helft doch den Mann festhalten! Er reißt sich los.« Er versuchte vergeblich, ihn zurückzuzerren. Drei oder vier der großen Drahtrollen, deren Stacheln ihm die offene Brust zerfleischten, vor sich hertragend, schritt der Narbige mit ruckenden Bewegungen der athletischen Schultern vorwärts.

Ein englischer Unteroffizier mit zwei Mann eilte herbei. Sie hatten die Gewehre mit aufgepflanztem Bajonett bei sich, legten sie rasch auf die Erde, packten den um sich Schlagenden und lösten ihn aus dem Drahthindernis, das langsam wieder zurückkroch. Sie konnten den starken Mann nur mit großer Mühe halten. Lange Blutsträhnen liefen ihm über die Arme und die Brust.

Der Unteroffizier zog ein großes khakifarbenes Taschentuch hervor, um dem Gefangenen das Blut abzuwischen.

»Blöder Kerl«, sagte er dabei. »Ausreißen, was? Verrückt. Sei ruhig, Mensch! Hitler ist doch bald hier«, schrie er ihm ins Ohr, »dann bist du sowieso wieder frei! Dann bist Du bei Deinen Landsleuten!«

Der Narbige schüttelte sich in konvulsivischen Zuckungen.

»Still jetzt!« rief der Unteroffizier. »Holt lieber einen Arzt!«

Ein Militärarzt eilte herbei, eine Bahre wurde gebracht. Man schnallte den Narbigen fest. Er lag plötzlich ganz still. Seine Augen waren bis auf einen schmalen Schlitz ganz geschlossen, in dem die Pupillen ruhelos hin und her gingen. Sie trugen ihn davon.

Der Unteroffizier wrang sein Taschentuch aus. Um ihn drängten sich die Internierten und redeten auf ihn ein. »Buchenwald!« riefen sie, »Sachsenhausen!« Der Mann sei im KZ gewesen. Ob er nichts davon gehört hätte, und wie es da zuginge?

»Ach was«, sagte der Unteroffizier, »das ist doch alles Unsinn, und hier tut ihm kein Mensch etwas!« Immer mehr Menschen sammelten sich an. Sie schrien auf ihn ein. Einige zupften ihn am Ärmel, um sich Gehör zu verschaffen.

»Weitergehen!« kommandierte er, verwirrt und aufgeregt. »Nicht zusammenstehen, das ist nicht erlaubt, gehen Sie weiter, gehen Sie weiter!«

Sie zerstreuten sich langsam. Auch Gärtner ging. Er hatte keine Lust, in die Halle zurückzukehren, und wandte sich den Tribünen zu, vor denen ebenfalls eine große Menge versammelt stand. Die Militärkapelle der Buckingham Guards war aufmarschiert und begann zu konzertieren. Die feierlichen, vollen Töne der Blasmusik erhoben sich wie ein mächtiges Wasserspiel, das leise auf

und ab wogte vor dem strahlend blauen, am Rande schon leicht
vergilbenden Junihimmel.

5

A. A. UND ARBEITSFRONT

Vor der großen Tribüne, ein wenig abseits, standen zwei gut-
gekleidete Herren, die sich mit durch das Leben unter der Diktatur geübten Blicken sogleich erkannt hatten.

»Sie sind auch A, nehme ich an?« sagte der Kleinere von den
beiden, der einen dunklen doppelreihigen Anzug trug, zu dem
anderen im Sportjackett, das lose um seine langaufgeschossene,
hagere Gestalt hing.

Der Lange verbeugte sich knapp und winkelte dabei die Arme
etwas nach hinten, wie es früher in Offizierskreisen üblich gewesen war: »von Marzahn.«

»Retzlaff«, sagte der Kleine, der einen sehr sorgfältig gezogenen winzigen Scheitel trug. »Arbeitsfront.«

»Ich war eben einmal von der Gesandtschaft in Dublin her-
übergekommen«, sagte der Lange in nöhligem Tone. »Zu blöde.
Man hätte ebensogut ein paar Wochen warten können.«

»Ja«, meinte der Kleine, während er nervös mit dem Handballen an seinem Scheitelchen plättete, »lange kann der Spuk ja
nicht dauern.« Er blickte nach Bestätigung heischend zu dem
Diplomaten auf.

»Wollen sehen«, sagte der ein wenig von oben herab.

»Unseren Informationen nach ist die Sache bereits weitgehend
im Gange«, erklärte der Kleine.

»So«, meinte der Diplomat. »Die Geschichte ist nicht so einfach.«

»Ein Kinderspiel nach allem, was wir schon geschafft haben! Ein Kinderspiel!«

Der Lange schwieg. Der Mann von der Arbeitsfront fragte etwas gereizt:

»Sie sind Parteigenosse? Ich bin seit 1926 bei der Partei. Nummer 63 412.«

Der Diplomat nickte freundlich, ohne weiter auf dieses Thema einzugehen. Er zeigte hinüber auf die Militärkapelle, die das Konzert beendet hatte und zum Schluß das. »God save the King« intonierte:

»Eigentlich merkwürdig, wenn ich so denke, daß ich früher bei derselben Melodie aufgestanden bin und Front gemacht habe. Ich war Stendaler Dragoner.« Er summte die Hymne mit den deutschen Worten »Heil Dir im Siegerkranz« mit.

»Na, das ist nun eine ganze Zeit her«, sagte der Kleine.

»Eine ganze Zeit, sehr richtig.«

Der Kleine fragte, um das Gespräch in Gang zu halten, wer denn noch von A-Leuten im Lager sei. »Ich nehme an, daß ich meinen Freund Bieletzki vom SD treffen werde. Ich habe ihn noch nicht gesehen, aber er muß hier sein.«

»Kaum«, sagte der Diplomat. »Er dürfte, mit einigen anderen, in Brixton oder Pentonville im Gefängnis sitzen.«

»Im Gefängnis?« rief der Kleine aufgeregt und fuhr erneut über seinen Scheitel. »Sie können uns doch nicht ins Gefängnis stecken? Das wäre ja vollständig völkerrechtswidrig.«

»Scotland Yard hat einen gewissen Ruf«, meinte der Diplomat in schleppendem Tonfall. »Wenn Ihr Freund Bieletzki wirklich beim SD war, dann hätte er besser getan, rechtzeitig nach Hause zu fahren. Man paßt hier schon auf, nicht auf alle, aber doch in gewissen Fällen.«

»Wollen Sie damit sagen, daß man auf *uns* nicht aufpaßt?«
fragte der Kleine.

»Doch schon, aber nicht so sehr genau. Sonst wären wir schließlich nicht hier.«

»Hören Sie, das mit dem Gefängnis regt mich auf. Das wäre ja haarsträubend. Wir stehen doch unter Schutz. Wir können verlangen, daß die Schweizer Botschaft sich um uns kümmert.«

»Die Schweizer haben gar keine Botschaft, sondern nur eine Gesandtschaft«, belehrte ihn der Diplomat. »Sehr vernünftig übrigens. Jede Bananenrepublik hat heutzutage ihre Botschaft. Aber sprechen Sie nicht so laut. Es ist nicht nötig, daß man uns gleich auf hundert Meter, freihändig im Stehen geschossen, erkennt.«

»Ich mache kein Hehl aus meiner Überzeugung«, erklärte der Kleine und spannte seine Brust in dem doppelreihigen Anzug. »Ich habe bei der Untersuchung laut 'Heil Hitler!' gerufen, und ich kann Ihnen sagen, daß ich damit einen ausgezeichneten Eindruck gemacht habe. Die wissen hier Bescheid. Die wissen, was ihnen in ein paar Wochen blüht.«

»Vielleicht dauert es etwas länger«, sagte der Diplomat. »Ein paar Monate...«

»Na schön, ein paar Monate...«

»Oder ein Jährchen.«

»Machen Sie keine Witze!« rief der Kleine. Er blickte sich scheu um.

»Vielleicht noch ein bißchen länger«, sagte der Diplomat. »Es kann ja sein, daß der Führer seine Intentionen ändert und erst einmal gegen Rußland geht.«

»Der Rußlandfeldzug«, erklärte der Kleine, »dauert bestenfalls zwei oder drei Monate, das weiß doch jedes Kind.«

»Ich bin aber kein Kind«, sagte der Diplomat. »Ich war zwei Jahre bei der Botschaft in Moskau. Und mit der Roten Armee hatten wir ja allerhand Tuchfühlung. Es ist besser, wir machen uns so auf ein Jährchen Lagerleben gefaßt. Wenn es eher zu Ende geht, dann lassen wir uns angenehm überraschen und trinken eine Pulle Sekt. Im übrigen haben wir schon Schlimmeres durchgemacht. Kismet, wie wir im vorigen Kriege sagten, als die tapferen Türken unsere Bundesgenossen waren. Kismet!«

»Ja, Sie waren Soldat«, meinte der Kleine bekümmert. »Man hat beim Arbeitsdienst auch seine stramme Schulung gehabt, aber ich bin doch sehr bald in leitende Posten aufgerückt. So monatelang auf der nackten Erde schlafen! Das hält doch kein anständiger Mensch aus. Ein Jährchen! Wie Sie das so sagen! Und der regelmäßige Geschlechtsverkehr!« Er polierte mit beiden Ballen den winzigen Scheitel.

»Wir dürfen hier nicht auffallen«, sagte der Lange und wandte sich zum Gehen. »Kommen Sie, Mann, wir müssen uns um unser Quartier kümmern, sonst können wir die ganze Nacht auf dem Gang Stallwache schieben.«

»Herr von Marzahn, Herr von Marzahn«, rief der Kleine, »laufen Sie doch nicht so! Wir müssen zusammenhalten. Wir müssen eine disziplinierte Gruppe bilden. Wir gehören doch zusammen ...«

»Freilich, freilich«, erwiderte der Diplomat. Mit weitausgreifenden Schritten ging er auf eines der Gebäude mit den Wettschaltern zu.

6

DIE NACHT DER TAUSEND SCHLÄFER

Die große Halle, in der die fünf sich in einer Ecke niedergelassen hatten, war bis auf den letzten Platz belegt. Etwa tausend Menschen lagen oder hockten wie hingeplundert auf dem kahlen Boden. Auch die Gänge, die anfangs noch freigehalten wurden, hatten sich gefüllt. Es begann zu dunkeln. Die kleinen Fenster der Wettschalter wurden von außen her durch die Wachmannschaften mit schwarzen Rahmen als Luftschutz abgedeckt. In der Mitte des Raumes hing eine einzelne Petroleumlampe in einem Drahtgitter. In ihrem mageren Licht sah die Wirrnis der grauen Gestalten, Decken und Koffer wie eine riesige Schutthalde aus, in der Scharen von Bettlern nach irgendwelchen Resten und Krumen wühlten. Hier und da zuckte eine Taschenlampe auf, die ein Gesicht oder einen Arm mit hellen Konturen und tiefschwarzem Grat herausätzte.

Es dauerte lange Zeit, bis ein wenig Ruhe eintrat. Einige trafen umständliche und betont zivilisierte Vorbereitungen zur Nachttoilette. Elzbacher entnahm seinem großen schweinsledernen Koffer ein wohlausgestattetes Reisenecessaire mit Monogramm in Silber. Er bürstete sich die Haare, rieb sich die Wangen mit einem nach Eau de Cologne duftenden Hautgelee und stieg in einen seiner seidenen Pyjamas. Der Senatspräsident machte eine Reihe von vergeblichen Versuchen, die Decken um seine Beine zu schlingen wie ein Plaid und sich hinzulegen. Das Blut stieg ihm in den flach und ohne Stütze auf dem Boden ansetzenden Kopf. Er gab es schließlich auf und setzte sich, mit dem Rücken an die Wand gelehnt, hin. Leise sagte er:

»Ich kann das nicht, meine Herren. Ich habe immer mit doppeltem Kopfkissen geschlafen. Lassen Sie nur, es geht ganz gut so. Es ist eigentlich wie im Eisenbahncoupé. Wenn wir nach Italien fuhren, meine liebe Frau und ich, dann haben wir auch die Nacht durch so gesessen und recht schön geruht. Zum Schlafwagen reichte es doch nie so recht bei uns.«

Der Schreiner, dicht wie eine Schmetterlingspuppe in die beiden Woilachs gerollt, seine Jacke unter dem Kopf, schlief als einer der ersten den geübten, alle Kräfte sparenden Schlaf des alten

Häftlings. Lesser genoß das Gefühl, seine Schreibmaschine unter dem Nacken zu spüren. Bisher hatte niemand das kostbare Instrument bemerkt. In Gedanken griff er schon in die Tasten. Man würde zu tun bekommen, sobald erst einmal ein wenig Ruhe eingetreten war und man sich irgendwo häuslich niedergelassen hatte. Außer den noch ausstehenden Kapiteln des Buches, die er im Kopfe fertig hatte, waren Artikel zu schreiben, oder, besser noch, Briefe an Freunde und Bekannte, die daraus Artikel machen würden, oder »Eingesandts« an die Zeitungen. Man kannte die Engländer einigermaßen. Im Augenblick war selbst dieses unerschütterlich gelassene Volk etwas hysterisch, und man konnte es ihm nicht verargen. Aber es würde nicht lange dauern, dann schlug die Stimmung um, und die Blätter würden ebenso eifrig die Freilassung der Internierten fordern, wie sie jetzt in Schlagzeilen riefen: »Hinter Schloß und Riegel mit allen Fremden!« Er entwarf ein paar schwungvolle Sätze: »Stellen Sie sich tausend Menschen vor, die noch am Tage zuvor im Schoße ihrer Familie weilten, ruhige, diesem Lande und seiner Sache ergebene Menschen, Menschen, die viel durchgemacht haben und hier eine Zuflucht gefunden zu haben hofften, ältere Menschen vielfach, hohe Richter, Wissenschaftler von internationalem Rang, angesehene Künstler und Schriftsteller darunter. Stellen Sie sich eine kahle Halle vor, in der diese Menschen wie die Sardinen zusammengepökelt auf dem blanken Zementfußboden . . .« Das Bild der Sardinen gefiel ihm nicht. Es war landläufig und besagte nichts. Auch die Ziffer Tausend hatte keinen rechten Sinn. Man war seit Jahren an große Zahlen gewöhnt, wenn von irgendwelchen Leiden der Menschheit gesprochen wurde. Tausende, Zehntausende von Flüchtlingen, ganze Völker, die ausgesiedelt, verschickt oder auf die Wanderschaft getrieben wurden: wer konnte sich darunter etwas vorstellen? Es wurde hingenommen wie historische Daten in einem Geschichtsbuch. »Wo gehobelt wird, da fallen

Späne«, hieß es, oder »Du kannst keine Omelette backen, ohne ein paar Eier zu zerbrechen.« Nein, nur Einzelschicksale, höchst markante Spezialfälle konnten die Leute noch bewegen. Und dann mußte bei diesem merkwürdigen und schwer zu ergründenden englischen Publikum noch irgendein rührender, menschlicher Zug hinzukommen, am besten etwas in Zusammenhang mit Tieren. Lesser ließ die Zwei- und Vierfüßler Revue passieren und suchte nach einem schlagenden Vergleich: Vögel, »unsere gefiederten Freunde«, Hunde, Katzen, denen man ganze Schlösser mit umfangreichem Personal zur Verfügung stellte, oder Grubenpferde, zu deren Schutz sich mächtige Gesellschaften gebildet hatten; ein Grubenpony wäre vielleicht ein nicht allzu abgedroschenes Bild, blind dahintappend und geduldig seine schwere Last schleppend... Er begann einzuschlummern.

Gärtner hatte seinen Körper nach einigem Lagewechsel dem harten Boden angepaßt und seine Muskeln entspannt. Aber er konnte die Augen nicht schließen.

Draußen vor den schmalen Fenstern mit den Wettschaltern gingen die Posten mit schweren Stiefeln auf und ab. Ihre Schritte klangen wie das Schmatzen einer leisen Brandung. In der Halle war ein Grundbaß von Schnarchtönen und Sägelauten vernehmbar. Darüber erhob sich zuweilen ein Wimmern oder Ächzen. Einige sprachen im Schlaf oder Halbschlaf vor sich hin, bis ein empörter Nachbar sie zur Ruhe wies. Von Zeit zu Zeit suchte eine wie trunken schwankende Gestalt über die dichten Reihen der Liegenden hinweg den Weg zu den Toiletten zu finden. Ein Kielwasser von halberstickten wütenden Ausrufen der Getretenen und geflüsterten Entschuldigungen folgte der Bahn des Unglücksmannes.

Seltsam, dachte Gärtner, wie diese tausend Schläfer riechen. Eine Art Müllgeruch liegt über dem ganzen Raum. Es sind viele alte Menschen darunter, Sechzig- und Siebzigjährige, das wird es wohl sein. Es ist weniger der Gestank, der einen peinigt, als die Kraftlosigkeit, das Schale dieser Ausdünstungen, wie aus einer Abfallgrube. Er hatte oft genug mit Hunderten von Menschen in einem Raume geschlafen. Seine Gedanken wanderten zurück zu den Zeiten des ersten Krieges. Das Bild einer Kasematte in Metz stieg vor ihm auf, in der er die Augustnächte 1914 mit einer Kompanie junger Rekruten verbracht hatte: sommerliche Hitze, der scharfe, staubige Geruch des aufgeschütteten Strohs, das verschwitzte Innenleder der Helme, die halbfeuchten Waffenröcke und Hemden und der volle, kräftige Dunst der blühenden, gesunden Männerleiber, nahrhaft und stark. Wie hatte das Gelächter der ausgelassenen jungen Burschen gegen die niedere Wölbung des Mauerwerks getobt, bis sie dann plötzlich, wie nach einem Gewitter, alle einschliefen, tief, traumlos, mit langen Atemzügen! Wie ausgeruht wachten sie dann auf, um sich plantschend am offenen Brunnen auf dem Hofe zu waschen; das Wasser sprühte in feurigen Funken von den blanken, muskulösen Rücken, ehe sie die schweren Röcke anzogen, krachend die Gewehre schulterten und hinauszogen auf die Felder, in denen sie untergepflügt werden sollten. Er hörte den Marschtritt der Kolonne wie eine mächtige Brandung, die langsam verhallte. Nur das schmale Geräusch der Stiefel des Postens vor der Halle blieb übrig, der mit schweren Schritten seine Runde in diesem neuen Krieg abschritt.

7

GELBER NEBEL

Der Morgen war kühl und windig. Die Häftlinge erhoben sich sehr früh und begannen ein zielloses Wandern auf dem eingezäunten Gelände. Die meisten waren unrasiert und hatten sich auch nicht gewaschen, denn die wenigen Becken in den Toiletteräumen des Rennplatzes waren dem Andrang von Tausenden nicht gewachsen. Verschiedene begannen betont ihre Kleidung und ihr Aussehen zu vernachlässigen, warfen sich die Jacken lose um die Schultern, ließen den Schlips aus dem Hemd heraushängen und trugen das vom Nachtschlaf verwühlte Haar zur Schau.

Sie redeten unaufhörlich. Eine wahre Wut, sich mitzuteilen, Gedanken auszutauschen, Neuigkeiten zu erfahren, hatte alle erfaßt. Zeitungen waren verboten, aber ein paar Findige hatten von den Posten wenigstens die Schlagzeilen erfahren. »Paris kaputt«, hatte einer der Soldaten gesagt. Im Atlantik war ein Transportdampfer namens 'Arandora Star' torpediert worden. Es sollten einige hundert internierte Flüchtlinge an Bord gewesen sein. Gerüchte machten die Runde und wurden blindlings geglaubt. Es hieß, daß alle nach Australien, Kanada oder Neuseeland abtransportiert würden. Gemischte Lager für Verheiratete sollten eingerichtet werden.

»So«, sagte der rotbäckige Schreiner, »für die alten Eheknochen soll gesorgt werden, und was wird aus uns Junggesellen? Uns wird man dann hoffentlich ein paar B-Mädchen zuteilen.«

Über die verschiedenen Kategorien A, B und C, in die alle Flüchtlinge bald nach Kriegsbeginn von eigens gebildeten Fremdentribunalen eingeteilt worden waren, wurde in einer Gruppe erbittert gestritten. Kategorie A, für Leute bestimmt, die den englischen Behörden als nicht zuverlässig oder sogar ausgesprochen verdächtig galten, wurde allgemein abgelehnt. A-Männer gehörten in eigene Lager, hieß es. Eigentlich müßten sie schon längst hinter Schloß und Riegel sitzen, und die meisten seien ja auch gleich bei Kriegsbeginn festgenommen worden. Wenn doch noch einige durchschlüpfen konnten, so sei das nur ein Zeichen für die grenzenlose Unordnung bei den Dienststellen. Auf keinen Fall könne einem zugemutet werden, mit ihnen zusammen in einem Lager eingesperrt zu werden. Kategorie B, mit der die zwar unbedenklichen, aber aus irgendwelchen Gründen nicht als völlig einwandfrei angesehenen Elemente bezeichnet waren, wurde milder, aber doch mit einem gewissen Hochmut von denen beurteilt, die das Prädikat C, als tadellos nachweisbare Flüchtlinge und Verfolgte, erhalten hatten. Dagegen erhoben solche, die ein B in ihrem Ausweis stehen hatten, lebhaften Protest: man habe sie nur so klassifiziert, weil sie außerhalb Londons in einem aus militärischen Gründen gesperrten Gebiet gewohnt hätten, oder weil ein besonders unfreundlicher Vorsitzender dem Tribunal präsidiert habe, der überhaupt das C nur in den seltensten Fällen verleihen wollte.

»Kinder, laßt das doch«, sagte Lesser, seine Stahlbrille am Henkel schwenkend. »Nehmt Euch nicht so gräßlich wichtig. Glaubt Ihr denn, daß die Engländer sich fortwährend über uns den Kopf zerbrechen? Den meisten, das versichere ich Euch, könnt Ihr den Unterschied zwischen A-, B- und C-Leuten gar nicht klarmachen. Wir sind für sie Deutsche, und damit holla.«

Eine andere Gruppe hatte sich um einen älteren, untersetzten Mann gesammelt, der in einer abgeschabten kurzen Windjacke, auf einen starken, eisenbeschlagenen Stock gestützt, am Zaun stand. Sein Kopf war fast völlig kahl und saß dicht auf den breiten Schultern auf. Die schmalen, nahezu schlitzförmigen Augen musterten die Umstehenden langsam und sehr genau.

»Du mußt die Leitung übernehmen, Mochow«, sagte einer von ihnen, »das ist doch klar. Wir haben sehr bald 'raus, wer zu uns gehört und wer nicht.«

»Das haben wir«, erwiderte Mochow. »Vor allem, wer nicht. Das sind die meisten. Kinder, Kinder, wenn ich mir die Leute so betrachte! Mit denen ist kein Staat zu machen. Die wollen bloß wieder nach Hause zu Muttern und ihr Geschäftchen weitermachen. Aber ein paar habe ich noch gesehen, die müßt Ihr mir 'ranholen, auf die habe ich meine Pupille geworfen, und wenn Wilhelm Mochow seine Pupille auf einen wirft, dann hat das so seine Gründe. Ich kann nur mit meinem zertöpperten Brustkorb nicht richtig vom Fleck, sonst hätte ich Euch schon mehr zusammengeharkt. Wir merken uns jeden.«

»Wie ist denn das mit den Paketen?« fragte ein anderer.

»Du kommst woll vom Mond?« gab Mochow zurück. »Die Pakete kommen, darauf kannst Du Dich verlassen. Was glaubst Du denn, was wir so den ganzen Tag in unserem Ausschuß tun?« Er richtete einen scharfen Blick auf den Fragesteller.

»Ich dachte, daß Ihr auch noch was anderes zu tun habt.«

»Was anderes?« fragte Mochow erstaunt. »Dich haben sie wohl mit dem Klammerbeutel gepudert, wie? Was anderes! Darüber brauchen wir uns nicht das Maul zu zerfleischen, da gehen wir gerade so eben leise mit der Zunge 'rüber, verstehst Du? Und deshalb vergessen wir die Pakete noch lange nicht. Wir denken an alles.«

»Ich meinte nur...«, sagte der Gemaßregelte schuldbewußt.

»Meine bloß nicht zu viel«, fuhr Mochow fort, »sonst brichst Du Dir noch den Finger in der Nase ab, mein Junge. Wie lange bist Du denn überhaupt dabei?«

»Seit zwei Jahren, eigentlich sind es schon fast drei. In Prag...«

»Na, siehst Du«, sagte Mochow. »Da hast Du noch allerhand zu lernen. Stieke, sage ich, stieke. Wir brauchen nicht allen gleich auf die Nase zu binden, wer wir sind. Am besten bleibt Ihr bei Euren Gruppen, wo Ihr gerade seid. Wir treffen uns schon noch, und wir werden denen schon zeigen, was eine Harke ist.« Er beschrieb mit dem wuchtigen Kinn einen Kreis über das Lager hinweg.

»Und nun«, fuhr er fort, »wird Wilhelm Mochow erst noch mal selber auf Patrouille gehen und sich das Volk betrachten. Wir kennen unsere Pappenheimer. Manchen brauche ich mir nur von hinten anzugucken, dann weiß ich schon, was mit ihm los ist. Da lief vorhin so einer herum, mit Reithosen und Gamaschen, über den muß mir keiner was erzählen. Und gestern vor der Tribüne, da stand einer, groß war er gerade nicht, eher so ein Schrumpf-Arier, mit einem Poposcheitel, an dem fingerte er fortwährend herum. Dem war nicht wohl, das konntest Du sehen, und wenn wir ihn aufs Korn nehmen, dann wird ihm noch weniger wohl werden. Aber nun verteilt Euch mal ein bißchen. Stieke, sage ich!«

Er stapfte an seinem Stock davon, laut die eisenbeschlagene Spitze aufsetzend. Vor der Essenausgabe stieß er auf den rot-bäckigen Schreiner, der ihn fassungslos anstarrte.

»Jawoll, wir sind das«, sagte Mochow und nickte ihm zu.

»Mensch, Wilhelm!« stammelte der Schreiner. »Daß sie Dich noch mal 'rauslassen würden . . . Kein Mensch hätte das gedacht. Und aus Bautzen, aus Bautzen!«

»Sie haben mich 'rausgelassen, Emil. Vorher haben sie mich noch ein bißchen verrollt.«

»Du siehst aber ganz ordentlich aus, Wilhelm«, beeilte sich der Schreiner zu versichern.

Mochow entblößte sein Gebiß, das aus einer Prothese bestand. »Und den Brustkasten haben sie mir auch etwas eingedrückt. Die Rippen wackeln, daß Du denkst, Du fährst auf einem Leiter-wagen. Aber sonst sind wir noch ganz knusprig, was? Im Kopf sind wir noch ziemlich munter. Der war ihnen zu hart.«

»Einen Stock hast Du auch, Wilhelm«, sagte der Schreiner.

»Ja, den haben wir, und den brauchen wir auch. Damit wanken wir nun in das nächste Lokal, hier zum Engländer.«

»Hast Du denn wenigstens eine ordentliche Schlafstelle?« fragte der Schreiner. »Du kannst doch nicht auf dem Zementfußboden liegen. Komm zu uns, wir haben eine ganz schöne Ecke, an der Außenwand. Da ist wenigstens ein Streifen Holzboden, wo die Kassierer sonst stehen, an den Wettschaltern, weißt Du? Es sind ganz ordentliche Leute in unserer Gruppe.«

»So«, meinte Mochow. »Was für Leute sind denn das?«

Der Schreiner war etwas verlegen. »Ein Schriftsteller ist da, Lesser heißt er. Er hat seine Schreibmaschine mitgebracht, aber sprich nicht darüber, er hat eine Todesangst, daß sie ihm die doch noch abnehmen.«

»Schriftsteller können wir brauchen«, meinte Mochow, »und eine Schreibmaschine erst recht. Ist er denn links?«

»Ich glaube.«

»Nicht: ich glaube!« sagte Mochow streng. »Du bist immer so unbestimmt, Emil. So was muß man wissen. Na, und wer noch?«

Der Schreiner sprach von dem Ingenieur Gärtner, der ein sehr ruhiger Mann sei, ging etwas flüchtig über den Fabrikanten Elzbacher hinweg und erwähnte schließlich den Senatspräsidenten: ». . . ein sehr freundlicher alter Herr, ein bißchen klapprig, er ist wohl an die siebzig.«

»Na, mit den Gerichten kennen wir uns ja aus«, meinte Mochow. »Vielleicht ist das so einer, der mich schon unter Kaiser Wilhelm eingebuchtet hat, was?«

»Er sieht nicht so aus«, sagte der Schreiner etwas zaghaft.

»Das sind gerade diejenigen, welche . . .«, erklärte Mochow. »Sie sehen nicht so aus, aber dann verknallen sie Dich zu drei Jahren. Aber laß man, Emil! Wenn er ein alter Knacker ist, dann beißt er nicht mehr. Und was ist das mit dem Fabrikanten?«

Der Schreiner versicherte, er sei nicht so übel, habe auf der Polizeistation für alle Essen bestellt, sei allerdings sehr verwöhnt, mit seidnen Nachthemden und piekfeinem Crème, den er sich abends auf die Backen schmiere.

»Und was fabriziert er?« fragte Mochow.

»Kragen, glaube ich«, sagte der Schreiner.

»Du glaubst schon wieder«, meinte Mochow. »Na, wir werden uns die Brüder mal betrachten, und dann sage ich Dir, was mit ihnen los ist, damit Du Bescheid weißt, wenn Dich wieder einer fragt. Der Holzfußboden könnte mich reizen.«

Sie gingen in den Schuppen, und der Schreiner machte ihn mit den anderen bekannt. Er sprach leise zu Gärtner, der stillschweigend und ohne eigentliche Absprache eine Art Kommando über die kleine Gruppe übernommen hatte, und dieser wies Mochow den Platz neben dem Senatspräsidenten an. Mochow holte sein Gepäck, eine kleine, flache Blechkiste, die mit einer starken Schnur zusammengehalten war, und ließ sich nieder.

Ehe jedoch ein Gespräch zustande kam, wurde der Befehl ausgegeben, das gesamte Lager solle vor der großen Tribüne antreten. Der plötzliche Besuch des Kriegsministers werde erwartet. In drei großen und sehr tiefen Kolonnen nahmen die Häftlinge auf der sanft abfallenden Rampe Aufstellung, von den Wachmannschaften mit aufgepflanztem Bajonett flankiert. An der vordersten Spitze hielt vor jeder Kolonne ein einzelner Internierter.

»Was sind denn das für welche?« fragte Mochow.

»Das sollen die Obmänner sein«, sagte der Schreiner.

»Und wer hat die ernannt oder gewählt?«

Der Schreiner zuckte die Achseln.

»Du weißt wieder mal nicht Bescheid«, meinte Mochow und stieß mit dem Stock auf. »Die haben sich wohl selber ernannt, was? Das gibt es nicht. Das muß anders werden. Da kann ja jeder kommen.«

»Sei nur jetzt stille, Wilhelm«, flüsterte der Rotbäckige. »Sie kommen ja gleich. Siehst Du nicht, wie die Feldwebel da vorne schon rennen? So ein Feldwebel rennt doch immer erst, wenn einer kommt.«

»Die kommen noch lange nicht«, erwiderte Mochow. »Lehr' Du mich den Kommiß kennen! Wir haben aktiv gedient, bei den Franzern. 'Die meisten Stunden seines Lebens / wartet der Soldat vergebens!', so hieß es da, und hier bist Du auch nur ein Stück Rekrut, das sage ich Dir.«

»Ruhe!« wurde von weiter hinten aufgeregt gerufen. Mochow drehte sich um und musterte aus seinen schmalen Augen die Reihen. »Wollen doch mal sehen, wer sich da schon jetzt in die Hosen macht«, sagte er grimmig. Der Rufer verstummte.

Sie warteten eine reichliche Stunde. Das Wetter begann sich inzwischen einzudicken. Auf dem grünen Rasen der Rennbahn bildete sich eine weißgraue Nebelbank, die allmählich heranrückte und die Füße der tiefer Stehenden wegfraß. Sie stieg höher und reichte den Häftlingen bis zur Brust. Das Dach der Tribüne wurde undeutlich. Alle Farben waren ausgelöscht wie bei einem Beleuchtungswechsel auf der Bühne. Es verblieb nur das ziehende Grau der dünnen Schwaden und das Schwarz der dicht zusammengedrängten Gestalten.

»Siehst Du«, sagte Mochow zu seinem Freunde, »jetzt geben sie erst noch Erbsensuppe aus, damit wir was im Magen haben, wenn der General kommt. Aber jetzt rennen sie richtig, Deine Feldwebel. Jetzt rennen sogar die Offiziere. Nun kommt er.«

Ein lautes Kommando »Achtung!« erscholl, und unwillkürlich nahmen die Häftlinge militärische Haltung an. Aus dem Nebel schwamm eine Suite von höheren Offizieren heran. An Kragenaufschlägen blitzte Generalsrot auf, das selbst durch das fahle Licht nicht ganz gedämpft wurde. In der Mitte des Gefolges tauchte die runde schwarze Melone des Kriegsministers auf.

»Das gefällt mir nun wieder«, flüsterte Mochow, »daß der in Zivil herumläuft.«

»Jetzt aber still, Sie!« zischte die Stimme aus den Reihen hinter ihm. Mochow schwieg.

Die schwarze Melone bewegte sich auf die Spitze der Kolonnen zu. Der Kriegsminister trat an die Obmänner heran und stellte einige Fragen über Verpflegung, Unterkunft und Behandlung, die mit verlegenem Ja oder Nein beantwortet wurden. Dann stieg er an der mittleren Kolonne herauf, so daß ihn auch die hinteren Reihen sehen konnten. Er trug einen dunkelgrauen Anzug. Den Daumen der linken Hand in der Hosentasche und mit den anderen Fingern den Rand seines Jacketts ein wenig zurückbiegend, während die Rechte einen sorgfältig zusammengerollten Regenschirm führte, fragte er nochmals, ob man irgendwelche Klagen oder Wünsche zu äußern hätte.

Dumpfes Gemurmel von einem Dutzend Stimmen antwortete ihm: Briefpost! Pakete! Wohin man verschickt würde, wann man freigelassen werden könnte?

Der Häftling, der bei der Untersuchung seinen Ledersack mit Goldstücken abgegeben hatte, drängte sich vor und hob beschwörend die Hände: »Unsere Papiere! Mein Paß! Ich habe doch alle Visen in meinem Paß, Sir. Kann ich nicht wenigstens meinen Paß wiederhaben?«

Der Kriegsminister wandte sich an einen seiner Begleiter und sprach mit ihm. Dann erklärte er, man solle unbesorgt sein. Die Papiere würden alle sorgfältig aufbewahrt und zu gegebener Zeit zurückgestellt.

»Sie haben doch Ihre Gefangenennummer?« fragte er den Häftling.

»Jawohl, Sir, natürlich, Sir«, sagte dieser. Er kramte aufgeregt in seiner Jackentasche, förderte den zerknitterten schmalen Zettel mit Schreibmaschinenschrift hervor und präsentierte ihn.

»Nun schön«, sagte der Kriegsminister. »Das ist Ihr Ausweis. Heben Sie ihn gut auf!«

Er stieg die Böschung wieder hinab. Seine Begleiter folgten ihm in langer Reihe. Nur die tellerrunden Mützendeckel waren in dem immer höher steigenden Nebel zu sehen wie die dunklen, halbüberspülten Trittsteine in einer Furt.

»Achtung!« erscholl nochmals die Stimme des Kommandanten, und die etwas in Verwirrung geratenen Reihen festigten sich erneut. Der Kriegsminister hielt eine kurze Ansprache, die nur von den vordersten Reihen gehört wurde, und verschwand mit seiner Suite in der grauweißen Bank, die sich jetzt gelblich zu färben begann.

»Was hat er gesagt?« wurde erregt gefragt. Man lebe in einer schweren, schicksalsvollen Zeit, habe er gesagt. Jeder müsse an der Stelle, an die er gestellt sei, seine Pflicht tun, auch wenn das Unannehmlichkeiten für den Einzelnen zur Folge habe. Man solle es den Behörden nicht unnötig schwermachen und sich in Geduld fassen. Für die Angehörigen werde gesorgt. Morgen sei Abtransport.

»Na also«, sagte Mochow, »dann ziehen wir mit unserem Stock in das nächste Lokal. Eigentlich war es hier gar nicht so übel, was Emil?«

»Wir haben schon schlechter geschlafen, Wilhelm«, erwiderte der Schreiner.

Weitere Kommandos flackerten auf, und die Kolonnen rückten ab. Sie fanden nur mit Mühe den Weg zu den Schuppen. Einzeln oder in kleinen Gruppen tasteten sich die Häftlinge durch den gelben Nebel, der nach Schwefel und Ruß roch und alle Konturen verwischt hatte. Es dauerte lange, bis sie sich in den Hallen niedergelassen hatten, deren Dachgestühl sich mit feinem Dunst füllte. Die einsame Petroleumlampe kämpfte mit ständig schwächer werdendem Schein gegen die Dämmerung an. Sie legten sich auf ihren Schlafstellen hin. Das Abendessen, eine Graupensuppe mit großen Fleischbrocken, wurde nur von einem Teil der Internierten von der Ausgabestelle abgeholt und gegessen. Selbst die Gespräche kamen ins Stocken. Die Decken und Mäntel wurden schwer. Sie stierten oder dösten vor sich hin, bis die Müdigkeit sie übermannte und sie in dem naßkalten, gelbgrauen Brodem hinsanken, der nun auch den Fußboden in breiten Lachen überschwemmte. Der Saal, mit den in Garben gebündelten Menschen, sah aus wie ein Erntefeld im Gewitterregen. In der Ferne rollte es leise.

ZWEITES BUCH

DIE DREI STÄMME AUF DER HEIDE

1

DAS ZELTLAGER AUF GRÜNER HEIDE

Gegen Morgen hatte sich der Nebel im kräftigen Wind verflogen. Nur einzelne Fetzen hingen noch wie ausgespannte Laken um die Buschgruppen der Anlagen des Rennplatzes. Durch ein Spalier von Wachmannschaften mit aufgepflanztem Bajonett wurden die Internierten zu einem Zuge geführt, der auf freiem Gleis dicht vor dem Sammellager hielt.

»Zusammenbleiben!« rief der Senatspräsident aufgeregt, seine altmodische Handtasche ungeschickt gegen die Brust pressend. Auch Elzbacher, der sich mit seinem schweren schweinsledernen Koffer mühte, warf unruhige Blicke auf die voranschreitenden Kameraden. Mochow, dem der Schreiner die flache Blechkiste trug, war trotz seines Stockes bereits weit vorausgehumpelt. Er kletterte in den Wagen und belegte sogleich ein Abteil.

»Hier herein«, rief er den Nachkömmlingen zu, »alles gepolstert, die lassen uns erster Klasse fahren! Von außen sieht es man kümmerlich aus, alles alte, ausrangierte Wagen, aber innen: piekfein. Habt Ihr Euch alle Euer Frühstückspaket abgeholt? Warum nicht? Speisewagen werden sie uns nicht auch noch spendieren. Na, Ihr müßt das noch lernen.«

»Mir ist das alles so fremd«, sagte der Senatspräsident, nachdem er im Ecksitz Platz genommen hatte und seine Handtasche verstaut war. »Ich habe die ganze Nacht kein Auge zugetan bei dem fürchterlichen Nebel. Das legt sich so auf die Brust.«

»Der Nebel ist gar nicht so schlecht«, meinte Mochow und blickte aus seinen schmalen Augen auf den Horizont. »Da fliegen sie nämlich nicht. Heute kann schon eher einer angeschlendert kommen von den Brüdern. Und nun zockeln wir schon los...«

Der Zug fuhr zunächst nach Liverpool. Die Häftlinge konnten vom Fenster einen Blick auf den gewaltigen Hafen erhaschen, der in vollem Betrieb war. Die Kräne am Quai drehten sich majestätisch, eilfertige Schlepper mit tiefliegendem Heck kreuzten auf und ab, schwarze Rauchfahnen hinter sich herschleppend, und aus den Fabriken, Lagerhallen und Stapelhäusern am Ufer kam ein fast fröhlich klingendes Zusammenspiel von metallischen Geräuschen.

Elzbacher wies auf eines der Lagerhäuser: »Das ist Merryman & Hawkesworth, 17 000 Quadratmeter Lagerraum. Da stehen nun die Kisten meiner Firma für Pablo Katz in Rio und Fettlage & Co. in Buenos Aires. Herrgott, das war alles im besten Gange! Wie soll das nur werden! Stembuster ist ein reizender Mensch, aber er versteht doch nichts vom Geschäft. Das wird alles zum Teufel gehen.«

»Da geht noch mehr zum Teufel«, sagte der Schreiner ohne Schärfe und nahezu vergnügt, »eh' dieser Krieg zu Ende ist. Hört Euch nur das Getute von den Sirenen an!«

»Das sind keine Schiffssirenen«, korrigierte ihn Mochow. »Das ist eine Luftwarnung. Habe ich Euch nicht gesagt, daß die Brüder heute noch eine kleine Spritztour machen werden?«

Das metallische Klinken und Räumen in den Hafenanlagen ging unter in den knappen, bellenden Abschüssen der Flakgeschütze. Am Himmel erschienen weiße kompakte Wölkchen, die der Wind rasch zu Dolden und Rispen zerblies. Die Wachmannschaften gaben Befehl, die Fenster zu schließen. Der Zug setzte sich wieder in Bewegung. Er ruckte schwer an, und das Krachen der Puffer und Kuppelungen übertönte den Lärm im Hafen.

»Warum läßt man uns denn nicht heraus?« klagte der Senatspräsident. »Wir müssen doch die Möglichkeit haben, Schutz zu suchen. Gibt es denn da nicht einen Keller oder einen Unterstand?«

»Lassen Sie man gut sein, Hoher Gerichtshof«, sagte der Schreiner. »Wir sind froh, wenn wir hier aus dem Hafen herauskommen. Das ist jetzt keine gemütliche Ecke.«

»Jawoll«, meinte Mochow. »Der rennt schon wie ein Bürstenbinder, unser Sonderzug, nuckepicke, nuckepicke, nuckepicke, nichts als weg. In London müssen sie den Kopf hinhalten, wenn etwas 'runterkommt.«

»Mein Gott, da haben Sie recht«, sagte der Senatspräsident. »Wenn ich an meine liebe Frau denke! Die sitzt jetzt allein in unserem Zimmer, noch dazu im vierten Stock. Ich habe ihr auf die Seele gebunden, daß sie in den Keller gehen soll, wenn ein Luftangriff kommt. Aber ich kenne sie, sie ist manchmal eigensinnig. Und jetzt, wo ich nicht da bin, wird ihr alles egal sein.«

»Ja«, meinte Mochow, »meine Frau hat auch so manchmal ihren Kopf. Aber die ist es gewohnt, daß ich öfters nicht da bin. Gleich nach unserer Hochzeit, da hatten sie mich drei Jahre am Wickel.« Er blickte aus seinen schmalen Augen scharf zu dem Richter hinüber und fügte hinzu: »Pferde hatten wir gerade nicht gestohlen ... politisch!«

»Drei Jahre?« sann der Senatspräsident nach. »Ja, das waren wohl noch die Nachwirkungen des Bismarckschen Sozialistengesetzes. Man ging da etwas reichlich weit in den Urteilen. Ich war nie dafür. Ich bin ein alter Liberaler.«

»M—m«, machte Mochow. »Die Liberalen und die Freisinnigen, die haben uns erst recht Knüppel zwischen die Beine geschmissen, wo sie konnten. Aber deswegen, da haben sie uns auch nicht aufgehalten.«

Der Zug streifte das Bergmassiv von Wales und bog in die

Landschaft Shropshire ein. Auf einem kleinen Bahnhof, dessen Gebäude in grauem Granit aufgeführt waren, machte er halt. Die Wachmannschaften sprangen zuerst heraus und bildeten von neuem Spalier. Die Häftlinge wurden in großen Haufen auf dem Dorfplatz zusammengetrieben. Offene Lastkraftwagen mit khakifarbenem Anstrich und einige Omnibusse nahmen sie auf.

»Zusammenbleiben, zusammenbleiben«, rief der Senatspräsident wieder, »unsere Ecke darf doch nicht auseinandergerissen werden!«

Ein Wachmann wollte ihn in einen der Omnibusse dirigieren, die für die älteren Gefangenen bestimmt waren. Der alte Herr sträubte sich mit allen Kräften und drängte zu dem Lastkraftwagen, auf dem die anderen bereits standen: »Lassen Sie mich dahin, ich gehöre doch zu denen!« Er sprach in der Verwirrung wieder deutsch.

Hände streckten sich ihm entgegen, und er wurde hinaufgehoben.

Er klammerte sich auf dem stark rüttelnden Wagen an seine Gefährten an und stammelte ein über das andere Mal: »Gott sei Dank, daß uns das doch noch gelungen ist! Ich kann gar nicht sagen, wie dankbar ich Ihnen bin.«

Die Landschaft war eintönig, eine sanft gewellte Hochebene, mit spärlichen Baumgruppen und Heidekraut bestanden. Es begann zu dämmern.

Ein frisch gezimmertes Holztor aus weißem Holz mit dichtem Stacheldrahtbezug tat sich auf, und die Kolonne fuhr auf einem Feldweg in ein riesiges, durch haushohe Drahtzäune in vier verschiedene Abteilungen abgetrenntes Stück Heideland ein. Im vordersten der Gevierte machten die Gefährte halt. Das Kommando zum Aussteigen wurde gegeben.

Die Wagen schütteten ihre Fracht aus, fuhren zurück und holten neue Transporte heran. Der Platz zu beiden Seiten des Weges füllte sich. Dichte Mengen stauten sich vor dem Drahtzaun zur nächsten Abteilung, der doppelt gezogen und an hohen galgenartigen Pfosten aufgehängt war. Die dunklen Pfeiler ragten drohend in den grellgelben Abendhimmel. Auf der anderen Seite des Zaunes drängten sich ebenfalls Hunderte von Gefangenen. Viele hatten die Hände an die Pfosten gelegt oder in die Strähnen des Geflechtes gehängt und starrten angestrengt herüber, um in der einbrechenden Dunkelheit noch ein Gesicht zu erkennen. Sie schrien und brüllten Namen oder Fragen und Mitteilungen. Der Lärm steigerte sich ständig, da immer neue Häftlinge in Bienentrauben vor den engen Maschen sich zusammendrängten. Das dumpfe Heulen schallte weit über die dunkle Heide, die sich nun mit Abendtau zu beschlagen begann.

Gärtner hatte sich einen Augenblick auf dem Gepäck niedergelassen, den Kopf mit den Händen im Nacken verschränkt haltend. Er blickte über das Gewühl hinweg in den Abendhimmel. Ein paar leichte Blitze flogen wie bei Abschüssen schwerer Geschütze über den Horizont. Das letzte Gewölk zog sich auseinander, und die ganze gewaltige Kuppel glänzte vor dem unten unaufhaltsam vorrückenden Schwarz der Nacht noch einmal safranfarben und rosa auf. Er fühlte sich durch den Anblick irgendwie gestärkt und getröstet.

Er stand auf, zog seinen Rock zurecht und sagte zu den Gefährten:

»Ich glaube, wir bekommen schönes Wetter. Wir können es brauchen. Und jetzt werden wir darangehen, unsere Zelte zu bauen.«

»Wie denn, was denn?« jammerte der Senatspräsident. »Ich denke, wir kommen in Baracken? Hier können wir doch nicht bleiben, einfach so auf offnem Feld, hier ist doch gar nichts, das wäre ja unmenschlich.«

»Schläft sich ganz gut bei Mutter Grün«, sagte der Schreiner.

»Man wird uns doch nicht etwa im Freien übernachten lassen?« stöhnte der alte Herr.

»Die Zeltbahnen werden schon ausgelegt«, sagte Gärtner. »Aber erst müssen wir noch einmal Schlange stehen zur ärztlichen Untersuchung.«

Ein Stabsarzt hielt mit zwei Sanitätsunteroffizieren am Rande des Feldwegs. Ein kleiner Klapptisch war aufgestellt, vor dem der Protokollführer saß. Im Schein einer Sturmlampe machte er seine Eintragungen. Jeder wurde kurz gefragt, ob ihm etwas Besonderes fehle. Vor Gärtner stand ein kleiner, rundlicher Mann, der die Abfertigung lange aufhielt. Er heiße James Pollack, sagte er in gewandtem Englisch, sein Bruder sei Mitglied des Londoner Börsenvorstandes. Er leide seit Jahren an den Nieren, habe vor kurzem eine Ohrenoperation hinter sich gebracht und sei ständig wegen Gelenkrheumatismus in Behandlung. Der Stabsarzt ließ entsprechende Notizen machen und sagte, er solle sich am Morgen bei ihm im Sanitätszelt melden; er werde sehen, was er für ihn tun könne.

»Morgen, Doktor?« fragte Pollack. »Und was ist heute? Ich kann doch hier nicht bleiben. Ich muß sofort in eine Klinik eingeliefert werden.«

»Wir haben kein Hospital«, sagte der Stabsarzt, »wir haben nur das Sanitätszelt, und das wird eben erst aufgestellt. Melden Sie sich morgen früh und lassen Sie jetzt auch die andern heran.« Die Schlange schob sich weiter.

Die Soldaten hatten inzwischen mit kleinen Fähnchen drei große Zeltreihen markiert und in Abständen die Zeltbahnen und Zeltstöcke niedergelegt. Dann waren sie in ihre Quartiere verschwunden. Gärtner zog mit seinem kleinen Trupp zum Anfang der ersten Reihe, ließ sie das Gepäck zusammenstellen und begann sogleich mit dem Aufrichten des Zeltes. Den Schreiner schickte er mit Lesser auf die Suche nach Strohsäcken und Decken.

»Aber man kann kaum die Hand vor den Augen sehen«, sagte der Fabrikant. »Das ist ja toll. Kein Licht, kein Offizier weit und breit, nicht einmal ein Feldwebel, alles überläßt man uns.«

»Man gewöhnt sich sehr schnell an die Dunkelheit«, meinte Gärtner, der den Zeltstock bereits zusammengesetzt hatte und die Ösen der Zeltbahn darüberschob. Mit Mochows Hilfe richtete er das schwankende Gebilde auf und trat mit dem Stiefelabsatz provisorisch ein paar Heringe in den weichen Boden. Das Zelt stand.

»Donnerwetter«, sagte der Fabrikant, »das geht aber schnell!«

»Gelernt ist gelernt«, knurrte Mochow, »das haben wir oft genug gemacht. Ein piekfeines Zelt ist das, sogar mit einem Entree vorne und einer Portiere. Aber nun steht nicht herum und guckt zu, wie andere Leute arbeiten! Holt wenigstens ein paar Knüppel, damit wir die Pflöcke richtig einschlagen können! Das Ding wackelt doch noch wie ein Lämmerschwanz. Halt mal wenigstens hier die Leine! Nicht so hoch, tiefer, noch tiefer, mit der Nase bis in den Dreck, jawoll, so.« Er schlug mit seinem eisenbewehrten Stock auf den Pflock ein. »Jetzt kommt der nächste«, rief er, »alles sauber verzogen. Keine Falte darf das Ding haben. Das muß so stramm sitzen, daß Du darauf trommeln kannst.« Elzbacher reichte ihm die Schnüre. Er schnaufte vor Erregung.

Als sie fertig waren, erhob er sich und sagte in dienstfertig bescheidenem Tonfall, er wolle sich nun einmal nach Wasser oder einer Essenausgabe umsehen.

»Tu das man«, meinte Mochow, »und bring uns einen netten Geschenkkorb mit! Eine kleine Pulle Korn wär' nicht so übel auf den Schreck.«

Um das Zelt hatten sich Hunderte von Menschen gesammelt, die aufmerksam zuschauten und Fragen stellten. Gärtner gab Auskunft, ging von einer Stelle zur andern und half den vielfach recht ungeschickten Gruppen beim Aufrichten ihrer Zelte. Er ließ ein Zelt, das ganz außerhalb der Reihe aufgebaut war, wieder abreißen und gab unwillkürlich knappe und zuweilen ungeduldige Anweisungen, die wie Befehle klangen.

»Kommandieren Sie doch nicht!« sprach ihn eine Stimme aus dem Dunkel an. »Wer sind Sie denn eigentlich? Hat man Sie dazu beauftragt?«

»Mich hat niemand beauftragt«, antwortete Gärtner. Er ging zur nächsten Gruppe, leise vor sich hinsummend.

»Mensch«, sagte die Stimme, die ihm gefolgt war, »haben Sie denn gar kein Gefühl? Sehen Sie denn nicht, daß die Leute hier verzweifelt sind, daß sie zugrunde gehen? Und da singen Sie noch!«

Gärtner ging auf die Stimme zu und fragte: »Was wollen Sie denn eigentlich?«

Ein überlanger, haltlos schwankender Mann stand vor ihm und blickte ihn mit Augen an, die durch die Dunkelheit funkelten: »Ich will irgendwo unterkommen. Überall lehnen sie mich ab. Keine Gruppe will mich aufnehmen. Ich kann doch nicht allein im Freien schlafen.« Er begann zu schluchzen. Dann fuhr er erneut auf: »Pfeifen Sie nicht, Menschenskind, pfeifen Sie nicht!«

»Kommen Sie!« sagte Gärtner und zog ihn am Arm fort zu den nächsten Zelten. Es zeigte sich, daß überall feste Zeltgemeinschaften gebildet waren, die jeden Zuzug sanft, aber energisch abwehrten. »Wir sind voll besetzt«, hieß es, oder: »Wir haben schon acht Mann in unserem Zelt. Versuchen Sie es doch einmal nebenan!«

»Sehen Sie«, sagte die Stimme des Haltlosen, »die Menschen sind unbarmherzig und ohne jedes kameradschaftliche Gefühl. Sie würden einen verrecken lassen, ohne sich umzudrehen. Aber warum geben Sie ihnen nicht einfach den Befehl, mich aufzunehmen? Wenn Sie hier schon das Kommando führen, dann kommandieren Sie doch auch.« Er schrie laut: »Kommandieren Sie!«

Gärtner fand schließlich in der Mitte der Reihe ein Zelt, das zusammengebrochen war, weil die Insassen sich mit dem Zusammensetzen des Zeltstocks nicht richtig abgefunden hatten. Sie standen um das verunglückte Gebilde im Kreise und pflückten halbherzig an den Leinen herum. Sie waren zu schwächlich und auch zu beschäftigt, um sich gegen den Zuzug zu wehren, der ihnen angemutet wurde; außerdem waren sie Gärtner dankbar, daß er ihnen half, die Bahnen zu entwirren und wiederaufzurichten. So ließ er den Haltlosen dort, nachdem er ihm noch zugeflüstert hatte, er solle sich etwas zusammennehmen und den neuen Zeltgenossen nützlich machen. Aber der Mann setzte sich auf sein kleines Köfferchen und blickte ihn an: »Wer sind Sie eigentlich? Sagen Sie mir doch wenigstens Ihren Namen!«

»Tummeln Sie sich, Mann!« sagte Gärtner ärgerlich. »Holen Sie einen Eimer Wasser für die Leute, wenn Sie sonst nicht zupacken können! Da hinten, wo wir ausgestiegen sind, soll es Wasser geben.«

Er ging rasch, fast laufend davon, um sein eignes Zelt aufzusuchen. Der Schreiner und Lesser waren hochbeladen mit Strohsäcken und Decken zurückgekommen. Elzbacher erschien mit einem Blecheimer voll Wasser und der Nachricht, daß an Essenausgabe nicht zu denken sei.

»Stroh gibt es auch nicht, wie ich von unseren beiden Freunden hier höre«, sagte er. »Eine tolle Wirtschaft. Ein paar Ladungen Stroh herbeizuschaffen, das müßten sie doch organisieren können. Licht gibt es auch nicht.«

»Wir haben eine Taschenlampe«, sagte Gärtner. Er leuchtete damit das Innere des Zeltes ab; sie brachten ihre Koffer an der Wandseite unter und rückten sich auf den Strohsäcken zurecht. Der Schreiner klopfte auf den groben sackleinenen Stoff:

»Gar nicht so übel mit dem Heidekraut als Untermatratze. Das federt direkt.«

»Jetzt wollen wir schlafen«, sagte Gärtner. Er stand aber noch einmal auf und machte einen Rundgang durch die Zeltreihe, deren Obhut ihm angetragen war. Es war völlig dunkel geworden. Aus den Zelten fiel hier und da ein schwacher Lichtschein und benetzte die Heidekrautbüschel vor dem Eingang. Die Wachmannschaften zwischen den Drahtzäunen begannen laut zu rufen. Sie waren in Abständen postiert, und jeder Soldat gab die Versicherung »Alles in Ordnung« und seine Nummer an den nächsten weiter. Wie eine Kette mit klappernden Eimern lief dieses Rufen um das ganze Lager. Es entfernte sich langsam, wurde fast unhörbar und kam von der anderen Seite zurück.

Gärtner wandte sich, ehe er in sein Zelt zurückkehrte, noch einmal dem Zaun zum Nachbargeviert zu. In dem Drahtgeflecht zu beiden getrennten Seiten des Zaunes hingen, schwarz wie verflogene Fledermäuse und die Hände weit ausgestreckt in die Maschen verkrallt, zwei Häftlinge. Es waren Brüder, die sich, seit Monaten getrennt, hier wiedergefunden hatten. Sie sprachen sehr leise, damit die Posten sie nicht hörten.

»Glaubst Du, daß sie mich morgen zu Dir hinüberlassen?« fragte der eine.

»Ich weiß es nicht. Vielleicht komme ich nach Kanada. Gestern ging schon ein Transport von uns ab«, flüsterte der andere.

»Hast Du an Mutter geschrieben? Könnt Ihr schon schreiben?«

»Ja, es gibt eine vorgedruckte Postkarte. Ich habe sie gleich abgeschickt. Dürft Ihr Briefe schicken?«

»Nein. Sie wird sich sehr ängstigen.«

»Ja.« Sie schwiegen beide. Dann sagte der Ältere:

»Gute Nacht, Benji! Deck Dich gut zu! Es wird kalt.«

»Gute Nacht, Martin! Schlaf schön!«

Sie blieben wortlos noch eine Weile in den Draht gekrallt hängen und blickten sich an. Gärtner schlich auf spitzen Sohlen davon und verschwand in seinem Zelt, in dem bereits alles schlief.

2

MORGENAPPELL IM SCHLAFANZUG

Am Morgen weckte sie sehr früh der Ruf zum Appell. Wachmannschaften liefen durch das Lager und gaben bekannt, daß auf dem Feldweg, der durch die Mitte des Geviertes lief, angetreten werden solle. Jeder könne erscheinen, wie er wolle, notfalls im Pyjama, nur im Zelt dürfe keiner zurückbleiben.

Das Wetter war diesig. Vor dem räudig-grauen Himmel wirkten die Scharen, die nun von allen Seiten durch das noch feuchte hohe Heidekraut herbeistapften, wie die aufgescheuchte Bevölkerung einer ganzen Stadt. Viele hatten lediglich ihre Schlafanzüge anbehalten. Andere gingen noch einen Schritt weiter und kamen in Unterhosen, den Mantel oder eine Decke übergeworfen, wieder andere ließen trotzig die offenen Schnürbänder ihrer Schuhe schleifen.

Ein älterer Mann, in Reithosen aus Cord und Gamaschen, trat federnden Schrittes heran. Er war gewissermaßen gestiefelt und gespornt und hatte sogar über seinem peinlichst zugeknöpften Sportjackett die Gasmaske vorschriftsmäßig umgeschlungen wie eine Patronentasche. Auf dem Kopfe trug er einen grünen Hut mit einer kleinen Eichelhäherfeder. Seine Blicke schweiften an der Kolonne entlang, als wollte er die ungenügende Ordnung der in losen Haufen Versammelten korrigieren. Ehe er dazu kam, etwas zu sagen, rief ihn einer seiner Zeltgenossen an:

»Hierher, Rittmeister! Wir haben noch einen Platz für Dich freigelassen.«

»Rittmeister?« rief Mochow, der einige Glieder hinter ihm stand. »Was denn, was denn? Was ist denn hier für ein Rittmeister?« Er trat weit heraus und ging näher heran, um sich den

Mann genauer zu betrachten. Dessen Zeltgenossen belehrten ihn leise, das sei nur ein Scherz. Es handele sich um den Rechtsanwalt Kahane, nicht um einen richtigen Rittmeister. Allerdings habe Kahane davon gesprochen, daß er im ersten Krieg Reserveoffizier gewesen sei, und sich auch schon verschiedentlich über den Mangel an militärischer Disziplin abfällig geäußert. Deshalb also ...

»Paßt uns aber gar nicht«, meinte Mochow laut. »Das wäre ja noch schöner. Hier gibt's keine Reserveoffiziere, und noch dazu aus Wilhelms Zeiten.«

»Sei man stille!« ermahnte ihn der Schreiner und zog ihn vorsichtig in die Reihen zurück. »So schlimm ist das doch nicht.«

»Schlimm genug«, murrte Mochow und stieß seinen Stock in den Sand der Fahrbahn. »Sieh Dir doch nur die Hosen an, die der Kerl hat! Das sind Reithosen, richtige Reithosen sind das. Und da sagst Du noch was von 'nicht so schlimm'. Den Bruder werden wir uns merken.«

Rechtsanwalt Kahane reckte sich hoch auf und blickte starr gerade aus. Die Eichelhäherfeder an seinem Hute flappte im Winde.

Es wurde nun die Parole ausgegeben, sich in Zehnerreihen anzustellen, um das Abzählen zu vereinfachen. Das dauerte lange, und murrende Stimmen wurden laut.

»In Zehnerreihen?« sagte Rechtsanwalt Kahane. »Ich weiß nicht, was für ein Reglement das sein soll. In keiner Armee der Welt gibt es so etwas. Ein Offizier ist übrigens weit und breit nicht zu sehen, nicht einmal ein Feldwebel.«

»Den möchte der Kerl wohl selber am liebsten spielen«, meinte Mochow zu seinem Freund, dem Schreiner. »Das kann ich mir vorstellen. Hinlegen! Auf! Hinlegen! Auf! Zuuurückk marschmarsch, Ihr Schweinehunde! Euch werde ich die Hammelbeine langziehen!«

»Ruhe!« wurde von allen Seiten gerufen. »Benehmt Euch doch, wir fallen ja auf!«

In der Tat eilte einer der Unteroffiziere heran und musterte die unruhige Stelle.

»Irgendwas nicht in Ordnung hier?« fragte er.

»Alles in Ordnung«, versicherte man ihm.

»Na, dann seid still! So können wir nicht abzählen.«

Auf jeder Seite der Kolonne schritt ein Soldat und zählte, mit einem Notizblock in der Hand, auf dem er die Zehner aufschrieb. Am Ende traten sie zusammen und verglichen ihre Resultate.

»Ich habe 3870«, sagte der eine.

»Bei mir sind es 3873«, erklärte der andere.

»Na, dann noch mal, komm, mach los, so werden wir nie fertig!«

Sie zählten erneut. Diesmal hatte der erste 3872, der andere 3875. Der Unteroffizier, der von der Spitze her die Prozedur überwachte, rief ungeduldig: »Fertig?«

»Schreib Du drei dazu, Jack, damit der Mist stimmt. Sonst können wir noch bis zum Abend diese Hammelherde bewachen.«

Sie glichen das Konto aus und präsentierten es dem Unteroffizier, der die Zettel mißtrauisch schweigend in Empfang nahm und den Befehl zum Auseinandergehen erteilte.

Die Internierten lösten sich aus der starren Kolonne und schlichen einzeln oder in Scharen zurück zu den Zeltreihen. Kopfschüttelnd blickten die beiden Soldaten ihnen nach. Der erste meinte:

»Nun sieh Dir diese Gesellschaft an. Horden und Horden. Die meisten sehen aus, daß Du ihnen nicht im Dunkel begegnen möchtest.«

»Ja«, sagte der andere. »Ich möchte wissen, wo sie die aufgetrieben haben.«

»Sieh Dir bloß den da an«, fuhr der erste fort und wies auf den Senatspräsidenten, der in einem verwaschenen blauen Baumwollpyjama mit kleinen Streifen seinem Zelt zustrebte. »Die Visage! Ein hartgesottener alter Sträfling, wenn Du mich fragst. Taschendieb mindestens, dafür lasse ich mich hängen. Ich möchte schwören, ich habe sein Bild schon mal in der Zeitung gesehen.«

Der Senatspräsident blickte sich noch einmal um. Er sah die aufmerksamen Augen der Soldaten auf sich gerichtet und begann unwillkürlich zu laufen, den Pyjama mit beiden Händen über der Brust zusammenhaltend.

»Sagte ich's Dir nicht?« meinte der erste Soldat. »Der Bursche hat ein schlechtes Gewissen. Aber was geht's uns an! Bei mir kann er seine Langfinger in jede Tasche stecken. Ich bin blank. Nicht mal eine Zigarette. Ein Sauleben.«

»Und dann der grüne Hering, die ganze Woche«, sagte der andere. »Sag mal, Jack, hast Du noch eine Patrone übrig? Ich habe nur noch meine drei, und die muß ich doch vorzeigen.«

»Eine vielleicht. Das ist Goldstaub jetzt. Was willst Du denn damit?«

»Karnickel schießen. Auf dem Acker hinter der andern Seite, da hopsen sie doch herum, daß Dir das Maul wässert. Du mußt nur aufpassen, wenn der Spieß beim Major zum Rapport ist. Die haben sich doch mit diesen lausigen Patronen wie beschissen. Drei Stück pro Mann. Was sollst Du mit drei Patronen machen, wenn die Kerle hier ausbrechen oder wenn die Deutschen kommen?«

»Weiß nicht. Vielleicht geben sie uns dann die Piken.«

»Was für Piken?«

»Liest Du nicht die Zeitung? Hast Du nicht am Radio gehört, was der Kriegsminister gesagt hat?«

»Nee, so was höre ich mir nie an.«

»Er will jetzt Piken ausgeben für die Home Guard. Aus Gasrohren machen sie die, oben mit einem Schlitz, wo das Bajonett eingesetzt wird. 'Eine stumme, tödliche Waffe' hat er gesagt.«

»Den Karnickeln kannst Du damit nicht imponieren, Jack. Die

brauchen eine Kugel. Eigentlich müßtest Du eine Schrotflinte haben. Die Äster sind verdammt flink. Hast Du nicht doch noch eine andere Patrone?«

»Meine letzte, Ehrenwort. Wenn Du danebenschießt, schuldest Du mir zwei Schachteln Players.«

»Und wenn ich treffe?«

»Dann kriege ich die Hinterläufe.«

»Abgemacht, Jack. Du kriegst die Hinterläufe.«

3

DIE ENTSTEHUNG DER DREI STÄMME

»Anscheinend kümmert sich überhaupt niemand um uns«, sagte Elzbacher. »Kein Aufsichthabender ist weit und breit zu sehen. Mit der Abzählerei haben sie offenbar alle Kräfte erschöpft. Und da stimmt es noch nicht einmal.«

»Macht nichts, macht fast gar nichts«, meinte der rotbäckige Schreiner. »Laßt man ruhig ein paar überzählig sein, für die fassen wir dann mehr Portionen bei der Verpflegung. Sonst können wir das auch ganz schön alleine. Der Gärtner hat das alles schon eingeteilt, die Kaffeeholer und die Kartoffelschäler. Und wir ziehen erst mal die Zeltschnüre nach und schlagen die Heringe feste ein. Unsere Reihe muß tadellos grade stehn, wie mit der Meßlatte ausgerichtet. Wir halten zusammen, wir aus Kempton Park. Wir lassen uns von den andern nichts vormachen.«

»Auf die zweite Reihe mußt Du aufpassen, Emil«, sagte Mochow. »Die halten zusammen wie Pech und Schwefel. Die reden immer von 'Warts Mill', wo sie hergekommen sind. Das war wohl so eine alte Baumwollfabrik, da waren sie ein paar Wochen vor uns eingesperrt. Die glauben, sie sind uns über, weil sie den Betrieb schon kennen.«

»Und die in der dritten Reihe?« fragte der Schreiner.

»Die laß man«, erwiderte Mochow, »das sind so alle möglichen. Die wissen selber nicht, wo sie her sind. Und die Zelte stehn ja auch bei denen wie Kraut und Rüben, kommste heute nicht, kommste morgen. Aber die von der zweiten, die haben sogar schon einen Reihenleiter gewählt, Hoppenheit heißt er. Der soll sehr forsch sein. Der riskiert eine Lippe. Im KZ ist er auch gewesen.«

»Du weißt schon wieder ganz genau Bescheid«, sagte der Rotbäckige.

»Wir wissen Bescheid«, nickte Mochow. »Und nun geh mal herum und hol die andern zusammen. Organisation ist die Seele vom Buttergeschäft. Jedes Zelt muß einen Obmann haben, und die wählen dann den Reihenleiter, und wir sind für Gärtner. Der schiebt eine ruhige Kugel. Dann sollen die man kommen mit ihrem Hoppenheit. Wir schmeißen den Laden schon, immer so langsam mit der Schulter 'ran, und dann hau-ruck!«

Die Bestimmung der Zeltobleute und die Wahl des Reihenleiters ging schnell vonstatten. Auch die beiden anderen Zeltreihen hatten sich auf ihre Führer geeinigt. Die Reihenleiter traten zusammen. Ein sehr massig gebauter Mann namens Schlick stellte sich als Vertreter der dritten Reihe vor und erklärte, es müsse zunächst einmal ein Rundgang durch das ganze Lager vorgenommen werden. Gärtner und Hoppenheit, ein sehr jünglingshaft aussehender Ostpreuße mit blondem, etwas wirrem Haarschopf, den er ungeduldig immer wieder aus der Stirn warf, schlossen sich ihm an.

Schlick schritt voran und machte energische Handbewegungen:

»Das muß anders werden, meine Herren. Ich bin Fachmann. Mein Büro hat sich hauptsächlich mit feinmechanischen Installationen beschäftigt, aber wir sind schließlich Techniker. Sehen Sie sich die Waschstellen an! Einfach unter freiem Himmel, ein paar offne Hähne, und die tropfen noch fortwährend. Das ist Pfuscherei. Da müssen erst einmal Holzroste gebaut werden, sonst stehen die Leute bis zu den Knien im Dreck.«

Er wies auf die Latrinen, die nach Felddienstvorschrift aus einem einfachen Graben mit ein paar Stangen davor errichtet waren:

»Hier müssen vor allem Kübel mit Kalk her. Und dann werden wir Leute abkommandieren, die den Latrinendienst übernehmen.«

»Nääin«, sagte Hoppenheit mit breiter ostpreußischer Aussprache, »das ist nun jar nicht mein Fall. Bei uns in 'Warts Mill' haben wir das immer freiwillig gemacht. Es melden sich schon genügend Leute, auch für die unangenehmsten Pöstchen. Man braucht sie nur zu fragen.«

»Das soll die Küche sein!« fuhr Schlick fort und deutete auf ein paar runde, schwarze Kessel mit Schornsteinen, die auf dem Platz vor dem Materialschuppen standen. »Alles ohne Dach und Fach, die Kohlen liegen einfach daneben in großen Haufen. Wenn es regnet, hört der ganze Betrieb auf.«

»Vorläufig raucht der Schornstein ganz hübsch«, meinte Gärtner. »Später können wir einen Schuppen bauen, wenn wir die Bretter bekommen.«

»Wenn wir sie bekommen, ganz richtig«, erwiderte Schlick. »Bei der Materialausgabe herrscht völlige Anarchie. Jeder nimmt sich, was ihm paßt. Der englische Posten ist eine Schlafmütze. Der sieht einfach zu, wie sie sich Bretter oder Decken und Schlafsäcke stehlen.«

Er ging, den beiden anderen weit voran, auf den Schuppen zu. Der Soldat stand neben dem Eingang, gelangweilt auf sein Gewehr mit dem aufgepflanzten Bajonett gelehnt, und schaute gleichmütig zu, wie zahlreiche Internierte an den aufgestapelten Vorräten zupften und ameisenhaft eine Planke, einen Woilach oder eine Zeltbahn davonschleppten.

»Finger weg!« schrie Schlick. »Das bleibt hier liegen!«

Sie hielten inne und blickten ihn unschlüssig an.

»Die Vorräte gehören der Allgemeinheit!« rief Schlick. »Was damit zu geschehen hat, wird noch von der Lagerleitung bestimmt. Bis dahin rührt mir keiner etwas an!«

Sie legten die Sachen zurück und trollten sich. Nun erwachte der Posten aus seiner Lethargie, durch Schlicks laute Kommandostimme aufmerksam gemacht. Er schritt herzu, fällte sein Bajonett und rief:

»Was sucht Ihr hier? Schert Euch weg!«

Schlick erwiderte in nicht sehr flüssigem Englisch, er sei ein 'Reihenleiter'. In der Aufregung fiel ihm keine entsprechende Übersetzung ein, und er sprach die Bezeichnung auf deutsch aus.

»Was bist Du?« sagte der Posten. »Nie gehört. Verschwindet, schleunigst! Hier hat niemand herumzulungern.«

Er wedelte drohend mit dem Bajonett. Schlick zog sich zurück. Er blickte sich nach allen Seiten um. Niemand schien die Szene bemerkt zu haben. Er eilte Hoppenheit und Gärtner nach, die sich schon vorher etwas weiter abgesetzt hatten.

»Das kann nicht so bleiben, meine Herren«, sagte er etwas atemlos. »Wir verlieren ja jede Autorität. Wir müssen uns sofort beim Kommandanten melden und bestätigen lassen. Wir müssen dafür sorgen, daß man uns eine Armbinde oder irgendein Abzeichen gibt, das unsere Stellung kennzeichnet und auch den Wachmannschaften gegenüber legitimiert. Ich habe keine Lust, mich noch einmal von so einem Lackel anschnauzen zu lassen.«

»Armbinden?« fragte Hoppenheit. »Nääin, das wollen wir nicht. In Warts Mill haben wir uns wohl gehütet, Abzeichen zu tragen. Es ging auch so ausgezeichnet.«

»Meine Herren«, meinte Schlick, »es tut mir leid, wenn ich bei Ihnen so wenig Unterstützung finde. Dann gehe ich allein zum Kommandanten.«

Gärtner fragte, was es denn mit diesem Kommandanten auf sich habe. Bisher wisse man doch kaum, wo man denn überhaupt sei.

Schlick wußte das sehr wohl. Das Lager heiße Prees Heath. Der Kommandant sei ein Major Pointer, kein aktiver Offizier, sondern von der Territorialarmee. Die Wachmannschaften bestünden aus etwa dreihundert Mann, von denen jeder genau drei scharfe Patronen zur Verfügung habe.

»Großartig«, sagte Hoppenheit. »Und das haben Sie alles in einem halben Tag aufgeklaubt? Wie machen Sie denn so was?«

»Ich habe mit den Posten gesprochen«, erwiderte Schlick. »Ich kann es nicht ausstehen, wenn man im Dunkel herumtappt.«

»Na ja«, meinte Hoppenheit, »Sie müssen wohl im Dunkel herumgetappt sein, wenn Sie mit den Posten gesprochen haben. Am Tage geht das schlecht, das haben wir eben gesehen.«

»Wann treten wir wieder zusammen?« fragte Schlick.

»Na, morgen doch«, schlug Hoppenheit vor.

Das sei unmöglich, erklärte Schlick. Man habe eine Unmenge von dringenden Aufgaben zu besprechen. Wie wäre es gleich nach dem Mittagessen?

»Ausjeschlossen«, erwiderte Hoppenheit. »Da haben wir in Warts Mill immer unser Nachmittagsschläfchen gehalten. Wir sind das gewöhnt.«

»Dann um vier?«

Nein, das sei auch noch zu früh.

»Also spätestens um halb fünf, meine Herren. Dann werden Ihre Leute wohl ausgeschlafen haben.«

Sie einigten sich auf halb fünf. Schlick ging mit einer raschen Wendung davon.

»Nääin«, sagte der Ostpreuße zu Gärtner und verzog sein jungenhaftes Gesicht, als hätte er auf einen Kern gebissen. »Der gefällt mir nun gar nicht. Tüchtig ist er ja wohl.«

»Der Vorschlag mit den Holzrosten war nicht schlecht«, meinte Gärtner behutsam abwägend.

»Der war sogar gut«, gab Hoppenheit zu. »Aber mir gefiel sein Ton nicht, und unseren Leuten aus Warts Mill wird der noch viel weniger gefallen. Wir werden sehen, wie er sich macht. Mit der ganzen dritten Reihe soll ja nicht viel los sein. Die sind vielleicht noch froh, daß sie so einen haben.«

Er verabschiedete sich, und Gärtner ging auf sein Zelt zu.

»Reihenleiter«, rief ihm der rotbäckige Schreiner entgegen, »wo bleibst Du? Du mußt Dich um Deine Mannschaft kümmern. Die aus Warts Mill, das ist eine ganz ausgepichte Gesellschaft, die drücken uns an die Wand. Die verstehen den Rummel. Jeder von ihnen hat mindestens drei Decken, und wir gucken in den Mond.«

Gärtner berichtete ihm entschuldigend über den Rundgang.

»Na ja«, meinte der Schreiner, »das muß wohl auch sein. Aber nun komm einmal mit, ich will Dir etwas zeigen!«

Er führte ihn hinter der Latrine an den Drahtzaun, wo er eine ganze Lage neuer Bretter aufgestapelt und mit Heidekraut und etwas Erde abgedeckt hatte.

»Die habe ich erst mal requiriert, ehe die Warts Mill-Leute alles an sich reißen. Jetzt beschaff Du mir das Handwerkszeug, Reihenleiter!«

»Und was willst Du damit bauen?«

»Na, sieh mal«, sagte der Schreiner und wies auf den Latrinengraben, »das ist doch nichts. Da muß der Mensch sich ja ekeln. Wenn ich wenigstens eine Säge und einen Hammer und ein paar Nägel bekomme, ich sage Dir, da stelle ich uns ein Schweizerhäuschen hin, die sollen staunen.«

Sie gingen zurück, und der Schreiner sagte leise:

»Du mußt Dich auch um das Jugendzelt kümmern. Das ist eine Lausebande. Nichts als Gebrüll den ganzen Vormittag, und dann kloppen sie Karten wie die Großen oder machen Musik. Da ist so ein Bengel, Schimon heißt er, der spielt Mundharmonika, ganz ohne was, nur mit beiden Händen, alle Schlager, die Du nur kennst. So geht das nicht. Du mußt sie anstellen, sonst kommen sie auf dumme Gedanken. Was sie in der Nacht da in ihrem Zelt getrieben haben, davon wollen wir gar nicht reden, das ist so in dem Alter. Sie sind ja auch man so verlaufene Kerlchen, die keinen Vater und keine Mutter haben, und eine richtige Braut erst recht nicht. Nimm sie Dir vor! Warum sollen die alten Leute die ganze Arbeit machen? Das schickt sich nicht.«

Er nahm einen neuen Anlauf und sagte tastend:

»Was ich noch sagen wollte, Reihenleiter, Du mußt mir's nicht übelnehmen. Wir haben Dich ja gewählt und sind auch alle für Dich. Wie Du gestern die Zelte aufgebaut hast, so ganz pöh a pöh und ohne Gebrüll, das war richtig, das hat uns gefallen, und auch mit der Einteilung für die Kaffeeholer und Kartoffelschäler. Aber Du mußt mehr auftreten. Du mußt Dich zeigen. Wir wollen uns von den anderen nicht das Wasser abgraben lassen. Mit denen von der dritten Reihe werden wir leicht fertig, das haben wir gleich gesehen. Die laufen bloß durcheinander und blaffen sich an, und ihr Reihenleiter, das ist eine Großfresse. Aber die von der zweiten, die sind gefährlich, die Brüder. Denen braucht der Hoppenheit nichts zu sagen. Die packen zu, haste was kannste. Die holen sich, was sie wollen. Bei uns, da ist noch kein richtiger Halt ins Gerüst. Du weißt schon, was ich meine.«

»Ja«, sagte Gärtner.

»Also«, schloß der Rotbäckige ab, »nichts für übel. Die anderen wollten es Dir nicht sagen.«

»Schon gut«, erwiderte Gärtner. »Ihr müßt mir nur etwas Zeit lassen. Ich bin etwas langsam in solchen Dingen.«

»Langsam ist gut«, meinte der Schreiner. »Aber dann mußt Du nachschieben, immer feste, und zum Schluß mit einem Ruck. Und nun sieh zu, daß wir zu unserem Essen kommen! Was gibt es denn?«

»Hering und Kartoffeln.«

»Na ja. Das Schlechteste ist das noch lange nicht. Wir haben schon Kartoffelschalen aus der Abfalltonne gefressen und uns dabei geprügelt. Vergiß mein Handwerkszeug nicht! Ich muß morgen anfangen. Sonst klauen die mir meine Bretter.«

4

SCHLICK

»Sieh Dir den an!« sagte Mochow zu seinem Freund, dem Schreiner, als sie am Nachmittag hinter dem Reihenführer der Dritten hergingen. »Sieh Dir bloß den an! Wie der schon seine Beine schmeißt. Das ist ein ganz Gefährlicher, sage ich Dir.«

»Er soll aber sehr tüchtig sein«, meinte der Schreiner leise. »Und denn schrei nicht so, Wilhelm! Der hört Dich ja.«

»Immer zu, der kann mich ruhig hören«, sagte Mochow. »Der wird sowieso bald merken, daß wir hier sind. Auf den wollen wir ein Auge werfen.«

»Nicht so laut, Wilhelm! Und denn kennst Du ihn doch gar nicht.«

Mochow ließ sich nicht beirren: »So einen brauche ich noch nicht mal von vorne zu sehen. Dem sein Hintern ist so gut wie seine Visage. Stramm ist der, jawoll, der trampelt alle in den Dreck, die ihm in die Quere kommen.«

»Kann sein, Wilhelm, kann sein«, sagte der Schreiner nachgiebig. »Vielleicht ist er auch ganz gutmütig. Die Dicken sind doch meist gutmütig.«

»Der nicht, Emil, der nicht. Der ist behende. Der schlägt Haken. Den kannst Du nicht so leichte fassen. Aber Wilhelm Mochow wird ihm schon auf die Schliche kommen. Mit dem ist was faul.«

»Was soll denn da sein? Du bist auch immer mißtrauisch, Wilhelm. Wenn er nicht in Ordnung wäre, dann hätten ihn die von der dritten Reihe doch nicht zum Reihenführer gewählt.«

»Die?« sagte Mochow und stieß seinen Stock auf den Boden. »Das ist doch Murks, das weißt Du so gut wie ich.«

»Und dann soll er ganz vernünftige Vorschläge mit der Wasserleitung gemacht haben, das hat Gärtner erzählt. Holzrosten will er bauen, das ist nicht schlecht. Er sucht schon nach Fachleuten. Ich habe nur erst was anderes vor, sonst hätte ich mich schon gemeldet.«

»Holzrosten? Davon lassen wir uns noch lange nicht betümpeln. Schlau ist er wohl, das wollen wir nicht bestreiten. Aber ich nehme ihn mir auf die Pupille, das sage ich Dir, und wenn Wilhelm Mochow sich einen auf die Pupille nimmt, da kommt er so leicht nicht 'runter.«

Schlick trat ganz plötzlich zur Seite und ließ die beiden an sich vorübergehen, sie aufmerksam musternd. Der Schreiner schlich mit verlegenen Schritten dahin. Mochow marschierte mit stampfenden Beinen und blickte dem Wartenden aus den schmalen Ritzen seiner Augen gerade ins Gesicht.

»Mahlzeit, Reihenführer!« sagte er mit lauter Stimme.

»Mahlzeit, meine Herren!« antwortete Schlick und verbeugte sich ein wenig.

Die beiden Freunde zogen eine Weile schweigend dahin. Der Schreiner genierte sich, dem Genossen etwas zu sagen. Mochow hantierte ärgerlich mit seinem schweren Stock und murrte schließlich:

»Von vorne wie von hinten. Hast Du dem seine Backen gesehen? Ein Arschgesicht.«

»Nun sei doch endlich stille!« meinte der Rotbäckige. »Du hast doch gesehen, wie er uns gehört hat.«

»Soll er man«, antwortete Mochow. »Wenn wir hier nicht sagen können, was wir wollen, dann weiß ich nicht. Hast Du nicht den Zettel gesehen, den sie aus der Zeitung ausgeschnitten und an dem Pfosten angepickt haben? 'Die letzte Zitadelle der Freiheit!' Das war gar keine schlechte Idee.«

»Das war doch mehr ein blutiger Witz, Wilhelm. Und wenn der Engländer das sieht, denn wird er es wohl abmachen.«

»Abmachen? Der läßt sich doch gar nicht sehen. Dem ist doch ganz schnurzpiepegal, was wir hier machen. Der geht auf die Karnickeljagd mit seinem Schießprügel, der Engländer. Hast Du nicht gehört, wie sie geknallt haben heute vormittag? Ganz vorsichtig haben sie geknallt, die schlauen Hunde, und einer hat zwischendurch noch mit dem Deckel ein paarmal feste auf die Mülltonne geballert, damit der Spieß denken soll, das ist es. In so was sind sie gerissen.«

»Wir sind doch aber Gefangene hier, Wilhelm.«

»Eben. Deshalb müssen wir selber für Ordnung sorgen. Wir sind auf dem Kien. Uns kann keiner was vormachen, und wenn er zehnmal an der Wasserleitung herumpusselt und Holzrosten bauen will. Und was hast Du denn da noch vor? Du murmelst so was, Du willst erst 'was anderes' machen. Was willst Du denn machen?«

»Das wirst Du schon sehen, Wilhelm, laß mich man.«

»Na, hab Du immer Deine Heimlichkeiten. Ich habe meine, und da laß ich mir nicht von Dir in die Karten gucken.«

Schlick schaute den beiden lange nach. Kein Muskel in dem dicht mit Fleisch bepackten Gesicht bewegte sich. Dann machte er mit der überraschenden, fast tänzerischen Leichtigkeit, die manchen schweren Menschen eigen ist, eine Wendung und setzte sich in Richtung auf seine Zeltreihe in Bewegung.

5

IN DER PRALLEN SONNE

Das Wetter hatte sich völlig aufgeklärt. Die Sonne schien mit frühsommerlicher Gewalt auf das Lager herunter. Wege wurden ausgetreten und bekamen ein vertrautes Ansehen. Man gab ihnen Straßennamen: in der ersten Reihe wurde der Pfad 'Gartenweg' genannt, in der zweiten 'Mill way', zur Erinnerung an Warts Mill, die dritte wählte auf Schlicks Vorschlag die sachlich-hochtrabende Bezeichnung 'C-Allee'. Eine Stelle, an der nackter Boden hervorschaute, wurde die 'Kleine Sandwüste' getauft. Hier fanden die politischen Debatten, die Religionsgespräche und Diskussionen statt, die alsbald aufblühten.

Viele standen in Gruppen umher und klatschten oder gaben die Lagergerüchte weiter.

»Die Posten haben gesagt, daß Luftangriffe kommen!« rief einer.

»Wo sind die Unterstände«, hieß es, »oder wenigstens Deckungsgräben?«

»Was ist mit unseren Papieren?« meinte ein anderer. »Wahrscheinlich haben sie die einfach in Sandsäcke gestopft und irgendwo in einem Keller hingeschüttet. Und inzwischen laufen die Affidavits und Visen ab, die Schiffskarten verfallen. Mancher hat da sein letztes Geld hineingesteckt. Wozu haben wir die Reihenleiter gewählt? Sie sollen zum Kommandanten gehen.«

»Jawohl, vorwärts, vorwärts! Wir treten ja auf der Stelle. Wir drehen uns im Kreise wie eine Hammelherde. Es muß etwas geschehen.«

Rufe flogen wie brennende Papierfetzen durch die Lagerreihen. Die Gesichter brannten lichterloh. Dichte Scharen sammelten sich um die Reihenleiter und bestürmten sie mit erhobenen Händen.

Gärtner, Hoppenheit und Schlick traten den Gang zur Kommandantur an. Zwei Posten führten sie durch das stacheldrahtbewehrte hohe Tor hinaus. Vor einer der Baracken machten sie halt. Das plätschernde Geräusch von Schreibmaschinen kündigte das Büro an. »Warten lassen!« kam der Bescheid.

Major Pointer saß vor einem Tisch aus rohem Holz, der armhoch mit Berichten, Eingaben, Rundschreiben und Meldungen bepackt war. Seine Mütze hatte er mit der Öffnung nach oben auf einen der Stapel gelegt. Er schwitzte. In den unermeßlichen Gefilden des Papierkriegs, in die er unversehens versetzt worden war, fand er sich nur mühsam zurecht.

Die Ordonnanz, ein großer, schlanker Mann mit vorzüglich sitzender Uniform und tadellosen Bügelfalten, trat mit leicht mokantem Lächeln immer wieder heran und überreichte eine neue Meldung oder Durchgabe. Er war im Zivil Bürovorsteher einer großen Anwaltskanzlei, und es bereitete ihm eine kaum verhehlte Genugtuung, seinen Vorgesetzten mit Papier zuzudecken. »Nur so weiter«, dachte er, »in zwei Tagen kommt der ganze Laden hier ins Stocken. Dann nehme ich die Sache in die Hand.«

Die letzte Meldung, die er vorlegte, verstimmte den Kommandanten ganz besonders. Einer der Posten, übermüdet von der Nachtwache, war gegen Morgen eingenickt und hatte sich das aufgepflanzte Bajonett ins Ohr gebohrt. Er mußte vom Stabsarzt verbunden werden.

»Was«, schrie Pointer, »Verluste haben wir jetzt auch noch bei diesem lausigen Geschäft? Da hört alles auf. Nächstens wird geschossen, wie?«

»Ich glaube nicht, Sir«, sagte die Ordonnanz. »Bisher sind sie ganz ruhig. Ausgerückt ist noch keiner. Soll ich jetzt die drei Gefangenen hereinholen?«

»Was haben die denn ausgefressen?« fragte der Major.

»Sie haben nichts ausgefressen, Sir. Sie sollen Obleute oder Delegierte sein.«

»Das auch noch!« stöhnte Pointer. »Also, in Gottes Namen.«

Die drei traten in den niedrigen Raum und stellten sich vor.

»Schön, schön«, sagte der Major. Er griff nach seiner Mütze und setzte sie sich mit einem leisen Knack auf die schwitzende Stirn. »Irgendwelche Beschwerden? Das Stroh wird schon geholt. Sagen Sie das Ihren Leuten.«

Gärtner brachte nun, stockend und nach den Worten suchend, die Frage der vermißten Papiere zur Sprache. Er betonte die Bedeutung der Dokumente für die Internierten. Für viele hinge ihr Lebensschicksal . . .

»Papiere?« unterbrach ihn der Major. »Was für Papiere? Ich habe hier den ganzen Tisch voll. Jede Stunde werden es mehr. Wo sollen wir denn da hin? Wir ersticken ja in Papieren.«

Gärtner bemühte sich, ihm den besonderen Sinn des Wortes 'Papiere' für die Flüchtlinge zu verdolmetschen. In der Aufregung beging er den Fehler, die ihm und seinen Schicksalsgenossen so vertrauten Bedeutungen von Paß, Visum, Affidavit und Behördenattest als bekannt vorauszusetzen. Ein Affidavit, so sagte er, sei eine Erklärung von Freunden oder Bekannten in Übersee, daß sie für den Betreffenden zu bürgen bereit seien und ihn auch geldlich unterstützen würden, falls er in Not geriete, damit er nicht den Behörden . . .

»Ich verstehe, ich verstehe«, sagte Pointer. Er setzte seine Mütze wieder ab, legte sie auf den nächsten Aktenstoß und meinte: »Sie haben sich da alle möglichen Ausweise zusammengeholt. Aber wozu brauchen Sie die denn jetzt in drei Teufels

Namen? Sie sind doch hier ganz ordentlich untergebracht. Das Stroh kommt, es kommt ganz bestimmt. Ich habe eben meinen Feldwebel deswegen nach Shrewsbury geschickt, um da etwas Dampf zu machen. Und wenn der Krieg zu Ende ist, was noch ein paar Tage dauern kann, so wie die Dinge heute stehen, dann gehen Sie doch wieder nach Deutschland zurück. Oder nicht?«

Hoppenheit nickte unwillkürlich, daß sein blonder Haarschopf aufflog, trat aber dann erschrocken zurück. Gärtner erklärte, die meisten Internierten hätten keineswegs die Absicht, nach Deutschland zurückzukehren. Sie wollten auswandern, nach USA, nach Kanada oder Südamerika. Und dafür brauchten sie eben als Wichtigstes ihre Papiere, vor allem die Pässe mit den Visen und die Affidavits.

Pointer schüttelte nachsichtig den Kopf: »Wozu braucht ein anständiger Mensch einen Paß? Ich habe mein Lebtag kein solches Ding besessen. Aber wenn die Gefangenen solchen Wert auf diese Dokumente legen, dann können wir ja einmal nachforschen. Machen Sie eine Notiz darüber!« Er wandte sich an die Ordonnanz, die lächelnd einen Zettel beschrieb.

Der Major bedeckte sich von neuem und stand auf:

»Sonst noch etwas? Irgendwelche Beschwerden? Wenn Sie etwas vorzubringen haben, lassen Sie sich bei mir melden. Wir sehen zu, was wir für Sie tun können. Wir wollen, daß Sie hier zufrieden sind. Bequem können wir es Ihnen nicht machen. Ihre lieben Landsleute halten uns ziemlich in Atem.« Er schlug mit der Hand auf ein Zeitungsblatt mit dem Tagesbericht, das neben den Akten lag. »Gestern erst wieder hundertzwölf Abschüsse über London. Couragierte Jungens, das muß ich sagen.«

Er bedeutete den dreien, daß nun das Gespräch abgeschlossen sei, und sie wandten sich unschlüssig zum Gehen. Er winkte sie noch einmal zurück:

»Eine Frage übrigens: Viele von Ihnen, wie ich einem von die-

sen Papieren entnehme, gehören doch dem jüdischen Glaubens-
bekenntnis an. Stimmt das?«

Sie bejahten.

Pointer blickte sie scharf an und sagte: »Und da sind Sie auf
der Seite Adolf Hitlers? Wie ist das möglich?«

Die Häftlinge standen versteinert. Sie stammelten verwirrt:
Aber nein, sie seien Flüchtlinge, Vertriebene, Emigranten, Verfolgte, überzeugte Gegner des Regimes. Hoppenheit schüttelte
verzweifelt seinen Haarschopf: Er hasse die Nazis wie die Pest,
er werde nie seinen Frieden mit ihnen machen, nie, nie . . .

»So«, sagte der Major. »Aber Sie sind doch hier interniert?
Man hat Sie mir zur Bewachung eingeliefert, wie? Ich muß schon
sagen, das übersteigt mein Vorstellungsvermögen.«

Sie würgten an weiteren Erklärungen und Beteuerungen, aber
Pointer beendete nun dezidiert die Unterredung:

»Nochmals also: jede vernünftige Beschwerde wird berücksichtigt. Das Stroh kommt. Sagen Sie das Ihren Leuten. Ich lege Wert
darauf.«

Er winkte den Posten, und sie wurden abgeführt. Mit sehr
langsamen Schritten schlichen sie dem Lagereingang zu.

Hoppenheit schlug sich vor die Stirn: »Aber das ist doch jrauen-
haft, das ist ja jrau-en-haft. Ich habe es ihm doch gesagt, daß ich
das Gesindel hasse wie die Pest. Der Kerl ist ein Faschist, ein
ganz gewöhnlicher Faschist!«

»Er ist kein Faschist«, erklärte Gärtner. »Er hat nur keine
Ahnung.«

»Aber einen Augenblick, meine Herren«, sagte Schlick, »warten Sie doch noch einen Augenblick, ehe wir ins Lager kommen.
So geht das doch nicht. Wir müssen etwas vorzeigen können. Wir
müssen betonen, daß der Kommandeur eine sofortige Untersuchung über den Verbleib der Pässe und Papiere angeordnet hat,
wir müssen . . .«

»Näin!« erklärte Hoppenheit sehr bestimmt. »Wir haben uns in Warts Mill immer ganz freimütig ausgesprochen. Ich erzähle alles, wie es war. Der Kerl ist ein Faschist. Und ich habe dagestanden wie ein Ölgötze.«

»Aber so warten Sie doch«, sagte Schlick, »wir sind ja gleich am Tor.«

»Hier stehen bleiben?« meinte Hoppenheit. »Das gefällt mir nicht. Ich gehe. Und ich sage Euch: ich könnte mich prüjeln, ich könnte mir die Haare ausreißen, ich möchte in die Erde versinken, so dämlich habe ich mich benommen.« Er stemmte seine beiden Fäuste vor die Stirn, schüttelte sich und schritt entschlossen auf seine Zeltreihe los.

»Sie sind doch etwas vernünftiger, Herr Diplomingenieur«, wandte Schlick sich an Gärtner. »Können wir nicht noch ein ruhiges Wort sprechen?«

»Ich bin im Grunde Hoppenheits Ansicht«, meinte Gärtner. »Es hat keinen Sinn, unseren Leuten etwas vorzumachen. Es hat auch keinen Sinn, sich selbst etwas vorzumachen. Kommen Sie!« Schlick folgte ihm. Sein Kopf pendelte leise und verwundert hin und her.

Bis tief in den Abend hinein kam das Lager nicht zur Ruhe. Wutschreie erschollen aus der Reihe der Warts Mill-Leute; andere hielten sich an die tröstlichere Version des Gesprächs, die Schlick verbreitete. Der Gedanke einer Eingabe an die höheren Instanzen besänftigte schließlich die Gemüter etwas. Lesser stellte seine Schreibmaschine und seine Sprachkenntnisse zur Verfügung. Man lieh ihm eine der wenigen Kerzen, die sich im Gepäck erhalten hatten. Noch spät in der Nacht hörte man ihn in Gärtners Zelt klappern. Das kleine Licht, das wie ein Ölfleck durch die Zeltleinwand schimmerte, schien allen ein Zeichen der Hoffnung in der Dunkelheit.

6

LÄMMERWÖLKCHEN

Der nächste Tag wurde sehr heiß. Schon beim Morgenappell lag das Heidekraut fast trocken da, später begann es zu knistern. Die Zelte standen schlaff im Sonnendunst. Die Gefangenen ließen sich gehen; die wenigsten rasierten sich, viele schlurften den ganzen Tag über in ihren Pyjamas oder in bloßen Unterhosen umher. Einige der Jüngeren liefen barfuß.

Der rotbäckige Schreiner hatte Handwerkszeug vom Depot erhalten und war unter Aufsicht eines Postens damit beschäftigt, sein Schweizerhäuschen aufzurichten. Der Ton seiner Säge scholl einschläfernd und ungemein beruhigend herüber.

Gegen Nachmittag begannen in der Ferne ein paar Abwehrgeschütze zu bellen. Die Flugzeuge waren nicht zu sehen; nur sehr hoch im glattgespannten Blau stäubten winzige weiße Lämmerwölkchen mit ganz leisen, lockenden Schnalzlauten gegen die Himmelskuppel, als triebe jemand ein Pferd zu etwas rascherer Gangart an.

»Sieh Dir das an«, sagte der Schreiner, der eben eine Arbeitspause eingelegt hatte, zu Mochow, »direkt friedlich sieht das so aus auf die Entfernung. Wenn du drinsitzt, ist es anders. Da möchten sie wohl lieber recht bald wieder zu Hause sein bei Muttern.«

Mochow betrachtete sich das Schauspiel mit schmalen Augen, auf seinen Stock gestützt. »Die denken nicht an Muttern«, erwiderte er, »die denken an ganz was anderes. Und wenn sie nach Hause kommen, dann soll Adolf sie vor die Front rufen: 'Gut so, der Mann, wie heißt der Mann?', und ihnen einen Piepmatz an die Brust kleben. Das denken die, sage ich Dir.«

»Aber nach Hause kommen wollen sie doch auch«, meinte der Schreiner. »Das will doch jeder.«

»Ja«, sagte Mochow grimmig, »damit er sich eine neue Ladung holen kann. Und wenn sie hier herüberkommen, dann wirst Du gehängt, da baumelst Du. Da kannst Du ihnen lange von Muttern piepsen.«

»Mach doch keine Pferde scheu«, gab der Schreiner zurück. »Hängen werden sie uns nicht gleich. Wir sind doch hier Kriegsgefangene.«

Mochow schüttelte den Kopf: »Wie kommst Du mir denn vor? Hast Du mal von den Kriegsgesetzen gehört?«

»Na eben.«

»Nicht na eben, Du Dussel. Wie alt bist Du denn?«

»Achtunddreißig. Ich weiß schon, was Du meinst.«

»Siehst Du. Du bist ein Deserteur, das bist Du. Du hast Dich Deiner angestammten Wehrpflicht entzogen. Von Rechts wegen sollst Du jetzt die Knarre auf den Buckel nehmen und für Deinen Führer die Beine schmeißen. Davor hast Du Dich gedrückt, und darauf steht die Todesstrafe. Das weißt Du so gut wie ich.«

»So schnell schießen die Preußen nicht«, sagte der Schreiner mit etwas unsicherer Stimme.

»Die Preußen, die Preußen! Du lebst wohl noch zu Wilhelms Zeiten. Da hätten sie Dich einfach an die Wand gestellt: Feuer, pfft, weg! Aber jetzt, das sind doch keine Preußen, das sind Hanaken, Kujaben, Schlawiner, bloß nicht aus Preußen, von allen Ecken und Kanten sind die zusammengelaufen. Bei denen wird nicht erschossen, höchstens 'auf der Flucht'. Das könnte Dir so passen, Du fauler Hund: den ganzen Tag im Grabe liegen und vor Dich hinstinken! Die machen das anders. Die lassen Dich zappeln. Die denken sich was aus für uns, sage ich Dir.«

»Ich weiß, was sie mit Dir angestellt haben.«

»Na ja, wir leben noch. Aber was meinst Du, was sie mit mir

anstellen, wenn sie mich diesmal erwischen? Da komme ich nicht mit einem halben Brustkasten weg.«

»Sie sind ja noch nicht hier«, sagte der Schreiner.

»Aber da!« Mochow zeigte mit seinem Stock auf den Himmel, der jetzt mit einem dichten Flockenteppich von Schrapnellwölkchen bedeckt war. »Hör Dir das Geknalle an! Die stümpern doch nur so in der Luft herum. Siehst Du einen herunterkommen? Ich sehe keinen.«

»Gestern sollen sie über London Stücker zwanzig heruntergeholt haben. Der Posten hat das erzählt.«

»Das kann schon sein. Der Engländer ist zäh. Der gibt nicht so leicht bei. Aber er hat zu lange geschlafen. Wenn er damals gleich dem Adolf quer in die Schnauze gehauen hätte, da wäre die ganze Schweinerei nicht passiert.«

»Ja, das wäre wohl besser gewesen, Wilhelm, da hast Du wieder einmal recht.«

»Da säßen wir hier nicht und warteten, bis sie uns abholen.«

»Glaubst Du denn wirklich, daß sie 'rüberkommen?«

Mochow zuckte die Achseln. »Viel Freude werden sie an mir nicht erleben.«

»Kannst Du Dir das vorstellen, Wilhelm?« fragte der Schreiner.

»Ich kann mir das ganz gut vorstellen. Der Engländer wird sich schon zur Wehr setzen, der wirft nicht die Flinte ins Korn, das tut er nicht, er wird schießen, aber er hat nichts zum Schießen; siehst Du, das ist die Geschichte. Ganze drei Patronen haben die Wachmannschaften, das haben wir ja gehört. Die werden abgeknallt wie die Hasen. Und dann heißt es: Angetreten die ganze Kompanie! und dann führen sie uns ab, allesamt, wie wir hier sind. Vielleicht fahren sie uns sogar bis nach Hause. Die haben so ihre Gefühle. Die wollen nicht, daß unsere alten Knochen hier in fremder Erde vermodern. In der Heimat, in der Heimat, da gibt's ein Wiedersehn!«

»Wilhelm«, mahnte der Schreiner, »nun fang Du nicht noch an zu singen.«

»Warum nicht?« sagte Mochow. »In Bautzen, da mußten wir immer singen, aber feste, was denen nur gerade einfiel, wenn einer geprügelt wurde. 'Annemarie, wo geht die Reise hin' haben wir gesungen, und jeder wußte schon, wo die Reise hinging. Wenn sie einen da auf den Block gespannt hatten, den mußten sie nur noch wegtragen, und dann wurde er 'durch den Schornstein entlassen'. Ja, so hieß das bei uns. Den konnte die Witwe dann in der Zigarrenkiste abholen.«

»Wilhelm«, fragte der Schreiner behutsam, »denkst Du manchmal an Deine Frau?«

»Gewiß doch.«

»Meinst Du, daß sie sich sehr aufregt, wenn sie jetzt nichts von Dir hört?«

»Da regt sie sich nur ganz wenig auf, Emil. Die ist das doch gewöhnt, daß nur eine Postkarte kommt, mit Vordruck und so weiter, und dann ist erst einmal Grabesstille. Aber *ich* rege mich auf, wenn ich denke, daß sie da nun so alleine in ihrer Bude sitzt, mit den dünnen Wänden. Die Häuser hier sind doch man sehr wacklig gebaut, in den Gegenden, wo wir so wohnen, da will jeder seinen Schnitt dran machen, der Grundbesitzer, und der Bauherr, und der Verwalter, und womöglich noch der Vermieter. Das purzelt nur so, wenn an der Ecke eine Ladung herunterkommt. Und wenn Du sagst, daß sie gestern Stücker zwanzig heruntergeholt haben in London, dann sage ich Dir: Stücker hundert sind es im ganzen gewesen. Und die haben allerhand abgeladen, ehe sie türmten und nach Hause fuhren, um zu melden: Befehl ausgeführt, London ein Flammenmeer! Und da sitzt die Olle nun mutterseelenallein. Das regt mich auf.«

»Sie sind schon abgehauen«, sagte der Schreiner und wies auf den Himmel, der still geworden war. Die Schrapnellwölkchen zerflossen und schwebten nur noch als blasse, faserige Streifen vor dem Blau der Kuppel.

»Die kommen wieder«, meinte Mochow, »darauf kannst Du Dich verlassen. Die kommen noch öfters. Die fangen jetzt erst richtig an.«

Er schwieg eine Weile und bohrte mit seinem Stock in dem dichten Heidekraut. Dann sagte er:

»Ich will Dir sagen, was mich noch aufregt, Emil. Meine Olle, die hat drei Aufwartestellen, und dann hilft sie noch am Sonnabend in der Küche in unserem Kulturklub. Aber sie ist sechsundfünfzig. Da wollen die alten Knochen nicht mehr so richtig. Die Leute sind nett zu ihr, alles, was recht ist, sie stellen ihr auch immer eine Tasse Tee hin; Kaffee wär' ihr ja lieber, aber sie hat sich an die gelbe Lurke schon gewöhnt. Die Arbeit ist auch nicht so schwer. Anfangs, da hat sie immer noch herumgewuracht wie zu Hause und ist in alle Ecken gefahren und hat die Schränke abgerückt, aber das wollen sie gar nicht. Die Hauptsache ist, daß das Messing blitzt, die Türknöpfe und die Türklopfer und die Namensschilder, dann sind sie schon zufrieden. Aber wenn sie den Boden machen, dann gehen sie hier herunter auf die Knie, anders tun sie's nicht beim Engländer. 'Wilhelm', hat die Olle mir gesagt, 'sie glauben Dir nicht, wenn Du sagst, daß Du auch im Stehen aufwischen kannst. Da denken sie, Du willst Dich schonen.' Na ja, und davon haben sie denn auch alle kaputte Knie und Krampfadern, so dick wie mein Stock. Das fällt meiner Ollen sehr sauer, Emil, und das geht mir manchmal mächtig im Koppe herum. Ich kann mich ja nun überhaupt nicht mehr bükken.«

Er ließ sich mühsam in das Heidekraut nieder, und der Schreiner war ihm dabei behilflich. Dann sagte Mochow:

»Nun wollen wir einmal ein kleines Nickerchen machen. Und Du gehst ja nun wohl an Deine Bauerei. Das soll ja ein richtiger

Admiralspalast werden. Wie willst Du da alle dreitausend Mann unterbringen? Das ist wohl bloß für die Reihenleiter und die Zeltmarschälle, was? Aber zur Einweihung, da reservierst Du mir einen Logensitz, das verlange ich von Dir.«

Der Schreiner nickte und ging, um sein Handwerkszeug vom Depot zu holen. Bald scholl das markige Geräusch seiner Säge, die in sicheren, beharrlichen Zügen in das frische Holz eingriff, durch die Stille. Die Häftlinge räkelten sich und schliefen. Das Heidekraut knisterte leise in der Sonne.

7

DIE ÄGYPTISCHE PRINZESSIN

Gärtner hatte sich in einen stillen Winkel am Zaun zurück-gezogen und betrachtete forschend die Fotografie seiner Freun-din Barbara. Er wendete den seidig glänzenden Karton hin und her, als könnte ihm die veränderte Beleuchtung eine neue Seite im Wesen des Mädchens aufzeigen. Wie wenig wußte er im Grunde von ihr! Sie hatten bei ihrer ersten Begegnung, auf dem Heimweg von einem Madrigalabend im Morley College, über die Musik der englischen Meister des sechzehnten Jahrhunderts gesprochen. Barbara hatte ihm gesagt, daß sie als Barmädchen im Colchester-Hotel arbeitete. Einige Spaziergänge, drei oder vier — waren es vier? — Nächte in Gärtners kleinem Zimmer mit den grüngetünchten Wänden, das war alles gewesen. Erst bei ihrem letzten Zusammensein war es wie in einem Blutsturz aus ihr herausgebrochen. Sie erzählte und erzählte, sie konnte kein Ende finden, obwohl er todmüde war und zwischendurch immer wie-der einschlummerte, so sehr er sich anstrengte, wach zu bleiben.

Nun mühte er sich, das Bild in der Hand, die Fetzen dieses zerrissenen Berichtes zusammenzufügen. Er hörte ihre Stimme, eine tiefe, sehr genau artikulierende Stimme wie von einer Rundfunkansagerin, die nur ein wenig rauh war, als wäre eine feine Schicht von ihrer samtweichen Oberfläche heruntergerissen worden. Zu seiner Beschämung mußte er sich gestehen, daß es im Grunde nur der Klang dieser Stimme war, den er ganz deutlich in der Erinnerung behalten hatte. Immer wieder, bis zum Morgen, hatte sie ihn, flehend und zornig, wachgerüttelt. Immer wieder war er zurückgesunken.

Die Fotografie zeigte ein etwa zwanzigjähriges Mädchen von dunklem Typus, mit feinen, scharfgeschnittenen Zügen und einem Turm von schwarzem, dichtgekraustem Haar. »Die ägyptische Prinzessin«, so sagte Barbara, »hatten sie mich in der Klasse getauft. Du kannst Dir denken, was ich mit diesem Spitznamen ausstehen mußte. Nach 1933 nahm mich Papa sofort aus der Schule und schickte mich in einen Privatzirkel, wo wir nur auf englisch unterrichtet wurden. Das Schulgeld hatte er auf drei Jahre vorausbezahlt, ehe er sich das Leben nahm. Sonst muß er alles in einem unbeschreiblichen Wirrwarr hinterlassen haben. Mama begriff das nicht. Sie hatte von Gelddingen keine Ahnung. Sie konnte sich von unserem Haus in Blankenese nicht trennen; die Köchin und das Mädchen behielt sie viel zu lange bei, und nur der Chauffeur wurde entlassen. Natürlich glaubte sie, wie viele, das alles könne nicht lange dauern, und alle unsere Bekannten bestärkten sie darin. Du kennst das idiotische Gerede: 'Aber liebe gnädige Frau, machen Sie sich doch nicht fortwährend solche Gedanken! Hier in Hamburg sieht das doch ganz anders aus. Eine Familie wie die Ihrige wird nicht behelligt. Bei den Beziehungen Ihres Gatten, seiner Arbeit in den Bürgerschaftsausschüssen', und so weiter und so weiter. Als das Geld knapp wurde, verkaufte sie ihren Schmuck. Das war etwas, was sie in ihrer Jugend gehört hatte: wenn der Ruf des Hauses bedroht ist, müssen die Frauen ihre Ringe und Halsketten hergeben. Dann kamen die Bilder an die Reihe. Papa hatte sehr früh, schon als junger Anwalt, angefangen zu sammeln, Impressionisten, später einen van Gogh und einen Gauguin. Er fand immer, ich sähe wie eines der Noa-Noa-Mädchen aus. Hörst Du auch zu?«

»Ich höre zu«, hatte Gärtner etwas schuldbewußt gesagt.

»Mama starb 1937. Sie war einfach am Ende; ich glaube, die Teppiche, die auch abgeholt wurden, gaben ihr den Rest. Mit meinem Musikstudium war es natürlich aus. Ich war froh, daß ich auf 'domestic permit' die Einreise hier nach England bekam und eine Stelle annehmen konnte. Ein Klavier habe ich nicht mehr angerührt. Oder doch: einmal baten sie mich, ein paar Walzer zu spielen, weil die jungen Leute tanzen wollten. Ich muß etwas Gräßliches zusammengestümpert haben. Meine Hände waren geschwollen, und ich brachte die Melodien durcheinander. Sie legten dann ein paar Platten auf.«

Gärtner hörte die tiefe Stimme, die so von den 'jungen Leuten' sprach, als handelte es sich um Kinder einer weit entfernten Generation.

»Ich habe es dreimal versucht«, erzählte Barbara. »Du kannst mir glauben: ich habe mich nicht vor der Arbeit gescheut. Im Gegenteil, ich machte alles viel zu gründlich, und damit war ich bei dem anderen Personal unten durch. Und dann kam immer wieder mein Aussehen dazwischen. Bei den sehr netten Leuten in Chelsea, auf meiner zweiten Stelle, wurde ich abends mit hinzugezogen, wenn Freunde des Hauses kamen, bei den Gesellschaften natürlich nicht. Ein Bekannter des ältesten Sohnes bat, mich modellieren zu dürfen, und ich sagte ja, dummerhaft genug. Die Zeitungen brachten ein Foto, und damit war es aus. Ich konnte es ihnen nicht einmal übelnehmen. Man kann kein Dienstmädchen haben, das im 'Evening Standard' abgebildet wird.«

Gärtner drehte das Bild ins Licht. Eine scharfe Falte lief von der feinen Biegung der Nase auf den Mund zu. Die ziemlich vollen Lippen waren in einer gefällig lächelnden Pose erstarrt.

»Ich ging dann kurz entschlossen ins Colchester und stellte mich dort vor. Der Personalchef hatte Gott sei Dank nichts gegen meine Beauté-de-diable. Er fand mich wohl sogar dekorativ, ließ mich nur ein paar Wochen als Zimmermädchen arbeiten und stellte mich dann an die Bar. 'Keep smiling', das war so eine seiner Dienstanweisungen. Er mahnte mich immer wieder, nicht so ironisch zu lächeln, das könnten die Gäste nicht vertragen. 'Freundlich, freundlich!' wie beim Fotografen. Anfangs fiel mir das gar nicht leicht. Dann saß es wie eine Maske nach Maß. Jetzt bekomme ich es kaum noch herunter.«

Sie hatte, während der Schlaf ihn zu übermannen begann, von ihren Erlebnissen an der Bar gesprochen, den Männern, die anzuknüpfen suchten, aber dabei sehr flink bedient werden wollten und mit unangenehmer Stimme 'Miß!!!' sagen konnten, wenn der Drink nicht sogleich auf der Theke stand, während sie eben noch Süßholz geraspelt und eine Einladung zum Abendessen angedeutet hatten. Von den Kolleginnen war die Rede gewesen und dem allmählichen Einfluß des Milieus, dem man sich schwer entziehen könne.

»Schlaf noch nicht ein, Konrad, tu mir den Gefallen! Ich muß einmal von all diesen Dingen sprechen. Sie waren nett zu mir, aber sie forderten ihren Preis. Man muß im Leben für alles bezahlen. Sie erzählten von ihren Boy-friends, und sie erwarteten natürlich, daß ich ihnen auch Konfessionen machen sollte. Ein ganz neues Vokabularium lernte ich. Schließlich sprach ich wie eine alte Barfrau. Übrigens habe ich gut verdient. Ich hätte nie gedacht, daß mir Geld so wichtig sein könnte. Wenn ich mir des Abends die Scheine zusammenlege, dann bin ich manchmal direkt vergnügt.«

Eine der Kolleginnen, so berichtete Barbara, Kathleen, ein sehr schönes irisches Mädchen mit grasgrünen Augen und schneeweißer Haut, hatte sie dann mitgenommen zu ihrer Familie und sie dort eingeführt. Eine Weigerung hätte sie tödlich übelgenommen, und schon beim ersten leichten Zögern war sie aufgefahren: »Wir sind Dir wohl nicht gut genug?« So ging Barbara. Sie wurde sogleich sehr herzlich begrüßt und in den Familienkreis einbezogen, der aus den beiden Eltern und fünf Geschwistern bestand, vier Mädchen und einem Bruder. Der Vater war Gelegenheitsarbeiter, meist auf Ausstellungen oder sonstigen flüchtig erstellten Bauten, von denen er Bodenbelag, Vorhangstoffe, Glühlampen und andere Einrichtungsgegenstände mit nach Hause brachte. Er vertrank den größten Teil seines Lohnes, liebte seine Kinder abgöttisch und prügelte seine Frau von Zeit zu Zeit erbarmungslos. Des Sonntags ging die ganze Familie zur Messe. Beim Essen nötigten sie Barbara die besten Stücke auf; sie setzten sie auf den einzigen Lehnstuhl in der sehr ärmlichen Stube, in der die Mädchen zu zweien auf den beiden wackligen Couches schliefen, und weinten fast vor gekränktem Ehrgeiz, wenn Barbara einmal absagte. Sie ging immer wieder hin. Es war warm dort, eine animalische und leicht sumpfige Wärme, die wohltat und gefangennahm.

»Eigentlich war es gar keine Menschenwohnung, weißt Du, sondern eine Höhle, ein Bau. Die Wände hätten mit Flaumhaaren tapeziert sein können. Es roch immer wie nach Wild bei ihnen. Und dann hatte das Flat tatsächlich zwei oder drei Ausgänge, durch die Daddy und Brian, der Bruder, kamen und gingen, man wußte nicht wie. Sie gingen merkwürdig leise, wie auf Sammetpfoten, auch wenn sie betrunken waren. Daddy war selten ganz nüchtern, und man mußte vorsichtig mit ihm umgehen. Er spürte mit unfehlbarer Witterung jede Nuance in Deinem Benehmen und war sofort gereizt. Übrigens war er ein schöner Mann mit der gleichen herrlichen Haut und den grünen Augen wie Kathleen. Einmal kam er mit einem halbabgerissenen Ohr nach Hause, das Blut lief ihm in den Kragen. Ich tauchte mein Taschentuch in das Waschbecken und wollte ihn abwischen. Er stieß mich wütend zurück: 'Laß das, Du sollst mich nicht bedienen!' Und dann fuhr er mit den Fingern an das Ohr und in den Kragen und schmierte sich das Blut über das ganze Gesicht wie eine Kriegsbemalung. Er lachte wie ein Teufel und tanzte in der Stube herum. Dann schlug er sich vor die Stirn: Wir haben ja Gäste!, säuberte sich sehr sorgfältig und führte mich ganz feierlich zu dem Lehnstuhl. 'Setz Dich, Barbara! Ein schönes Mädchen bist Du, ich wollte, ich wäre noch etwas jünger und besser imstande, da würde ich Dir zeigen, was ein O'Higgins kann, auf dem Tanzboden und im Bett. Der blöde Bastard, der Brian, hat keine Augen im Kopfe und kein Feuer in der Hose, sonst würde er sich etwas mehr um Dich kümmern. Der Junge ist nicht von mir. Sieh sie Dir an, Bursche: schlank wie eine Tanne und dabei richtig voll, hier — und dabei faßte er mir an den Busen —, und ganz dünne Handgelenke hat das Mädchen. Weißt Du, was das bedeutet bei einem Weibe? Gar nichts weißt Du, aber ich werde es Dir sagen!' Er flüsterte es ihm so laut ins Ohr, daß ich es hören mußte. Du weißt, was er meinte, Konrad? Hörst Du noch? Und die Mädchen zerrten ihn und ermahnten ihn, still zu sein, und er schrie sie an: 'Ins Bett mit Euch, marsch, das sind Männersachen! Barbara versteht mich schon, aber Ihr seid eine Schande für die Familie, Pater O'Rourke wird jedesmal rot, wenn er Euch die Beichte abnehmen muß, und der hört alles mögliche. Dies Mädchen ist etwas Besseres, und sie steht unter meinem Schutz!' Kannst Du Dir vorstellen, daß ich immer wieder hinging? Ich ging immer wieder hin. Es war wie Kognak oder Schnaps. Ich kam nicht von ihnen los. Und dann verkuppelten sie mich mit Brian.«

Gärtner hörte, auf das Bild gebückt, den merkwürdigen Tonfall, mit dem sie das Wort 'verkuppeln' ausgesprochen hatte: scharf, aber doch ohne Bitterkeit, sogar fast übermütig und nahe einem leisen, zornigen Lachen. Er war eine Weile ganz wach gewesen und hatte jedes Wort aufgenommen: wie die Mädchen, die sehr stolz auf ihren Bruder waren, sie ihm förmlich in die Arme trieben, sie neckten, als ob schon alles beschlossene Tatsache wäre wie bei einer Verlobung, empört forderten, sie solle sich doch nicht zieren und schließlich, mit den Eltern verschworen, alles anstellten, um sie immer wieder mit ihm allein zu lassen. Brian fürchtete sich; auch er wurde beschimpft und mit Hohnreden angestachelt, bis er in einer Art dumpfer Wut die letzten Schritte tat. Er ging überraschend zart und behutsam mit ihr um und war nur maßlos entsetzt, als er feststellen mußte, daß sie noch unberührt war.

»Ich mußte ihn trösten, Konrad, willst Du mir das glauben? Eigentlich war er wohl schockiert. Und dann war er ein halbes Jahr mein Liebhaber. Er war ein guter Liebhaber, besorgt um mich auf seine Weise, und fast möchte ich sagen chevaleresk, abgesehen von seinen gelegentlichen Wutanfällen bei den lächerlichsten Gelegenheiten. Das lag wohl in der Familie. Ich war fassungslos, als er sich sofort bei Kriegsausbruch zum Militär meldete. 'Du bist doch Ire', sagte ich. 'Ja', meinte er, 'aber ich habe nichts gelernt, und da geht man bei uns zur Armee, da hat man immer sein Unterkommen. So wie Vater will ich nicht leben.' Beim Abschied weinte er dicke Tränen. Ich weinte nicht, aber es tat mir weh. Kannst Du das verstehen, Konrad? Sprich doch, ich bitte Dich!«

»Ich kann alles verstehen, was Dich angeht«, hatte Gärtner gesagt.

»Dann kannst Du auch verstehen, was danach kam. Da hatte ich ein Verhältnis mit Kathleen. Sie war außer sich über Brian und fürchtete, ich würde nun der Familie verlorengehen. Irgendwie hingen diese Menschen auf merkwürdige Weise an mir, ich weiß nicht, was es war. Immer wieder bat sie mich, ich sollte doch zur Nacht bei ihnen bleiben, der Nachhauseweg bei der Verdunkelung sei abscheulich, man könnte mich ansprechen, oder ich würde überfahren. 'Nun, und wenn mich jemand anspricht?' sagte ich. 'Dem kratze ich die Augen aus!' rief sie. Sie sagte es viel wilder und mit abscheulichen Ausdrücken. Aber ich mag die Worte nicht wiederholen. Mit den O'Higgins mußte ich in ihrer Sprache sprechen, um sie nicht zu verletzen. Sie waren darin ungeheuer empfindlich, Kathleen vielleicht am allermeisten, denn sie hatte ein Ohr für die feinsten Unterschiede. So bat sie mich, dazubleiben, und bot mir die eine Couch an; die anderen Schwestern verschwanden wie auf Verabredung. Sie sagten, sie hätten Nachtdienst, ich glaube aber, sie waren Huren, jedenfalls habe ich nie gehört, daß sie wirklich irgendwo arbeiteten. Kathleen kam ohne Umstände zu mir ins Bett. 'Wir schlafen immer zu zweien', sagte sie, 'ich hoffe, es macht Dir nichts aus.' 'Nein, es macht mir nichts aus', sagte ich. Es machte mir auch nichts aus, als sie mich in die Arme nahm. Sie war ebenso zärtlich und behutsam wie Brian, jedenfalls zu Anfang. Später wurde sie ganz unbeschreiblich leidenschaftlich und rasend eifersüchtig. Es gab schreckliche Szenen mit den anderen Barmädchen, und sogar mit den Gästen. Der Personalchef wollte sie hinauswerfen, aber sie war mit ihren grünen Augen und der schneeweißen Haut bei weitem die größte Attraktion des ganzen Etablissements, und er wagte es nicht. Sie quälte mich und sich selber, bat immer wieder um Verzeihung und fuhr bei der nächsten Gelegenheit von neuem los. Auch sonst war sie maßlos und ohne alle Bedenken mit ihren Wünschen und Forderungen. Sie wollte ohne weiteres auf mein Zimmer im Hotel kommen, was doch absolut nicht ging, denn dann wäre ich geflogen. So mußten wir bei ihnen in der Wohnung bleiben, und das war mir schrecklich bei den zwei Ausgängen, und jeden Augenblick konnte doch Daddy hereinkommen auf seinen samtweichen Pfoten. 'Laß ihn kommen!' schrie sie. 'Er liebt Dich doch auch, weißt Du das nicht? Und ihm nehme ich es nicht einmal übel.'

Ich war verzweifelt, als ich Dich kennenlernte, Konrad, aber ich hoffe, ich habe es Dich nicht merken lassen. Kathleen spürte es sofort, mit den Fingerspitzen. Sie strich mir über die Haut — ich hatte nicht gewagt, sie gleich am ersten Abend allein zu lassen — und sagte: 'Du bist ja ganz anders.' Ich glaube, ich zitterte vor Angst, was sie anstellen würde, aber ich faßte mir doch ein Herz und erzählte von Dir. Sie tobte gar nicht, sie kroch ganz in sich zusammen und weinte herzbrechend. Und dann nahm sie mich in die Arme und küßte mich ganz still und sagte: 'Aber Mädchen, das ist doch ein großes Glück. Ich werde für Euch beide beten.' Ja, so ist Kathleen. Ich glaube, ich habe sie immer noch etwas lieb. Kannst Du das begreifen? Kannst Du mich verstehen, Konrad? Hörst Du, was ich sage?«

Gärtner ließ die Fotografie sinken. Er fühlte sich erschöpft von der Anstrengung, Barbaras Worte aus der Erinnerung heraufzuholen und zusammenzusetzen, so wie er an dem letzten Morgen vor der Trennung völlig ausgehöhlt gewesen war von der schlaflos verbrachten Nacht und der Mühe, sich wachzuhalten. Auch Barbara, die mit aufgestützten Armen, schwarz gegen den Frühhimmel im vorhanglosen Fenster, über ihn gebeugt gelegen hatte, war am Ende ihrer Kräfte gewesen. Sie sank auf ihn. Die Brüste waren einen Augenblick eisig kalt auf seiner Haut, dann schlug die Wärme durch. Er umarmte sie, sehr vorsichtig, als könnte er etwas in ihr verletzen. »Laß mich noch ganz still einen Augenblick neben Dir liegen«, flüsterte sie. Der Atem aus ihrem Munde floß über seinen Hals. Er nahm ihre beiden Wangen in seine Hände und drückte die Finger an den Schläfen fest.

»Danke!« sagte sie. »Ich muß jetzt gehen. Sei mir nicht böse, daß ich Dir die ganze Nachtruhe gestohlen habe. Und schreib gleich! Schreib am ersten Tage, versprich mir das!«

»Ja, das werde ich tun. Du kannst Dich darauf verlassen.«

Sie zog vorsichtig ihren Leib von dem seinen ab, als fürchtete sie, ihre Haut könnte haftenbleiben. Einen Augenblick stand sie schwankend auf ihren langen Beinen in der Mitte des Zimmers. Dann fuhr sie wie rasend in ihre Kleider.

»Mach mir das Kleid bitte hinten zu!« bat sie ihn. »Ich kann das jetzt nicht.«

Er hatte ihr den kleinen Dienst getan und ihn noch ein wenig hinausgezögert. Mit einem »Adieu« war das Mädchen gegangen, ohne sich umzusehen.

8

SCHARFER, GANZ TROCKNER OSTWIND

»Es muß der Wind sein«, sagte Gärtner zu Lesser, »dieser scharfe, ganz trockne Ostwind. Der ist wie Sand und rauht sie auf. Sie sind wie verwandelt. Hören Sie sich das Zanken und Streiten an! Man möchte glauben, daß sie sich prügeln wollen. All die Tage in der Sonne waren sie wie die Lämmer. Jetzt beschwert sich fortwährend bei mir einer über den andern. Sie jammern über die Verpflegung und den ewigen Hering, die Post, die nicht kommt; sie wollen eine Kantine, Zeitungen. Und währenddessen geht die Weltgeschichte dort drüben ihren Gang. Sie geht über uns hinweg.«

»Das mit den Zeitungen ist aber wirklich haarsträubend«, sagte der Schriftsteller. »Wir wissen nichts, wir hören höchstens von den Posten eine Schlagzeile. 'Paris gefallen' hieß es gestern.«

»Dies Gestern ist schon eine Ewigkeit her«, meinte Gärtner. »Ich habe bei meinem Kollegen Schlick von der 'Dritten' ein Stück Zeitung gesehen. Gott weiß, wo er es herbekommen hat. Er zeigte es mir heimlich, als besondere Gunst, und wie um mich zu bestechen. Pétain hat einen Waffenstillstand abgeschlossen. Frankreich wird geteilt, der Süden und Osten bleibt unbesetzt. Von Paris bis zu den Pyrenäen, den ganzen Atlantik entlang stehen die Deutschen. London wird täglich bombardiert.«

»Ja, das wissen wir schon«, sagte Lesser. »Aber was ist mit dem französischen Kolonialreich?«

»Das bleibt anscheinend noch aus dem Spiel«, erwiderte Gärtner.

»Nun sehen Sie«, meinte Lesser. »Das ist doch sehr wichtig. Die Rohstoffversorgung, das Öl, Gummi, Bauxit, ich kenne mich mit diesen Dingen ein wenig aus ...«

»Der Krieg braucht Menschen«, sagte Gärtner.

»Nun ja, aber doch vor allem...«

»Vor allem Menschen. Es gibt nichts anderes. Er wird eine ganze Menge Menschen verbrauchen, wenn er weitergeht. Es sieht so aus, als ob er weitergehen wird. Wir wissen nichts. Wir sitzen hier in diesem gottverlaßnen Winkel und streiten uns über Heringe oder Zigaretten. Die meisten ziehn ihre Uhr gar nicht mehr auf. Die Zeit steht still. Aber da drüben rast sie. Wir müssen abwarten. Es bleibt uns nichts weiter übrig. Vielleicht schlägt der Wind einmal um.«

Er ging zu seinem Zelt, vor dem eine große Menge von Wartenden stand, die ihm ihre Klagen und Beschwerden vortragen wollten.

Bei der allgemein verdrossenen Stimmung wurde auch die Fertigstellung des Schweizerhäuschens, das der Schreiner aufgerichtet hatte, nicht das freudige Ereignis, das es sonst gewesen wäre.

Der Erbauer freilich stand stolz davor und betrachtete mit Genugtuung den kunstvoll ausgesägten Zackensims, den er um das Dach gelegt hatte, und das offene Herz in der Tür.

»Das war nicht so leicht«, sagte er zu Mochow, der am Stock herbeigehumpelt war. »Ohne eine Fuchsschwanzsäge kannst du das eigentlich gar nicht. Richtiges Handwerkszeug, das ist die Hauptsache.«

»Laß man gut sein!« lobte ihn Mochow. »Du hast das sehr schön gemacht.«

Der Architekt Zatzelmann drängte sich heran und erhob aufgeregt Protest. Er trug im Halsausschnitt seiner ohne Revers gearbeiteten Jacke ein chromgelbes seidnes Halstuch. Seine fast wimperlosen grauen Augen fuhren in kurzen Rucken an dem Gebäude auf und ab. Seine Rechte teilte messerscharfe Bewegungen aus.

»Haarsträubend, einfach haarsträubend«, erklärte er mit nachdrücklich feilender Stimme. »Wie ist es nur möglich, daß uns hier so eine Geschmacklosigkeit hingestellt wird? Warum zieht man nicht Leute heran, die etwas von der Sache verstehen? Haben wir dazu zwanzig Jahre lang gepredigt, daß jetzt endlich Ernst gemacht werden soll mit der funktionellen Bauweise? Jedes Gebäude, auch das allereinfachste, hat seinen Zweck in der äußeren Form deutlich zum Ausdruck zu bringen. Was haben Sie sich denn bei diesem Gesims da gedacht?« Er fuhr auf den Schreiner los, der seine Worte nur unvollkommen begriff.

»Ich habe ja schon gesagt«, verteidigte sich der Rotbäckige, »daß ich keine richtige Fuchsschwanzsäge hatte. Mit einer gewöhnlichen Handsäge kann kein Mensch das ganz sauber herausbringen, das wird immer ein bißchen eckig.«

»Eckig? Sie verstehen überhaupt nicht, was ich meine, Mann. Am liebsten würden Sie wohl noch ein kleines gotisches Erkerchen anbringen an Ihrer Villa, wie? Da gründen wir einen Werkbund, ein Bauhaus, ich selber habe über tausend Vorträge gehalten im ganzen Land, und das ist nun das Resultat!« Seine Rechte schnitt vor des Schreiners Augen wieder scharf durch die Luft: »Grade, Menschenskind, grade! So!«

Der Rotbäckige wurde böse: »Was, das soll nicht grade sein? Das steht so lotrecht wie ein Baum!« Er klopfte zärtlich auf die Seitenwand seines Häuschens. »Das soll mir erst einmal jemand nachmachen, und dabei ohne Wasserwaage, nur mit einem Bindfaden und einem Stück Blei. Das kann nicht jeder, und am wenigsten solche Großfressen, die herumreisen und Vorträge halten und noch nicht einmal selber einen Nagel einschlagen können.«

»Werden Sie nicht ausfällig«, erwiderte Zatzelmann, »das kennen wir schon aus unseren Diskussionen. Wenn unseren Gegnern gar nichts weiter einfällt, dann beschimpfen sie uns persönlich. Dadurch lassen wir uns nicht irremachen. Es geht uns um das Ethos der neuen Bauweise, um eine neue grundsätzliche Haltung zum Leben überhaupt. Der Anlaß ist gleichgültig. Das hier ist gewiß ein bescheidenes Bauwerk, aber es hat seinen Zweck zu erfüllen und ihn schlicht und unmißverständlich in seiner Form ...«

»Nun macht aber einen Punkt«, mischte sich Mochow in die Diskussion ein und stieß seinen Stock auf, »und redet keinen Eiersalat. Was wollt Ihr denn von meinem Freund Emil hier? Der hat in die Hände gespuckt und hat etwas hingestellt, mit seiner Hände Arbeit, und nicht bloß mit dem Koppe oder dem Maule, zum Nutzen der Allgemeinheit, und jetzt kommt Ihr hier angewanzt und wollt mit Eurer Zunge darüberfahren und ihm alles madig machen. Das ist eine Gemeinheit, das ist es.«

»Zum Nutzen der Allgemeinheit?« sagte Zatzelmann ironisch. »Wollen Sie mir sagen, wieso dies Gebäude der Allgemeinheit dient? Wir sind fast dreitausend Menschen hier. Da gehören große, luftige Hallen her, nicht solch eine Privatvilla mit Simschen und Kränzchen und Herzchen; der ganze Muff und Mief des neunzehnten Jahrhunderts weht einem entgegen. Wo ist da Platz für die Allgemeinheit?«

»Da hat er nicht so ganz unrecht«, meinte Mochow, an seinen Freund gewandt, »alles, was recht ist, das habe ich Dir auch gesagt.«

»Luftig, grade!« fuhr Zatzelmann fort, »nicht solch ein 'gemütliches Eckchen', wo nicht einmal für Ventilation gesorgt ist.«

»Ich wollte schon noch ein paar Löcher in die Seitenwände machen«, verteidigte sich der Schreiner, »das brauchen Sie mir nicht erst zu sagen. Ich habe bloß keine richtige Bohrwinde und keinen Kreisschneider. Ohne Handwerkszeug geht es nun mal nicht, das muß doch jeder einsehen.« Er weinte fast und fügte trotzig hinzu: »Ich weiß ganz genau, wie eine richtige Ventilation aussehen muß. Mit einem abgebrochnen Taschenmesser können Sie die Löcher nicht bohren. Das sind dreiviertelzöllige Bretter, Menschenskind! Deshalb habe ich doch das Herz in die Tür gemacht. Ich weiß ganz gut, daß das nicht mehr modern ist.«

»Laß gut sein, Emil«, tröstete ihn Mochow, »Du hast das sehr fein gemacht. Da hat das Auge seine Freude dran. Wir haben doch sonst hier nicht viel. Und ehe der« — damit wies er mit seinem halb erhobenen Stock auf den Architekten — »seine Großgarage zum Abprotzen für dreitausend Mann auch nur im Koppe fertig hat, da sind wir hoffentlich hier schon wieder ausgezogen mit Sack und Pack.«

Sie schwiegen plötzlich, denn der Feldwebel war herangetreten. Er besichtigte das Gebäude sehr eingehend, fragte nach dem Erbauer und gab dem Schreiner Befehl, ihm zum Kommandanten zu folgen.

Erst spät am Abend kam der Rotbäckige wieder ins Lager zurück. Er war todmüde und winkte allen Neugierigen nur mit der Hand ab. Lediglich seinem Freunde Mochow gab er vor dem Einschlafen Auskunft:

»Eine Veranda soll ich denen bauen, Wilhelm. Auf einmal ist alles da: ganze Kisten mit Handwerkszeug, was Du nur willst, und sogar sauber eingepackt in Ölpapier, da war kaum ein Stück angerostet. Auch eine Flasche Bier haben sie mir gegeben, das war natürlich warm, so trinken sie es hier nun mal, aber es hat gut geschmeckt. Junge, ich bin müde.«

Er richtete sich auf dem engen Lager noch einmal auf und flüsterte triumphierend: »Aber der Feldwebel, Wilhelm, der hat mir ausdrücklich gesagt, ich soll oben genau solch einen Sims machen wie hier bei meinem Häuschen. Na, das können wir nun ja.«

»Kannst Du denn mit dem Engländer reden?« fragte Mochow.

»Na ja«, erwiderte der Schreiner, »ich verstand man nur halb, was er sagte. Aber er hat mit der Hand so Kringel gemacht in der Luft und denn mit dem Finger hineingepiekt, da wußte ich schon, was er wollte. Und dann habe ich ein Stück Papier genommen und ihm eine kleine Handskizze gemacht. Das haben wir ja auch gelernt, dazu brauchen wir nicht zu studieren wie die Großfresse mit ihren Funktionärsbauten.«

»Siehst Du, Emil«, sagte Mochow. »Was so ein richtiges Handwerk ist, das macht sich immer bezahlt. Da laß Du die andern reden. Die haben noch den ganzen Nachmittag gequatscht. Immer giftiger wurden sie und haben sich angeblafft und gebrüllt wie beim Schweinestechen, und drüben in der dritten Reihe, das ist ja auch halbes Gesindel, da sollen sich welche sogar geprügelt haben, für nichts und wieder nichts. Man hat sie kaum auseinandergebracht. Die Menschen, die Menschen! Aber es ist wohl das Wetter. Ich fühle den Wind auch auf dem Brustkasten.«

»Wilhelm«, flüsterte der Schreiner sehr leise, damit keiner der anderen Zeltgenossen es hörte, »das nächstemal, da bringe ich Dir eine Flasche Bier mit.«

»Das laß man sein«, antwortete Mochow, »sauf Du das alleine. Du arbeitest ja auch. Und dann schmeckt mir das Zeug nicht besonders. So eine richtige Berliner Weiße mit Schuß, das wäre das Richtige bei diesem Wetter. Ob wir das noch einmal uns zu Gemüte führen, Emil?«

»Der Feldwebel hat mich in die Zeitung gucken lassen, Wilhelm«, sagte der Schreiner, »obwohl es ja streng verboten ist. Er hat mir auch nur die Überschriften gezeigt. Sechsundachtzig Stück haben sie gestern über London abgeschossen.«

»Na ja, wenn's stimmt.«

»Das stimmt schon. Der Engländer schreibt ja auch, wenn's bei ihm schiefgeht.«

»Schief genug geht's die ganze Zeit«, meinte Mochow.

»Aber wenn sie doch solche Verluste haben mit ihren Luftangriffen? Da wird ihnen vielleicht die Lust vergehen, hier 'rüberzukommen.«

»Warten wir's ab, Emil«, sagte der Alte.

»Und, Wilhelm«, flüsterte der Schreiner dringlich, »wenn sie solche Verluste haben: ob das dem Volk nicht doch zu viel wird? Ob die nicht eines Tages die Knarre umdrehen und das Gesindel zum Tempel 'rausjagen? Das Volk will doch nicht. Die wissen doch, daß das alles Schwindel ist. Und wir haben ja auch immer gesagt: Wartet nur, bis wir erst einmal die Knarre in der Hand haben, da werdet ihr was erleben. Die wagen ja gar nicht, uns zu bewaffnen. Da geht es los.«

»Kann sein, kann sein«, nickte Mochow. »Aber die haben die Jugend, und die weiß von nichts. Die Jugend mußt du haben, das merke dir, Emil, darauf kommt es an.«

»Wilhelm«, sagte der Schreiner, »ich glaube jetzt nicht mehr, daß sie 'rüberkommen.«

»Na, dann ist es gut«, erwiderte der Alte, »dann wollen wir uns mal ein bißchen aufs Ohr wälzen. Gute Nacht, Emil!«

»Gute Nacht, Wilhelm!«

Das Lager schlief einen unruhigen, flackrigen Schlaf. Immer

wieder erhoben sich einzelne Häftlinge und wanderten ziellos in den Lagerreihen auf und ab, bis die Posten sie anriefen und in ihre Zelte zurückscheuchten. Der Haltlose aus Pollacks Zelt trat dicht an den Doppelzaun heran, ohne sich um den Befehl zu kümmern. Er griff mit spitzem Finger einen der straffgespannten Drähte an und ließ ihn wie eine tiefe Saite klingen. Dann riß er den nächsten und noch einen Draht an. Ein unreiner und schriller Dreiklang schwebte durch die Stille der Nacht.

Der Posten trat in der Gasse des Doppelzaunes heran, das Gewehr mit dem aufgepflanzten Bajonett im Arm. Er blickte durch den Draht und versuchte den Gefangenen zu erkennen, sah aber nur das Weiße in den weit aufgerissenen Augen. Schweigend machte er ihm mit der freien Hand ein Zeichen, er solle verschwinden. Der Haltlose konnte die Finger von den Saiten nicht lösen und brachte sie immer wieder zum Tönen.

»So, jetzt ist es genug«, sagte der Posten und winkte mit dem Bajonett, »mach, daß Du in Dein Zelt kommst!«

Der Blick des Häftlings verfing sich in der leuchtenden Spitze des Seitengewehrs. Mit einem leisen Schrei ließ er den Draht fahren und rannte wie gejagt davon. Er lief bis zum Ende der Zeltreihe, blickte sich um und schlich dann, vorsichtig tastend und gebückt, auf den Eingang seines Zeltes zu, in dem er aufatmend verschwand.

9

ZELTGESPRÄCH VOM GUTEN ESSEN UND DEN WOHLGERÜCHEN

Regen klopfte mit rauher Bürste auf die straffgespannten Zeltbahnen. Gärtner erhob sich unruhig und gab die Parole aus, man solle die Schnüre an den Heringen etwas lockern. »Wozu denn das?« wurde ihm unmutig erwidert. Man habe sie eben erst angezogen, auf seine Anweisung hin.

»Jagen Sie uns doch nicht den ganzen Tag hin und her«, hieß es. »Es muß doch nicht immerzu etwas passieren, weil Sie Reihenleiter geworden sind.«

»Die Schnüre ziehen sich in der Feuchtigkeit zusammen«, sagte Gärtner. »Sie platzen weg wie mit dem Messer durchgeschnitten, wenn sie zu straff werden.«

Am Ende der Reihe lag sehr bald ein Zelt mit gekappten Schnüren auf der Seite wie ein überreifer Pilz, den der Wind umgeblasen hat. Die Insassen wickelten sich unter den grauviolett gefärbten nassen Bahnen hervor und suchten ihr Gepäck bei den Nachbarn in Sicherheit zu bringen. Gärtner verteilte sie auf andere Zelte und nahm die letzten zwei mit in sein eignes.

»So«, sagte er, mit einem Blick auf Mochow, »wir haben ja noch Platz für diese beiden Kameraden.«

»Immer 'rein in die gute Stube«, meinte Mochow lustlos, »wir legen uns ein bißchen hochkant, dann geht es schon.«

Die Neulinge entschuldigten sich in gewählten Worten. Der eine war ein rundlicher, kleiner Herr mittleren Alters in Lodenjoppe und Lodenmantel; er hatte sehr hoch hinaufreichende Jagdstiefel an und schleppte sich mit einem großen, über und über mit Hoteladressen beklebten Coupékoffer. Der andere, schmal und hager, brachte ein kleines Suitcase aus dunkelrotem Juchtenleder mit, dem er einen Schlafsack aus seidenartigem Stoff entnahm. Geschickt ordnete er sich in der zugewiesenen Ecke ein. Dann suchte er seinem rundlichen Genossen zu helfen, der sich vergeblich abmühte, seinen Koffer unterzubringen, ohne den Urbewohnern des Zeltes allzuviel Platz fortzunehmen. Die Lodenjoppe stellte sich mit »Jülich« vor, der Hagere nannte »Völkermarkt« als seinen Namen. Beide volontierten sogleich als Essensträger für den abendlichen Empfang. Mit den beiden großen Blecheimern zogen sie durch den strömenden Regen davon, nachdem sie Gärtner noch zur Eintragung in seine Liste ihre vollen Namen mit leiser Stimme angegeben hatten: Prinz Leopold von Jülich-Virneburg-Tüddern und Graf Völkermarkt-Gösselsdorf.

»Na«, sagte Mochow, der mit scharfen Ohren die Adelsbezeichnungen registriert hatte, »wir werden ja immer feiner. Da fehlen bloß noch ein paar Hohenzollern oder Habsburger, dann sind wir komplett.«

Lesser schaltete sich ein: Er habe von dem Prinzen gehört. Er solle eine bekannte Persönlichkeit in der katholischen Bewegung des Rheinlands gewesen sein und habe mehrfach im Konzentrationslager gesessen.

»So«, meinte Mochow, »dann ist er ja woll hasenrein. Und der Baron oder Graf? Der hat wahrscheinlich eine jüdische Großmutter. Die Hauptsache ist, daß sie uns was Anständiges zum Futtern bringen. Ich sehe grün.«

Es gab grüne Heringe und reichliche Portionen Brot. Die Mahlzeit wurde schweigend eingenommen. Das Zelt roch intensiv nach Fisch, nassen Stiefeln und schlechtgewaschenen Menschen. Sie aßen alle eifrig, denn sie hatten Hunger.

»Kinder, Kinder«, ließ sich der rotbäckige Schreiner vernehmen, »jeden Tag Hering, eine ganze Woche lang! Wenn das so weitergeht, dann bellen wir noch wie die Seehunde.«

Prinz Leopold von Jülich-Virneburg-Tüddern balancierte den letzten Bissen seines Fisches auf der Gabel und erklärte in rheinischem Tonfall, ihm habe es geschmeckt. »Ich habe immer gerne so ein Heringsfilet als Vorspeise genommen. Auch geräuchert nicht übel, zur Sakuska.«

»Sakuska?« fragte Mochow aufmerksam und erfreut. »Das kennen wir. Wir waren doch zweimal in Moskau, mit der 'Intourist' und mit der Gewerkschaftsdelegation 1932. Da haben wir Sakuska bekommen, das kann ich Euch sagen, aber nicht nur grünen Hering. An die zwanzig verschiedene Sächelchen haben sie aufgetragen, alles so in kleinen Schalen. Und das war nur der Anfang. Dann kam die Suppe, Borscht hieß sie, mit dicker Sahne obendrauf, und Geflügel und Braten und dazu kaukasischen Sekt, piekfein. Die haben alles.«

Graf Völkermarkt hatte mit einem kleinen silbernen Taschenmesserchen die Mittelgräte seines Herings sorgfältig herausgeschält und hob sie sinnend an:

»Gspaßig«, sagte er. »Bei einem solchen Menü fallen einem unwillkürlich all die guten Essen ein, die man einmal gehabt hat. Das ist schon eine der Freuden des Lebens. Wenn ich an Prunier denke, oder den Pappagallo in Bologna, wo sie alles mit weißen Trüffeln servieren, oder an Ramier in Marseille mit seiner unbeschreiblichen Bouillabaisse ...«

Zu aller Verwunderung fiel hier Lesser ein, der seine Stahlbrille schwenkte und sich als Freund und Kenner der höheren Kochkunst deklarierte. Man solle doch einmal — »damit wir den Fraß hier vergessen« — ein wirklich erlesenes Menü zusammenstellen und sich damit den grünen Heringsgeschmack vertreiben. Es dürfe aber nicht nur von Vorgerichten gefaselt werden, die eigentlich immer etwas barbarisch seien und den Geschmack für die kommenden Gänge abstumpften.

»Ein richtiges Menü, meine Herrschaften«, forderte Lesser die

Runde auf. Er hob die Hände, als wollte er dirigieren. »Fangen wir mit der Suppe an!«

Sie debattierten über Zwiebel-, Pilz-, Krebs- oder Sauerampfersuppe. Graf Völkermarkt plädierte für Kerbelsuppe und wollte ein altes Familienrezept dafür beibringen. Lesser übertrumpfte alle mit einer fachmännisch genauen Aufzählung aller Ingredienzien für eine Hamburger Aalsuppe: mit Sellerie, Erbsen, Johannisbeeren, Himbeeren, Birnen, Pflaumen, dazu sehr viel Aalkräutern: Thymian, Majoran, Estragon, Melisse, Minze, süß-sauer das Ganze und mit kleinen Grießklößchen.

»Etwas schwer, und sehr norddeutsch«, sagte Völkermarkt. »Und wo sollen wir hier die richtigen Aalkräuter auftreiben? Ich bin für etwas Leichteres.«

»Schön«, erklärte Lesser, der sich die Führung nicht entreißen lassen wollte, »dann nehmen wir Schinkensuppe mit Sellerie. Das läßt sich auch hier darstellen. Die rohen Selleriestückchen müssen aber im letzten Moment hinzugegeben werden, ehe das Gericht auf den Tisch kommt, sie dürfen nicht verbrüht werden, das nimmt der ganzen Geschichte den Geschmack.«

Mochow hatte die Stirn angestrengt nachdenkend gerunzelt und rief endlich triumphierend in die Stille hinein:

»Schtschi!« Es klang, als ob er nieste. »Schtschi! Das haben sie uns am zweiten Tag gegeben, im Kulturpalast. Das Wort war mir durch die Lappen gegangen, der alte Deez will nicht mehr so richtig. Schtschi! Das ist Kohlsuppe, aber mit Sahne!«

Sie gingen nun zu den Hauptgerichten über und sprachen von Fischen, Geflügel und Fleischplatten. Lesser wollte die Forelle mit Hummerfarce füllen, aber der Prinz, der sich bis dahin nicht beteiligt hatte, erhob Einspruch: Das sei nicht das Richtige, nur blau, ganz einfach, ohne alle Fransen, höchstens mit einem Stück guter Butter. Man müsse den Bach herausschmecken.

»Sie haben recht, Prinz«, gab Lesser zu, »ich ziehe die Hummerfarce mit Bedauern zurück. Eine richtige Bachforelle mit roten Pünktchen, klein, wie ein Bogen gekrümmt, man muß förmlich noch spüren, wie sie gegen die reißende Strömung ankämpft und in der Hochgebirgssonne herumschnellt!« Er hob die Hände ekstatisch, bis sie die klamme Zeltleinwand berührten, die vom Regen gebürstet wurde.

Dann trug er einen Fasan auf, mit Speck umwickelt und mit Sauerkraut umlegt, das selbstverständlich mit etwas Champagner anzusetzen sei. Er schlug Tournedos vor, auf Blätterteigtörtchen mit Mais, oder auf Artischockenböden und mit Ochsenmark belegt — »wie wäre das, meine Herrschaften? Es ist italienisch.«

»Kartoffeln in der Schale gebacken, das ist auch nicht schlecht«, meinte Mochow.

»In der Asche, beim Kartoffelfeuer auf dem Felde«, sagte der Prinz.

»So«, meinte Mochow, »das kennen Sie auch?«

»Das kenne ich auch«, erwiderte der Prinz.

»Herrschaften«, fiel Lesser erneut ein, besorgt, daß das Gespräch abgleiten könnte, »was trinken wir nun zu unseren Tournedos?«

Sie verspürten mit einem Male einen beißenden Durst. Die beiden großen Blecheimer mit Wasser wurden herumgereicht, und alle tranken in großen Schlucken.

»Köstlich, köstlich«, sagte der Prinz, der tiefe Züge vom Rande des Eimers tat. »Ein bißchen kommt man sich wie ein Gaul vor, wenn man so aus dem Eimer säuft, aber es schmeckt nach all diesen Gängen. Ein Ruppertsberger Kirchenstück ist es freilich nicht.«

Lesser nahm das zum Anlaß, nun auch sein Licht auf dem Gebiet der Weinsorten leuchten zu lassen, mußte sich jedoch bald geschlagen geben. Der Prinz erwies sich als ein Kenner von Graden und korrigierte ihn freundlich, aber bestimmt: Gewiß, 21 sei der große Jahrgang gewesen, aber er habe sich nicht in allen

Sorten gehalten, der 22er sei ihm nachgerückt und habe ihn sogar zuweilen überholt. Und dann solle man die sogenannten leichten Sorten nicht vergessen, die guten Lokalweine. Da gebe es zum Beispiel in der Nähe von Lausanne einen gewissen Yvorne, ein ganz hervorragendes Weinchen, voll Charakter und Parfüm.

»Ach ja, Parfüm!« sagte Völkermarkt sinnend und zog seine schmalen Nüstern zusammen. »Wenn ich mir so vorstelle, wie es in einem der guten Lokale mit schönen Frauen roch, die Muguet auf ihre Roben getan hatten, oder Narcisse noir. Und wenn ich daran denke, daß es eine Zeit gab, wo ich mir selber ein wenig Cuir de Russie auf mein Taschentuch tupfte . . .«

Es waren nun genug der Anspielungen und Winke für die meisten der Zeltgenossen. Der rotbäckige Schreiner stieß die beiden Blecheimer laut ineinander und sagte:

»Die haben wir nun ausgesoffen. Feierabend, was, Reihenleiter?«

Sie trafen ihre Vorbereitungen zur Nachtruhe. Lesser konnte nicht sogleich ein Ende finden. Er lehnte die Hände hinter dem Kopf zusammen und murmelte vor sich hin:

»Den Kaffee lasse ich mir nicht nehmen, meine Herren. Richtigen türkischen, und beileibe nicht gemahlen, sondern im Mörser gestampft. Das gibt ein ganz anderes Aroma. Das riecht! Und dann eine Partagas. Das duftet!«

Niemand hörte ihm zu. Die Zeltbahnen bogen sich unter der Last der Nässe ein. Die Schläfer schnarchten, und die Luft in dem winzigen kegelförmigen Raum verdickte sich immer mehr mit dem Geruch von feuchten Kleidern, Heringen und zerlegenen, ungelüfteten Wolldecken.

10

DIE GROSSE VOLKSVERSAMMLUNG

Der Ruf, daß 'endlich etwas geschehen müsse', wurde immer wieder erhoben. Man beschloß eine große Volksversammlung und die Wahl eines Campleiters für das ganze Lager, auf dem Wege direkter Wahl durch das ganze Lagervolk. Die Reihenleiter waren gut und schön, aber sie genügten denn doch nicht ganz. Es mußte ein Mann an die Spitze, der die Interessen aller wahrnahm und nachdrücklich vertrat. Der Kommandant hatte den Antrag auf Abhaltung der Wahlversammlung genehmigt und einen jungen Leutnant entsandt, der sich im Hintergrund hielt. Rosig und verlegen stand er dort und zog ab und zu an seiner nicht sehr gut sitzenden Mannschaftsbluse, die ihm immer wieder über den Hosenbund hinaufrutschen wollte.

Die 'kleine Sandwüste' konnte die Mengen nicht fassen, die wild durcheinanderwogten, und viele standen bis in den 'Gartenweg' oder die 'C-Allee' hinein. Ein verhältnismäßig junger, hochaufgeschossener Häftling bildete den Mittelpunkt. Er hatte sich von den Küchenleuten eine Konservenkiste besorgt und diese bestiegen. Auf einem langen Hals saß ein nach oben spitz zulaufender Kopf; auch die Nase war spitz und hackte wie ein Vogelschnabel nach allen Seiten. Zwischenrufe pickte er auf wie fliegende Samenkörner, kröpfte sie und brachte sie bei Gelegenheit wieder ans Licht.

»Was wird aus unsern Papieren?« wurde erbittert gefragt.

»Auch dafür werde ich sorgen!« rief der Spitzköpfige. »Sie können sich darauf verlassen. Ich werde ganz energisch darauf bestehen, daß der Kommandant uns unverzüglich Auskunft gibt über den Verbleib dieser Papiere. Man weiß hier offenbar gar nicht recht, was diese Dinge für uns bedeuten. Das Leben, die Existenz, unser Schicksal und das unserer Frauen und Kinder hängt doch daran.«

»Sehr richtig!« erscholl es aus den Reihen der Zuhörer, die sich noch stärker vermehrt hatten. Man winkte anderen Lagergenossen zu: Da sei einer, der es »denen da oben« endlich einmal richtig sagen werde, der den Mund offenbar auf dem richtigen Fleck habe, so jemand brauchte man als Campleiter, nicht die Leisetreter, die fortwährend Loyalitätsbeteuerungen stammelten. Wie der Mann denn hieße? wurde herumgefragt. »Ithamar«, antwortete es aus der Gruppe seiner Zeltgenossen heraus, die sich wie eine Leibwache um ihn geschart hatten. Weiter wurde verbreitet, er sei Rechtsanwalt seines Zeichens und habe, trotz seines jugendlichen Alters, bis zur Machtergreifung Hitlers als Syndikus einen bedeutenden rheinischen Konzern beraten.

»Seien Sie überzeugt«, so fuhr Ithamar fort und pickte nach allen Seiten, »ich werde all diese Fragen unverzüglich und mit größter Energie aufnehmen, und noch einige mehr. Da ist das Problem der Unterstützungen für unsere Frauen und Kinder. Ich verfüge über die nötigen Verbindungen zu Abgeordneten, die uns wohlwollen, ich kenne die Behörden, ich weiß, mit wem man im Bloomsbury House verhandeln muß. Die Verpflegung muß endlich verbessert werden.«

»Sechsmal Hering!« rief man ihm zu.

»Zigaretten!« schrien mehrere.

»Zigaretten, natürlich, Pfeifentabak; aber auch Seife, man verkommt ja hier im Dreck!«

»Badegelegenheit!«

»Jawohl, die Brausebäder; ich habe bereits mit meinem Freunde von den Beifangwerken, dem Diplomingenieur Lippstädter, die Rohrleitungen daraufhin angesehen. Ich gehe noch weiter: Wir müssen schon jetzt Vorsorge tragen für die Zeit nach unserer Entlassung. Das Arbeitsverbot, das man uns in die Pässe gestempelt hat, muß fallen. Jetzt im Kriege wird doch jeder Mann gebraucht. Jeder muß an die Stelle gesetzt werden, die seiner Vorbildung und Eignung entspricht.«

»Da bin ich aber mächtig gespannt«, sagte Mochow zu dem Schreiner, »wo der Engländer so einen hinsetzen wird. Der will wohl in die Großindustrie, was? und da gehört er auch hin.«

»Ruhe!« riefen die Umstehenden wütend.

»Ich verspreche Ihnen, meine Herren...!« rief Ithamar mit stark erhobener Stimme, und er versprach einen ganzen Katalog von Verbesserungen, übersichtlich eingeteilt in 'Sofortmaßnahmen', wie er es nannte, grundsätzliche spätere Forderungen und 'Endziele'. Immer mehr Häftlinge scharten sich um ihn; man konnte schließlich kaum noch seine Stimme hören, sondern sah nur noch den spitzen Kopf, der nach allen Seiten pickte. Leichter Regen fiel. Einige Zuhörer bröckelten ab und gingen in ihre Zelte; andere riefen, man solle nun endlich voranmachen mit der Wahl, man könne doch nicht den ganzen Tag in der Nässe stehen.

Ithamar wurde mit großer Mehrheit durch Akklamation gewählt. Er dankte mit Würde für das Vertrauen, versprach auch denen, die nicht für ihn gestimmt hatten, seine Fürsorge und wurde, von seinen Zeltgenossen umringt, dem Leutnant zugeführt. Der zog sich die hochgerutschte Jacke herunter und erklärte mit leiser Stimme den Akt für beendigt. Ithamar solle ihm jetzt zum Kommandant folgen.

Der neue Campleiter rückte sich sorgfältig seinen Schlips zurecht, einer seiner Zeltgenossen lief und brachte ihm seinen Regenmantel, und Ithamar zog ihn betont bedächtig an; er schnallte den Gurt zu, winkte den Umstehenden mit der Linken und folgte in lässiger Haltung dem Leutnant, der verlegen vorausschritt.

»Na, nu wollen wir mal sehen, was der kann«, sagte Mochow, »nu wollen wir mal sehen.«

Große Unruhe entstand noch nachträglich. In der Aufregung der Wahl hatte man völlig übersehen zu fragen, welcher Reihe denn der Kandidat angehörte. Es zeigte sich nun, daß er zur dritten Reihe gehörte, was erbitterte Kommentare bei den Warts Mill-Leuten und den Kempton-Parkern auslöste. Nie hätte man 'so einen' gewählt, so hieß es, wenn man das gewußt hätte. Er hätte es wenigstens offen sagen sollen, er habe doch sonst den Mund weit genug aufgemacht. Eigentlich sei das eine Täuschung, eine Schiebung.

»Aber seien Sie doch vernünftig«, wandte der Senatspräsident ein. »Die Wahl ist abgeschlossen. Man kann sie jetzt nicht gleich rückgängig machen. Das ist ungesetzlich. Und was für einen Eindruck würde denn das hervorrufen? Er ist doch eben erst zum Kommandanten gegangen.«

»Na, dann laßt ihn laufen«, sagte Mochow grimmig. »Meine Stimme hat er sowieso nicht bekommen. Aber wir merken uns das.«

Der Platz um die 'kleine Sandwüste' war leer geworden. Nur die Konservenkiste stand weiß auf dem Hügel. Mochow ging an sie heran, schob sie mit dem Fuß ein wenig zur Seite, als wollte er prüfen, was darunter wäre, und schüttelte den Kopf: »Die hatte er sich nun gleich mitgebracht. Junge, Junge, ist das die Möglichkeit...«

11

ITHAMARS KURZE REGIERUNG

Der ehemalige Syndikus Ithamar begann seine Regierung als Campleiter damit, daß er sich einen Beirat angliederte, eine Art Ministerium, dessen Mitglieder sich alsbald den Titel 'Staatssekretär' zulegten. Die Bezeichnung wurde ironisch verwendet, verwandelte sich jedoch sehr schnell in ernsthafte Würde und betonten Anspruch auf Respekt. Die Staatssekretäre waren ausnahmslos der dritten Reihe entnommen; die Schlüsselpositionen hatte Ithamar mit Leuten aus seinem Zelt besetzt, die bei der Wahl besonders eifrig gewesen waren und eine Belohnung erwarten durften. Vor seinem Zelt wurde ein hoher Pfosten als Wahrzeichen errichtet, den böse Zungen dann den 'Totempfahl' nannten.

Eine der ersten Maßnahmen Ithamars war eine Volkszählung. Die Staatssekretäre mußten sich zu diesem Zweck mit Helfern umgeben, die mit der Bezeichnung 'Ministerialrat' geschmückt wurden. Sie schwärmten aus, besuchten jedes Zelt mit dem Notizbuch in der Hand und wurden oft genug mit Hohn und Spott empfangen.

»Abzählen!« rief man ihnen entgegen. »Ist es nicht genug, daß wir jeden Morgen zwei Stunden auf der Lagerstraße stehen müssen wie eine Hammelherde, bis die Unteroffiziere mit ihrer Abrechnung fertig sind? Laßt Euch doch vom Kommandanten die Listen geben, verdammt noch einmal.«

Eben das solle vermieden werden, erklärte einer der Ministerialräte nachsichtig. Man müsse eine völlig unabhängige Selbstverwaltung aufziehen, nur dann könne man auf Respekt bei den Engländern rechnen.

Warum nicht gleich Lebensläufe und Fragebogen mit Angaben über Religion, Geburtsdatum der Eltern und Großeltern, politische Haltung und 'Sonstigem'?, so wurde gemurrt.

Ithamar konnte gegen Abend über eine genaue Statistik verfügen, aus der hervorging, daß er über dreitausendachthundertzweiundsiebzig Seelen gebot. So genau hätte der Kommandant die Ziffern noch nie zu sehen bekommen, meinte einer der Ministerialräte stolz.

Ithamar ging nun daran, auch für die Bedürfnisse des gemeinen Mannes etwas zu tun, und organisierte die Post. Er ernannte einen seiner Zeltkameraden zum 'Generalpostmeister'. Auch dieser gliederte sich eine Reihe von Untergebenen an. Ein eigenes Zelt wurde reserviert und mit einer Tafel 'Postdirektion' versehen. Zwei Tage lang schlenderten der Generalpostmeister und seine Leute vor dem Schild auf und ab und mußten sich die spitzen Bemerkungen: »Wo bleibt die Post?« und »Aufgeblähter Beamtenapparat!« mit anhören. Dann trafen in der Tat zwölf riesige Säcke mit Briefen und kleinen Päckchen ein. Das Postzelt wurde mit einem Schlage zum Mittelpunkt des Lagers. Hunderte von Häftlingen umlagerten es.

»Postausgabe ist nachmittags von vier bis fünf«, erklärte der Generalpostmeister.

Er verschwand im Zelt und zog die Bahn, die den Vorhang bildete, mit einem Ruck zu.

»Habt Ihr das gesehen?« fragte einer erbittert. »Der knallt uns seinen Schalter vor der Nase zu wie ein preußischer Postbeamter. Sollen wir uns das gefallen lassen? Das ist ja haarsträubend!«

Einige machten Miene, das Zelt zu stürmen. Aber nun erschienen die 'Ordner', die Ithamar ebenfalls schon bestimmt hatte und die vorläufig nur diese bescheidene Bezeichnung führten. Sie räumten den Platz, nicht ohne daß es Zwischenrufe über 'Polizeiregime!' und 'Gestapo!' gegeben hätte. Ithamar selbst trat würdevoll heran im enggegürteten Regenmantel. Er pickte mit dem Spitzkopf nach allen Seiten: diese Disziplinlosigkeit sei unmöglich. Man müsse seinen Leuten doch Zeit lassen. Die Post müsse sortiert werden. Übrigens werde sich dabei die Bestandsaufnahme, nach Reihen und Zelten geordnet, aufs beste bewähren, über die sich viele das Maul zerrissen hätten.

»Das Maul? Das Maul? Wie redet der Kerl denn mit uns?« hieß es. Der Bursche werde wohl größenwahnsinnig.

»Wenn alle sich wie Schweine um den Trog drängen«, fuhr Ithamar fort, »dann wird alles nur zertrampelt, und keiner kommt zu etwas.«

Was, meinte einer von weiter hinten, der die Worte nur teilweise verstanden hatte, als Schweine würden sie hier bezeichnet? Das lasse man sich gefallen?

Ithamar spürte die Gegenströmung und wechselte den Ton: »Aber meine Herren, meine Herren«, bat er, »nehmen Sie doch Vernunft an, lassen Sie uns erst einmal arbeiten! Am ersten oder zweiten Tage kann unmöglich schon alles klappen. Ich habe den Betrieb doch eben erst übernommen. Ich verspreche Ihnen...«

»Du versprichst fortwährend!« unterbrach ihn eine Stimme.

»...ich verspreche Ihnen, daß die Post heute nachmittag pünktlich um vier Uhr zur Verteilung bereitliegt. Jedes Zelt schickt einen Postabholer.«

Die Post war tatsächlich um diese Zeit sortiert, mit Ausnahme von zwei Säcken, die der Generalpostmeister stillschweigend beiseite gepackt hatte, als sich zeigte, daß er nicht fertig werden würde. Die Postabholer traten an. Das ganze Lager summte vor Aufregung, als die Briefe verteilt wurden. Viele schlichen sich aus den Zelten ins Freie, um irgendwo ungestört zu lesen. Andere zeigten ihre Mitteilungen den Kameraden oder lasen ihnen daraus wichtige Stellen vor. Ithamar ließ verkünden, es werde auch Pakete geben. Sein Stern stieg.

Nach weiteren zwei Tagen trafen die Pakete ein. — Sie machten Büchsen auf, aßen und streckten sich behaglich. Eine wohlige Stimmung erfaßte das ganze Lager. Ithamars Stern stand hoch.

Dann stockte die Post einige Tage. Der Wind schlug um. Es wurde kühl, und am Morgen kamen die Frühstücksholer mit nassen Füßen durch das beschlagene Heidekraut von der Ausgabestelle zurück. Der kleine Zuschuß an Lebensmitteln, der die noch immer brutal eintönige Verpflegung aufgebessert hatte, war verbraucht. Gereizte Stimmen erhoben sich von neuem: Wo blieben die Versprechungen des neuen Campleiters? Es gab weiterhin grünen Hering. Was war mit den Pässen und Papieren? Sie blieben verschwunden. 'Sofortmaßnahmen' hatte der Kerl bei seiner Wahlrede angekündigt, 'grundsätzliche spätere Forderungen' und 'Endziele'! Am Ende war er offenbar schon jetzt mit seiner Weisheit. Das einzige, was er geschaffen hatte, war die Aufstellung einer unverschämten, anmaßlichen Campbürokratie, die obendrein ausschließlich den Leuten seines eigenen Zeltes oder seiner dritten Reihe entnommen war.

Ithamar eilte unruhig durch die Zeltreihen, pickte nach allen Seiten mit dem Spitzkopf, haschte Zurufe im Fluge auf und brachte sie verarbeitet wieder ans Licht: Das lästige Postengeschrei am Zaun, die ganze Nacht hindurch, natürlich, das müsse aufhören, er werde mit dem Kommandanten darüber sprechen! Morgen schon!

»Warum nicht heute?« hieß es.

»Ich kann doch nicht jeden Tag zum Kommandanten laufen!«

»Wieso nicht? Dazu sind Sie doch da.«

»Lassen Sie mir und meinen Leuten Zeit, um Gottes willen, meine Herren! In zwei Tagen können wir nicht die Welt aus den Angeln heben.«

»Zwei Tage? Das dauert schon über ein Woche! Und sagen Sie nicht immer 'meine Leute'. Das sind nicht 'Ihre Leute'. Das sind unsere Leute.«

»Ja, wie soll ich sie denn nennen?« fragte Ithamar, der immer unsicherer wurde.

»Sagen Sie ganz schlicht: 'meine Staatssekretäre und Ministerialräte'«, schlug jemand vor. Hohngelächter prasselte auf.

»Aber das ist doch nur scherzhaft gemeint, meine Herren«, verteidigte sich der Spitzkopf. »Verstehen Sie denn gar keinen Humor?«

»Alle aus der dritten Reihe, oder aus Ihrem eigenen Zelt! Sehr komisch!« hieß es weiter.

»Ich muß mich zuerst an die halten, die ich persönlich kenne«, wehrte Ithamar ab. »Später erweitern wir natürlich den Kreis.« Noch mehr Beamte! Später! Er wolle sich anscheinend hier auf Jahre hinaus einrichten. So ginge das nicht.

»Nein, so geht das nicht, meine Herren!« schrie Ithamar, der jetzt völlig die Fassung verlor. »So können wir keine unabhängige Selbstverwaltung aufbauen. Wenn wir uns selber nicht respektieren, dann können wir von den Engländern keine Achtung verlangen. Ich bin gewiß für Demokratie, das habe ich schon dadurch bewiesen, daß ich auf alle Zwischenrufe eingehe. Aber Ihr könnt nicht fortwährend durcheinanderbrüllen. Einer muß die Führung übernehmen.«

»Führer befiehl — wir folgen!« rief es aus dem Hintergrund. Erneutes Gelächter ging wie ein spitzer Steinregen über Ithamar nieder.

»Genug!« schrie er nun. »Ich lasse mich nicht noch beleidigen. Ich bin gewählt, ich bin vom Kommandanten bestätigt. Ordner!!« Ein paar Mann seiner Leibwache eilten herbei und scharten sich um ihn.

Oho! Oho! Das wurde immer schöner. Der drohte mit der Kommandantur! Pfiffe schrillten auf. Fäuste wurden erhoben.

»Ich lasse den Platz räumen!« schrie Ithamar in seiner Kopflosigkeit, aber seine Worte gingen in dem tosenden Lärm unter. Die Masse begann sich in würgenden Bewegungen zu drehen. Das Geschrei stieg in die nächsthöhere Oktave. »Fort mit ihm! Schluß jetzt! 'raus mit dem Kerl! Schlagt ihm doch die Knochen zusammen!« hieß es. Man stolperte über Zeltschnüre und ausgespannte Vorhangleinen, riß Pflöcke um, und ein Zelt stürzte ein. Die Unruhe sprang auf die nächsten Reihen über, bis das ganze Lager auf den Beinen war. Von der Latrine her kamen Neugierige gelaufen, um dabeizusein; sie hielten noch das Zeitungsblatt in der Hand. Viele, die gar nicht wußten, worum es ging, schrien aus Lust am Schreien mit.

In der Mitte des Tumultes war jedoch ein feurig-flüssiger Kern von weißglühend Empörten, der den Campleiter und seine Trabanten unaufhaltsam zum Rückzug auf seine Reihe hin drängte. Ithamar lief zum Schlusse fast und verschwand in seinem Zelt, vor dem er den 'Totempfahl' aufgestellt hatte, nachdem er noch seinen Verfolgern die Drohung: »Ihr werdet von mir hören!« zugeschleudert hatte. Seine Leibwache rang mit ein paar rabiaten Angreifern, die das Wahrzeichen umstürzen wollten. Die Ordner konnten es eben retten, aber nicht verhindern, daß es noch einen kräftigen Fußtritt bekam.

Die Unruhe war übergekocht, und das Lärmen legte sich. Man war geneigt, das Ganze etwas komisch zu finden. »Macht Euch nicht lächerlich!« hieß es, oder: »Seid Ihr verrückt? Wollt Ihr ihn denn lynchen?«

»Nicht auf den Klavierspieler schießen«, rief einer, »der Mann tut, was er kann!«

»Wenig genug ist das!« gab einer der Unerbittlichen zurück, die sich vor dem Zelt Ithamars, in einigem Abstand von den Ordnern der Leibwache, zusammengerottet hielten, um aufzupassen, was er mit dem 'Vonsichhörenlassen' gemeint haben sollte.

»Das sind Kindereien«, meinten andere. »Ruhe im Dorf! Wir wollen keinen Krakeel.«

»Und heute abend«, ließ sich eine Stimme vernehmen, »soll doch die Eröffnung des Kabaretts stattfinden, auf dem Platz vor dem Deckendepot. Peter Pojarski macht den Conferencier. Ihr kennt Peter Pojarski nicht? Aber Herrschaften! Wien, Berlin, Prag, Paris, eine Kanone! Der Mann ist internationale Klasse. Ihr lacht Euch tot! Seht zu, daß Ihr Euch rechtzeitig einen Platz sichert.«

Sie zerstreuten sich. Nur die Schar der Unerbittlichen harrte noch bis zur Dämmerung aus, die Augen auf den Zelteingang Ithamars gerichtet und ab und zu ein paar bösartige Hohnworte zu den Ordnern herüberschickend, die stumm und mißvergnügt den Totempfahl und die Behausung ihres Gebieters bewachten.

Als die Scharen der Neugierigen zu der Vorstellung zu pilgern begannen, bröckelten auch die Aufpasser allmählich ab. Die Ordner hielten noch eine Weile aus, bis die ersten Wellen des Gelächters vom Platz vor dem Deckendepot zu ihnen herüberspülten.

»Sollen wir etwa die ganze Nacht hier noch stehen?« fragte einer von ihnen. »Das kann er doch wohl nicht von uns verlangen. Ich gehe.«

Er ging, und die anderen schlossen sich ihm im Laufschritt an, um noch einigermaßen zurechtzukommen.

Es wurde ganz still um das Zelt. Der Vorhang öffnete sich, und Ithamar trat heraus. Sein Regenmantel war zerdrückt und hing schief, der Gürtel baumelte an einer Seite bis auf den Boden herunter. Sein spitzer Kopf war schlaff auf die Brust gesenkt. Der Wind trug ihm in kleinen Fetzen die Stimme des Kabarettisten zu, die immer wieder durch Beifallsstöße unterbrochen wurde.

»Da könnte ich nun in der ersten Reihe sitzen«, flüsterte Ithamar in Gedanken vor sich hin. »Pojarski hatte mir eine Ehrenkarte zugeschickt, wie sich's gehört.«

Er blickte auf den schiefstehenden Pfahl, suchte ihn vergeblich geradezurücken und ließ die Hände sinken.

»Gesindel!« murmelte er. »Undankbares Gesindel!« Sein Atem schepperte, und große Tränen fielen ihm auf die Schöße des zerknitterten Regenmantels.

12

PETER POJARSKI UND SEIN KABARETT

»Hallo, hallo, hier spricht Peter Pojarski, P-o-j-ars- ki, P wie Peter, O wie Otto von Habsburg, J wie preußisch J für Gott, Ars wie Götz von Berlichingen, und ki, die übliche Endung für amerikanische Einwanderer, mit Visum und Affidavit, versteht sich!«

Der Kabarettist telefonierte mit sich selber. Er nahm den unsichtbaren Hörer bald in die rechte, bald in die linke Hand und wedelte sich die Worte zu oder zerstreute sie wie einen lästigen Zigarrenrauch.

»Pojarski, nach mir sind die bekannten Kalbskoteletts benannt, bei denen das Fleisch vom Knochen gelöst wird; ich kann Sie aber versichern, meine Herrschaften, daß der alte Peter sehr wohl Rückgrat besitzt und auch denen da oben seine Meinung sagen wird!«

Man nickte ihm befriedigt zu: Recht so, jawohl, gib's ihnen, Peter, das erwarten wir uns von einem politischen Kabarettisten, der einmal eine 'Kanone' gewesen sein soll. Man faßte ihn genauer ins Auge. Pojarski war ein kleiner, behender Mann, der seine rotgrauen Haare so geschnitten hatte, daß sie wie eine Perücke aussahen. Seine Knopfnase zeigte am unteren Ende eine unvermittelte kleine Verlängerung, einen fleischgewordenen Nasentropfen gewissermaßen, der dem sonst etwas penetrant vergnügten Gesicht eine melancholische Note hinzufügte.

»Denen da oben«, fuhr er fort, »den hohen und allerhöchsten Herrschaften, und, wenn es sein muß, Seiner Exzellenz dem Lagerleiter persönlich...« Er hielt den Hörer zur Seite und fragte ins Publikum:

»Wo steckt er übrigens, ich hatte ihm doch eine Ehrenkarte zugeschickt, mit Sitz in der vordersten Reihe? Wahrscheinlich sitzt er in seinem Zelt am unsichtbaren Riesenschreibtisch; er hat zu tun, er muß nachdenken wie ein Generaldirektor oder Syndikus eines Großkonzerns, der die rote Lampe brennen läßt: 'Dringende Besprechung, nicht stören' und dabei seiner Sekretärin ... nicht, was Ihr denkt, Ihr Schmutziane!, was sage ich: seiner Sekretärin, seinen Staatssekretären, seinen Ministerialräten diktiert er seine Verfügungen und Ukasse. Tag und Nacht ist das Wohl seiner Untertanen sein einziger Gedanke, aber wir, das gemeine Volk, wir lassen's uns gut sein, wir amüsieren uns, wir gehen zum Peter Pojarski ins Kabarett auf dem Platz vor dem Deckendepot, lagern uns auf dem Rasen, und da werden wir hoffentlich sehr bald ein Herz und eine Seele sein, ein Herzelein, ein Herzuleinchen...«

Er machte eine auffordernde Handbewegung, und die Zuhörer spendeten den ersten Applaus. Vom Kalbskotelett à la Pojarski kam der Kabarettist auf die Backenkoteletten, die sein unvergeßlicher Kaiser Franz Joseph getragen hatte; er erzählte die Anekdote, wie der greise Monarch die Nachricht von der Eroberung Antwerpens im ersten Weltkrieg mit den gottergebenen Worten aufnahm: 'Mir bleibt auch nichts erspart...'

»Na«, meinte jemand zu seinem Nachbarn, »der Bart geht ja bis auf die Brust.« Er machte eine entsprechende Geste, die Pojarski sogleich erspähte. Der Kabarettist wechselte den Ton und schlug sich mit einem imaginären Stöckchen die Flanken:

»Allez hopp, Peter, altes Zirkuspferd, das sind etwas reichlich alte Witze, Witzeleien, Witzeläppereien. Etwas mehr Pfeffer auf die Mühle, mein Junge. Ich drehe noch einmal die Kurbel, selbstverständlich, Seine Majestät der Kunde hat immer recht, wir rufen einfach einmal die Lagerleitung an.« Er nahm erneut den Telefonhörer zur Hand:

»Kann ich Exzellenz Ithamar sprechen? Nein? Warum nicht? Hier Pojarski. Dann geben Sie mir einen der Staatssekretäre, oder einen Unter-unter-, sub-sub ... ja, Herrschaften, ist denn bei Euch nicht irgendein Untermensch, mit dem ein ganz gewöhnlicher Sterblicher reden kann? Was ich will? Ich will mit Exzellenz Ithamar sprechen und mich im Namen des Lagers beschweren. Der ewige grüne Hering hängt uns allen zum Hals heraus. Es gibt Orden zum Hals und Hering zum Hals heraus. Mit wem spreche ich eigentlich? Der Lagerleiter persönlich?«

Er legte die andere Hand über die Hörmuschel und wandte sich an die Zuhörer:

»Na, endlich. Seht Ihr: man muß sich nur nicht von den Ordnern abweisen lassen; er kommt selber an den Apparat, der große Herr, der seine Ehrenkarte unbenutzt gelassen hat.« Er nahm eine herrische Haltung an und sprach wieder in den Hörer:

»Mal herhören, Lagerleiter! So geht das nicht! So können wir keine 'unabhängige Selbstverwaltung' aufbauen. Du hast uns goldene Berge versprochen. Statt dessen fressen wir grüngoldene Heringe. Du hast uns zugesichert, daß wir unsere Papiere wiederbekommen. Statt dessen haben wir Deine Ministerialräte mit dem Notizbuch und die Volkszählung. Das ist auch ein Papier, auszufüllen in Blockbuchstaben, natürlich. Hallo, Lagerleiter, Exzellenz, bist Du noch am Apparat? Wie? Ja, wir in Österreich sagten im Offizierskorps alle Du zueinander. Sie sind ein Preuße, wat?«

Pojarski pfiff die ersten Takte des Liedes 'Ich bin ein Preuße, kennst du meine Farben?' und wandte sich der linken Seite zu, auf der sein Kollege Grienstadler heranschritt, mit einem blauen Rock angetan und einer aus einem Kekskarton gefertigten Pikkelhaube mit Blechspitze auf dem Kopfe.

»Da haben wir die Bescherung«, sagte Pojarski in blassem Ton und begann am ganzen Leibe zu zittern. »Jetzt werde ich verhaftet. Laßt's mich aus, ich gehe in mein Zelt! Ich will nichts gesagt haben. Ich bin schon gar nicht mehr da.«

»Halt«, donnerte Grienstadler, »hiergeblieben! Sie sind wohl nicht bei Troste, Sie wollen wohl vor der Lagerpolizei ausrücken! Mensch!«

»Hier, presente«, rief Pojarski, »jawohl, das bin ich! 'Hier bin ich Mensch, hier kann ich's sein', wie der Dichter sang, als er sich im Freien an der offnen Wasserleitung wusch. Was wollen Sie vom Menschen? Mein bürgerlicher Name ist Peter Pojarski.«

»Stimmt«, schnarrte der Polizist. »So sehen Sie auch aus. Der Herr Lagerleiter wünschen ...«

»Und was wünschen Exzellenz?« fragte Pojarski in kriecherischer Haltung, »auch auf diesem heute nicht mehr ungewöhnlichen Wege der polizeilichen Zustellung?«

»Die Lagerleitung«, bellte der Polizist, »begrüßt die Errichtung eines Kabaretts, auch wenn dieses ohne vorherige Anmeldung und Genehmigung der zuständigen Instanzen geschehen ist. Sie ist der Ansicht, daß eine solche Institution zur Hebung der Moral der Internierten beitragen kann, vorausgesetzt allerdings« —dabei hob er seine behandschuhte Rechte—, »daß dabei gewisse Grenzen gewahrt werden.«

»Grenzen?« fragte der Kabarettist zurück. »Hören S', damit kenn' ich mich aus, mit Grenzen. Es gibt eine grüne Grenze, über die bin ich nach der Tschechoslowakei ausgerückt, von da über die Grenze nach Polen, allerdings ohne Grenzübertrittsausweis, und von da nach Schweden und Norwegen, und da war ich allerdings an der Grenze meiner Leistungsfähigkeit angelangt. Ein norwegischer Grenzkutter brachte mich nach Schottland, als Hitler begann, die angrenzenden Länder einzukassieren, und da wurde ich von einem Grenzkommissar des Vereinigten Königreichs empfangen, der mich in meine Schranken zurückwies — wir wollen das Wort Grenze nicht totreiten — und meinen Aufenthalt auf einen verhältnismäßig kleinen Raum im Stadtgefängnis von Edinburgh begrenzte oder beschränkte, wie Sie wollen. Von da wurde ich hierher gebracht, wo ja nun auch meine Bewegungsfreiheit, äh, sagen wir limitiert ist. Und nun soll ich mir bei meiner bescheidenen Komikertätigkeit auch noch Beschränkungen auferlegen? Das geht mir über die Hutgrenze.«

Er richtete sich steil auf und änderte den Ton. Mit scharfer Stimme herrschte er den Polizisten an: »Stillgestanden! Hände an die Hosennaht!«

Grienstadler gehorchte. Pojarski kommandierte weiter: »Rechtsum! Linksum! Kehrt!«

Der Polizist stand jetzt mit dem Rücken zum Publikum. Pojarski zwinkerte den Zuhörern zu: »Seht Ihr, so muß man es mit denen machen. Das Volk kennt nur seine Macht nicht. Es läßt sich alles gefallen, läßt sich hunzen und kommandieren und läuft wie eine Hammelherde in den Stall, wo man ihm das Fell über die Ohren zieht.« Er kommandierte nochmals »Kehrt!« und wandte sich an den Polizisten:

»So, lieber Freund, jetzt marschieren Sie zurück zur Lagerleitung und bestellen Sie einen schönen Gruß vom Peter Pojarski: wir haben bereits ein Kabarett errichtet, ganz von selbst, ohne Zuschuß, und nicht zur Hebung der Moral der Lagerbevölkerung, sondern einfach zu unserem Vergnügen. Grenzenlose Heiterkeit ist unser Programm. Haben Sie das begriffen? So, und jetzt sage ich nicht: Abgetreten!, sondern: Gehen Sie mit Gott, mein Guter, gehen Sie mit Gott!«

Der Polizist salutierte und wandte sich zum Gehen. Pojarski rief ihn noch einmal zurück und sagte freundlich:

»Wenn Sie Ihre Pickelhaube abnehmen, können Sie bis zum Schluß der Vorstellung als Privatperson hierbleiben, als Mensch unter Menschen. Ich habe nämlich noch einen Vorschlag zu machen, ein Vorschläglein, meine Herrschaften, einen Sechzehntel-

oder Zweiunddreißigstelvorschlag, die Musikkenner werden mich verstehen. Wie wäre es, wenn wir bei der nächsten großen Volksversammlung beantragten, daß unsere Campleitung etwas sinnvollere Titel erhält? Was soll denn das eigentlich, Kinder, das ist doch Unsinn: Lagerleiter oder Lagerführer, Staatssekretär, Ministerialrat, Generalpostmeister, den Leuten muß ja der Kamm schwellen. Laßt's uns einfache und zu Herzen gehende Bezeichnungen schaffen: der Lagerführer heißt Lagerdiener, denn er soll doch dem ganzen Lager dienen, die Staatssekretäre nennen wir halt Lagerhelfer, und den Generalpostmeister, der uns jetzt seinen Schalter vor der Nase zuschlägt – 'Vor vier wird nicht geöffnet!' –, den nennen wir Briefboten oder Briefträger, und ich bitte mir aus, daß er mir die Post ins Haus oder ins Zelt bringt. Zu Neujahr kann er dann in Gottes Namen sein Trinkgeld bekommen.«

Die letzten Worte gingen im tosenden »Bravo!« unter. Die Zuhörer sprangen auf und klatschten und schrien sich gegenseitig an: »Lagerdiener! Großartig! Briefträger! Das war die Lösung! Ein Hoch für Pojarski!«

»Und damit«, so schloß der Kabarettist, der spürte, daß es nun Zeit war, abzuschließen, »verabschiedet sich der Peter Pojarski für heute von Ihnen. Empfehlen Sie uns Ihren Bekannten und Freunden. Die nächste Vorstellung findet am Donnerstag statt, dann vielleicht schon im großen Essenszelt. Grenzenlose Heiterkeit ist unser Programm. Keine Grenzen, kein Stacheldraht, keine Arbeitserlaubnis für unbefugtes Kabarettieren, aber Stimmung – *eine* große Familienkutsche! Mitsingen, meine Herren: *Eine* große Familienkutsche!«

Die Zuhörer stimmten ein, und Peter Pojarski trieb dem Polizisten den Helm bis tief ins Gesicht, stützte sich auf seine Schulter und schritt hinaus, nach allen Seiten winkend: »Grüß' Euch Gott, Ihr treuherziges Gesindel!«

In seinem Zelt angekommen, hockte er sich neben seinem Freunde Grienstadler hin. Er strich sich mit den Händen über das etwas penetrant vergnügte Gesicht, als schminkte er es ab. Schließlich blickte er auf. Der Fleischtropfen an seiner Nase zitterte. Mit völlig erschöpfter Stimme fragte er den Kameraden:

»Poldi, sag, war ich gut?«

»Du warst gut«, sagte Grienstadler.

»Nein, ich meine: wirklich gut?« beharrte der Komiker. Er horchte dabei durch die Zeltwand auf die Stimmen der Heimkehrer in den Zeltgassen und konnte nicht wenige »großartig«, »glänzend« und »gar nicht übel, dieser Pojarski, ein frecher Kerl!« erhaschen.

»Wirklich gut, Peter«, versicherte der Genosse. »Du hast nur ein bißchen zu viel telefoniert.«

»Meinst Du, Poldi?« sagte der Kabarettist tonlos. »Vielleicht hast du recht. Ich bin eben ganz aus dem Training heraus. Von morgen ab wird geübt, jeden Vormittag zwei Stunden mindestens. Du mußt den preußischen Schnarrton auch noch exerzieren. Und die Kehrtwendung war viel zu schlapp. Das muß richtig herauskommen: zackig, wie sie in Berlin sagen. Aber die Sache mit dem Lagerdiener und dem Briefträger, die schlug doch ein, was?«

»Ja, die schlug ein, Peter, da gingen sie alle mit«, meinte Grienstadler.

13

DAS KANTINENWUNDER

Ithamars Stern sank, und Schlicks Stern stieg empor. Er stieg allerdings nur bis zu einer gewissen Höhe, denn die Widerstände gegen die 'Vorherrschaft der dritten Reihe' waren nun bei den Warts Mill-Leuten und den Kempton-Parkern so stark geworden, daß eine erneute Kandidatur eines von 'denen da drüben' aussichtslos gewesen wäre. Es kam aber überhaupt zu keiner neuen Wahl. Die Kommandantur, der wohl doch etwas über die Meuterei zu Ohren gekommen war, ließ wissen, sie wünsche vorläufig keine Veränderung. Die Internierten hätten eben einen Campleiter gewählt, und dabei müsse es zunächst bleiben.

So blieb Ithamar im Amt, wenn auch unter sehr reduzierten Umständen. Die Reihenleiter konstituierten sich als 'Rat der Drei' und nahmen das Heft in die Hand. Die Campbürokratie wurde für aufgelöst erklärt, die Ordner verschwanden, lediglich die Post wurde belassen, wie sie war, unter der veränderten Bezeichnung 'Brief- und Paketstelle'. Ithamar verblieb lediglich der leere Titel und die Erlaubnis, sich in Abständen zum Kommandant zu begeben und ihm zu berichten. Der Totempfahl war noch in der Nacht nach der Unruhe umgestürzt, ob von selber oder durch das Eingreifen einiger Heimkehrer von Pojarskis Vorstellung, blieb ungewiß. Er lag nun neben dem Zelt im Heidekraut und versank allmählich im grüngrauen Gestrüpp.

Schlick führte im Rat der Drei das große Wort, und man mußte es ihm lassen, denn er entfaltete eine erstaunliche Aktivität. Die Wasserleitung wurde erweitert und mit hochgebogenen Röhren versehen, aus denen durch perforierte Konservenbüchsen prachtvolle Brauseschauer herniedergingen. Vor den Waschhähnen wurden Holzroste angebracht. Der rotbäckige Schreiner bekam zu tun.

»Du kannst sagen, was Du willst«, erklärte er seinem Freunde Mochow, »der Mann versteht es. Alles Handwerkszeug, was man braucht, ist auf einmal da.«

»Mit dem ist das aber nicht richtig«, sagte Mochow, auf seinen Stock gestützt. »Du läßt Dich immer so schnell betümpeln, Emil.«

»Sei nicht immer so mißtrauisch, Wilhelm«, meinte der Schreiner, der mit Holzschlegel und Stemmeisen an einem Kantholz Nuten aushob. Er hämmerte fröhlich vor sich hin und freute sich an den Spänen, die blitzend in die Sonne sprangen. »Siehst Du, Wilhelm, das wird hier richtig mit Zargen verzapft, nicht genagelt, das hält doch nicht. Und dann mache ich es mit Holzdübeln fest. Die kann das Wasser nicht so angreifen. Ich habe mir sogar ein Stück Hartholz dafür besorgt, Wilhelm!« Er wies ihm triumphierend ein Stück rotbraunes Holz vor. »Weißt Du, was das ist? Das ist Teakholz, Wilhelm, das gibt es bei uns zu Hause nicht. Da ist Öl drin, in dem Holz, das kannst Du getrost draußen im Regen stehenlassen.«

Mochow wandte sich zum Gehen: »Ich werde noch ein bißchen herumwackeln. Spiel Du man weiter mit Deine Hölzer.«

»Spielen, sagst Du?« erwiderte der Schreiner ärgerlich. Er schlug schallend zu. »Was redest Du denn, Wilhelm? Was wir machen, das machen wir ordentlich.«

»Nu sieh Dir das an«, sagte Mochow und wies mit dem Stock auf die Zeltreihen. »Da rennen sie schon wieder und brüllen wie die Affen. Was ist denn da los?« Er stapfte davon.

Am Ende der dritten Reihe war ein neues großes Zelt aufgeschlagen, vor dem sich das ganze Lager staute. Kantine stand auf einem großen Pappdeckel angemalt, der wie ein Transparent über dem Eingang prangte. Die Häftlinge warteten diesmal geduldig wie die Kinder auf die Weihnachtsbescherung. Was es wohl geben würde? Zigaretten? Tabak? Süßigkeiten? Schokolade? Konserven? Obst?

Schlick erschien in dem Eingang, wie ein Ansager vor dem Vorhang. Sein fleischiges Gesicht strahlte Wohlwollen und Genugtuung aus. Er winkte um Ruhe. Es wurde totenstill.

»Es ist uns gelungen«, so begann er, »den Kommandanten zu überreden. Wir dürfen eine Kantine aufmachen.«

»Bravo!« wurde gerufen. »Three cheers for dear old Schlick!«

»Danke«, sagte dieser. »Ich bitte Sie aber, meine Herrschaften, nicht zu viel zu erwarten. Wir haben eben die ersten Lieferungen empfangen. Es kommt noch allerhand nach. Ich habe darüber schon mit dem Kommandanten gesprochen.«

»Siehst Du«, sagte einer, »der sagt: ich *habe* mit dem Kommandanten gesprochen. Nicht: ich *werde* mit ihm sprechen, wie das Großmaul, der Spitzkopf.«

»Ich habe meinen Freund Cronberger damit beauftragt, die Sachen auszupreisen. Jeder von Ihnen wird verstehen, daß wir doch nicht mit Verlust arbeiten können. Selbstverständlich machen wir auch keinen Profit dabei. Wir werden einen Kantinenausschuß bilden, der die Preise kontrollieren soll.«

»Und wann machst Du Deine Bude endlich auf?« ließ sich eine Stimme vernehmen.

»In einer halben Stunde«, sagte Schlick. »Ich sage nicht heute nachmittag um vier, sondern in einer halben Stunde. Das werden Sie mir und Cronberger zubilligen. Er arbeitet seit heute morgen um sechs wie ein Pferd, und er versteht seine Sache. Er war Juniorpartner des Billgut-Konzerns. 'Billig und gut' ist auch unsre Parole.« Er schielte vorsichtig hinter den Vorhang, schloß ihn sogleich wieder und fuhr fort: »Sie kennen alle seine Kettenläden mit dem blaugoldenen Firmenschild. Er wird die Sachen so niedrig ansetzen wie möglich.«

»Und womit sollen wir bezahlen?« wurde gefragt.

»Wer nicht genügend Geld bei sich hat, kann anschreiben lassen. In spätestens einer Woche werden wir Geldsendungen bekommen können. Ich habe auch darüber mit dem Kommandanten gesprochen.«

Der Mann müsse einen direkten Draht zum Major haben, meinte jemand. Wie er das nur fertig brächte. Ein Mordskerl, ein Genie!

Schlick schaute wieder hinter den Vorhang und wandte den Kopf strahlend zurück:

»Mein Freund Cronberger ist eher fertig geworden als ich dachte. Wir können schon jetzt beginnen!«

Es fehlte nicht viel, daß die Menge 'Ahh!' gemacht hätte. Aber Schlick hob noch einmal abwehrend den Arm: »Einen Augenblick. Meine Herrschaften, ich bitte Sie sehr, nicht zu drängen oder zu stoßen. Wir haben die Sachen nur auf Böcken und losen Brettern auslegen können. Und nun erkläre ich im Namen des Rates der Drei unsere Kantine für eröffnet!« Er zog den Vorhang zurück, der in Ringen lief. Die Menge strömte herein.

Drinnen war es verhältnismäßig dunkel. Die Bretter der Tische waren sauber mit Zeitungspapier ausgelegt und durch grüne Heidekrautzweige in Fächer abgeteilt, in denen die Waren standen, zu Pyramiden aufgebaut oder in Halbkreisen angeordnet. Überall waren kleine Preistafeln angebracht. Am Ausgang saß ein Kassierer, hinter den Tischen standen geschulte Verkaufskräfte, die bereitwillig Auskunft gaben. Ja, im Augenblick könne man leider nur mit Zahnpasta, Seife, Kämmen und Rasierklingen dienen. Die Lebensmittel seien erst im Anrollen. Aber es gebe dort drüben sehr hübsche Mundwassergläser aus Bakelit, in Blau, Grün und Gelb.

Die Gläser wurden wie Ostereier bestaunt und viel gekauft. Auch sonst gingen die Dinge, die eigentlich niemand recht brauchen konnte, reißend ab. Die Gefangenen empfanden es wie einen

Rausch, etwas kaufen, Geld auszugeben und sich als Kunde fühlen zu dürfen. Man war in bester Stimmung, zeigte sich die Erwerbungen, sprach Unbekannte mit leuchtenden Augen an: »Sehen Sie mal diesen Kamm, hübsch, was?« Viele, die den Rundgang bereits beendet und beim Kassierer bezahlt hatten, liefen um das Zelt herum und kamen noch einmal von vorn wieder herein. Auch Fabrikant Elzbacher war unter ihnen. Er drückte die goldne Nadel mit dem Hufeisen, die ihm beim hastigen Zulangen über einen der Tische fast herausgerutscht war, im Schlips fest und sagte zu einem Nachbarn:

»Regie! Großartig, großartig! Das klappt alles wie am Schnürchen. Ich habe mir von allem ein Stück gekauft. Den Mann möchte ich mir engagieren. Aber der wird was Besseres zu tun haben.«

Bis zum Abend wogten die Scharen durch das Zelt, dann wurde geschlossen. Der rotbäckige Schreiner, der unbeirrt an seinen Rosten gezimmert hatte, kam ebenfalls erst beim Dunkelwerden zurück. Mochow berichtete ihm vor dem Einschlafen über seine Eindrücke:

»Die Leute sind verrückt. Wie beim Ausverkauf. Es fehlte nur noch, daß sie sich die Kleider vom Leibe rissen. Aber nee, sie waren mit einmal wie die Lämmer. Wie die Lämmer waren sie. Dabei gab's nichts als Zahnpasta.«

Der Schreiner knurrte nur einen unbestimmten Laut.

»Aber der Kerl, der Schlick«, fuhr Mochow fort, »der hat's in sich. Das ist ein ganz Gehängter, und das hat Wilhelm Mochow gleich gesagt, wie er nur seinen Hintern gesehen hat. Den hättest Du mal sehen sollen, wie der das so ganz sachte angekurbelt hat: erst läßt er sie zappeln, und dann mit einmal macht er seinen Laden auf, wie sie alle denken, sie müssen noch warten. Und dann gibt er ihnen nicht gleich alles auf einmal, sondern nur seine Zahnpasta und so bunte Eierbecher wie vom Osterhasen und sagt: Morgen kommen die besseren Sachen, die Konserven und die Schokolade, damit sie sich darauf freuen können. Du hörst wohl gar nicht zu, Emil?«

»Doch, ich höre zu«, meinte der Schreiner.

»Und dann sagt er ihnen, sie können anschreiben lassen, weil doch nächste Woche auch Geldsendungen kommen sollen. Was die machen, die kein Geld geschickt bekommen, das hat er uns nicht geflüstert. Und dann hat er da so einen Kettenladenonkel, der hat die Geschichte richtig aufgezogen, alles fein ausgelegt, und mit Kassierer und Verkäufern. Profit soll nicht dabei sein, sagt er, aber die machen schon ihren Schnitt, das kannst Du Dir denken. Und zum Schluß, wie er die Kantine eröffnet, da sagt der gerissene Hund: im Namen des Dreierrates, damit will er sich bei Gärtnern und Hoppenheiten eine Nummer schieben. Du bist ja so mufflig, Emil!«

»Wieso?«

»Na ja, Du sagst doch gar nichts. Hast Du was gegen mich?«

»Ich habe mich geärgert über Dich, Wilhelm. Von wegen 'mit Deine Hölzer spielen'. Ich habe das ganze Stück Kantholz versaut. Das mußte ich eine Handbreit kürzer machen, und jetzt stehen die andern Roste über. Das ist doch keine Spielerei, wie Du sagst. Du wirst immer gleich so ausfallend. Entweder Du bist mißtrauisch, oder Du wirst ausfallend.«

»Und Du bist ein Dussel, Emil. Du weißt nicht, wovon die Rede ist. Mir geht doch so allerhand im Koppe herum, das kannst Du Dir denken. Aber deswegen keine Feindschaft nicht. Es tut mir leid.« Er streckte ihm die Hand hin, die der Schreiner ergriff.

»Und nun wollen wir einen Schlag tun. Gute Nacht, Emil!«

»Gute Nacht, Wilhelm!«

»Und wenn Du schnarchst, dann säge mir nicht in die Ohren, Emil.«

»Fängst Du schon wieder an?«

»Ich höre grade auf. Und jetzt sagt Wilhelm Mochow: Schluß

der Debatte! Morgen, da wird er sich einmal ansehen, was Du da so gebastelt hast.«

14

DIE DREI RINGE

Die drei Geistlichen des Lagers, Pater Haschka, Pfarrer Agricola und Rabbiner Wittnitz, standen in der »kleinen Sandwüste« zusammen und berieten darüber, wie der Gottesdienst geregelt werden sollte. Sie waren übereingekommen, gemeinsam zum Kommandanten zu gehen und um die Zuweisung eines eigenen Zeltes zu bitten, in das sie sich zu entsprechenden Zeiten zu teilen gedächten, im Geiste versöhnlicher Gesinnung und angesichts der Notlage, in der man sich hier im Lager befand.

Pater Haschka, ein untersetzter, noch junger Mann mit braunen Augen und großen, kräftigen Bauernhänden, war für energisches Vorgehen:

»Schaun Sie, meine Herren«, sagte er, »die Menschen sind aufgewühlt, viele sind verzweifelt. Sie brauchen uns, mehr denn je. Überall bilden sich Gruppen, die leidenschaftlich diskutieren. Religionsgespräche sind an der Tagesordnung. Allerdings hört man da die merkwürdigsten Dinge. Es ist bei den meisten verworrenes Zeug, was sie reden, ein Suchen bestenfalls, aber kein Finden. Wenn wir jetzt nicht eingreifen ... Denn auch die Gegenseite ist nicht müßig, schon gar nicht müßig.«

Pastor Agricola blickte ihn etwas unsicher an. Er war groß, hager, mit eigentümlich stumpfer Nase und etwas verhemmt in seinen Bewegungen wie in seiner Sprechweise.

»Ich bemühe mich«, sagte er, »allen gerecht zu werden, auch

denen, die suchen und irregehen. Sehen Sie, meine Herren, ich habe gerade durch meinen Aufenthalt hier in England viel gelernt. Es war für mich ein ganz neues Erlebnis, diese leidenschaftliche Gläubigkeit grade bei ...« — er suchte nach dem passenden Wort, um die Bezeichnung 'Sekten' zu vermeiden —, »nun, bei Gruppen, bei Glaubensgemeinschaften, von denen man eigentlich nur aus der Literatur etwas wußte oder im Seminar einmal etwas gehört hatte. Die Methodisten, die Quäker und sogar, ich muß es gestehen, solche ... solche« — er fand wieder den Ausdruck nur mit Mühe — »solche Gebilde wie die Heilsarmee oder die Christian Science. Wir haben früher darüber vielleicht etwas oberflächlich und hochmütig geurteilt. Was das praktische Christentum anbelangt, könnten wir eigentlich oft von ihnen lernen. Ich habe so meine Studien gemacht. Wer geht wirklich in die Elendsquartiere und bemüht sich um die Trunkenbolde und die verlorenen Frauen? Und wer hat die beste Zeitung, die man hier lesen kann, ein sauberes Blatt, ohne aufdringliche Strumpfreklame mit obszönen Bildern oder Sensationsnachrichten? Ich bin öfters in die Lesestuben der Christian Science gegangen, und ich muß sagen, ich habe manche Anschauung revidieren müssen.«

»Revidieren?« fragte Pater Haschka. »Da gehen Sie mir etwas weit. Gewiß, diese Leute tun ihr Gutes. Aber wenn wir ihre grenzenlos verworrenen und meist doch überhaupt abstrusen Ideen verfolgen, dann müssen wir uns wohl fragen, ob wir sie noch überhaupt als christliche Gemeinschaften anerkennen können. Für die Christian Science-Leute möchte ich das strikt ablehnen. Das sind doch ...« Er bemerkte, daß der Rabbiner sich bei dieser Diskussion ein wenig ausgeschlossen fühlte, und brach ab: »Entschuldigen Sie, Herr Doktor! Wir wollten ja von anderen Dingen reden. Es muß etwas geschehen. Wir wollen den Menschen etwas bieten. Sie brauchen es.«

»Das ist nur zu wahr«, sagte Rabbiner Wittnitz. Er war ein

großgewachsener Mann mit stattlichem Bart, mädchenhaft lang-
bewimperten Augen und sehr weißen Händen. »Sie brauchen uns,
und das bedeutet eine schwere Verantwortung. Ich habe die letzten Jahre in einem kleinen Dorf in Wales gelebt, so gut wie völlig abgeschlossen von der Welt. Von einer Gemeinde war da
keine Rede, und die wenigen meiner Glaubensgenossen, die hier
und da verstreut waren, gingen ganz unter im Kampf um ihre
Existenz. Sie waren müde und interesselos, wenn ich sie mit dem
Rade aufsuchte. Und nun, hier, mit einem Male drängt es sich
um mich, Hunderte von Menschen, durstige, hungrige Menschen,
die fragen, die Rat suchen, die um Hilfe bitten. Es ist überwältigend, es ist beglückend, aber es fällt mir schwer. Ich war ursprünglich Privatdozent in Leipzig, für semitische Sprachen. Ich
wollte die akademische Karriere einschlagen. Und nun treten diese
praktischen Aufgaben in solcher Fülle an mich heran. Und vor
allem immer wieder die furchtbare Frage, die nervenerschütternde
Frage all dieser gepeinigten Seelen: Warum? Warum dieses Elend,
das uns zugemessen wird? Wieso läßt Gott es zu, daß unser Volk
so geschmäht, verleumdet, vertrieben und mit Vernichtung bedroht wird? Warum hat er gerade uns das auferlegt? Warum?
Warum?« Er hob seine sehr weißen Hände und schüttelte sie.
Dann ließ er sie sinken. »Die Antwort fällt mir schwer. Es sind
die Besten, die so fragen. Ich weiß nicht, was ich ihnen sagen
soll. Es widerstrebt mir, diesen Menschen in Not ihre vergan-
genen Unterlassungen und Fehler vorzuhalten. Ich bringe es nicht
übers Herz, von den Sünden der Väter zu sprechen . . .«

»Die Sünde ist ein sehr ernstes Problem«, sagte Pater Haschka.
»Für uns gibt es eine Antwort.«

»Aber hier wird doch ein ganzes Volk gequält, meine Herren!«
rief Wittnitz. »Es sind die Unschuldigen, die so fragen. Die
Schuldigen, die es gewiß auch bei uns gab, die fragen nicht. Warum wir alle, ganz Israel: diese Frage soll ich beantworten.«

»Ich weiß nicht, Herr Amtsbruder«, sagte Agricola stockend und befangen, »ob Sie die Stelle Römer 9/11 kennen. Da spricht der Apostel davon, daß Gott vielleicht Israel den Völkern zum Opfer gebracht hat. Den ganzen Text werde ich wohl kaum richtig anführen können, mein Gedächtnis ist nicht sehr stark, aber doch wohl die entscheidenden Worte: 'Was Israel sucht, das erlangte es nicht', er zitiert den Psalmisten, und dann spricht Paulus selber: 'Sind sie darum angelaufen, daß sie fallen sollen? Das sei ferne! Sondern aus ihrem Fall ist den Heiden das Heil widerfahren, auf daß sie denen nacheifern sollen. Denn so ihr Fall der Welt Reichtum ist, und ihr Schade ist der Heiden Reichtum, wieviel mehr'«—er zögerte erneut—, »'wieviel mehr, wenn ihre Zahl voll würde?'«

»Aber das würde doch Selbstaufgabe bedeuten!« rief Wittnitz. »Ich kenne die Stelle. Ich lese auch im Neuen Testament, schon aus wissenschaftlichen Gründen. Paulus spricht als Missionar. Er denkt an Übertritt, an Auslöschung des Judentums, so wie er selber sein Judentum ausgelöscht hat. Ich kenne die Stelle«, wiederholte er, »sie bezieht sich auf die Worte des Psalmisten, ganz recht. Und was sagt David im 69. Psalm?« Er schlug die mädchenhaft langen Wimpern ein und rezitierte mit seiner sehr wohlklingenden Stimme:

»Gott, hilf mir, denn das Wasser gehet mir bis an die Seele! Ich versinke im tiefen Schlamm, da kein Grund ist, ich bin im tiefen Wasser, und die Flut will mich ersäufen.

Ich habe mich müde geschrien, mein Hals ist heiser. Das Gesicht vergehet mir, daß ich so lange muß harren auf meinen Gott. Die mich ohne Ursache hassen, deren sind mehr denn ich Haare auf dem Kopfe habe. Die mir unbillig feind sind und mich verderben, sind mächtig. Ich muß bezahlen, was ich nicht geraubt habe.«

»Ja«, sagte Agricola nachdenklich, »das sind herrliche und

furchtbare Worte, und sie klingen uns allen gerade jetzt so nahe und zeitgemäß, als würden sie eben gesprochen.«

Wittnitz hatte die Lider noch nicht gehoben; er sprach weiter die Verse des Psalmes:

»Die Schmach bricht mir mein Herz und kränket mich. Ich warte, ob's jemand jammere, aber da ist niemand, und auf Tröster, aber ich finde keine.«

»Ich wollte Sie doch gewiß nicht kränken, Herr Amtsbruder«, sagte Agricola, der leicht rot geworden war. »Und auch ich erinnere mich an die Worte des Psalmisten: 'Der Eifer um Dein Haus, Herr, hat mich gefressen, und die Schmähungen derer, die dich schmähen, sind auf mich gefallen.' Grade diese Stelle nimmt doch der Römerbrief dann auf, im 15. Kapitel, wenn ich recht bin, und bezieht sie auf Christus. Glauben Sie mir, wir sind uns der jüdischen, der gemeinsamen jüdischen Grundlagen unserer Lehre sehr wohl bewußt, und jetzt mehr denn je, da man dort drüben alles in den Kot zieht, was uns allen heilig ist. Auch wir werden geschmäht und gekränkt, und deshalb sind wir ja schließlich hier.«

»Ich weiß«, flüsterte der Rabbiner.

»Sie sprachen von Selbstaufgabe«, fuhr Agricola fort. »Ist aber nicht Selbstaufgabe gegenüber Gott auch eine der Kardinallehren Ihres Glaubens?«

»Gewiß, dem Gotte Jakobs. Sehen Sie, wir sprechen in unserem Schlußgebet mit Jesaja: 'In der Zeiten Folge werden alle Völker sagen: Laßt uns hinaufsteigen also zum Berge des Herrn und zum Hause des Gottes Jakobs, daß er uns seine Wege lehre, und wir werden wandeln seine Pfade.' Das ist unser Glaube. Es ist nicht ganz dasselbe, was Paulus mit dem 'Heil der Heiden' meint.«

»Vielleicht nicht«, sagte Agricola langsam.

»Sicherlich nicht«, meinte Pater Haschka ein wenig schroff. Er konnte der Bibelfestigkeit der beiden anderen nur eine sehr viel weniger genaue Vertrautheit mit dem Text der Heiligen Schrift entgegensetzen und hatte sich eine Weile etwas ausgeschaltet gefühlt. »Für uns ist Christus das Heil der Welt. Das ist der Fels, auf dem die Kirche steht.« Er sagte 'die Kirche', nicht 'unsere Kirche', und die beiden anderen bemerkten es.

»Wir kennen keine Kirche in Ihrem Sinne, wie Sie wissen«, sagte Wittnitz. »Wir sind eine Lebensgemeinschaft, in der jeder unmittelbar vor Gott steht und stündlich in Seinem Angesicht sein Dasein zu führen hat. Und dieses Leben steht in der Überlieferung unseres Volkes; das ist seine Stärke und sein Gesetz, aus dem niemand entlassen werden kann. Deshalb scheiden wir uns aber nicht trotzig ab, wie uns immer wieder nachgesagt wird. Jeder Jude bekennt sich zur Tradition, zur Geschichte seines Volkes, davon geht er aus, aber er hat zugleich die Berufung, darüber hinauszuwachsen zum Menschentum. In der Midrasch zum Deuteronomium heißt es: 'Jede Not, an der Israel und die Weltstämme teilhaben, ist eine Not — jede Not Israels allein ist keine Not.'«

»Die gemeinsame Not«, sagte Pater Haschka, »ja, das ist es wohl auch, was uns zusammenführt. Und damit kommen wir auf den Anfang unseres Gespräches zurück. Ich möchte noch ein paar praktische Fragen aufwerfen. Wie wollen wir es mit der Zeltordnung halten, falls der Kommandeur unseren Antrag bewilligt? Ich bin übrigens überzeugt, daß er ihn nur begrüßen wird.«

Sie einigten sich rasch und gingen auseinander. Pater Haschka traf sich mit Prinz Jülich hinter dem Zelt der Gärtner-Gruppe. Sie schritten auf und ab, und Haschka berichtete über die Zusammenkunft:

»Es war im Grunde etwas unergiebig. Ich machte einen energischen Vorstoß und sagte, es müsse etwas geschehen. Aber die beiden sind doch recht unsicher und unentschieden. Bei dem Juden kann ich es verstehen. Er ist in keiner beneidenswerten Lage, und er sagte selber, wie schwer es ihm fiele, seinen Glaubensgenossen Antwort zu stehen. Offenbar ein hochgebildeter Mann, der ursprünglich Privatdozent für semitische Philologie werden wollte, aber weich und sicher kein richtiger Seelsorger. Man muß doch die Menschen aufsuchen, zu ihnen hingehen, sich um sie kümmern. Ich hatte den Eindruck, daß er wartet, bis sie zu ihm kommen. Sicherlich kommen jetzt sehr viele. Er hat in seinem Leben nicht eine solche Gemeinde gehabt wie hier.«

»Und was für eine Richtung vertritt er?« fragte der Prinz.

»Liberal allem Anschein nach«, sagte Haschka. »Er sprach zwar von der Tradition, und das gefiel mir ganz gut, aber dann auch wieder reichlich viel von allgemeinem Menschentum; alles sehr kultiviert, aber ohne Hand und Fuß. Das ist wohl auch die große Schwäche ihrer Lehre. Es fehlt der straffe Aufbau, die wirkliche Autorität. 'Der Einzelne vor Gott', wie er sagte, ohne Mittler, ohne verständnisvolle Führung, das muß doch zur Auflösung führen. Solange sie noch im Ghetto waren, ausschließlich aufeinander angewiesen, mochte das vielleicht noch gehen. Mit dem Augenblick, wo sie aus dem Zwang dieser Gemeinschaft heraustraten, kam der Verfall und die Zersetzung. Jetzt treibt die Not von außen her sie noch einmal zusammen. Aber das ist nur eine Zwangsgemeinschaft, die wieder auseinanderbrechen wird, sobald der Druck aufhört.«

»Und der Pfarrer?« fragte Prinz Jülich.

»Aus dem werde ich nicht recht klug«, meinte Haschka. »Wenn der Jude weich ist, dann ist der Protestant unsicher. Er will nach allen Seiten hin gerecht erscheinen und hat offenbar auch ein Herz für alle möglichen abwegigen Sekten.«

»Was ist er denn überhaupt? Evangelisch, reformiert?«

»Ich kann es nicht sagen«, erwiderte Haschka. »Aus seinen Worten konnte man sich kein Bild machen. Vielleicht ist er überhaupt getauft und hat früher Landmann geheißen. Er sprach so merkwürdig betont über den Römerbrief und die Stelle, wo Paulus die Juden mahnt, ihre Verstocktheit aufzugeben. Es war eigentlich nicht ganz taktvoll dem Rabbiner gegenüber, und der setzte sich denn auch sehr intensiv zur Wehr.«

»Getauft? Ich glaube doch eigentlich nicht. Aussehen tut er nicht so«, meinte der Prinz.

»Man kann sich täuschen«, sagte Haschka. »Und nun wollen wir noch einen Rundgang machen. Die Leute freuen sich doch immer so rührend, wenn man kommt. Viel ist es gar nicht, was sie verlangen. Ein bißchen Ansprache, ein freundlicher Blick, ein Zunicken genügt ihnen schon. Ich bin für praktische Seelsorge.« Er schritt auf die nächste Zeltreihe zu.

Pastor Agricola begleitete den Rabbiner noch eine kurze Strecke. Er fühlte das Bedürfnis, sich zu entschuldigen:

»Sie dürfen mich nicht mißverstehen. Es hat mich tief getroffen, was Sie da von 'Auslöschung des Judentums' sagten, als ich die Stelle des Römerbriefs erwähnte, und von 'Übertritt'. Jede Proselytenmacherei liegt mir fern. Ich suche nur nach dem Weg, und dabei kann es einem geschehen, daß man bei seinen Mitmenschen anstößt. Das Suchen ist ja überhaupt einer der Grundzüge unseres evangelischen Glaubens. Wir werden nie fertig, wir müssen stets von neuem beginnen. Sehen Sie, ich entstamme einer sehr alten Pastorenfamilie. Seit dreihundert Jahren haben wir unserer Kirche gedient. Einer meiner Vorfahren war der Johannes Agricola, der wie der Reformator aus Eisleben stammte und dann kurbrandenburgischer Hofprediger wurde. Das schöne Lied 'Fröhlich wollen wir Alleluja singen' stammt von ihm. Es hat strenge und schroffe Lutheraner in unserer Familie gegeben, und dann Pietisten; mein Urgroßvater war mit Schleiermacher befreundet und hing der sehr aufgeklärten, humanitären Richtung der Zeit an, die ja auch viele . . .« — er begann wieder zu stocken — »auch viele, oder sagen wir eine ganze Reihe der besten Geister Ihres Volkes anzog, wir waren Liberale und lehnten wieder einen zu weitgehenden Liberalismus ab; ich selber habe mich, nach den verschiedensten Wandlungen, im wesentlichen der Richtung Karl Barths angeschlossen. Entschuldigen Sie diese familiengeschichtlichen Erinnerungen. Sie werden einem ja schon durch die Zeitereignisse nahegelegt und vielfach sogar aufgezwungen.«

»Ich verstehe, was Sie meinen«, sagte Wittnitz. »Ich weiß auch, weshalb Sie gerade den Römerbrief anführten. Es ist mir bekannt, daß Luther gerade von da ausging in seiner Hoffnung auf eine allgemeine Wende der Zeit, die auch unser jüdisches Volk umfassen würde. Ich kenne seine freundlichen Anschauungen über uns, in der Auslegung des 22. Psalmes oder seiner Schrift 'Daß Jesus ein geborener Jude gewesen', von 1523, wenn ich nicht irre. Aber ich kenne auch seine furchtbaren und maßlosen Angriffe 'Von den Juden und ihren Lügen', die gerade jetzt wieder aufgenommen worden sind. Gewiß, er spricht da als Kind seiner Zeit und als enttäuschter alter Mann, verbittert über den Abfall von Freunden, die Mißverständnisse seiner Lehre und das Mißlingen so vieler Hoffnungen, nicht nur der auf eine Bekehrung der Juden . . .«

»Wir beurteilen diese Schrift wesentlich schärfer«, sagte Agricola, »wie manches, was der streitbare und oft unbeschreiblich jähzornige Gottesmann gesagt und getan hat. Aber ich muß übrigens sagen, daß Sie über eine beneidenswert eingehende Kenntnis unserer Literatur verfügen. Ich wollte, ich könnte das gleiche in anderer Richtung, ich meine in bezug auf Ihr Schrifttum, von mir sagen. Zwar habe ich auch Gumbel gehört, ich verehre die Schriften Martin Bubers außerordentlich, aber der Talmud, der Schulchan-Aruch, geschweige denn die Mappah oder die großen Kommentare, wie die Midraschim, aus denen Sie die schöne Stelle zitierten, das sind mir Bücher mit sieben Siegeln. Es würde mich freuen, wenn wir uns darüber noch öfter unterhalten könnten. Ich bin immer bereit zu lernen und meinen Gesichtskreis zu erweitern.«

»Gerne«, sagte Wittnitz. »Wir sind ja das Volk des Buches, vielleicht zu sehr. Ich frage mich oft, ob ich nicht meine Zeit mit dem Lesen und Studieren und Klären über Schriftstellen versäumt habe. So bin ich schlecht gerüstet für das, was jetzt von mir verlangt wird. Die großen Lehrer unseres Volkes waren ja immer auch Lehrer und Berater in allen Dingen des Lebens und der Lebensführung. Selten freilich wurde so viel von ihnen gefordert, wie jetzt von uns.«

»Ja«, meinte Agricola »das könnte ich auch von mir sagen. Oft beneide ich unseren katholischen Amtsbruder. Der kennt keine Skrupel und Zweifel. Er liest auch wohl kaum die Bibel, sondern eher sein Brevier. Er forscht nicht, er sucht nicht, er wendet an und führt aus, was ihm aufgetragen ist. Wenn er sich auf Sätze bezieht, so wohl eher auf Dicta Leos des XIII., als der Schrift, und dieser wiederum kann sich auf die Lehren des Aquinaten berufen. Das ist eine große Stärke. Es ist wohl nicht die letzte Tiefe, aber es entspricht vielleicht der höchst unvollkommenen Menschennatur mehr als unser Schürfen nach den Dingen, die Gott uns verborgen hat. Es gibt Ruhe und Gelassenheit, statt der Unruhe zu Gott, die uns peinigt, und es resultiert daraus ein fröhliches Christentum, ich meine, ich wollte sagen ... ein fröhlicher Glaube, der resolut seinen Weg geht.«

»Israel hat in den letzten zwei Jahrtausenden wenig Gelegenheit zur Fröhlichkeit gehabt«, meinte Wittnitz.

»Das ist wohl nur zu sehr wahr«, sagte Agricola. »Aber sehen Sie: während wir hier miteinander sprechen — und ich bin außerordentlich dankbar für diesen Gedankenaustausch, er war mir eine große Freude — während wir hier 'klären', wie Sie es wohl nennen, wenn Sie mir erlauben, diesen schönen Ausdruck zu adoptieren, hat der Pater wohl schon den Rundgang bei all seinen Beichtkindern gemacht. Er hat sich den Prinzen mitgenommen, und Rom versteht es doch immer mit feinster Diplomatie, sich auch mit den Großen dieser Welt zu stellen, ohne sich etwas zu vergeben, während wir die staatlichen Mächte entweder allzu willig akzeptieren — auch das ein bedenkliches Erbe Luthers — oder sie gezwungenermaßen ablehnen müssen, wie das jetzt der Fall ist. Und ebenso spricht er mit den einfachen Leuten in ihrer Sprache, was mir leider nicht so gegeben ist. Ich glaube übrigens, daß er von bäuerlichem Herkommen ist; seine Hände sprechen dafür. Auch das ist eine große Stärke Roms, dieser Aufbau aus allen Schichten...«

»Alle Schichten«, wiederholte Wittnitz und senkte seine langen Wimpern. »Ich lerne sie vielfach jetzt erst kennen, zu meiner Schande muß ich es gestehen. Auch mir fällt es schwer, mit ihnen in ihrer Sprache zu sprechen. Aber nun wird es wohl Zeit, daß wir die Konsequenzen aus unseren Erkenntnissen ziehen. Auch für mich war das Gespräch sehr fruchtbar und lehrreich, Herr Pastor. Auf Wiedersehen, und zwar bald!«

Sie gingen in verschiedener Richtung davon, und jeder rekapitulierte in Gedanken noch einige Worte. »'Was Israel sucht, das erlangte es nicht'«, dachte der Pastor, »und 'ihr Fall der Welt Reichtum' — ich hätte das vielleicht doch nicht zitieren sollen. Es mußte ihn verletzen und treffen, so wahr es ist.« Seine Schritte verhielten sich. »Und ist es denn wirklich die Wahrheit?« grübelte er. »Kann aus dem Fall und der Erniedrigung eines ganzen Volkes das Heil für uns andere kommen? Fall und Erniedrigung Jesu ist etwas anderes; er ist schließlich der Gottessohn... Die Stelle ist dunkel. Nicht umsonst ist sie so häufig und so stark abweichend kommentiert worden.«

Der Rabbiner ging schleppenden Schrittes dahin. Sein ebenmäßiges Gesicht mit dem stattlichen Bart war grau vor Erschöpfung. »Man wird mir diese langen Gespräche mit den beiden Gojim übelnehmen«, sann er. »Sie waren auch wohl zu weitgehend. Ich habe mich gut gehalten, und meine wissenschaftliche Beschlagenheit verfehlte nicht ihren Eindruck, jedenfalls auf den Protestanten. Aber das ist doch nur Eitelkeit. Hoffärtig war es auch, daß ich die Stelle aus den Midraschim erwähnte. 'Jede Not Israels allein ist keine Not' ..., das ist schön gesagt, aber stimmt es denn? Stimmt es denn heute? Kann ich das unsern Leuten sagen, wenn sie kommen und mich bedrängen mit ihrem Warum? Warum? Ich weiß die Antwort nicht ...«

15
DIE ACHTE, IN F-DUR

Ein sehr schlanker, leicht grauhaariger Häftling mit stark gebuckelter, fast verbeult aussehender Stirn stand am Zaun und blickte hinaus auf eine Gruppe von Pappeln, die sich im Sommerwind wiegten. Er begann zu pfeifen:

Sein Nachbar, ein älterer Herr in loser Jacke aus braunem Harris Tweed, nahm das Motiv auf und führte es weiter:

»Ja«, sagte der Schlanke und zog eine seiner sehr langen und ausdrucksvollen Hände aus der Tasche, leise taktierend: »Und dann führt die B-Klarinette es weiter.« Er summte die Melodie in der Kehle. »Und nun wieder die Streicher, tutti, mit den beiden Pauken in F und C.« Auch seine Linke taktierte mit. Beide Hände deuteten den Umfang des vollen Orchesters an.

Der Mann in der Jacke aus Harris Tweed nickte. »Eine der sehr zu Unrecht etwas vernachlässigten Symphonien. Es ist ein Jammer, daß die Dirigenten und Konzertdirektionen immer nur die Eroika oder die Fünfte zu Tode hetzen.«

»Die Konzertdirektionen, mein Lieber, oder die Agenturen! Die behaupten nun einmal, daß das Publikum nur die ganz großen Meisterwerke hören will. Die Dirigenten würden ganz gern auch einmal die Achte spielen. Als ob das nicht ein 'ganz großes Meisterwerk' wäre! Mein besonderer Liebling ist allerdings die Erste, ganz einfach die Erste!«

Der Harris Tweed nickte begeistert Zustimmung: »Ach ja, die Erste!«

»Überhaupt«, fuhr der Schlanke fort, »bin ich ein Feind der jetzigen Mode, immer nur die Spätwerke der großen Meister herauszustellen. Da kann der Kritiker allerdings viel Geistreiches sagen und hineindeuten. Da kann man sich wichtig machen und kommentieren und erläutern. Aber das Herrlichste erscheint mir immer wieder der ganz junge, frische Genius, der eben seine Flügel ausbreitet. Gerade bei Beethoven ist das unvergleichlich. Alle fangen sie sonst mit Schülerhaftem an, mit Nachahmungen oder angelerntem Zeug. Wer hat je so eingesetzt wie er: Opus I.«

»Die drei großen Trios, Haydn gewidmet«, gab der Harris Tweed seinen Einsatz.

»Gewiß, Haydn gewidmet, und noch voll von Haydn-Reminiszenzen. Aber da ist doch, das müssen Sie zugeben, schon der ganze neue Meister, ungeduldig, weitausholend, voller in die Tasten greifend als alles, was vorher da war. Und dann geht es so weiter, Schlag auf Schlag. Die ersten großen Klaviersonaten ...«

»Opus 7 vor allem! Sie wissen, was Grove darüber sagt? 'Quite novel and wholly peculiar to it's author', oder so ähnlich, 'the origin of which can be traced to no previous creation' — ich zitiere aus dem Gedächtnis.«

»Nein, das kannte ich nicht. Es ist aber ausgezeichnet. Sie scheinen sich auszukennen.«

»Wir spielen ab und zu Kammermusik bei mir zu Hause, wenn mein Geschäft mir Zeit läßt. Ich bin eigentlich Textilkaufmann; meine Firma ist in Manchester. Oehringer.«

»Traeg.«

»Ah, der Dirigent?«

»Gewesen. Hier gibt's ja für mich nichts zu dirigieren.« Er steckte seine langen Hände in die Taschen. »Aber kehren wir lieber zurück zu unserem Beethoven. Ich kenne tatsächlich nichts annähernd Ähnliches im ganzen Bereich der Künste. Wir waren bei den ersten Klaviersonaten, Opus 7, natürlich, und dann gleich Opus 10 hinterhergefeuert und schon die Pathétique und das erste Klavierkonzert und die ersten Quartette ...«

»Opus 18!«

»... und das Septett, und dann schon die Erste Symphonie, ich bitte Sie: die Erste! Und sogleich auf der vollen Höhe, mit den ersten Takten, dem beinahe frechen Einsatz, der gewissermaßen alles Frühere mit einer Handbewegung wegfegt vom Pult. Und dann der unerhört vehemente Ansturm des Hauptthemas: Taada, ta-taa ...«

Der Harris Tweed führte wiederum die Phrase mit großer Genauigkeit weiter.

»Jawohl, und nun die Holzbläsergruppe!« Der Musiker stellte sie mit beiden schlanken Händen plastisch in den Raum über dem Stacheldraht und hielt es nun nicht mehr für nötig, dazu Töne zu summen oder anzugeben. Er dirigierte weiter, und der Harris Tweed folgte ihm, mit dem Kopf zitternd vor Aufregung. Eine ganze Weile spielten sie die Symphonie so lautlos weiter. Der volle Klang des Orchesters war ihnen in jeder Nuance gegenwärtig: das Rauschen der Geigen und anderen Streichinstrumente, das kompakte Hinzutreten der Holzbläser, die fülligen Hörner und die hellen Sonnenflecken der Clarini, die darüber lagen, der den Horizont begrenzende Ton der Timpani...

Der Dirigent brach plötzlich ab und ließ seine Hände mit einem »Ähh!« auf den Stacheldraht fallen, der trocken aufklirrte. Er wandte sich seinem Einmann-Publikum zu und fuhr in seiner Lobrede fort:

»Ich sage Ihnen noch einmal: das gibt es in der ganzen Musikgeschichte nicht, eine solche Erste! Auch die ganz Großen brauchen sonst doch eine Weile, ehe sie ihre volle Höhe erreichen. Selbst ein Mozart schreibt ein paar Dutzend Symphonien, ehe er an die Es-Dur, die g-moll, die Jupiter kommt, Haydn sogar an die neunzig oder mehr — genau hat er es selber nie gewußt, wie viele es waren —, bis er mit den zwölf Londonern der wirklich große Meister wird. Übrigens: auch unter diesen neunzig gibt es herrliche Sachen, wir wollen das nicht unterschätzen, bei Gott nicht. Wissen Sie, ich hatte in London ein kleines Dilettantenorchester zusammengebracht; ich hatte ja nichts anderes zu tun. Die Streicher waren ganz leidlich besetzt, aber mit den Bläsern haperte es natürlich, das können Sie sich denken. Wo soll man unter den Amateuren einen Hornisten oder einen anständigen Trompeter herbekommen? Da habe ich eine ganze Reihe der frühen Haydn-Symphonien gespielt. Bei denen braucht man ja nicht einmal Klarinetten. Viele sind auch eigentlich kaum mehr als Kassationen oder Divertimenti oder etwas vergrößerte Quartette ...«

»Ja, die spielen wir auch bei mir zu Hause, alle dreiundachtzig«, fiel der Harris Tweed etwas eilfertig und stolz ein.

»Ich meinte nicht die Streichquartette«, sagte der Dirigent, »ich meinte die frühen Symphonien, die eigentlich nur erweiterte Streichquartette sind.«

»Ich verstehe«, nickte der Harris Tweed ein wenig schuldbewußt. »Es war dumm, was ich sagte.«

»Auch das sind Wunderdinge«, fuhr der Dirigent fort, »und sie werden nur zu oft unterschätzt. Nichts ist ja oberflächlicher als das läppische Gerede vom 'guten alten Papa Haydn' mit dem Zöpfchen im Genick. Da ist geistvolle Unterhaltung, wie im 'Philosophen' oder im 'Distratto', oder auch schon großer Stil, wie in der 'Roxolane'. Kennen Sie das?«

»Ich muß leider gestehen, daß ich da nicht so bewandert bin.«

»Sie brauchen sich nicht zu entschuldigen. Das meiste ist ja nicht einmal gedruckt. Ich habe selber die Stimmen für unsere Aufführungen im British Museum aus den alten Ausgaben und Handschriften herausgeschrieben. Es ist eigentlich eine Schande — ich meine nicht das Abschreiben, dazu war ich mir nicht zu gut, ein Bach hat ja auch seine Kantatenstimmen höchsteigenhändig kopiert, und ich lege in diesem Falle Wert auf das Wort 'höchsteigenhändig'. Aber daß man von einem Meister wie Haydn keine vollständige Ausgabe besitzt, ja, nicht einmal einen thematischen Katalog, das ist doch eigentlich toll. Denn sehen Sie: da, bei diesem Bescheidensten aller Großen, der bei seinem guten Fürsten Esterhazy mit dem Verwalter und dem Rechnungsführer an einem Tisch saß und eigentlich nicht viel mehr war als ein besserer Domestique, bei diesem demütigen Musikanten, der sich nur zum

Komponieren setzte, wenn er sich sauber rasiert und sorgfältig angezogen hatte...«

»Und gebetet«, stimmte der Harris Tweed ein.

»Ja, und gebetet, ganz recht, Sie sind gut im Bilde, mein Lieber. Aber sie unterbrachen mich im Satz: Sehen Sie, da liegt doch eigentlich schon die ganze Größe unserer klassischen Musik beschlossen. Da ist alles vorgebildet: der Reichtum in den Abwandlungen, und die Strenge in der Sonatenform, diesem unbegreiflichen Gefäß, dem einfachsten und kompliziertesten, das je für menschliche Gedanken geschaffen wurde. Das muß klingen, zunächst, denn von suonare kommt doch das Wort her, und wir wollen es Haydn hoch anrechnen, daß er nicht in dem alt und holzig gewordenen Generalbaßwesen steckenblieb, sondern den neuen, italienischen, singenden Stil aufnahm...«

»Porpora-Schüler«, respondierte der Harris Tweed, und fügte etwas ängstlich hinzu: »wenn ich mich recht erinnere.«

»Sie erinnern sich ganz richtig. Singen muß es also zunächst, nicht wahr, aber doch nicht nur so irgendwie und freiweg von der Leber, sondern in schönster, wohlverteilter Ordnung. Die mühsam erarbeitete Weisheit der Zeit des strengen Satzes ist nicht einfach über Bord geworfen, sie wird beibehalten, nur in leichterer, eleganterer Fassung. Und wie sinnvoll sind die Sätze miteinander ausbalanciert! Da ist für jeden Hörer gesorgt, wie auch im Theater der Shakespearezeit: für den Kenner, der sich auf technische Feinheiten versteht, der geistvolle Anspielungen zu würdigen weiß, und ebenso für das einfache Gemüt, das man mit Menuetten und Trios bedienen muß. Alle Stände und Klassen erhalten ihr Teil: der hohe Herr, dem durch eine feierliche Entrata Reverenz erwiesen wird, die Herren Offiziere, für die wir Marschrhythmen anklingen lassen, der Philosoph, der Bauer, der sich mit seinem Mädel im Tanze dreht, und zum Schluß geht es, für alle zusammen, presto zum Saale hinaus, damit die Damen nicht anfangen, ungeduldig zu werden und mit ihren Röcken zu rascheln. Und welcher Reichtum, welche Weite der Landschaft! Kroatisches klingt herein, Böhmisches, Deutsches, Ungarisches, Janitscharenmusik zuweilen — und die Türken sind ja nicht so sehr weit ab, damals —, die ganze Vielfalt der alten Doppelmonarchie ist in dieser Musik.«

»Sie sind Österreicher, Herr Traeg?« fragte der Harris Tweed.

»Wenn Sie wollen«, erwiderte der Dirigent. »Ich bin in Prag geboren, ich habe in Wien studiert, aber dann bin ich nach Berlin gegangen.«

»Ich weiß, ich erinnere mich genau. Sie haben doch in der Philharmonie, in der Krolloper...«

»Ich habe zweimal in der Philharmonie dirigiert, und Klemperer hat mich ein paarmal alternieren lassen. Das war alles, 1932. Dann hörte es für mich auf, wie für viele. Es ist nicht einfach, wenn man nicht zu den ganz großen Namen gehört...«

»Noch nicht, Maestro, noch nicht.«

»Nennen Sie mich nicht Maestro, mein Lieber. Ich habe mich als Korrepetitor durchgeschlagen, und auch das wurde mir nicht gerade leicht gemacht. Ich habe Operetten instrumentiert, Arrangements für Kaffeehauskapellen gemacht...«

»Nun, auch Wagner hat doch wohl für Moritz Schlesinger in Paris einige Donizetti-Opern ausgezogen.«

»Danke! Ich bin aber kein Wagner. Schott hatte von mir eine Passacaglia verlegt; eine symphonische Etude war im Druck. Das wurde dann abgebrochen. Ich besitze wenigstens die Korrekturabzüge des ersten Satzes. Damit kann man im Ausland wenig anfangen. Was nützt es mir, daß ich jede der großen Symphonien im Kopf habe? Daß ich, wenn Sie wollen, Ihnen den ganzen Bruckner, den halben Debussy und mindestens die großen Sachen von Strauß auswendig dirigiere? Den Tristan, den Don Giovanni, wenn es gewünscht wird? Es wird aber nicht gewünscht. Ich muß

Ihnen sagen — aber dies ganz unter uns —, daß ich eigentlich fast froh war, als ich interniert wurde.«

»Um Gottes willen, so dürfen Sie doch nicht reden!« erwiderte der Harris Tweed hastig. »Das ist doch entsetzlich.«

»Wieso«, meinte der Dirigent. »Es ist die Wahrheit.«

»Aber hören Sie, lieber, verehrter Herr Traeg: Sie haben doch diese ganze Musik in sich. Sie hören sie doch, wenn Sie wollen, Sie hören doch jeden Ton. Sie sind doch eigentlich ein gottbegnadeter...«

Der Dirigent lachte scharf und kurz durch die Nase: »Na!«

»... bitte, lassen Sie mich ausreden: ein gottbegnadeter Mensch. Wer all das mit sich herumträgt, wer das ständig so parat hat, daß er nur zuzugreifen braucht, der kann doch eigentlich nicht ganz unglücklich und einsam sein. Entschuldigen Sie, wenn ich mich etwas sehr persönlich ausgedrückt habe!«

»Aber bitt' schön!« sagte der Dirigent mit betont österreichischer Färbung. »Ich würd' halt eher sagen: etwas reichlich lyrisch. Sie vergessen eines, mein Lieber: Musik will ja schließlich klingen. Sie muß gehört werden.«

»Ja, muß sie das wirklich?«

»Das muß sie wohl ganz entschieden. Sehen Sie, ich habe da etwas viel über Haydn gesprochen, weil wir den nun eben mit unserem kleinen Dilettantenorchester spielen konnten. Ich will nicht undankbar sein: die Leute gaben sich die redlichste Mühe. Sie haben geprobt und geübt, bis ihnen die Augen tränten. Ich habe sie getriezt und gezwiebelt« — er verfiel nun unwillkürlich in einen scharfen norddeutschen Ton —, »bis sie einigermaßen zusammenkamen. Es klang dürftig genug. Und ich kann Ihnen sagen, es verging keine Probe, bei der ich nicht innerlich gedacht habe: Herrgott im Himmel, ein richtiges Orchester, das ganze Orchester, *mit* Klarinetten, mit Hörnern, Trompeten, Posaunen, eine richtige Beethoven-Symphonie, ein Bruckner! Können Sie sich das nicht vorstellen? Das in den Händen haben, es tönen lassen, leibhaftig . . .«

»Doch, ich kann es mir gut denken.«

»Nicht nur es wissen oder sich denken. Ich bin schließlich ein Musikant, ein böhmischer mit einem guten Teil meines Blutes. Das rumort immer wieder, das will heraus, an die Luft, oder doch wenigstens in den Konzertsaal, es will leben. Das bloße Denken ist der Tod.«

»Ich weiß nicht«, erwiderte der Harris Tweed respektvoll, aber nachdrücklich, »ob ich Ihnen da völlig recht geben kann. Ist die letzte, höchste Musik nicht die über allen hörbaren Tönen? Die Kunst der Fuge, der sechsstimmige Kanon im 'Musikalischen Opfer', mit dem Thema von Friedrich dem Großen? Die Sonate op. 111, die letzten Quartette, besonders das 'Monstrum aller Quartettmusik'? Ist das zum Hören da? Mit unseren unvollkommenen Ohren? Sollen wir das nicht doch nur lesen und mit unserem inneren Ohr vernehmen? Ich frage nur, Maestro!«

»Aber so lassen Sie doch um Himmels willen den Maestro fort! Das paßt sich, wenn man in der Scala am Pult steht, oder vor den Bostoner Philharmonikern, oder den Wienern, oder den Berlinern.«

»Aber Sie sind ein Meister, lieber, verehrter Herr Traeg. Das spürt man aus den paar Worten, die Sie gesagt haben; ich maße mir nicht an, alles verstanden zu haben, aber ich kam ungefähr mit. Das sieht man an Ihren Handbewegungen. Glauben Sie mir, ich habe ein feines Gefühl dafür. Und eines Tages werden Sie da stehen, wo Sie hingehören. Vielleicht kann ich sogar ein bißchen dafür tun, wenn wir herauskommen. Ich habe damals mit dafür gesorgt, daß der junge Kleiber von Dresden nach Berlin kam. Alle meine Freunde hielten mich für verrückt, einen so jungen Burschen an das Pult der Staatsoper zu bringen. Es war richtig, wie sich gezeigt hat.«

»Ja, das waren noch Zeiten, mein Lieber. 'Eines Tages werde

ich da stehen', sagen Sie so freundlich. I dank auch recht schön! Vorläufig stehe ich hier vor dem Stacheldraht und friß grünen Hering, und bin froh, daß ich ihn umasunsten bekomm. Lassen S' mich aus mit dera ungehörten Musi, Sakrament!«

»Nein«, sagte der Harris Tweed mit vorsichtiger Beharrlichkeit, »ich glaube, ich sollte Sie nicht auslassen. Ich habe sogar einen bestimmten Vorschlag. Er wird Ihnen vielleicht etwas merkwürdig vorkommen, aber ich könnte mir doch denken . . .«

»Na, schießen Se los!« erwiderte der Musiker in gewollt berlinischem Tonfall.

»Ich habe mir gedacht, Meister, daß Sie uns eine Beethoven-Symphonie dirigieren, hier hinter dem Stacheldraht, jawohl, wir finden schon ein stilles Fleckchen, wo uns niemand stört. Wir sind hier eine kleine Gemeinde, ein paar Leutchen nur, aber jeder von uns hat doch die Partitur im Kopf. Vielleicht nicht mit jedem Einsatz, aber das ist dann eben Ihre Sache. Ich versichere Sie, wir hören das, als ob wir in der Philharmonie säßen. Tun Sie uns den Gefallen! Erweisen Sie uns die Ehre!« Er legte unwillkürlich dem Musiker, der seine Hände tief in den Taschen vergraben hatte, seine etwas dicklichen Finger auf den Arm.

»Wahnsinnig«, sagte der Dirigent und blickte hinüber zu den Pappeln. »Man wird glauben, wir seien verrückt geworden.«

»Lassen Sie die andern glauben, was sie wollen! Auf die kommt es nicht an. Die hören es im Grunde doch auch nicht, wenn sie im Konzertsaal hocken. Auf uns kommt es an.«

»Und wer sind diese 'wir', mein Lieber?« fragte der Dirigent leicht belustigt. »Sie tun ja schon, als ob Sie mir ein ausgesuchtes Publikum zu bieten hätten? Ich werde mich anstrengen müssen.«

»Ich bin überzeugt, daß Sie das tun, Meister«, erwiderte der Harris Tweed ernst. »Viele werden es nicht sein, natürlich. Aber ich habe doch schon einige gleichgestimmte Seelen hier gefunden. Da ist zum Beispiel ein alter Senatspräsident aus Berlin, ich kannte ihn nur vom Sehen, er ging in jedes Konzert; wir haben uns neulich angesprochen. Ich kann Sie versichern: es war, als ob wir jahrelang miteinander verkehrt hätten. Er spielt auch zu Hause Kammermusik, viel wird es wohl nicht sein, denn er ist offenbar schon reichlich klapprig. Aber er kennt jeden Ton in- und auswendig. Er kann Ihnen bei jeder Stelle sagen, wie Nikisch sie genommen hat, welches Tempo Bruno Walter anschlug, Toscanini, Furtwängler; er hat noch Bülow gehört.«

»Na schön«, meinte der Dirigent, »da hätten wir also wenigstens einen verkalkten Senatspräsidenten. Und wen noch?«

»Das lassen Sie meine Sorge sein, Meister«, versicherte der Harris Tweed. »Ich finde sie schon. Ich finde sie schon.« Seine Stimme jubilierte. »Und schließlich: auf die Anzahl kommt es doch nicht an, nicht wahr? Eine ausgesuchte Hörerschaft ist schließlich besser als ein Riesenhaufen von Ignoranten. Darin sind wir uns sicher einig.«

»Gut«, sagte der Dirigent. Er zog seine langen Hände hervor und betrachtete sie nachdenklich. »Und was haben Sie sich als Programm gedacht, mein Lieber?«

»Die Achte«, erwiderte der Harris Tweed unverzüglich. »Unter ihrem Zeichen haben wir uns getroffen. Und an dieser Melodie werde ich die Eingeweihten erkennen. Sie ist nicht zu einfach und auch nicht zu ausgefallen. Um fünf heute nachmittag, Meister. Auf dem Platz hinter der Küche. Da ist es um die Zeit am stillsten. Abends gibt es doch kein warmes Essen.«

»Schön«, sagte der Dirigent. »Es ist etwas gespenstisch. Aber die Achte dauert über eine halbe Stunde, mit allen Wiederholungen. Wir lassen keine Reprise aus, wie?«

»Natürlich nicht«, jauchzte der Harris Tweed. »Ich werde Ihnen sogar einen Taktstock besorgen. A rivederci, Maestro, a rivederci!« Er pfiff das Motiv aus der Achten noch einmal, aber nicht fragend und fordernd wie am Anfang, sondern ganz leise ausklingend und abschließend, wie es am Ende des ersten Satzes steht. Der Dirigent winkte ihm mit der Rechten nach, machte eine letzte Taktierbewegung und tat dann so, als legte er einen unsichtbaren Taktstock auf das Pult, um herunterzusteigen.

Den ganzen Tag über strich der Harris Tweed mit seinem Motiv wie mit einer musikalischen Wünschelrute durch das Lager und versuchte, geheime Schätze an Kenntnis der großen Partituren zum Anschlagen zu bringen. Er hatte Glück. Etwa ein Dutzend Zuhörer, oder Mitspieler, fanden sich um fünf Uhr hinter den schwarzen Küchenkesseln ein, die zugleich willkommene Deckung gegen unerwünschte Zaungäste boten. Man lagerte sich im Kreise. Wie selbstverständlich deuteten sie die Aufstellung des Orchesters an: die beiden Streichergruppen vorn zu beiden Seiten des Dirigentenpultes; der Senatspräsident hatte sich bescheidenerweise sogleich bereit erklärt, die zweiten Geigen zu markieren, während sich als Konzertmeister ebenso selbstverständlich ein junger Berufsgeiger niederließ, Schendschersitzki mit Namen, ein stämmiger Bursche mit einer wüsten Pudelmütze von pechschwarzen Kraushaaren, der einzige übrigens, der dann, wie sich zeigte, die Partitur nur sehr unvollkommen im Kopfe hatte und dem Gang der hohen Handlung nicht recht folgen konnte. Dafür suchte er vor Beginn des Spieles durch einige mimische Mätzchen zu entschädigen; er spielte den besorgten Besitzer einer ungemein kostbaren Guarneri, die er sorgfältig aus dem Kasten holte, dem Seidentuch entnahm und lange stimmte. Hinter den Streichern links und rechts die Holzbläser und das Blech, darüber die Pauken. Dann fiel aber Totenstille ein, als Traeg an das Pult trat, das der rotbäckige Schreiner in aller Eile auf Oehringers dringende Bitten gezimmert hatte. Auch ein Taktstock war zur Stelle. Traeg nahm ihn in seine langen Hände und zog ihn nach beiden Seiten, als wollte er ihn ein wenig verlängern, denn er kam ihm reichlich kurz vor. Er schloß die Augen einen Moment, um sich zu sammeln, und klopfte kurz und herrisch auf den Pultrand. Alle, einschließlich Schendschersitzki, saßen gebannt und mit äußerster Konzentration auf ihrem Posten.

Die Symphonie begann, und es zeigte sich dem Kennerblick der Mitwirkenden sogleich, daß hier ein veritabler Meister den Stab führte. Sie hörten die Partitur erklingen, und sie hörten sie in jeder feinsten Nuance. Hier, in diesen langen wogenden Bewegungen des Stabes, war unverkennbar das süße Rauschen des Streicherchores gegenwärtig; nun gab er die Melodie an die Klarinetten weiter, die Hörner dort weiter oben wurden herausgehoben, die Pauken ganz hoch im Rund erhielten ihren weckenden Aufruf. Die kurzen Sforzandi, raschestens abgedämpft und mit zartestem Pianissimo wechselnd, kamen unvergleichlich kraftvoll zum Vortrag. In den Tutti schöpfte der Meister die ganze Fülle des Orchesterklanges mit beiden Händen aus und ließ sie über seine vibrierenden Finger abrieseln. Unverkennbar rollte der Paukentriller in der Mitte des Satzes über den Synkopen der übrigen Instrumente dahin. Die Fortissimi türmten sich wie Felsblöcke auf.

»Wahrhaftig«, flüsterte der Senatspräsident, »das nenne ich drei F! Großartig!«

»Pssst!« zischten die anderen, die sich keine Einzelheit entgehen lassen wollten und außerdem Mühe hatten, in Gedanken dem Fortgang der Musik zu folgen. Nur Schendschersitzki ließ seine Augen unter der dicht auf die Brauen fallenden Pudelmütze ein wenig wandern und hatte Mühe, ein Lächeln zu unterdrükken, besonders, als nun doch ein paar neugierige Zuschauer zwischen den schwarzen Küchenkesseln herantraten und die seltsame schweigende Gesellschaft musterten, die da ein so unverständliches Spiel trieb.

»Hier ist wohl Taubstummenunterricht?« fragte eine Stimme. »Oder was wird hier gemimt?«

Der Harris Tweed erhob sich behutsam, ging auf die Störenfriede zu und drängte sie mit beiden ausgebreiteten Armen energisch zurück. Dabei bat er mit gedämpfter Stimme, doch um Himmels willen leise zu sein und nicht zu stören; es werde hier eine Orchesterprobe gehalten, eine Generalprobe vielmehr, es wäre sehr unfreundlich und unkameradschaftlich, wenn man das unterbräche. »Beethoven, die Achte, in F-Dur«, sagte er beschwörend und fast verzweifelnd. Der Ausdruck seines Gesichtes und der Ton seiner Stimme, mehr als das, was er sagte, bewogen die Neugierigen, sich still zurückzuziehen. Nur einer von ihnen murrte:

»Kinder, was es hier so alles gibt! Generalprobe! Ich glaube, die proben für die Zulassung in eine Klapsbude.«

Traeg aber hörte von alledem nichts. Er dirigierte weiter; er beendete den ersten Satz im feinsten, verhauchenden Pianissimo, hielt einen kurzen Augenblick inne und stürzte sich mit Vehemenz in das Allegretto scherzando. Er ließ im Menuett und Trio keine der Wiederholungen aus. Er zog im Schlußsatz wie im Triumph mit dem ganzen Orchester davon, daß den Mitspielern der Atem verging. Er ließ die fast monotonen, immer wiederholten Schlußakkorde, deren Spannung durch Triolen bis fast zum Brechen gesteigert wird, wie mit Hammerhieben heruntersausen und zerschlug dabei um ein Haar seinen Taktstock am Rande des Pultes. Dann setzte er einen gewaltig ausholenden Schlußstrich unter das Ganze. Er sackte in sich zusammen, holte sein Taschentuch hervor und wischte sich die schweißtriefende Stirn, während er vom Podium herunterstieg.

Die Mitwirkenden waren aufgesprungen, sie applaudierten leidenschaftlich und schrien: »Bravo! Bravissimo! Maestro!« Auch Schendschersitzki beteiligte sich an der Ovation und tat so, als ob er seine umgedrehte Violine furios mit dem Holz des Bogens bearbeitete. Traeg aber, völlig erschöpft und wie ausgelöscht, wehrte ab. Er stapfte mit wankenden Schritten davon, seinem Zelt zu, als zöge er sich ins Künstlerzimmer zurück.

»Ein Genuß, ein wirklicher Genuß«, sagte der Senatspräsident zu dem Harris Tweed. »Ich bin Ihnen sehr dankbar, Herr Oehringer. Man glaubte wahrhaftig, in der Philharmonie zu sitzen. Ich wollte, meine liebe Frau hätte dabei sein können. Sie ist nämlich auch sehr musikalisch.«

»Ja, der kann etwas«, meinte der Harris Tweed voll Stolz über seine Entdeckung. »Haben Sie bemerkt, wie er die Schlußphrase im ersten Satz nuancierte? Taa-da-terratta-da! Da fehlten nicht einmal die beiden Punkte über den letzten zwei Achteln!«

»Nein, da fehlte nichts«, stimmte der Senatspräsident bei. »Nicht einmal die Bescheidenheit des echten großen Künstlers. Die Jüngeren betonen doch immer recht aufdringlich die eigene werte Persönlichkeit. Selbst ein Furtwängler ist nicht ganz frei davon. Nichts davon hier bei unserem jungen Meister. Ich muß sagen, er erinnerte mich direkt etwas an Nikisch. Das Musikantische ... und dann immer wieder diese Bescheidenheit! Übrigens, dieser Geiger, Schersinski oder wie er heißt ...«

»Schendschersitzki; es ist etwas schwer auszusprechen, und ich bezweifle auch, ob man mit einem solchen Namen eine große Karriere machen kann.«

»Nun ja, aber ich habe doch den Eindruck, daß der nicht so ganz zu uns paßte, nicht wahr? Die andern haben sich prachtvoll gehalten. Ich glaube nicht, daß eine einzige Note verlorenging.«

Sie traten zwischen den schwarzen Küchenkesseln hindurch und gingen wie abwesend zwischen den dichten Reihen der anderen Häftlinge hindurch, mit leuchtenden Augen. Unwillkürlich machte man ihnen Platz.

16

DER FREMDLING AM HERD IN DER ASCHE

Noch eine andere Gruppe hatte sich an kleinen, den Uneingeweihten nicht sichtbaren Zeichen erkannt und zusammengefunden. Auf der anderen Seite des Geviertes saßen sie dicht am Zaun, hinter dem Depot, um einen fast krankhaft hageren Genossen geschart, der seinen empfindlichen Hals bis über das Kinn mit einem grauen Wollschal umwickelt hatte. Über die Schultern hatte er lose seinen Regenmantel gelegt; von Zeit zu Zeit zog er fröstelnd die Enden zusammen. Die Augenlider hielt er gesenkt. Nur zuweilen hob er sie langsam und blickte mit großen, grauen Augen über die Zuhörer hinweg. Aus seinem schmalen und ungemein genau gezeichneten Munde flossen, feierlich psalmodierend, griechische Verse, die dann von deutschen Erläuterungen und Umschreibungen abgelöst wurden. Auch diese Kommentare brachte er ohne jedes Stocken, in vollendetem, leicht klagendem Tonfall zum Vortrag. Seine Stimme war in einen Silberschleier gehüllt.

»Es ist vielleicht gut«, so sagte er, »wenn wir durch eine so völlige Isolierung von der Außenwelt einmal gezwungen werden, uns zu besinnen und eine Art Inventur zu machen. Nur die ganz großen Dinge haben dann Bestand. Und nur sie sind es doch eigentlich wert, daß man sich mit ihnen beschäftigt: die Bibel, Homer, Dante, Shakespeare, Goethe . . .«

»Und Hölderlin«, fiel ein jugendlicher Zuhörer ein, der sich einen kurzen, blonden Vollbart hatte wachsen lassen.

»Nun ja«, meinte der Vortragende und hob die Augen langsam dem Zwischenrufer entgegen, »vielleicht auch Hölderlin. Aber vor allem doch die Griechen selber, nicht ihre noch so edlen und hochsinnigen Nachfahren. Ich habe Ihnen, meine Herren, ein paar Verse aus der Odyssee gesprochen, zur Einleitung und um sich selbst zu prüfen. Unsere Bücher hat man uns abgenommen, wir besitzen nichts Gedrucktes. Statt darüber zu klagen oder womöglich zu jammern, wie das manche tun, wollen wir dem Schicksal dankbar sein, daß es uns, wenn auch etwas gewaltsam, in die Lage versetzt, den Größten der Dichter besser zu verstehen. Denn auch Homer ist vor der Schrift, vor allem Gedruckten. Seine Dichtung ist für Hörer bestimmt, nicht nur für den Leser, der immer etwas flüchtig und willkürlich mit dem Text umgeht, Seiten überschlägt, zurückblättert oder vorgreift, wenn es ihm gefällt.« Er machte eine Pause, eine ziemlich lange Pause. Niemand sagte ein Wort.

»Ich maße mir nicht an«, so fuhr er fort, »Ihnen einen der Sänger oder Rhapsoden der Vorzeit vorstellen zu können. Dazu reicht das Gedächtnis eines Menschen von heute nicht aus, das ja immer durch tausend Dinge abgelenkt wird. Wir wissen auch eigentlich nicht allzuviel über diese Sänger und die Art ihres Vortrags; wir haben ihn uns jedenfalls feierlich, getragen, ja, für unseren verdorbenen Geschmack, der immer auf plötzliche Sensationen, 'Glanzlichter' oder 'Drücker' aus ist, geradezu monoton, oder sagen wir besser hieratisch vorzustellen. Man hat neuerdings die südslawischen Volkssänger, die zur Gusla, einem höchst primitiven Instrument mit einer einzigen aus Roßhaar geflochtenen Saite, ihre Heldengesänge vom Kampf der Serben gegen die türkischen Unterdrücker vortragen, zum Vergleich herangezogen. Ich selbst habe Aufnahmen dieser Gesänge gemacht, die oft bis zu dreitausend Versen umfassen. Das Gedächtnis dieser meist noch analphabetischen Sänger ist erstaunlich; sie irren sich nie und kennen kein Zögern und keine Ermüdung. Übrigens sind sie merkwürdigerweise oft blind, wie das die antike Legende auch von Homer wissen wollte. Die Anthropologen haben davon gesprochen, daß in früher Zeit der Sänger nicht etwa von Natur blind war, sondern geblendet wurde, weil man den kostbaren, unersetzlichen Singvogel auf diese Weise daran hindern wollte, auszufliegen und andere, fremde Stämme mit seiner Kunst zu erfreuen. Ich lasse das dahingestellt sein, wie ich überhaupt über den Einbruch der Völkerkundler in unsere Wissenschaft nicht allzu glücklich bin.«

»Herr Professor...«, sagte der Jüngling mit dem Bart.

»Ich bin kein Professor«, erwiderte der Vortragende.

»Nun, Herr Doktor...«

»Ich glaube, wir lassen am besten hier unsere Titulaturen fort, meine Herren. Nennen wir uns, wie unter den Mitgliedern einer Akademie der Wissenschaften, einfach bei unseren Namen. Wenn Sie mich also unterbrechen wollen, so sagen Sie bitte Herr Vries zu mir, Herr...?«

»Grimme, Erich Grimme«, sagte der Jüngling errötend. »Ich bin Maler. Es tut mir sehr leid, wenn ich Sie unterbrochen habe, Herr Vries. Aber was Sie da sagten von den geblendeten Sängern, erscheint mir doch so grauenhaft, so barbarisch, so über alle Begriffe abscheulich...«

»Wieso?« meinte der Philologe kühl. »Man wollte das Opfer doch nicht quälen oder martern. Die Blendung war im Grunde die Anerkenntnis eines hohen, unbezahlbaren Wertes. Übrigens wurde sie bei den Völkern der Antike fast durchweg nicht durch Ausstechen der Augäpfel vollzogen, wie Sie zu denken scheinen, sondern in der Form, daß man den Kopf des Betreffenden über ein starkes Glutbecken hielt.«

»Entsetzlich«, flüsterte Grimme.

»Entsetzlich«, sagte Vries streng, »sind die willkürlichen, sinnlosen Grausamkeiten, die jetzt von rabiat gewordenen Kleinbürgern und Verbrechern, die sie beauftragt haben, an Tausenden von Menschen verübt werden. Den Sänger von heute sucht niemand zu halten. Mit weit offenen Augen läßt man ihn ziehen.«

Dann hob die silberne Stimme wieder an:

»Ich sprach vom Gedächtnis. Auch die alten Rhapsoden, so gewaltig ihr Erinnerungsvermögen gewesen sein mag, riefen die Mnemosyne als Mutter der Musen zur hilfreichen Stärkung ihrer Geisteskräfte an. Ich möchte ebenfalls solch ein Stoßgebet tun, ehe ich mich an das Wagnis mache, Ihnen weiter aus dem Homer zu zitieren.« Er senkte die Lider völlig über seine Augen und zog den Mantel enger zusammen. Dann begann er die griechischen Verse aufzusagen und zu umschreiben.

»Ein Mann wird an eine unbekannte Küste verschlagen, nach unendlichen Irrfahrten und furchtbarem Schiffbruch. Mit letzter Kraft rettet er sich ans Land. Bemerken Sie wohl, wie deutlich der alte Dichter das schildert: ›Hoch hinauf schwang er sich, den Fels mit beiden Fäusten packend. Stöhnend hing er dort, so lange die Brandung hinauflief. Und so entging er ihr für den Augenblick. Aber dann kam der Sog zurück und traf ihn mit unwiderstehlicher Gewalt und schwemmte ihn noch einmal weit hinaus in die Flut. Seine Haut blieb in Fetzen am Gestein hängen, so wie es etwa einem Tintenfisch ergeht, den man aus seinem Versteck hervorzieht und dem an seinen Saugnäpfen Steinchen und Bodenreste kleben bleiben.‹«

Vries konnte sich nicht enthalten, auf die Schönheit der homerischen Gleichnisse hinzuweisen, und fuhr dann fort, den Schluß des Gesanges vorzutragen: den endlichen Anstieg zum Ufer, den dankbaren Kuß des Geretteten auf die fruchtbare Erde, das Suchen nach einem Obdach im Gebüsch.

»Nicht irgendwie wird das geschildert, meine Herren, sondern mit fast topographischer Genauigkeit, als müßte jeder Hörer in der Lage sein, die Stelle wiederzufinden: Zwei Ölbäume stehen da, die ihm Schutz gewähren, ein wilder und ein zahmer, eng ineinander verwachsen und so dicht verschlungen, daß weder der Wind sie mit atmender Feuchte durchschauert, noch die Sonne mit glühender Schärfe durchdringt. Da kriecht er nun in das Dunkel und scharrt sich mit beiden Händen aus trockenen Blättern, die reichlich umherliegen, ein Lager zusammen. Tief hinein bettet er sich, so wie ein Mann wohl am Rand seines Ackers einen eben noch glimmenden Brand mit Asche bedeckt, um innen den Keim der Glut sich zu wahren, damit er sie wiederfindet, wenn er zurückkommt. So bedeckt das Laub den Odysseus.«

Die Zuhörer waren enger zusammengerückt. Es begann zu dunkeln, und die Posten am Zaun fingen an zu rufen.

»Ja«, sagte einer der Hockenden, »es gibt nicht viel Neues. Wenn ich daran denke, wie wir uns am ersten Abend das Heidekraut zusammenscharrten.«

»Ich glaube, wir schließen für heute ab«, meinte Vries. »Es wird auch kühl. Mein Hals ist leider sehr empfindlich.« Er zog sich den grauen Schal bis hinauf über das Kinn.

»Ach nein«, bat Grimme leidenschaftlich, »bitte nicht aufhören! Noch nicht, noch nicht! Es ist doch alles hier so erbärmlich, so trostlos, lieber Herr Vries; es ist unbescheiden, ich weiß es, aber sprechen Sie noch weiter! Jetzt kommt doch Nausikaa!«

Der Philologe nickte: »Ja, jetzt kommt Nausikaa.«

»Ich hole Ihnen eine Decke oder einen dickeren Mantel«, sagte Grimme. »Hören Sie nicht schon auf! Wir alle bitten Sie darum.« Er sprang unter dem zustimmenden Gemurmel der Umsitzenden auf, ohne die Antwort abzuwarten, lief mit federnden Schritten in sein Zelt und brachte eine der grauen Militärdecken. Zärtlich legte er sie Vries um die Schultern.

»Sprechen Sie nur recht leise«, sagte er dabei. »Wir verstehen Sie schon. Nur der Posten hier neben uns am Zaun stört eigentlich furchtbar mit seinem Gebrüll.«

Fabrikant Elzbacher, der sich ebenfalls den Zuhörern angeschlossen hatte, voll Stolz auf das einstmals am Königlichen Wilhelms-Gymnasium bestandene Abiturium, erhob sich. Er machte eine weit ausholende Geste, die andeutete, man solle ihm diesen Fall nur überlassen, und trat an den Zaun, wo er mit dem Soldaten leise verhandelte. Gemessen triumphierend kam er sehr bald zurück: die Sache sei erledigt; eine halbe Schachtel Zigaretten sei ausreichend gewesen. Der Mann werde still sein.

»Danke!« sagte Vries. Seine silbern verschleierte Stimme fuhr fort zu rezitieren:

»Nausikaa kommt, die weißarmige, schön wie die Göttin Artemis. Weiter sagt der Dichter nichts über sie, mit weisem Bedacht, denn schon hier, an den Uranfängen unserer Poesie, zeigt sich höchster Kunstverstand: dem Hörer wird es überlassen, sich das Bild der Herrlichen nach seinen innersten Wünschen auszumalen. Hochbrüstig haben wir sie uns jedenfalls zu denken, großgewachsen und mit langen Beinen, herausragend aus dem Kreis der Mägde, die mit ihr zum Fluß fahren, um dort in den Waschmulden am Ufer die schmutzige Wäsche des Königshauses mit Füßen zu treten und von allen Flecken zu reinigen. Nach der Arbeit waschen sie sich und salben den Körper mit lauterem Öl und nehmen das Mahl ein, denn es wird immer reichlich und mit viel Behagen gegessen bei Homer. Dann beginnen sie das Ballspiel, das zugleich ein schönbewegter Tanz ist, und auch hier scheint Nausikaa vor allen anderen hervor mit dem Haupt und der göttlichen Stirn, hinter der freilich allerhand unruhige Jungmädchengedanken an Heirat, Hochzeit und einen stattlichen Gatten hausen. Und so lenkt heimlich die Göttin ihre Hand und läßt sie den Ball weithin werfen, über die Gespielinnen hinaus, dorthin, wo Odysseus im Dickicht schlummert. Er bricht hervor, seine Blöße eben mit einem starken Laubzweig deckend, furchtbar und löwenhaft anzusehen, das Gesicht und die Mähne mit Salzschaum des Meeres besudelt. Die Mägde flüchten nach allen Seiten; nur

Nausikaa hält dem Anblick des Greulichen stand. Und nun beginnt die schönste aller Liebesszenen, zwischen dem schmutzigen, nackten Fremdling und der strahlenden Königstochter im schneeweißen, fließenden Gewand.«

»Weiter, weiter«, rief Erich Grimme ungeduldig, »das wollen wir doch hören!«

Aber der Philologe begann zu stocken. Es war, als ob etwas seine Zunge lähmte. Er setzte immer wieder an, sprach einige Verse, verbesserte sich, überschlug Absätze und gab sie nur in Übersetzung wieder und sagte schließlich leise:

»Ich sagte Ihnen schon: ich verfüge nicht über das eiserne Gedächtnis jener Rhapsoden der Vorzeit. Ich bringe diesen Gesang nicht mehr vollständig zusammen.«

»Doch, doch«, widersprach ihm der Jüngling vorlaut, »Sie können es bestimmt, Sie machen das doch großartig. Ich glaube, Sie wollen nur an dieser Stelle nicht weitersprechen . . .« Er schwieg, erschreckt über seine Unbedachtsamkeit.

»Vielleicht ist das so«, sagte Vries nachsichtig und wandte seine Augen dem Maler zu, von dem er nur den blonden Flaumbart in der halben Dunkelheit sah. »Aber ich kann Ihnen wenigstens kurz sagen, was gerade an dieser Nausikaa-Episode das ganz Große, das Unvergleichliche ist. Das ganze Epos ist ja im Grunde ein Hoheslied der Gattenliebe. Die Heimkehr, nicht nur in die Heimat, sondern zu der geliebten Frau, durch alle Prüfungen und Versuchungen hindurch, ist das eigentliche Thema. Immer wieder wird der Held vor die Wahl gestellt, sich zu versäumen oder anders zu entscheiden. Man kann es verstehen, daß Circe, die böse Zauberin, ihn nicht fesselt; die schöne Nymphe Kalypso ist schon eine weit stärkere Verlockung; die zierlich gescheitelte, auf der paradiesisch geschilderten Insel, die ihm ewige Jugend verspricht und ihn in ihrer lieblichen Grotte für immer festhalten möchte, um mit ihm das Lager zu teilen. Sie erinnern sich vielleicht an die Stelle: es ist die anmutigste Naturschilderung der alten Dichtung. Duftendes Zedernholz brennt auf dem Herde, Erlen und Zitterpappeln sind um die Höhle, und ein Weinstock mit schwellenden Trauben neigt sich über den Eingang. Vier lautere Quellen entspringen dort und wenden sich hierhin und dorthin, die üppigen Wiesen wässernd. Sogar Veilchen und Eppich hat der Dichter ausgebreitet, und Blumen kommen sonst bei Homer eigentlich nirgends vor. Aber Odysseus reißt sich dennoch los. Nun, kurz vor der Heimkehr — welche Steigerung, meine Herren — die letzte, größte Versuchung: die strahlende Jungfrau und Königstochter, die ihn zum Gatten begehrt mit aller Ungeduld und Frische ihrer achtzehn Jahre. Der Mann jedoch setzt sich im Haus ihres Vaters am Herd in die Asche, wie es dem kummergebeugten Fremdling gebührt, und bittet nur, ihn sicher heimzugeleiten, 'denn lange schon fern von den Meinigen dulde ich große Betrübnis'. Und sie rüsten ihm das Schiff aus, bedenken ihn mit Geschenken und senden ihn wohlbeschützt in die Heimat, denn, so sagt Alkinoos, der Vater des herrlichen Mädchens: 'Wie Brüder soll der Mann schutzflehende Gäste achten.' Ja, meine Herren, und damit, denke ich, wollen wir es für heute genug sein lassen.«

Er brach in einen markerschütternden Husten aus und hob den grauen Schal über den Mund, um ihn zu ersticken. Die Zuhörer erhoben sich, dankten ihm und gingen schweigend in ihre Zelte. Nur der Senatspräsident blieb noch einen Augenblick und sagte leise:

»Herr Vries, Sie haben so schön vom Hohenlied der Gattenliebe gesprochen. Ich kann Ihnen gar nicht sagen, welchen Trost Sie mir damit gespendet haben. Wenn ich so an meine liebe Frau denken muß, die nun da allein in London in unserem kleinen Zimmer sitzt und sich um mich ängstigt... Sicherlich stand Ihnen dabei Ihre Gattin vor Augen. Ist sie auch in der Stadt?«

»Nein«, sagte der Philologe.

»Haben Sie sie aufs Land evakuieren können?«

»Nein«, erwiderte Vries. »Sie ist nicht hier.«

Der Senatspräsident fragte unsicher: »Oh, Sie sind nicht zusammen? Sie haben sich trennen müssen? Ihre Gattin ist vielleicht in Amerika? Entschuldigen Sie vielmals, wenn ich etwas zudringlich bin! Aber Ihre Vorlesung, der Ton, in dem Sie . . .«

Der Philologe hob abwehrend die Hand und sagte, kaum hörbar:

»Meine Frau hat sich von mir scheiden lassen, als die bekannten Gesetze 1936 herauskamen. Sie ist in Deutschland geblieben, mit unseren beiden Jungen.«

Der Senatspräsident stammelte ungeschickt Worte, die um Verzeihung baten, und entfernte sich wie flüchtend, als Vries andeutete, er bitte, alleingelassen zu werden. Der Philologe blieb noch eine ganze Weile in der nun rasch einfallenden Kühle sitzen. Seine Gestalt sah unter der grauen Decke wie ein zusammengesunkenes Aschenhäufchen aus. Die schmalen Lippen formten lautlos in unaufhörlicher Wiederholung die Zeilen vom Schluß des fünften Gesanges nach: '. . . um innen den Keim der Glut sich zu wahren, damit er sie wiederfindet, wenn er zurückkommt.'

Der Posten begann nun, zunächst noch zaghaft, dann immer lauter, seine Parole auszurufen. Der Philologe erhob sich und blickte zum Zaun herüber.

»Ruf nur, mein Junge«, sagte er ganz unvermittelt laut, »ruf nur!« Durch die Erschütterung lösten sich ihm die Tränen und fielen über die Wangen in den rauhen Wollschal.

17

DAS PÄRCHEN AM ZAUN

Bienen summten. Das Heidekraut sott in der Sonne. Es bebte von geheimem Leben, und man konnte, wenn man an den Stacheldrahtzaun trat und den ständigen, wie aus tausend Lautsprechern rieselnden Lärm des Lagers hinter sich ließ, das wütende Drängen der Käfer und anderen Insekten unter der schwankenden Decke des grüngrauen Teppichs wie eine leise Brandung hören. Wellen von Duft schwappten herüber und brachen immer wieder in den stockigen Menschenbrodem der überfüllten Siedlung mit ihren drei Stämmen und über dreitausend Menschen ein. Die Pappeln am entfernten Wegrand zerkochten in der zitternd heißen Luft. Zuweilen schwebte das rotglühende Blatt eines Falters heran bis zu den hohen, schwarzen Galgenpfosten, zuckte wie von einer elektrischen Geißel getroffen auf und flatterte in eckig unsicherem Flug wieder davon.

Gärtner starrte zwischen den Drahtreihen hinaus. Ein kleines, wackliges Auto bog von der Straße ab und kam aufgeregt schnaufend über die Heide gehoppelt. Es schien von Zeit zu Zeit wie ein winziges Boot in den Wellen zu versinken, kämpfte sich dann wieder nach oben, schwankte und blieb schließlich dicht vor der Umzäunung erschöpft stehen. Ein junger Mann in weit offenem hellblauem Hemd und ein Mädchen in fröhlich geblümtem Sommerkleid, mit nackten Beinen und kurz über den Schuhen aufgerollten weißen Söckchen, stiegen aus. Sie schlenderten ein wenig hin und her, rupften ein paar Strähnen Erika aus und suchten sich schließlich eine sanfte, dicht bewachsene Mulde als Liebesnest aus. Lässig lagerten sie sich dort, mit dem Rücken gegen die Umzäunung. Das Lager schienen sie nicht zu bemerken.

Das Pärchen hatte es offenbar gar nicht eilig. Sie plauderten; Gärtner konnte den ruhigen Klang ihrer Stimmen hören, ohne zu verstehen, was sie sagten. Die Stimme des jungen Mannes hatte einen merkwürdig kindlichen, hohen Ton, die des Mädchens war ein tiefer Alt. Sie kuschelten sich enger zusammen und küßten sich ausgiebig. Der junge Mann legte seine Hand auf den Schoß des Mädchens. Das Mädchen legte ihre Hand auf die seine. Sie schliefen oder ließen sich regungslos in der Sonne treiben.

Gärtner wandte sich beschämt ab, als hätte er eine unziemliche Handlung getan. Sein Blick fiel auf das wutverzerrte Gesicht eines der jungen Burschen aus dem Jugendzelt, der hinter ihm stand, einen Stein in der Faust.

»Gesindel!« flüsterte der Bursche, dem die Augenlider und die vollen Lippen zuckten. »Man müßte ihnen Beine machen. Am hellerlichten Tage, und direkt uns hier vor den Augen ...« Er brach in eine Flut von obszönen Worten aus und konnte sich nicht genug daran tun, immer nacktere Ausdrücke zu verwenden. Dabei blieb seine Stimme aber bis fast zur Unhörbarkeit gedämpft. Er hob die Hand mit dem Stein.

»Leg den Stein fort!« sagte Gärtner leise, ohne Strenge, mit nachdrücklich überredender Stimme.

»Was hast Du hier zu kommandieren?« antwortete der Junge und funkelte ihn böse an. Er ließ den Arm sinken. »Weil Du ein Reihenleiter bist? Wenn ich hier heraus könnte, ich holte den Kerl da aus seiner Kute heraus, stellte ihn vor mich hin und sagte ihm: 'Jetzt wollen wir einmal einen Gang miteinander machen.' Da wird sich zeigen, wer etwas kann, und das Mädchen kann den Schiedsrichter spielen, verstehst Du?«

»Ich verstehe«, sagte Gärtner. »Ich glaube Dir auch, daß Du boxen kannst.« Der Bursche steckte den Stein trotzig in seine Tasche und murmelte:

»Es ist und bleibt eine Sauerei.«

Gärtner schüttelte den Kopf: »Red nicht solchen Unsinn! Den Schlaf von Menschen soll man nie stören. Schlaf ist etwas . . .«, er wollte sagen: Heiliges, besann sich aber und fuhr fort: »was man respektieren muß. Laß die beiden!«

»Und wer läßt mich?« fragte der Bursche. »Wer kümmert sich um mich, wenn die Posten mir des Nachts in die Ohren brüllen und ich nicht schlafen kann? Willst Du mir das sagen?«

»Ich will Dir etwas anderes sagen«, erwiderte Gärtner. »Hier in England ist jetzt auch die allgemeine Wehrpflicht eingeführt.«

»Das weiß ich«, sagte der junge Bursche.

»Das bedeutet . . .«

»Das bedeutet, das bedeutet«, unterbrach ihn der Junge, »laß diesen Ton, wie ein Lehrer oder so einer am Radio. Das ist doch alles Schwindel, in allen Ländern. Denkst Du, daß wir irgend etwas glauben? Die lügen doch alle.«

»Du weißt schon, was ich meine, sonst würdest Du nicht so wütend sein«, meinte Gärtner.

»Soll der Kerl doch zum Teufel seine Khakibluse anziehen und seine Knarre auf die Schulter nehmen, aber nicht hier mit dem Mädel herumlungern.«

»Und Du liegst hier inzwischen im Gras und läßt Dich von der Sonne bescheinen, was?« fragte Gärtner.

»Ich habe mir das nicht ausgesucht«, erwiderte der Junge. »Ich habe mich zu den Arbeitskommandos bei der Armee gemeldet.«

»Dann wirst Du noch früh genug an die Reihe kommen«, sagte Gärtner. »Und dann wirst Du vielleicht froh sein, wenn Du noch einmal einen Sonntag hinausfahren kannst und Dich mit einem Mädel ins Heidekraut legen.«

Der Junge schwieg einen Augenblick. Dann blickte er Gärtner aufmerksam ins Gesicht und fragte: »Wie alt bist Du?«

»Fünfzig«, antwortete der Ältere.

»Siehst Du, ich bin neunzehn. Ich war Rechtsaußen in unse-

rem Fußballklub im Hostel.« Er schwieg wieder. Dann setzte
er noch einmal an und sagte, mit einem widerwilligen Zucken der
vollen Lippen: »Thank you für die Belehrung! Du hast recht.«
Er griff in die Tasche und gab Gärtner seinen Stein. Er ging rasch
und fast wie im Laufschritt davon. Der Stein, ein glatter, hoden-
förmiger Kiesel, war ganz warm. Gärtner legte ihn, nachdem der
Junge verschwunden war, vorsichtig am Fuße eines der Pfosten
nieder und wandte sich ebenfalls zum Gehen.

Eine Stunde später kam er an der Stelle noch einmal vorbei.
Es war etwas kühler geworden; ein paar Wolkenschatten rückten
langsam über die Wiese. Das Pärchen erhob sich aus dem Nest.
Sie standen beide mit dem Rücken zum Lager. Das Mädchen
schüttelte seinen Rock; die weißen Beine waren bis weit über das
Knie zu sehen. Dann schritten sie Hand in Hand wie die Kinder
auf das kleine Auto zu. Der Starter sprang an, mit einem Laut
wie ein harter Wasserstrahl, der in ein Metallbecken fällt. Schnaufend und schwankend hoppelte das Gefährt durch die Wellen des
Heidekrauts davon und verschwand zwischen den Pappeln am
Wegrand.

18

AUSMARSCH
UNTER VORANTRITT DES KOMMANDANTEN

Ithamar, der entmachtete Campleiter, den man eigentlich schon
halb vergessen hatte, erlebte noch einmal einen großen Tag. Er
war wieder beim Kommandanten gewesen, nach langer Pause,
und Major Pointer hatte ihn freundlich empfangen, während er
sonst rein geschäftsmäßig mit dem Manne verfuhr, der bei sei-

nen eigenen Kameraden so wenig Ansehen genoß. Man hatte ihm sogar einen Stuhl angeboten, auf der vom Schreiner mit schön durchbrochenem Zackengesims verzierten Veranda. Pointer ließ sich in einen Liegestuhl nieder und seufzte, während seine Blicke fast zärtlich über die hohen Drahtzäune und die Zeltreihen schweiften.

»Ja, ja«, sagte er. »Zigarette?« Er zog eine Schachtel hervor.

»Ich danke Ihnen sehr, Sir«, erwiderte Ithamar, der unwillkürlich unter dem Stuhl die Hacken zusammentat und sich mit gekrümmten Schultern verbeugte. Mit spitzen und ängstlichen Fingern nahm er eine Zigarette, gab beflissen Feuer, wartete, bis der Major brannte, und bediente sich selber.

»Ja, ja«, sagte der Major nochmals. »Das hört hier nun alles auf. Morgen wird abmarschiert. Das Stroh soll übrigens auch morgen kommen. Ich lege Wert darauf, daß Sie das Ihren Landsleuten sagen. Ich habe oft genug danach telefoniert. Wozu wir es nun brauchen sollen, das weiß der Teufel. Das wird doch hier alles abgerissen.« Er beschrieb mit der Zigarette einen großen Kreis.

»Und wohin, wenn ich mir eine Frage erlauben darf, Sir«, sagte Ithamar mühsam, »sollen wir nun kommen?«

»Ich möchte wissen, was sie mit all dem Draht anfangen wollen«, sann der Major vor sich hin. »Womöglich wollen sie noch, daß wir den wieder aufrollen. Und die Pfosten, die Latrinen, die Wasserleitung mit den Brausen und den Holzrosten davor. Das war ein sehr sauberes Stück Arbeit, das Ihre Landsleute da geleistet haben, sehr saubere Arbeit. Wahrscheinlich bleibt das alles stehen und verrostet. Es lief doch alles sehr schön. Kein Grund zu Beschwerden. Alles ruhig und vernünftig. Sogar für zahnärztliche Behandlung in Shrewsbury hatten wir gesorgt. Keiner ist ausgerückt.«

»Darf ich meinen Leuten sagen, Sir«, versuchte Ithamar sich

einzuschalten, »daß Sie mit uns zufrieden waren?« Er sagte 'glück-lich', weil ihm das Wort für 'zufrieden' im Augenblick nicht ein-fiel.

»Ja, ja«, meinte Pointer, »tun Sie das, auf alle Fälle. Abgesehen von dem Verwundeten, der sich das Bajonett ins Ohr gebohrt hat, haben wir keine Abgänge gehabt. Und die Krankenliste war ganz normal. Über das Wetter konnte sich ja auch niemand beklagen, wie?«

»Nein, Sir, sicherlich nicht, sicherlich nicht«, beteuerte Ithamar. Er nahm noch einmal einen verzweifelten Anlauf und wieder-holte seine Frage nach dem Marschziel, mit vielen Entschuldigun-gen und Sirs umrandet.

»Isle of Man«, sagte der Major. »Das heißt, erst marschieren wir nach Shrewsbury, und da liefere ich Sie ab. Eigentlich sollen Sie das nicht wissen.«

»Ich danke Ihnen sehr, Sir, ich bin außerordentlich dankbar für diese Information«, stammelte Ithamar.

»Informationen sollen wir Ihnen nun nicht grade geben«, meinte Pointer. »Reden Sie nicht so viel darüber! Übrigens wer-det Ihr das selber sehr bald sehen. Die Überfahrt mit dem Dampf-er dauert ein paar Stunden. Morgen abend seid Ihr da. Seekrank werden Ihre Landsleute doch wohl nicht werden bei der kurzen Strecke, was?«

»Ich hoffe nicht«, sagte Ithamar.

»Na also.« Pointer nahm die Mütze, setzte sie sich auf und verabschiedete Ithamar:

»Morgen um sechs Uhr früh wird angetreten. Das Gepäck wird mit Lastkraftwagen befördert. Ich will nicht, daß wir wie eine Horde Zigeuner mit Sack und Pack auf der Landstraße dahin-ziehen. Wir müssen einen anständigen Eindruck auf die Leute in Shrewsbury machen. Und reden Sie nicht zu viel, das bitte ich mir aus!«

Ithamar konnte es nicht lassen, durch das Lager zu stolzieren. Er hatte den Regenmantel eng gegürtet, seine Haltung war aufrecht, seine Miene wie geschwollen von Wichtigkeit. Er hackte nach allen Seiten, leutselig lächelnd und Andeutungen verstreuend, es habe diesmal bei der Besprechung mit dem Major Dinge von eminenter Bedeutung gegeben. Er sonnte sich in der Neugier, die ihn umgab, und schien mit jedem Schritt wieder in seine alte Stellung hineinzuwachsen.

»Was hat der Kerl nur?« wurde geflüstert.

»Kommen neue Leute ins Lager? Sind die Papiere gefunden? Wird das Stroh geliefert?«

»Das auch«, ließ Ithamar fallen.

»Und was sonst?«

Er deutete an, es könne nichts schaden, wenn man sein Gepäck ein wenig fertigmachte und seine Sachen zusammensuchte.

Also Abmarsch? Verlegung? Wie?

»Kann sein«, lächelte der Campleiter.

»Und wohin? Wohin?« Er solle doch in drei Teufels Namen nicht so geheimnisvoll tun. Man würde es ohnehin sehr bald von den Posten erfahren. Die hielten doch nicht dicht.

Ithamar erschrak; an diese Möglichkeit hatte er nicht gedacht. Es war vielleicht doch besser, mit seiner Weisheit rechtzeitig herauszurücken, ehe sie jeden Wert verlor.

»Nun reden Sie schon, Campleiter! Sagen Sie uns, was los ist!« mahnte jemand.

Seit langem hatte ihn niemand mit seinem Titel angeredet. Ithamar sagte bebend:

»Reden Sie nicht viel darüber, ich habe das dem Kommandanten ausdrücklich versprechen müssen, wir dürfen ihn nicht enttäuschen ...« Und dann plauderte er alles aus, was er wußte. Sein Stern stand noch einmal hoch. Man drängte sich um ihn, man klopfte ihm auf die Schulter, er wurde respektiert und gegrüßt.

Schlick sagte zu seinem Adlatus Cronberger: »Der Mann präsidiert über seiner eignen Liquidation. Freiwillige Auflösung wegen Aufgabe des Geschäftes. Hast Du übrigens Deine Abrechnungen für die Kantine auf dem laufenden? Wir dürfen damit nicht ins Gedränge kommen.«

»Ich habe jeden Abend Kasse gemacht«, erklärte Cronberger, »und der Kantinenausschuß hat die Rechnungen erst vorgestern durchgesehen. Wir haben zwanzig Pfund und elf Schillinge Überschuß.«

»Damit können wir den nächsten Laden eröffnen«, sagte Schlick. »Aber wenn wir wirklich nach der Isle of Man kommen, dann habe ich noch ganz andere Pläne.«

»Was für Pläne denn?«

Schlick winkte ab und meinte nur, Cronberger könne da ja auch wieder die Kantine übernehmen; er seinerseits wolle etwas höher hinaus.

»Du willst da wohl Campleiter werden?«

»Ich denke nicht daran. Dazu ist mir die Gesellschaft viel zu wetterwendisch. Ich will etwas Solides aufbauen, wo mir keiner hineinreden kann. Aber wahrscheinlich komme ich gar nicht dazu. Ich werde doch als einer der ersten entlassen.«

Cronberger blickte ihn spöttisch an: »Hör mal, Du telefonierst wohl? Mir brauchst Du doch nichts vorzumachen. Wieso sollst grade Du ...« Er hielt erschrocken inne. Schlicks fleischiges Gesicht war zu einer Maske der Wut erstarrt, und die muskulöse Hand packte ihn am Rockaufschlag: »Wenn Du noch ein Wort sagst, dann bringe ich Dich um!« Er betonte die Worte gelassen und sprach gar nicht übermäßig leise. »Du kennst mich.«

»Ich kenne Dich ganz genau.« Cronberger war sehr ernst. Seine Finger wurden eiskalt.

»Also. Und nun scher Dich zu Deinen Abrechnungen! Ich will mit einer tadellosen Bilanz von hier abrücken.«

Cronberger schlich in sein Zelt. Er packte hastig seinen Koffer und saß bis spät in die Nacht über seinen Listen, beim Schein einer Kerze, die er den Kantinenbeständen entnommen und unter 'Verwaltungsspesen' verbucht hatte.

Beim ersten Morgengrauen, lange vor dem üblichen Wecken, waren die Häftlinge auf den Beinen. Sie wanderten umher und nahmen Abschied von den Lagergassen, dem 'Gartenweg', dem 'Mills way', der 'C-Allee'. Sie warfen noch einen Blick auf das Schweizerhäuschen des Schreiners, und Architekt Zatzelmann konnte sich nicht enthalten, erneut gegen den unzeitgemäßen Bau und seine unethische Verzierung zu protestieren. Sie betrachteten gerührt die Brauseeinrichtungen und die Holzroste davor, die von der Jugendgruppe mit Schlacke unterfüttert worden waren. Sie erinnerten sich gegenseitig: Weißt Du noch, die Homerstunde am Zaun? Unsere glorreiche Orchesterprobe hinter den Küchenkesseln? Und hier stand Ithamars Totempfahl! Viele hatten fast Tränen in den Augen, als sie die nun schon verblichenen Zeltbahnen zum letzten Male ins Auge faßten, unter denen sie vier Wochen gehaust hatten. Und da war nun die gute, alte Fahrbahn, auf der noch einmal angetreten und abgezählt wurde. Die Soldaten verzählten sich wieder und glichen stillschweigend das Konto aus. Diesmal lachte keiner darüber. Stumm und frierend standen sie in dem kühlen Frühwind, das Gepäck bei Fuß.

Und nun erschien auch der Kommandant persönlich. Ithamar ließ es sich nicht nehmen, vorzutreten und eine Art Meldung zu erstatten. Major Pointer nickte kurz und ließ seine Augen über die Kolonne schweifen. Sie dünkte ihn riesenhaft und größer, als er je eine Truppe kommandiert hatte. Mit Genuß erhob er seine Stimme und gab Befehl, die Lastkraftwagen vorfahren zu lassen. Die Reihen lösten sich auf. Lärmend wurden die Koffer verladen, die Ladeklappen zugeschlagen und die Ketten festgemacht. Krachend, als führen sie über Reisig, brausten die Wagen davon.

Der Kommandant erhob von neuem seine Stimme, und es schien ihm, sie habe selten so laut und markig geklungen. Mit Befriedigung sah er, wie sich die drei Stämme auf der Fahrbahn ordneten. Sie standen in Viererreihen, vor jeder Reihe der Reihenleiter und am Kopf der Kolonne, den Regenmantel eng gegürtet und den Spitzkopf auf dem langen Hals hoch aufgereckt, der Campleiter Ithamar, der diesen letzten Triumph mit jeder Faser seines Wesens auskostete. Major Pointer gab Befehl zum Abmarsch und setzte sich wie in einem plötzlichen Entschluß selber an die Spitze. Er hob die Hand, und das große stacheldrahtbewehrte Doppeltor öffnete sich. Er marschierte hinaus auf die Landstraße, er blieb bei seiner Truppe, er hob fröhlich die Beine vor der riesigen Kolonne der Häftlinge, die wie ein kriegsstarkes Regiment hinter ihm herzog.

Sie erkannten die Pappelbäume, deren Wipfel sie hinter dem Stacheldraht hatten schwanken sehen, die ersten Hügelwellen, das braune Stück Brachland, auf dem die Wachmannschaften Kaninchen gejagt hatten. Dann wandelte sich die Landschaft ins Unbekannte. Es wurde heiß. Die Sonne kam mit aller Macht heraus, und die Straße glänzte metallen. Allmählich löste sich die strenge Marschordnung etwas auf, und es bildeten sich Wander- und Freundschaftsgruppen, die wie auf einer Ferienreise dahinzogen, sich die Gegend zeigten, plauderten oder einfach mit unbeschreiblichem Genuß die freie Luft einzogen.

»Wie anders das hier riecht!« sagte Gärtner, der neben dem Schriftsteller ging. »Dabei ist noch nichts gemäht. In dem Drahtkäfig saß man doch etwas dicht aufeinander. Zum Schluß stank es wie in einem Vorstadtslum.«

»Ja«, meinte Lesser, der seine Schreibmaschine nicht aus der Hand gegeben hatte und sie unter dem lose darüberhängenden Regenmantel in der Linken trug, »Vorstadtslum ist das richtige Wort. Dabei hatten wir uns zum Schluß schon beinahe etwas

zivilisiert. Wenn ich an die erste Räuberzeit denke, wo alles unrasiert herumlief, mit hinten heraushängenden Hosenträgern
oder in Unterhosen. Jetzt sind wir wieder hübsch rasiert, dank
Schlicks Kantinenware, gebürstet und gekämmt. Major Pointer
kann wirklich stolz auf sein Regiment sein, wenn er mit uns
durch die Straßen von Shrewsbury zieht. Sehen Sie doch nur,
wie er seine Beine wirft! Er genießt diesen Tag fast noch mehr als
unser Freund Ithamar. Der sieht nicht rechts noch links und denkt
nur daran, seinen Abstand am Kopf der Kolonne zu bewahren.
In einer Stunde ist es aus mit seiner Herrlichkeit.«

In einer der Reihen, auf die Gärtner, wie ein Schäferhund seine
Reihe umkreisend, kurz einen Blick warf, schritt braungebrannt
James Pollack dahin. Der ewige Quengelant schien die Anstrengung des Marsches kaum zu spüren. Ob es ihm nicht zu viel
würde? fragte Gärtner ihn leise. Pollack winkte ihm und trat
etwas seitlich heraus. Flüsternd sagte er:

»Offen gestanden, Herr Gärtner, aber sagen Sie es nicht weiter, es könnte mir Unannehmlichkeiten bei meinen Zeltgenossen
bereiten, und ich stehe mich jetzt ganz gut mit ihnen, auch mit
dem Haltlosen, der sehr fleißig war und sich immer als erster
zum Kartoffelschälen gemeldet hat; offen gestanden: ich habe
mich nie so wohl gefühlt, seit Jahren nicht. Meine Nieren sind in
Ordnung, ich höre besser, und von meinem Rheumatismus spüre
ich nichts. Vielleicht ist mir der Klimawechsel und die veränderte
Diät so gut bekommen. Wahrscheinlich ist das wie eine Art Kneipp-
kur, so mit kaltem Wasser und morgens mit nackten Füßen durchs
Gras laufen, Sie wissen? Wenn man das sonst haben will, dann
muß man ein paar Guineas pro Tag bezahlen. Nein, ich kann
nicht klagen, aber dies wirklich nur ganz unter uns. Sehen Sie:
ich habe mich direkt angefreundet mit meinen Zeltgenossen, ja,
direkt angefreundet, das muß ich sagen, so merkwürdig es klingt.
Und noch eine Bitte: sorgen Sie doch dafür, daß wir zusammen-

bleiben können. Es wäre mir furchtbar, wenn ich in eine andere Gruppe versetzt würde. Es würde meine ganze Erholung zunichte machen, davon bin ich überzeugt.«

Gärtner beruhigte ihn.

»Danke!« rief Pollack und sprang flink voraus, um den Anschluß an seine Reihe nicht zu verlieren.

Die Jugendgruppe schlenderte breit auseinandergezogen und mit betont trotziger Lässigkeit dahin. Sie hatten nicht übel Lust, zu singen, aber sie wußten keine rechten Lieder. Die deutschen Texte und Melodien ihrer Kindheit hatten sie vergessen oder lehnten sie jetzt ab, und englische waren ihnen in ihrem Hostel kaum vorgekommen. So pfiffen sie im Chor ein paar Schlager. Der junge Schimon blies auf einem Kamm mit Seidenpapier. Die linke Hand lag gekrümmt vor dem tief gesenkten Munde, mit der Rechten dämpfte er ab oder ließ quackelnde Begleittöne erschallen. Er war ein großer Jazz-Fan, und sein Repertoire entsprach auch sehr weitgehenden Anforderungen. »Jetzt blas 'Dinah', Eddie«, hieß es, und er blies die alte Melodie aus der Anfangszeit der Jazzmusik. »La Cucaracha!« forderten sie. »Und nun den Lambeth Walk!« Schimon blies nicht nur die Melodien, er paraphrasierte, dehnte und raffte sie, er fügte waghalsige, auf schwankender Tonleiter in die Höhe kletternde Kadenzen ein und trommelte, in Ermangelung von anderem Gerät, zwischendurch wie ein Gorilla auf seinem kräftigen, prallen Brustkorb, der nur mit einem verwaschenen, ganz dünnen Hemd bekleidet war. Die Jazztöne mit ihren synkopierten Rhythmen bildeten einen seltsamen Kontrapunkt zu dem dumpfen, regelmäßigen Marschtrott der Kolonne. Sie klangen obstinat, wie ein Protest gegen übertriebene Disziplin und strenge Regel, und sie hatten zugleich etwas Leichtfertig-Unbesorgtes. Schimons Freund Jessop legte ihm zärtlich die Hand um den Hals und sagte: »Du bist ein richtiger Plattenschrank, Eddie!« Dann begann er, aus der Marschordnung völlig ausscherend, zu tanzen. Er schloß die Augen und setzte kunstvolle Steps auf die glatte Fläche der geteerten Straße, er tanzte vor und zurück, flatterte mit den Ellbogen und trat einigen Leuten der nachfolgenden Reihe auf die Füße, ohne sich zu entschuldigen.

»Lausejunge!« rief Elzbacher empört, der hinter ihm schritt, »kannst Du nicht wenigstens Pardon sagen?«

»Macht nichts, macht fast gar nichts«, meinte der rotbäckige Schreiner im nächsten Gliede. »Laßt ihn doch! Der Bengel freut sich, daß er mal einen Schluck frische Luft naschen kann. Der hat doch überhaupt noch keinen richtigen Tanzboden gesehn. Wo er das nur alles her hat! Der legt mal eine ganz kesse Sohle aufs Parkett...«

Vor den ersten Häusern der Stadt ließ der Kommandant haltmachen. Mit prachtvoll tönender Stimme verkündete er, man habe nun strenge Ordnung zu halten und den Leuten von Shrewsbury zu zeigen, daß man keine hergelaufene Zigeunerhorde sei. Die Reihen schlossen sich. Dröhnend und fast in einer Art Gleichtritt marschierten sie bis zum Bahnhofsplatz, wo schon die Lastkraftwagen mit dem Gepäck auf sie warteten. Der Major hatte eigentlich noch eine kurze Schlußansprache halten wollen, aber das Abladen der Koffer begann sogleich ohne weitere Förmlichkeit, unter der Aufsicht der nächsten Begleitmannschaft und ihres Kommandeurs, der schon ungeduldig gewartet hatte. In kleinen Gruppen hasteten die Häftlinge auf den bereitstehenden Zug zu und kletterten hinein.

Major Pointer wandte sich dem Kommandeur des Transportes zu und grüßte. Der andere erwiderte mit etwas mißmutiger Bewegung und sagte:

»Wir warten hier seit einer Stunde. Der Zug sollte schon längst fort sein. Warum sind die Kerle denn nicht mit den Wagen hertransportiert worden? Ich verstehe das nicht.«

»Ich wollte ihnen ein bißchen Bewegung machen«, erwiderte Pointer leicht schuldbewußt. »Tut ihnen gut, glaube ich. Sind sehr ordentlich gelaufen, keiner hat schlappgemacht, dabei sind siebzigjährige Klappergreise darunter. Ja, marschieren können sie, die Deutschen.«

»Haben Sie die Listen?« fragte der andere ungerührt.

»Ja, hier«, sagte Pointer und übergab ihm einen dicken Ordner, den ihm seine Ordonnanz, maliziös lächelnd, zugereicht hatte. »Ich weiß nicht, ob die Zahl so ganz genau stimmt, aber auf einen oder zwei kommt es doch nicht an. Auskneifen tun sie nicht.«

»So«, meinte der andere.

»Nein, tatsächlich, Sie können es mir glauben. Anfangs war ich auch sehr mißtrauisch und habe Verstärkungen angefordert, die natürlich nie gekommen sind. Aber es ist nichts passiert. Ich habe sie sogar zur zahnärztlichen Behandlung hier nach Shrewsbury gehen lassen, nur mit einem Wachmann. Sie kamen alle wieder zurück. Und einmal hatten sich zwei verspätet und waren abgeblieben, die erschienen von selber vor dem Zaun und baten den Posten, er solle sie doch hereinlassen. 'Gibt's nicht!' sagte der, 'schert Euch weg, hier wird nicht herumgelungert!' Sie sind um das ganze Lager herumgelaufen bis zum anderen Tor, und da wurden sie auch abgewiesen. Sie haben fast geweint, bis der Feldwebel kam und sie einließ. Klingt komisch, aber so war es.«

»Na, schön«, sagte der Zugkommandant, »Sie entschuldigen, ich muß mich jetzt um die Abfahrt kümmern. Ist noch etwas?«

»Ja so, das andere Zeug, das kommt nach«, meinte Pointer.

»Was für Zeug denn um Gottes willen?«

»Die Papiere«, sagte Pointer. »Listen, Rückfragen, Anweisungen, Verordnungen, sie wollen wissen, wieviel Juden, Christen, Mohammedaner darunter sind, ob Gottesdienst eingerichtet worden ist, ob die Latrinen mit Kalk abgedeckt werden, wieviel Kranke, Fußlahme, geistig Gestörte . . .«

»Schön, schön,« unterbrach ihn der Zugkommandant. »Ich habe sie nur in Blackpool abzuliefern und auf das Schiff zu bringen. Jetzt pfeift der Zug schon! Schicken Sie den ganzen Krempel nach der Isle of Man, die können sich damit amüsieren. Auf Wiedersehen!« Er hastete davon.

Pointer blickte ihm nach. Den ganzen Krempel einpacken und wegschicken, natürlich. Als ob das so einfach wäre! Einen Monat werden wir noch daran zu tun haben. Mindestens muß man doch seinen Namen auf die Rundschreiben setzen. Dann werden sie uns noch triezen mit dem Aufräumen, die Zelte abbrechen, womöglich den Draht aufrollen...

Das leere, kahle Lager stand ihm vor Augen, das noch bis zum Morgen von lebendiger Menschheit summte. Er seufzte.

»Ihr Wagen, Sir«, meldete die Ordonnanz.

»Sagen Sie mal, warum grienen Sie immer, wenn Sie mir etwas zu melden haben?« fuhr Major Pointer ihn an. »Lassen Sie das besser! Es gefällt mir nicht.«

Vor dem Abfahren wandte er sich noch einmal im Wagen um und fragte die Ordonnanz, warum die Lastkraftwagen denn da warteten. Die sollten doch schon längst zurück sein.

»Das Stroh, Sir«, sagte die Ordonnanz, »das wird grade ausgeladen.«

»So, so«, meinte Pointer und lehnte sich zurück. »Das können wir jetzt gut gebrauchen. Fahren Sie zu, Mensch!«

1

DIE NEUE HEIMAT AUF DER MENSCHENINSEL

Der Transport ging nach dem Badeort Blackpool, wurde auf einen Dampfer verladen und steuerte im Zickzackkurs — der U-Boote und Streuminen wegen — auf die Isle of Man in der Irischen See zu. Lesser, als Kenner der Insel aus der Zeit seiner ersten Internierung her, wurde von den Kameraden eifrig befragt, wie es auf dieser neuen Station ihrer Wanderung wohl aussehen möge.

»Ein Kulturkuriosum, Herrschaften«, sagte er, die Stahlbrille am Bügel schwenkend, »eine politische Monstrosität. Das gibt es nur hier. Seht Euch diese Nußschale an« — dabei wies er auf die winzige Silhouette hin, die auf der grüngrauen Wasserfläche zu tanzen schien —, »das ist ein eignes, souveränes Reich, mit eignem Parlament und eigner Verwaltung. Es fehlte eigentlich nur, daß sie ihre eigene Armee hätten, aber so weit haben sie es nie gebracht, obwohl sie von den Wikingern abstammen. Zum Vereinigten Königreich gehören sie nur sehr lose; ganz genau ist das wohl nie definiert worden. Immerhin haben sie einen britischen Lieutenant-General, der ein klein wenig zu sagen hat, wenn er sich mit dem Manx-Parlament einigen kann. Das hat manchmal seine Schwierigkeiten. Bei Kriegsausbruch zum Beispiel mußte er die Manx-Leute erst daran erinnern, daß sie auch einen Beitrag für die gemeinsame Sache leisten müßten. Sie wollten wohl nicht recht heran, aber da machte er sie auf die Tatsache aufmerksam, daß sie gar keine Wahl hätten. Sie haben nämlich 1914 feierlich

Manx-Leute vom Fremdenfang. Normalerweise hätten sie jetzt eine Riesensaison. Der Strand wimmelte von Badegästen. Statt dessen bringt ihnen unser kleiner Dampfer eine neue Ladung von Internierten, für die sie ihre Häuser freimachen müssen. Obendrein sind wir alles arme Teufel, an denen sie nichts verdienen können. Damals, 1914, hatten die meisten von uns Geld. Es gab einen schwunghaften Schwarzhandel durch den Zaun.«

»Das mit dem 'Niemandsland' gefällt mir eigentlich«, meinte Gärtner nachdenklich. »Es paßt zu uns. Wir sind niemand, niemand kümmert sich im Grunde um uns, und wohin wir fahren, das weiß auch niemand so recht, außer unserem Freunde Lesser, der immer hervorragend informiert ist. Er hat uns sehr klar beschrieben, wie unklar die staatsrechtliche Stellung dieses Inselchens ist. Unsre eigne Stellung ist ebenso vage. Für die Engländer, die uns interniert haben, sind wir Deutsche, für die Deutschen sind wir ... ja, was sind wir für die Deutschen? Das hängt ganz von der Situation jedes einzelnen ab. Und wer sind überhaupt die Deutschen?«

Sie schwiegen und schauten zurück auf das eigentümlich gebrochene Kielwasser des Schiffes.

»Im ersten Kriege«, fuhr Gärtner fort, »habe ich einmal drei Tage in einem Trichter im Niemandsland zwischen den Stellungen gelegen, mit dem Schuß durch meine beiden Beine. Bei Moulin-sous-tous-vents war das, nach einem Angriff auf eine Sappe. Damals wurde um jeden Frontzipfel gekämpft, mit ganzen Divisionen und Armeen; heute spielen nur noch Länder und Kontinente eine Rolle. Der Unterschied ist minimal. Ich habe drei Tage da gelegen, nur den Stacheldraht um mich und des Nachts die Leuchtkugeln über mir. Am ersten Tage habe ich gebrüllt, bis ich heiser wurde. Von beiden Seiten schossen sie nach mir. Am zweiten Tage wurde ich ruhiger. Am dritten war ich ganz still. Die Franzosen krochen die paar Meter vor und besetzten den Trichter. Sie legten mir den ersten Notverband an. Am Abend kam der Gegenstoß unsrer Leute, und ich wurde zurückgetragen. Ich habe viel gelernt in diesen drei Tagen, mehr als in den drei Jahren, die dann noch kamen.«

»Ich habe hier auf der Insel mein Abiturium gemacht«, sagte Lesser. »Und dann habe ich pokern gelernt. Das konnte ich in Hollywood gebrauchen. Der Hafen heißt übrigens Douglas. Wir sind da. Ein Festkomitee wird uns nicht empfangen. Die Saison ist schlecht und das Wetter prachtvoll. Steigen wir aus, meine Herrschaften! Der zweite Kursus beginnt, und wer weiß, wo wir die Schlußprüfung ablegen.«

Der Dampfer legte an. Die Landebrücke wurde herangeschoben.

»Sieh Dir das an«, sagte einer der am Quai herumstehenden Einwohner, »wieder eine Ladung armer Schlucker. Schon das Gepäck, das sie haben; nicht der Rede wert. Da ist wenigstens einer mit einem schweinsledernen Koffer« — dabei wies er mit dem Pfeifenstiel auf Elzbacher, der mit seinem schwer-gediegenen Coupé-koffer den Laufsteg herunterwankte —, »aber der daneben hat schon bloß eine Blechkiste, und der andere, der ihm tragen hilft, der hat überhaupt nichts als das Hemd auf dem Leibe, wahrscheinlich noch mit Läusen drin.« Er zeigte auf Mochow und den Schreiner.

»Mein Haus haben sie auch beschlagnahmt«, erklärte eine kleine, farblose Frau mit weichen, dicken Händen, die wie Flossen aussahen und eigentümliche Schwimmbewegungen machten. »Gott weiß, wie das aussieht. Nicht einmal hinein lassen die Engländer mich, damit ich sehen kann, was sie mir alles kaputt-geschlagen haben. Aber ich lasse mich nicht so abspeisen. Ich gehe zum Kommandeur. Ich zahle nicht umsonst meine Steuern.«

»Wenig genug zahlst Du, Barragan«, sagte der Angesprochene, »für das, was Du verdienst. Du mußt doch einen mächtigen Schnitt gemacht haben mit Deinen Tagesgästen, die immer nur nachts kommen, und jede Nacht andre, und Buch führen tust Du doch auch nicht. Oder schreibst Du das alles auf, was?«

»Bist Du Steuerinspektor geworden? Haben sie Dich angestellt, hier herumzuspionieren und anständigen Bürgern in die Küche zu gucken?«

»Ruhig, ruhig, Barragan!« meinte der Mann. »Eine Küche hast Du jetzt auch? Das wußte ich gar nicht. Ich dachte, bei Dir gibt es nur so Drinks, auf ganz kleinen, niedrigen Tischchen...«

»Traurig genug«, sagte die Frau, »daß Du auch jetzt denen ihre Partei nimmst.« Damit wies sie mit einer der Flossenhände hinüber in die Richtung der englischen Küste und schwamm rudernd davon.

Der Transport war ausgeladen und begann seinen Marsch durch die Stadt, auf der Uferstraße entlang. Es dämmerte. Die Umrisse der Häuser sahen verwaschen aus, wie mit flüchtigen Kohlestrichen skizziert. Es ging einen Berg hinan, und viele der Häftlinge, die ihr Gepäck selber tragen mußten, blieben zurück. Immer wieder erscholl der aufgeregte Ruf: »Zusammenbleiben! Zusammenbleiben!« von Zeltgenossen, die auseinandergerissen wurden. Ein hohes Portal mit Stacheldrahtkranz tauchte auf, im Halbdunkel wie der Eingang zu einem Herrschaftssitz anzusehen. Es öffnete sich und ließ den Zug ein. Langsam würgte sich die lange Schlange hindurch.

Ein viereckiger Platz, mit Rasen bestanden und an beiden Seiten von schmalen Häusern umstellt, wurde sichtbar. Wachmannschaften standen bereit und wiesen die Gruppen in ihre Quartiere ein. Es ging alles sehr rasch und summarisch zu. Eine mächtige und zielbewußte Hand schien aus dem Dunkel her die Massen zu lenken. In wenigen Minuten waren sie in den Häusern verschwunden.

Gärtner stand mit seiner Gruppe auf dem Vorplatz eines Hauses, der mit bräunlicher Linoleumtapete ausgeschlagen und von einer rosa Ampel aus Kunstalabaster matt erhellt wurde. Sie wurden von einem sehr kleinen, stillen Mann mit ruhigen Augen und bestimmten Bewegungen empfangen, der sagte, er sei Wenzel Rudnik, Hausvater von Nummer 47, und heiße sie herzlich willkommen. Sie sollten ihr Gepäck ablegen und erst einmal in die 'gute Stube' kommen.

Sie traten ein in das ziemlich große Zimmer, das hell erleuchtet war. Ein Tisch war mit einfachem Geschirr gedeckt. Die Hausgenossen saßen an einem zweiten Tisch; sie standen etwas unbeholfen auf und begrüßten die Ankömmlinge mit Zurückhaltung. Die nahmen ebenso befangen Platz. Wenzel Rudnik winkte schweigend, und einige der Hausgenossen eilten in die Küche, um das Essen aufzutragen, das aus Kartoffelknödeln mit Rindfleisch bestand. Sie aßen, wie betäubt von dem Luxus, der sie nun mit einem Male umgab, und flüsterten sich gegenseitig zu: 'Richtiges Geschirr! Richtige Bestecke! Richtige Stühle, auf denen man sitzen kann! Es fehlen eigentlich nur noch Tischtücher und Servietten, dann könnte man sich wie in einem Hotel fühlen.'

»Warum sind die denn man so steif«, sagte Mochow ziemlich laut, so daß die alten Hausgenossen am anderen Tisch ihn hören konnten. »Wir beißen doch nicht. Oder denken die, daß wir sie jetzt an die Wand drücken wollen? Lacht doch mal ein bißchen, Kinder! Das ist ja großartig bei Euch. Ihr lebt ja hier wie Gott in Frankreich. Ihr müßt ganz verpäppelt sein von der Fettlebe. Nu sagt schon ein Wort!«

»Macht nichts, macht fast gar nichts«, meinte der Schreiner, als die andern stumm blieben. »Erst essen wir mal ordentlich, und dann helfen wir denen beim Abwaschen. Vielleicht tauen sie dann auf.«

»Man fühlt sich doch endlich wieder als zivilisierter Mensch«, ließ sich Elzbacher vernehmen. »Die Knödel sind übrigens ganz zart, nicht klietschig. Wer kocht hier eigentlich?«

Wenzel Rudnik, der sich als einziger der Hausgenossen um seine Gäste ein wenig kümmerte, sagte still, er sei der Koch.

»Ich denke, Sie sind der Hausvater oder wie Sie das nennen?« Wenzel Rudnik erklärte freundlich, er sei sowohl Koch wie Hausvater.

»Hausvater ist gar nicht schlecht«, meinte Mochow. »Das gefällt mir direkt. Das ist wie in einer Gesellenherberge, da hatten wir immer so einen Herbergsvater. Da könnten sich solche Großfressen wie unser Campleiter Ithamar und seine Staatssekretäre und Ministerialräte eine Scheibe von abschneiden. Mit denen ist es ja nun aus. Und der Peter Pojarski, der hatte ihnen mit seinem Kabarett den ersten Stoß versetzt. Der gab es ihnen: 'Mal herhören, Lagerleiter! Hier spricht Peter Pojarski!' Und dann von wegen Lagerführer oder Generalpostmeister, der uns den Schalter vor der Nase zuknallt: 'Vor vier Uhr wird nichts ausgegeben!' Das freut mich noch jetzt, wie er den zum Briefträger gemacht hat und ihm ein Trinkgeld versprach zu Neujahr. Aber da wart Ihr ja nicht dabei. Nun komm mal her, Hausvater, und setz Dich ein bißchen zu uns und sag Deinen Leuten, sie sollen auch 'rüberkommen, so ist das doch nichts! Wir machen dann eine bunte Reihe.«

Wenzel Rudnik sagte leise und bestimmt, es wäre vielleicht besser, wenn er ihnen zuerst ihre Zimmer zeigte. Nachher könne man sich vielleicht noch ein wenig zusammensetzen.

»Na ja«, sagte Mochow, »denn zeig uns mal erst unser Logis, Herbergsvater! Dein Essen, das war erstklassig, und die Bedienung auch. Nur das Publikum, das ist so'n bißchen hochnäsig. Die wollen sich wohl mit solchen Proletariern, wie wir sind, nicht an einen Tisch setzen. Die möchten sich mit uns nicht vermischen. Die wollen ihre Rasse reinhalten, was?«

Rudnik stieg mit ihnen die ziemlich schmale und steile Treppe hinauf und zeigte die Zimmer, in denen sie untergebracht waren, in jedem Raum vier Mann, die zu zweien in einem Bett zu schlafen hatten.

»Bettzeug gibt es nicht«, sagte er, »aber wer will, kann eine dritte Decke haben, es sind genug da. Manche schlafen auch lieber auf dem Boden, weil sie sich nicht daran gewöhnen können, mit wem anders zusammenzuliegen. Ihr müßt das schon unter Euch ausmachen, mit wem Ihr zusammenschlafen wollt. Und nun werde ich in die Küche hinuntergehen.«

»Na«, meinte Elzbacher, »das hatte ich mir anders gedacht, nach dem vorzüglichen Menü und dem Eßgeschirr. Wie soll ich denn da mit jemand anders in einem Bett... Ich bin doch ziemlich breit gebaut.«

»Mach Du die Verteilung, Reihenleiter«, sagte Mochow zu Gärtner, »sonst stehen wir hier noch bis morgen früh und schlagen Pfahlwurzeln! Ich schlafe hier mit meinem Freunde.«

»Laß man, Wilhelm«, flüsterte der Schreiner, »ich lege mich auf den Boden! Du brauchst doch das Bett für Dich allein mit Deinem kaputten Brustkasten.«

»Na ja«, gab Mochow leise zurück, »ich wälze mich ja wohl so'n bißchen des Nachts, das kann ich nicht helfen. Viel Freude hast Du nicht an mir, wenn wir ein Pärchen machen, und am Morgen, wenn Du aufwachst, da hast Du Wilhelm Mochows Stoppelkinn in der Hand, pfui Deibel!«

Gärtner hatte sich mit Lesser als Bettgenossen verständigt, und es verblieben lediglich Elzbacher und der Senatspräsident, nachdem Prinz Jülich und Graf Völkermarkt sich ebenfalls geeinigt hatten.

»Kommen Sie, Herr Elzbacher!« sagte der alte Herr. »Das alles ist mir sehr fremd, aber es ist wohl nicht zu ändern. Wenn ich denke, was meine liebe Frau sagen würde...«

»Denken Sie lieber nicht so viel an Ihre liebe Frau«, meinte der Fabrikant etwas gereizt. »Hoffentlich schnarchen Sie nicht.«

»Ich schnarche überhaupt nicht«, erwiderte der Senatspräsident. »Meine liebe Frau hat immer gesagt: 'Ulrich, Du schläfst so leise und ruhig, daß es mich immer rührt.'«

Sie holten ihr Gepäck, richteten sich ein und gingen dann noch einmal hinunter in die 'gute Stube', wo Wenzel Rudnik inzwischen die Tische hatte zusammenrücken lassen.

»Na also«, meinte Mochow, »das geht schon besser. Nun erzählt mal so'n bißchen, was hier los ist, damit wir Bescheid wissen, wie der Laden heißt und wer der Chef ist und was es zu essen gibt! Wir haben fast vier Wochen grünen Hering gefressen, deshalb bellen wir manchmal wie die Seehunde.«

Sie erfuhren, daß das Lager Huddlestone-Camp hieß, Kommandeur Major Hicks, Feldwebel Monihan, daß es aus drei Häuserreihen bestand ...

»Ganz wie bei uns«, meinte Mochow. »Und wie viele Pärchen schlafen da so immer in jedem Haus in einem Bett?«

Jedes Haus sei mit etwa vierzig Mann belegt, die eigene Küche führen dürften.

»Na Kinder, dann müssen wir zusammenhalten«, erklärte Mochow. »'Eine große Familienkutsche', wie unser Freund Peter Pojarski immer singen läßt am Schluß. Herrschaften, das ist eine Kanone, den müßt Ihr hören. Der wird ja hier auch bald seinen Laden aufmachen. Der geht 'ran an den Speck, der sagt den Leuten da oben die Meinung, das ist ein Künstler.«

»Wir haben auch unsre Künstler«, wurde ihm aus den Reihen der alten Hausgenossen erklärt. »Wir haben sogar einen Bildhauer, der ist jetzt drüben in der Kommandantur. Da hat ihm der Major eine eigne Stube eingerichtet, damit er in Ruhe arbeiten kann. Und da sitzt er bis spät. Bloß morgens, da fällt er immer auf beim Appell, weil er sich nicht ordentlich rasiert. Wer sich nicht richtig rasiert, der muß zum Latrinenschrubben. Auf Feldwebel Monihan müßt Ihr aufpassen. Das ist so ein richtiger

'Etatsmäßiger' von früher. Dem könnt Ihr nichts vormachen. Bei dem klappt's. Und wenn's nicht richtig klappt, dann knallt's bei ihm.«

»Dann laß ihn man knallen«, meinte Mochow. »Bei uns in Prees Heath, da hat es auch manchmal geknallt, aber da haben sie man bloß Karnickel geschossen. Und nun rückt man ein bißchen näher 'ran. Wir kommen ja schon so dusemang ins Gespräch zusammen. Euer langer Lulatsch da drüben, der glupscht mich noch immer so giftig an, als ob er mich fressen will, roh ohne Zucker und Salz. Setz Dich mal hier neben mich, Lulatsch, und sag uns wenigstens, wie Du heißt!«

»Dippe«, sagte ein baumlanger Hausgenosse mißvergnügt, ohne sich zu bewegen.

»Wir nennen ihn den 'Totschläger'«, erklärte ein anderer aus den Reihen der 'Alten'. »Er sagt nämlich immer: 'Ich schlage Dich tot, Du Hund!', wenn ihm was nicht paßt. Er ist aber ein guter Kerl.«

Der 'Totschläger' grunzte wütend und schlug mit der Faust auf den Tisch.

»Hau Du man immer zu«, sagte Mochow, »wenn Dir das Spaß macht und Dir dann wohler ist um die Rosette. Totschlagen ist nicht so leicht. Das haben schon verschiedene bei mir probiert, und sie haben mir höchstens meinen Brustkasten etwas eingedrückt.«

Die Tür tat sich auf, und Bildhauer Groterjahn kam herein, einen Scheuerlappen unter dem Arm, in den er seine Spachtel und Griffel eingewickelt hatte. Er war ein schwerer, schon grauhaariger Mann mit vollem Gesicht und vollen Lippen, die wie an einem Schnuller an einer kalten kurzen Stummelpfeife saugten. Sein Gang war weich und leise; wie mit Pantherschritten trat er auf schwarzen Wildlederschuhen, die einmal sehr elegant gewesen sein mußten, aber nun an den Spitzen leicht aufklafften, bis in die Mitte der Stube, begrüßte die 'Alten' und machte sich den 'Neuen' bekannt:

»Groterjahn, Hans Hanno Groterjahn. Das ist nett, daß wir Zuzug bekommen. Ihr werdet müde sein. Habt Ihr zu essen bekommen? Natürlich, unser Hausvater und Koch wird dafür gesorgt haben. Das ist ein Meister in seinem Fach. Bei Pfordte hat man früher nicht besser gegessen.«

Er setzte sich mitten unter die Ankömmlinge, gab allen die Hand, wobei er nonchalant bald die Rechte, bald die Linke benutzte.

»Na, nun wird's gemütlich«, sagte Mochow. »Allmählich kommen wir so dahin, wo wir wollen. Deine Genossen haben uns nämlich erst mal den kalten Hintern gezeigt, Bildhauer. Das kennen wir. Beim Kommiß war's genau so. Wenn Du da als Rekrut unter die alten Leute gesteckt wurdest, die schon ein Jahr auf dem Kasten hatten, da wurdest Du gestaucht. Aber ein Jahr seid Ihr ja noch gar nicht hier, was?«

Die Unterhaltung belebte sich, und bald summte die 'gute Stube' von Stimmen, die Erfahrungen austauschten und Ratschläge gaben.

Gärtner zog Wenzel Rudnik beiseite und fragte ihn, ob er nicht mit ihm noch einen kurzen Gang um den Platz machen wolle.

»Warum nicht?« sagte der Hausvater und Koch.

»Sehen Sie«, meinte Gärtner, als sie hinaustraten auf den Platz, »mir ist das sehr unangenehm, daß meine Freunde mich womöglich gegen Sie ausspielen wollen. Ich bin da in unserem Zeltlager ein sogenannter Reihenleiter geworden, ich weiß eigentlich nicht wie. Gedrängt habe ich mich nicht dazu; sie haben mich eben gewählt. Jetzt möchte ich ganz gern ein bißchen meine Ruhe haben. Ich muß meine Briefe schreiben, denn hier funktioniert doch die Post? Ich habe so meine Sorgen, die mir im Kopf herumgehen.« Dabei dachte er an Barbara, von der bisher nur eine kurze Postkarte eingetroffen war, auf der es hieß, sie erwarte nun auch jeden Tag ihre 'Einberufung'.

»Die Post funktioniert«, erwiderte Wenzel Rudnik mit seiner leisen, präzisen Stimme. »Wir bekommen sogar regelmäßig Pakete. Und ich dränge mich auch nicht danach, den Hausvater zu spielen. Ich sitze lieber in meiner Küche und lese etwas zwischendurch. Wenn Sie das Haus übernehmen wollen ...«

»Nein«, sagte Gärtner. »Sie machen das doch ausgezeichnet. Die folgen Ihnen ja aufs Wort. Und dabei scheinen sie ziemlich schwierig zu sein.«

»Sie sind ganz einfach«, meinte Rudnik. »Man wird gut mit ihnen fertig. Nur wenn Neue kommen, dann stellen sie sich jedesmal an, und wenn es bloß ein Einzelner ist. Da sind sie einen Tag lang nicht zu gebrauchen. Und jetzt gleich acht. Das war ihnen zu viel.«

Sie gingen um die Rasenfläche, die schwarzsilbern aufglänzte unter dem Mond. Die Häuser waren abgedunkelt und ragten ekkig mit bizarren Giebeln in die Nacht.

»Jetzt sieht das alles ziemlich groß aus«, sagte Rudnik. »Am Tage ist es nicht so imposant. Alles gelber Backstein, von der billigsten Sorte, und der Zement aus den Fugen ist meist herausgefallen. Der Mr. Huddlestone, nach dem der Platz genannt ist, muß ein schönes Stück Geld mit seinen Häusern verdient haben. Wahrscheinlich war er so ein kleiner Bauunternehmer, der die Pläne selber gezeichnet hat.«

Gärtner fragte vorsichtig:

»Was sind Sie denn von Beruf, Herr Rudnik? Ich bin Ingenieur, Brückenbauer. Meine Spezialität war Spannbeton.«

»Ich bin Redakteur; eigentlich von Haus aus war ich Textilarbeiter, in Reichenberg, da bin ich her.«

Sie schritten eine Weile schweigend dahin.

»Hier haben Sie den Blick auf das Meer«, fuhr Rudnik fort.

»Der Stacheldraht ist zwar davor, aber am Tage kann man weit hinausschauen. In Friedenszeiten muß das ein schönes Fleckchen sein. Am Tage kommen die Möwen, von der See her. Sie sind ziemlich zahm und watscheln oft auf dem Rasen herum, den wir Golfplatz nennen; man kann da Miniaturgolf spielen. Merkwürdig, wie häßlich sie auf dem Boden aussehen, wie die Gänse oder Enten, und wie elegant, wenn sie fliegen! Nur ihr Geschrei ist unangenehm. Und ihre Augen! Sie wissen, daß wieder einer der Transportdampfer torpediert worden ist?«

»Nein, ich wußte das nicht«, erwiderte Gärtner. Sie blickten auf die See hinaus. Das Wasser roch frisch, und vom Strand, wo der angeschwemmte Tang verrottete, kam ein leichter Hauch von Jod.

»So, nun wollen wir etwas schneller weitergehen«, sagte Rudnik. »Ich möchte meine Hausgenossen nicht so lange allein lassen. Da hinter dem großen Tor — wir nennen es 'die Schleuse', denn man kann ja nur mit einem eignen Passierschein hindurch — ist die Kommandantur. Und hier hinter der zweiten Häuserreihe ist die dritte Reihe. Die liegt eigentlich nach der nächsten Straße zu, aber die Fenster haben sie zugemauert, weil der Stacheldraht da entlang geht. Die Rückseiten von Zwei und Drei stehen ganz dicht aneinander, nur ein schmaler Gang führt hindurch, und die Wände sind weiß gekalkt. Wir haben das 'Klein-Algier' getauft, weil es so orientalisch aussieht. Für die in der dritten Reihe ist es allerdings nicht gemütlich, die haben nur die Aussicht auf die Hinterseite von Zwei. Aber das ist nicht zu ändern. Und merkwürdig —«, er begann zu flüstern, denn sie schritten nun durch den weißen Gang von 'Klein-Algier' — »die Leute aus der dritten Reihe gelten bei den andern aus Eins und Zwei nicht ganz für voll. Sie sind Gefangene wie wir, nichts Besseres und nichts Schlechteres. Aber man hält sie für etwas Minderes, wie arme Teufel, Lumpenproletarier, die es nicht besser verdienen, als im Elendsquartier zu hausen. Ich habe versucht, mit meinen Hausgenossen darüber zu reden, aber das nützt nichts. In dem Punkt sind sie ganz unbelehrbar. Und nun wollen wir zurückgehen, sonst werden sie mißtrauisch.«

Sie traten in den Vorplatz ein, und Gärtner blickte zu der Beleuchtung auf: »Was ist denn das für eine komische rosa Ampel?«

»Die war immer hier«, sagte Wenzel Rudnik. »Wir dürfen ja nichts verändern in den Häusern. Eigentlich sollte es wohl eine rote Laterne sein, aber Nummer 47 war anscheinend etwas Feineres, so mit Barbetrieb und so weiter. In der Bodenkammer stehen noch die kleinen, niedrigen Tischchen. — Wollen Sie noch hineingehen?« Damit wies er auf die Tür zur guten Stube, aus der lautes Stimmengewirr und fröhliches Gelächter zu hören war.

»Danke!« sagte Gärtner. »Ich lege mich lieber hin. Gute Nacht, Herr Rudnik.«

»Schlafen Sie schön in der neuen Heimat«, sagte Rudnik lächelnd mit seiner leisen Stimme. »Ich schaue noch einmal in die Küche. Ihre Leute wollten ja eigentlich mit abwaschen helfen, aber ich glaube, sie haben das vergessen über der Erzählerei.« Er ging rasch, ehe Gärtner etwas erwidern konnte, der nun langsam die steile Treppe hinaufstieg zu seiner Kammer.

2

DER MAJOR UND SEINE AYESHA

Am Morgen wurde vor den Häusern angetreten, in drei Reihen. Der Hausvater stand an der Seite, um zu melden. Im Doppeltor erschien Feldwebel Monihan, groß, stattlich, mit außerordentlich sorgfältig gepreßten Hosen und in braun blitzendes

Lederzeug eingeschnallt. Er schritt lässig und zielbewußt dahin, vom Eingang her sogleich den ganzen Platz überblickend und Unregelmäßigkeiten registrierend, während seine Begleiter, der Schreiber Quilliam, und der Depotverwalter sowie zwei Wachmannschaften nur eben hinter ihm hertrotteten und mit den Augen einen kleinen Umkreis beschrieben, der im wesentlichen von Monihans Mützenrand begrenzt war. Monihan erledigte die Inspektion verblüffend rasch. Da gab es kein mühseliges und nie recht stimmendes Abzählen wie auf der Fahrbahn im Zeltlager. Er griff lediglich mit seinen beiden kräftigen Händen in die Luft und ordnete etwas unklar stehende Reihen oder sprach mit geschulter Stimme ein paar Worte zu den Hausvätern. Es war, als ob ein Pianist von Rang voll in die Tasten griff und mit dem ersten Anschlag zeigte, daß er über die richtige 'Pranke' verfügte und noch erhebliche Reserven besäße, die er ausspielen würde, sobald der Augenblick gekommen wäre.

Von Zeit zu Zeit faßte Monihan sich mit der Außenseite seiner Finger leicht schrapend unter das Kinn oder an die vollen Wangen, die peinlichst sauber rasiert waren. Er genoß jeden Morgen von neuem das Gefühl der frischen Haut und die tiefe Atmung seines mächtigen Brustkastens, den deutlichen Klang seiner Schritte und den tiefen Ton, mit dem er seine Anweisungen austeilte. Er genoß seine Verantwortung, und es war ihm keineswegs unsympathisch, daß die Zahl seiner Gefangenen sich nun plötzlich so überraschend vermehrt und fast verdreifacht hatte. 'Etwas viel alte Kräpel', dachte er bei flüchtiger Umschau, 'und offenbar viele Leute aus besseren Ständen, die wahrscheinlich zu nichts zu brauchen sein werden. Handwerker, die wir am nötigsten hätten, werden überhaupt nicht dabei sein. Ein paar Installateure, Mechaniker, Zimmerleute sollten her. Statt dessen habe ich da einen Haufen von Kaufleuten, Fabrikdirektoren, Schriftstellern, Künstlern, Reisenden und Vertretern oder Schulmeistern.' Er hatte bereits in aller Frühe die mitgegebenen Listen durchgesehen, nicht ohne sich über ihre Flüchtigkeit und die mageren Angaben abfällig zu äußern. 'Die genauen Aufstellungen sollen noch nachkommen. Wir kennen das — bei Kriegsende werden sie dasein. Da kann sich dann noch irgend jemand ein Jahr lang damit einen guten Tag machen; ich bin das jedenfalls nicht!' Monihan war nach Beendigung seiner aktiven Dienstzeit Hauptportier in einem der großen Londoner Wohnungsblocks, dem Chichester Court, geworden, einem umfangreichen Gebäudekomplex mit Kalksteinfassade, einem Dutzend Lifts und eigenem Restaurant für die Mieter.

Vor Gärtners Haus machte er kurz halt und stieß mit einem flüchtigen Blick in die dritte Reihe vor, in der Bildhauer Groterjahn mit seinem Stoppelbart untergestellt war. Monihan fuhr lediglich mit seinem Zeigefinger unter seinem Kinn entlang und sagte:

»Unser Künstler — eh?«

Groterjahn blinzelte leicht verlegen, aber ohne sonderliche Devotion. Monihan schritt sogleich weiter. In zehn Minuten hatte er den Rundgang beendet.

Dann berichtete er dem Kommandeur, Major Hicks, der in seinem Büro vor einem altmodischen, aus einem der Häuser requirierten Schreibtisch mit Rolladen saß. Der Schreibtisch war fast völlig frei von Schriftsachen und lediglich mit einem großen Stück grüner Löschpappe bedeckt, die Hicks an den vier Ecken mit Erinnerungsstücken an seine Dienstzeit beschwert hatte: einem afrikanischen Buschmesser, einer mit Silber eingelegten alten arabischen Pistole, der sehr schön ziselierten Brustplatte vom Vorderzeug seines indischen Ponies und einem Schrumpfkopf aus Borneo, wo Hicks einige Jahre dem englischen Radschah Brooke attachiert gewesen war. Hicks, mittelgroß und etwas dicklich, hatte ein faltig gewordenes Gesicht, in dem trotz seiner fünfzig

Jahre die Züge des Schuljungen aus dem Winchester-College fast völlig unverändert geblieben waren. Nur die Haut war gelblich geworden und zeigte viele Leberflecken; im Weißen seiner Augen war ein gelblicher Schimmer.

»Na, was für einen Eindruck haben Sie, Sergeant?« fragte er den Feldwebel.

»Könnte schlimmer sein, Sir«, sagte dieser.

»Was meinen Sie mit 'schlimmer'? Noch schlechter als bisher?«

»Noch mehr alte Leute, Sir. Siebzigjährige!«

»Großer Gott! Sehen Sie nur zu, daß mir der Krankenrapport nicht anschwillt!«

»Sie sehen soweit ganz gesund aus. Braungebrannt sogar.«

»Sehen Sie zu, Sergeant, daß mir die Leute jetzt nicht bloß in den Häusern hocken! Bleichgesichter will ich nicht haben. Bewegung, Gartenarbeit, Spaziergänge, natürlich unter Bewachung. Sie haben die Verfügung über Spaziergänge gesehen?«

»Jawohl, Sir. Nicht mehr als zweihundert auf einmal, je vier Mann vorn und hinten als Bewachung und zehn an den Seiten. Wenn ein Briefkasten kommt, läuft ein Mann voraus und postiert sich davor.«

»Gut, gut«, sagte Hicks, der die Verfügung nicht durchgelesen hatte. »Und wie steht es mit Sport? Gar keine jungen Burschen, die ein anständiges Fußballteam aufstellen können? Im Peel-Camp« — damit wies er über die Schulter nach der anderen Seite der Insel, auf der ein weiteres Interniertenlager eingerichtet war — »sind sie schon am Trainieren. Major Petterson hat mir davon erzählt. 'Erstklassiges Material', sagt er. Wir müssen mal gegen die antreten. Sehen Sie sich um! Gerät wird zur Verfügung gestellt. Einen Platz werden wir uns verschaffen, und wenn ich noch ein Stück von diesem komischen Kral hier requirieren muß.«

»Jawohl, Sir«, antwortete der Feldwebel. »Es wird etwas schwierig sein. Die meisten sehen nicht nach Sport aus.«

»Sehen Sie zu, sehen Sie zu!« sagte Hicks ungeduldig. »Schwierigkeiten sind dazu da, daß sie überwunden werden, das wissen Sie doch ganz genau als alter Soldat. Wo waren Sie denn zuletzt?«

»Coldstream Guards, Sir.«

»Na also. Irgendwelche widerspenstigen Elemente bemerkt? Glauben Sie, daß welche ausrücken?«

»Ich glaube nicht, Sir. Vor dem einen Haus war eine ganze Gruppe von jungen Bengeln, die sahen etwas aufsässig aus, so Beine ganz schlapp gemacht absichtlich und mit den Schultern gezuckt, wie ich vorbeikam. Ich werde sie mir noch genauer ansehn.«

»Noch etwas, Sergeant?«

»Jawohl, Sir. Wie soll das mit dem Gottesdienst werden? Es sind doch jetzt so viel Neue da. Drei Geistliche sind auch darunter.«

»Wird eingerichtet, sorgen Sie dafür! Was für Konfessionen haben wir denn da? Steht das in den Listen, die sie uns aus Prees Heath mitgeschickt haben?«

»Viel steht da nicht drin, Sir«, sagte der Feldwebel. »Aber es sind Protestanten, Katholiken und eine ganze Menge Juden.«

»Auch Mohammedaner?«

»Soviel ich weiß nicht, Sir.«

»Die Juden haben so ihre Speisegesetze«, sagte Hicks mit dem Respekt des alten Kolonialoffiziers vor den Gewohnheiten der verschiedensten Völkerstämme, die man unbedingt zu beachten hatte, wenn man nicht ganz unvorhergesehene Aufregungen und Schwierigkeiten erleben wollte. »Sehn Sie zu, daß sie ihr bestimmtes Essen bekommen! Bacon zum Beispiel essen sie nicht.«

»Wir haben sowieso keinen Bacon für die Gefangenen, Sir«, erwiderte Monihan.

»Naja, das ist nur so ein Punkt. Erkundigen Sie sich genau,

was die Leute essen dürfen und was nicht! Ich will keine Schererei deswegen hier im Huddlestone-Camp. Und sehn Sie zu, daß die Geistlichen anständig untergebracht werden, jeder in einem Einzelzimmer! Für Andachtsräume wird gesorgt. Was an Ausstattung benötigt wird, beschaffen Sie mir! Ich will ein lebendiges religiöses Leben haben hier im Camp.«

»Sicherlich, Sir.«

»Das ist wohl alles für heute«, sagte der Major. Monihan ging.

Major Hicks lehnte sich im Sessel zurück und betrachtete seine vier Erinnerungsstücke. Er nahm die arabische, in Silber eingelegte Pistole zur Hand und betrachtete das verschlungene Muster.

'Merkwürdig', sinnierte er vor sich hin, 'diese Ranken und Buchstaben. Mein Arabisch war leider nie gut genug, sie zu entziffern. Vielleicht heißt es: Gottes Wege sind wundersam. Da sitze ich nun hier, habe wieder mein Krönchen auf den Achselklappen und soll diese seltsamen Völkerstämme behüten.'

Er starrte wieder auf die Tauschierung am Kolben der Pistole: 'Allah, soviel kann ich lesen. Das andere nicht. Vielleicht heißt es auch: Tod allen Christenhunden! Tolle Burschen, die Araber. Sie essen auch kein Schweinefleisch. Sehr vernünftig bei dem heißen Klima, sehr vernünftig und weise. Die Holzköpfe hier zu Hause verstehen das nicht und denken sich alles mögliche dabei. Ich wollte, ich könnte noch einmal da unten an einem Campfeuer sitzen und Hammel mit den Fingern essen; es riecht nach dem brennenden, trocknen Kameldung und nach den Lachen von Kamelseich vor dem Zelt, und man hört das leise Stampfen der Gäule, die draußen angepflockt sind. Ich höre jedes einzelne Pferd und vor allem das nervöse Frauenzimmer, meine Ayesha, die ihre Mucken hatte, wenn man nicht höllisch aufpaßte und sie fest zwischen die Beine nahm, aber dann lief sie, dann lief sie, drei Meilen Galopp, ohne zu schnaufen oder naß zu werden, das gute Dämchen. Man heiratet nicht, wenn man solche Pferde gekannt hat; da kommen einem alle Weiber vor wie halbvertrocknete Laubfrösche ... Herrgott, das war noch Leben! Da wußte man, wozu man auf der Welt war. Jetzt hocke ich hier auf diesem Schreibtischsessel, ein alter Mann mit der Malaria in den Knochen, und bewache einen Haufen alter Knaben und kann noch froh sein, wenn sie mir nicht krank werden. Kismet, Ayesha, Kismet...'

3

DIE ALTEN UND DIE NEUEN

»Ich bin gar nicht sehr glücklich darüber, daß gleich am zweiten Tag schon gewählt werden mußte«, sagte Gärtner zu Wenzel Rudnik. »Wir hätten warten sollen. Die Alten und die Neuen müssen sich doch erst etwas besser kennenlernen. Nun haben sie mich wieder zum Reihenvater gemacht. Unsere alten Kempton Parker halten eben zusammen, und sie sind jetzt in der Majorität. Ich hoffe, das macht kein böses Blut. Bei uns im Haus 47 bleibt natürlich alles, wie es war, mit Ihnen als Hausvater. In der zweiten Häuserreihe haben die Warts Mill-Leute auch ihren Hoppenheit durchgesetzt. In der dritten, in 'Klein-Algier', hat wenigstens einer von Ihren früheren Kameraden seinen Posten behalten. Unser ehemaliger Kollege Schlick wollte sich nicht wieder aufstellen lassen; er hat irgendwelche großen Pläne vor. Der allgemeine Campvater soll ebenfalls bleiben. So ist wenigstens ein gewisser Ausgleich geschaffen.«

Wenzel Rudnik nickte still.

»Was ist denn dieser Campvater für ein Mensch?« fragte Gärtner.

»Sie werden sehen«, erwiderte Rudnik. »Sehr beliebt ist er nicht. Aber er ist von Anfang an hier im Lager. Jeden Morgen geht er zum Kommandeur zum Bericht. Er kommt gut mit dem Major aus. Er bringt keine Beschwerden vor, er stellt keine Forderungen, er sagt wahrscheinlich überhaupt nichts. Das gefällt dem Major. Er hält große Stücke auf Heckenast.«

»Und das genügt den Leuten?«

»Es genügt ihnen. Heckenast sitzt fest im Sattel. Er stopft seine Pfeife und läßt die Leute reden. Sie reden und fügen sich. Sie respektieren ihn sogar. Wenn einer nur lange genug auf seinem Stuhl sitzt und nicht wankt oder weicht, dann wird er eine Autorität für die Menschen. Das ist überall so.«

»Ja, das ist wohl so«, meinte Gärtner. »Es ist eigentlich traurig.«

»Das ist es«, sagte Rudnik. »Ich lese lieber. Wenn ich meine Bücher nicht hätte, könnte ich manchmal verzweifeln. Ihr werdet Heckenast auch nicht absetzen. Der bleibt. Und jetzt sehen Sie ihn sich erst einmal selber an!«

Hoppenheit und der Reihenvater der 'Dritten', ein eckig gebauter Fotograf namens Wießner mit übergroßen Kugelaugen, traten heran und begaben sich mit Gärtner in das Amtszimmer des Campvaters, einen kleinen Verschlag neben dem Gerätedepot am Eingang des Lagers.

Heckenast saß auf einem geräumigen Lehnstuhl und mischte sich seine besondere, aus drei verschiedenen Sorten zusammengestellte Tabakmischung. Vor sich auf dem Schreibtisch hatte er seine acht verschiedenen Pfeifen aufgebaut, die in Blechschachteln sortiert waren und mit dem Stiel über den Rand schauten: Holzpfeifen, aus Bruyère oder Kirsch, Maiskolben und eine riesige Meerschaumpfeife mit Bernsteinmundstück. Er ließ seine Finger behaglich durch das krause Kraut wandern und wog die verschiedenen Gerüche, nach Honig, nach scharfer Beize oder leichtem türkischem Aroma, sorgfältig gegeneinander ab. Seine entscheidende Eigenschaft war seine Beharrlichkeit, die unterstützt wurde durch eine enorme, die ganze vierschrötige Gestalt beherrschende Sitzfläche. Heckenast stand nur selten auf, und schon sein Beruf hatte ihn fast den Gebrauch seiner Beine vergessen lassen; er war gewöhnt, selbst die kleinsten Wege, etwa zum nächsten Tabakladen an der Ecke, ausschließlich im Wagen zurückzulegen. Er war faul von Haus aus, und auch seine Vertretertätigkeit im Zivilleben hatte im wesentlichen aus Telefongesprächen bestanden, die er sehr geschickt zu führen wußte, wobei er die Register seines mächtigen Organs ebenso sorgfältig mischte wie die Sorten seines Tabaks. Seine Faulheit machte den Eindruck von gediegener Zuverlässigkeit. »Man weiß, woran man bei ihm ist«, hieß es, auch wenn er Eingaben und Gesuche liegenließ oder drängende Besucher auf den nächsten Tag vertröstete. Er verfügte außerdem, wie viele lässige Menschen, über beträchtliche Reserven an Energie, die er jäh und stoßweise einzusetzen wußte, wenn Gefahr zu drohen schien. Davon war seiner Schätzung nach im Augenblick nicht die Rede.

Sitzend empfing er die neugewählten Reihenväter, mit großen Wolken seine Meerschaumpfeife paffend:

»Nehmen Sie Platz, meine Herren! Ich kann Ihnen zwar leider keinen Stuhl anbieten, denn hier ist nur *ein* Sessel, und auf dem sitze ich nun schon eine ganze Weile. Aber wir haben da eine Gelegenheit für unsere Besucher.«

Er wies auf eine schmale, aus einem rohen Brett gezimmerte Bank, auf der die drei Reihenväter eng gedrängt Platz nahmen.

»Die Hauptsache ist«, fuhr Heckenast fort, eine Art vox humana im Register seiner umfangreichen Stimme ziehend, »daß wir für Ruhe hier im Lager sorgen. Das ist auch der Wunsch des Kommandeurs, mit dem ich mich ja täglich unterhalte. Wenn alles schön friedlich zugeht, dann ist er zufrieden. Ich komme ausgezeichnet mit ihm aus.«

»Näin«, sagte Hoppenheit und schüttelte seinen Haarschopf, »das haben wir in Warts Mill nun ganz anders gehalten. Wie sollen die Menschen denn ruhig sein? Die haben doch ihre Sorgen, ihre Aufregungen, und manche sind verzweifelt. Da kann ich ihnen nicht bloß sagen: 'Seid still und muckst Euch nicht!' Und wenn etwas nicht stimmt oder klappt, wie zum Beispiel mit den Betten, das ist doch eine Schwäinerei, so immer zwei zusammen, und oft noch alte Leute, die nachts husten oder sich sonst lästig werden, dann gehe ich eben zum Kommandeur und sage ihm meine Meinung.«

»Natürlich«, meinte Heckenast. Er nahm einen großen Zimmermannsnagel, bohrte damit seine Pfeife aus und blickte längere Zeit in das Innere des Pfeifenkopfes, ehe er sich entschloß, nun den Maiskolben zur Hand zu nehmen und umständlich in Brand zu setzen.

»Selbstverständlich«, fuhr er fort, »können Sie auch selber zum Kommandeur gehen, wenn er Sie sprechen will. Bisher bin *ich* jeden Morgen zum Rapport bei ihm erschienen, und wenn jemand Wünsche hatte, dann hat er sie mir mitgegeben. So haben wir das hier gehalten, und ich glaube, wir lassen es erst einmal dabei.«

»Kann man die Betten nicht wenigstens zum Teil durch Strohsäcke ersetzen?« fragte Gärtner. »Das ist doch besser, als daß ein Teil der Leute auf dem Fußboden schläft.«

Heckenast blickte ihn verwundert an und stopfte sorgfältig seinen Maiskolben nach, ehe er Antwort gab:

»Allerdings wäre das besser. Stroh ist aber nicht zu beschaffen. Wir haben das schon vor Monaten einmal beantragt.«

»In Prees Heath«, sagte Hoppenheit, »kam es auch erst am letzten Tage, als wir abmarschierten. Aber dann müssen wir das nochmal beantragen und den Mann so lange triezen, bis er sich in Bewegung setzt.« Er sprang auf, denn die schmale Bank wurde ihm zu eng. »Verflucht und zugenäht, da könnte man ja die Kränke kriegen! — Entschuldigen Sie!« sagte er zu Wießner, den er dabei angestoßen hatte.

Der Fotograf, der bis dahin dem Gespräch kaum gefolgt war, blickte ihn mit seinen übergroßen Kugelaugen wütend an:

»Was wollt Ihr denn eigentlich? Wollt Ihr hier alles auf den Kopf stellen? Ihr kommt eben hereingeschneit, und gleich soll alles anders werden. Das paßt uns nicht! Wir verbitten uns das! Ihr Neuen seid ja eine ganz aufgeblasene Gesellschaft!«

»Ruhig!« sagte Heckenast aus seinem Sessel heraus, erfreut über die Trennung der Gewalten, die sich da ohne sein Zutun sogleich vollzog. »Sagte ich nicht, daß wir vor allem für Ruhe im Lager sorgen sollen? Warten Sie erst mal ein paar Monate ab, meine Herren, und leben Sie sich ein! Dann werden Sie schon sehen, wie der Hase läuft. Er läuft ganz gemütlich.«

»Gemütlich nennen Sie das?« rief Hoppenheit, der begonnen hatte, auf und ab zu wandern, »zu zweien in einem Bett, und in den Häusern ist nichts als Unfrieden, alle sind sie mufflig und grobsen sich an, das nennen Sie gemütlich? Das war bei uns in Warts Mill anders, kann ich Ihnen sagen. Da waren wir ein Herz und eine Seele, wenn uns das Wasser auch durch das offne Dach ins Gesicht lief.«

»Setzen Sie sich doch erst einmal wieder hin!« sagte Heckenast, der den Anblick der drei wie arme Sünder auf der Bank Hockenden nicht missen wollte. »Setzen Sie sich doch!«

Hoppenheit blickte auf die Bank, schüttelte seinen Schopf und nahm auf dem Fenstersims Platz, die Beine schräg vor sich hingestemmt.

»Da fehlt ein Stück«, sagte er. »Sie könnten da noch etwas ansetzen lassen. Überhaupt ist das hier alles gräßlich eng.«

Heckenast griff erneut nach seinem Zimmermannsnagel, um in seiner Pfeife zu bohren.

»Rauchen Sie eigentlich den ganzen Tag?« fragte Hoppenheit gereizt. »Wo haben Sie nur den Tabak her? Wir hatten in Prees Heath ja schließlich eine Kantine, aber da gab es doch höchstens *ein* Päckchen für jeden in der Woche.«

»Ich habe genug«, versicherte Heckenast.

»Und die andern? haben die auch genug?«

»Die haben auch genug. Jeder bekommt, was ihm zusteht.«

»Und Ihnen steht wohl etwas mehr zu als den andern?« fragte Hoppenheit.

»Natürlich«, sagte Heckenast. »Ich kann Ihnen sogar etwas abgeben, wenn Sie es brauchen.«

»Danke, ich rauche nicht«, erwiderte Hoppenheit. »Und wir haben das immer so gehalten, daß jeder die gleichen Portionen bekam. Da gab es keine Extrawurst, für gar niemanden.«

»Wollen wir nicht doch lieber noch etwas Sachliches besprechen?« griff Gärtner ein. »Es sind da allerhand Probleme. Das Zusammenleben der alten Lagergenossen mit den neuen zum Beispiel. Wir sind schließlich . . .«

»Heute nicht«, unterbrach ihn Heckenast mit freundlicher Brutalität. »Wir wollten uns erst mal beschnuppern. Das genügt für einen Tag. Sie werden sehen, wie einem hier die Zeit vergeht. Jetzt muß ich noch meinen schriftlichen Bericht aufsetzen. Es hat mich sehr gefreut, meine Herren. Ich denke, wir kommen regelmäßig alle zwei Tage einmal zusammen, sagen wir nachmittags um halb fünf.«

»Jut«, sagte Hoppenheit und sprang in seiner Fensternische auf. »Ausgezeichnet. Auf Wiedersehn!« Er ging oder lief beinahe davon. Gärtner folgte ihm, während Wießner nach kurzem Abschied auf 'Klein-Algier' zuschritt.

»Jetzt bohrt der wohl wieder in seiner Pfeife«, sagte Hoppenheit. »Ein unverschämter Laps. Das nächstemal bringe ich mir meinen eignen Stuhl mit.«

»Seien Sie friedlich!« meinte Gärtner.

»Sagen Sie nicht noch: 'Ruhig!'«, rief Hoppenheit, »sonst gehe ich in die Lüfte. Der Kerl hat mich ganz kribblig gemacht.«

»Das war wohl seine Absicht«, sagte Gärtner. »Dumm ist er nicht.«

»Gerissen ist er, ein ganz gerissener und gehängter Hund. Ich sage das auch meinen Leuten. Der wird nicht wiedergewählt, der kann sehn, wo er dann seinen Tabak herbekommt. Ich sage aber meinen Leuten auch, wie dämlich ich mich wieder benommen habe. Ich könnte mich prügeln! Die sollen sich einen andern wählen, der es besser kann.«

»Sie sind schon recht gut, so wie Sie sind, Hoppenheit«, suchte Gärtner ihn zu trösten.

»Näin, ich bin nicht so zufrieden mit mir. Andern die Meinung sagen, das kann ich. Den Nazis habe ich auch die Meinung gesagt. Es hat nicht viel Zweck gehabt. Man muß vorsichtig sein und langsam seine Gänge vortreiben und Deckung nehmen, und dann, wenn es so weit ist, dann läßt man die ganze Blase mit einem Schnedderengteng in die Hölle fahren. Ich explodiere immer schon vorher. Rohrkrepierer nennen sie das, glaube ich, bei der Artillerie. Sie können das besser, Gärtner. Vielleicht kommt es bei mir daher, daß ich keinen rechten Beruf habe. Ich war immer nur Opposition, zu Hause, auf der Schule, wo sie mich zweimal geschaßt haben, und dann später. Bei keiner Firma habe ich lange ausgehalten, überall bin ich nach ein paar Monaten 'rausgeflogen, weil ich dem Chef ins Gesicht gelacht habe, wenn er Unsinn redete, oder weil ich nicht gelacht habe, wenn er einen albernen Witz machte und alle andern taten, als müßten sie sich den Bauch halten. Eigentlich würde ich ganz gut zu den Nazis passen mit meinem verkrachten Lebenslauf, aber die paßten *mir* nicht, die paßten mir überhaupt nicht. Mit Ihnen ist das anders, Gärtner. Sie haben einen richtigen, anständigen Beruf, der seinen Mann ernährt.«

»Er hat mich nicht so sehr gut ernährt, all die letzten Jahre«, meinte Gärtner. »Erst kam die Wirtschaftskrise, und dann, als das Bauen losging und für Leute wie mich zu tun war, kamen die Herren des Dritten Reiches.«

»Aber Sie haben Disziplin gelernt bei Ihrem Spannbeton«, sagte Hoppenheit. »Da müssen Sie genau rechnen, und den richtigen Zeitpunkt abpassen, wo Ihr Zement sich setzt, und es kommt auf jede halbe Stunde an. Deshalb sind Sie mir über. Und Sie werden auch Campvater bei der nächsten Wahl, dafür sorge ich.«

»Verschonen Sie mich!« erklärte Gärtner beunruhigt. »Ich habe so meine privaten Sorgen. Ich muß mich etwas konzentrieren.«

»Na ja, dann konzentrieren Sie sich eine Weile, und dann lassen wir den Pfeifenwilli hochgehen mit seiner Aschenschale, daß ihm der Staub um die Ohren fliegt. Darauf freue ich mich schon. Das wird mir ein Genuß sein. Tjüs!« Er ging rasch davon. Sein Haarschopf flatterte im Winde, der von der See kam.

Gärtner stellte sich in einen Häuserwinkel und holte zum zwanzigsten Male die Postkarte Barbaras hervor. »Es ist soweit«, stand da geschrieben, mit den gleichen Worten, die er auf seinem Abschiedszettel verwendet hatte. Und nun schwamm sie wohl schon auf der See, von der man zwischen den beiden Häuserreihen einen genau bemessenen, kastenförmigen Ausschnitt sehen konnte ...

»Reihenvater, wo steckst Du?« rief die Stimme des rotbäckigen Schreiners. »Du mußt Dich um Deine Leute kümmern. Im Haus der Jugendgruppe ist der Deibel los. Die schlagen ja alles kurz und klein, die Lausejungen. Die Bodenkammer haben sie aufgebrochen, wo die Besitzer ihre Sachen untergestellt haben, und die 'Alten' sind ganz wild darüber. Alles können wir machen, sagen sie, aber nicht an die Bodenkammer gehen. Dafür gibt's nicht nur Latrinenschrubben, sondern Knast, bei Wasser und Brot. Du mußt ihnen Bescheid sagen. Auftreten mußt Du, und gleich feste, daß sie wissen, woran sie sind.«

Gärtner steckte die Karte fort und begab sich seufzend zum Haus der Jugendgruppe, aus dem fröhlicher Lärm und Mundharmonikamusik erscholl. Der junge Schimon hatte in der Bodenkammer ein verrostetes, aber ausgezeichnetes Instrument gefunden und ließ es nun mit aller Kunst ertönen. Es klang wie eine ganze Militärkapelle oder Jazzband, und zwei seiner Kameraden hatten Schlagzeug improvisiert, auf dem sie die hölzernen Küchenlöffel zerdroschen.

»Und vergiß nicht, mir Handwerkszeug zu verschaffen!« sagte der Schreiner, der neben Gärtner hertrabte. »Die haben ja alles hier. Es juckt mich schon in den Fingern.«

4

TANNENBAUM, GENANNT LAMETTA

Vor dem Zugang zur Latrine, an der Stelle, wo ständig der regste Verkehr im ganzen Lager herrschte, hatte sich ein mittelgroßer, magerer Häftling postiert, dem ein gewaltiger und bedeutend wirkender Kopf dicht auf den Schultern aufsaß. Er hielt die Passanten mit dringenden Gebärden und Worten an, und bald war eine ganze Schar von Zuhörern um ihn versammelt.

Wer das denn sei? fragte der Fabrikant Elzbacher den Senatspräsidenten.

»Ein gewisser Tannenbaum, Professor Tannenbaum«, erwiderte der alte Herr. »Ich habe nicht erfahren können, an welcher Universität er gelehrt hat oder welcher Fakultät er angehört. Einige sagen, er sei Philosoph, andere Kunsthistoriker, wieder andere behaupten, er wäre Physiker von Haus aus. Jemand meinte sogar, er müsse Jurist sein, denn er hat sich außerordentlich kenntnisreich über unsere völkerrechtliche Situation als Internierte ohne festen staatlichen Status verbreitet. Für einen Juristen halte ich ihn aber unter keinen Umständen.«

Tannenbaum richtete seine großen braunen Augen auf die beiden Sprecher, ohne dabei seinen Redefluß zu unterbrechen. Er besaß die Gabe, auf zwei oder auch drei Klaviaturen zu spielen. Seinen eng anliegenden Ohren entging nichts, was in weitem Umkreis gesagt oder auch nur geflüstert wurde; seine Augen nahmen wie in einer Weitwinkellinse den gesamten Umkreis der Vorgänge und Bewegungen um ihn her wahr. Die olympische Stirn, auf der wie mit einem Notenrastral fünf gleichmäßige Furchen eingezeichnet waren, blieb völlig unbewegt, während der sehr große Mund mit den schlaffen, dünnen Lippen sich unermüdlich rührte. Die Stimme war kraftvoll und angenehm.

»Treten Sie doch auch herzu, Herr Senatspräsident!« wandte er sich an den alten Herrn. »Ich möchte auch Sie für meinen Vorschlag interessieren. Ich sagte den anderen Herren bereits: Wir verkommen hier, wenn wir nichts unternehmen. Wir müssen eine Campuniversität gründen, eine Art Akademie der Wissenschaften, und zwar sofort. An Persönlichkeiten, die etwas zu sagen haben, fehlt es uns wahrhaftig nicht. Wir haben ja sogar zwei Nobelpreisträger unter uns, von anderen bedeutenden Vertretern des geistigen und öffentlichen Lebens gar nicht zu reden.«

Dabei verbeugte er sich leise andeutend vor dem Senatspräsidenten, der über diese Hervorhebung gar nicht erfreut war. 'Der Kopf', so dachte er, 'erinnert mich irgendwie an den Einsteins. Aber was für eine lächerliche kleine Radfahrerkappe hat er sich daraufgestülpt, die dem Gesicht einen fast lausbübischen oder frivolen Ausdruck verleiht? Merkwürdig sind auch die Hände: sehr schmale und lange Finger, und wenn es nicht reichlich gewagt wäre — schließlich kenne ich den Herrn ja gar nicht, und er mag wirklich ein angesehener Gelehrter sein — so würde ich sagen, es sind Diebsfinger. Und was sollen diese outrierten Gesten. Den Zeigefinger hält er starr in die Höhe, wenn er etwas behauptet, wie ein Heiliger auf einem gotischen Tafelbild. Und wenn er etwas exemplifiziert, dann reibt er Daumen und Mittelfinger aneinander, als karessierte er eine unsichtbare Perle. Affektiert und abscheulich. Aber was er sagt, klingt sehr vernünftig.'

Tannenbaum schlug vor, es sollten Vorträge, auf deutsch und englisch, veranstaltet werden, und um seine Fertigkeit zu demonstrieren, sprach er eine Weile englisch, ein etwas hölzernes und rauhes Idiom. »Wir könnten auch regelrechte Kollegs abhalten, meine Herren, eventuell sogar Seminarübungen, aus allen Geistesgebieten. An Zeit wird es uns nicht mangeln. Vielleicht müssen wir uns doch mit dem Gedanken vertraut machen, ein, zwei oder auch drei Jahre hier im Lager zuzubringen.«

»Da sei Gott vor«, stammelte der Senatspräsident ganz außer sich und wurde unhöflich: »Was reden Sie denn da, Mensch! Das wäre ja entsetzlich. Das hielte ich doch nie im Leben aus, und meine liebe Frau ertrüge die Trennung erst recht nicht. Die würde daran zugrunde gehen. Wir sind in unserer ganzen Ehe nie auch nur zwei Wochen...« Er schwieg plötzlich erschreckt.

»Ich sagte: vertraut machen mit dem Gedanken, Herr Senatspräsident«, fuhr Tannenbaum fort. »Wenn es nicht so lange dauert, wie wir alle hoffen, um so besser. Aber wir haben uns schon an so manches gewöhnen müssen, was uns früher undenkbar erschienen wäre. Jeder versteht Ihre Sorgen.«

»Inzwischen«, fuhr er fort, »haben wir die Aufgabe, uns geistig frisch und intakt zu erhalten. Wenn wir hier nur Lagerklatsch wiederkäuen oder Tagespolitik treiben, werden wir uns gegenseitig auffressen vor Öde und Langeweile. Wir sind ein Querschnitt, vielleicht sogar dürfen wir sagen: eine Auslese des besten Europas und seiner geistigen Traditionen. Wir haben dafür zu sorgen, daß die Flamme nicht erlischt.«

Mochow hatte sich ebenfalls den Zuhörern beigesellt. Er hob drohend den kurzen Stummelarm und murrte: »Politik interessiert uns aber mächtig, Lagergenossen, ganz mächtig, das kann ich Euch sagen. Wer sich heutzutage nicht um Politik kümmern will, der soll schon gleich seinen Frieden mit Adolf machen.«

»Hinter der Politik«, dozierte Tannenbaum und hob starr den gotischen Zeigefinger, »stehen aber die Ideen, Herr Mochow, und mit denen haben wir es zu tun. Ich bin übrigens gerne bereit, für Sie und Ihre Freunde einen Vortrag über Hegel zu halten.«

»Gegen Hegel haben wir nichts«, meinte Mochow etwas mißtrauisch. »Hegel ist schon richtig.«

»Nun sehen Sie«, meinte Tannenbaum. Er entfaltete jetzt eine reiche Musterkarte all dessen, was seiner Ansicht nach behandelt werden sollte. Er sprach von Paris und versicherte, er könne auch auf französisch einen »Abend geben«, wie er sich ausdrückte. »Ich war mit Henri Bergson sehr befreundet, meine Herren, mit Henri Bergson, dem ungemein feinsinnigen französischen Philosophen.« Er ließ die unsichtbare Perle zwischen Daumen und Mittelfinger rollen, um die Feinheit der Bergsonschen Gedankengänge anzudeuten. »Über seine höchst fruchtbare Vorstellung von der 'Évolution créatrice' ließe sich viel sagen. Ich muß übrigens bekennen, daß ich Bergson im intimen Umgang mehr schätzte als bei seinen Vorlesungen in der Sorbonne. Da herrschte eine elegante Gesellschaftsatmosphäre, die mir nicht immer zusagte; es rauschte da von Damentoiletten aus den großen Pariser Modeateliers. Das nimmt dem Mann aber nichts von seiner Bedeutung. Ich habe in der Zoologischen Station in Neapel gearbeitet, in meinen jungen Jahren, bei meinem ehrwürdigen Freunde Dohrn. Ich könnte Ihnen etwas über die Mittelmeerfauna vortragen, oder besser noch über einzelne Tiere, die Languste zum Beispiel oder die Langustenfischer, überhaupt die Fischerei in Neapel . . .«

»Das wäre nicht so übel«, meinte Mochow. »Naturwissenschaft

ist immer gut. Und die Fischer in Neapel, die sollen ja ganz besonders schauderhaft ausgebeutet werden.«

»Man fischt dort noch vielfach mit Fackeln«, fuhr Tannenbaum fort, »oder neuerdings mit Karbidlampen und elektrischen Scheinwerfern. Ich bin oft mit den kleinen Booten hinausgefahren in den Golf. Ich habe auf der Nationalbibliothek in Paris eine bisher unbekannte Nostradamus-Handschrift entdeckt. Soll ich Ihnen einmal einen Vortrag über die berühmten Prophezeiungen der Weltgeschichte halten? Es gibt da ganz erstaunliche Dinge. Meist allerdings wird dieses Thema völlig dilettantisch behandelt. Sie erinnern sich alle sicherlich an die törichte Broschüre, die im vorigen Jahr an allen Kiosken Londons aushing: 'Hitlers last year of power', und seinen Tod für den 21. Dezember 1939 voraussagte. Nun, der Verfasser dieses skandalösen Produktes, so höre ich, befindet sich hier unter uns im Lager, er treibt auch hier sein Wesen, und man hat mir gesagt, daß er aus seinem Taschenbüchlein Horoskope für die Lagerkameraden herstellt—gegen Entgelt! Das ist grober Unfug. Ich werde das richtigstellen.«

Tannenbaum reckte den Zeigefinger drohend in die Luft.

»Ich werde das richtigstellen!« wiederholte er kriegerisch. Seine Stimme hatte jede angenehme Wärme verloren. Aber dann änderte er sogleich den Ton und begann einschmeichelnd von neuem:

»Meine Damen und Herren!«

Das laute Gelächter belehrte ihn über die Fehlleistung. Er war nicht einen Augenblick verlegen, sondern fuhr sogleich fort:

»Ein Lapsus, meine Herren, aber nicht ohne tiefere Bedeutung. Wir alle haben ja doch eine weibliche Komponente; man braucht dazu nicht einmal auf die Theorie meines so jung dahingeschiedenen Wiener Freundes Weininger zu schwören. Wir sind weiblich reizbar, wir haben auch unsere 'Tage', es gibt ein ausgesprochenes männliches Klimakterium, mit ganz analogen Erscheinungen wie bei der Frau. Ich könnte Ihnen, wenn das gewünscht wird, einmal einen physiologisch-psychologischen Vortrag über dieses Thema halten. Gerade die neuesten Forschungen haben da erstaunliche Tatsachen ans Licht gebracht. Mein Kollege Buchbinder, der Hormonforscher — er war die geistige Potenz hinter den Versuchen Steinachs, der ganz zu Unrecht in der Öffentlichkeit so viel bekannter geworden ist — hat mir gegenüber einmal die Überzeugung geäußert, wir seien schon jetzt in der Lage, durch entsprechende Dosen bestimmter Hormonpräparate, unter späterer operativer Nachhilfe, jeden Mann in eine Frau zu verwandeln und umgekehrt.«

»Pfui Deibel!« sagte Mochow laut. »Nee, davon wollen wir gar nichts hören. Wir sind für ein gesundes Familienleben.«

»Soviel über 'meine Damen und Herren'«, erklärte Tannenbaum. »Ich wollte lediglich dieses Thema zur Debatte gestellt haben, als eines unter vielen. Ich habe nur eben ganz willkürlich da und dort eine Frage angeschnitten. Wenn Sie meine Vorträge mit Ihrem Besuch beehren, werde ich mich näher auslassen. Ich darf Ihnen versichern, daß Sie nicht irgendwelchen populären Aufguß, sondern die letzten Ergebnisse der zeitgenössischen Forschung mitgeteilt erhalten. Und was die Form anbelangt—ich lege größten Wert auf die formale Ausgestaltung meiner Darbietungen —, so möchte ich mich in aller Bescheidenheit auf einen Satz berufen, den einmal der Kritiker des Hamburger Fremdenblattes bei einer meiner Gastvorlesungen über mich geschrieben hat... Einen Augenblick, ich habe den Ausschnitt bei mir...« Er zog seine altmodische, dicke Brieftasche heraus und entnahm ihr einen brüchig gewordenen Zeitungsausschnitt, den er vorsichtig entfaltete: »'Aribert Tannenbaum, der das beste wissenschaftliche Deutsch seit Schiller schreibt.' Wörtliches Zitat!«

Er ließ den Eindruck abklingen und fuhr dann mit dunkler modulierter Stimme fort:

»Wir haben lange schweigen müssen, meine Herren, wir haben

all diese Jahre hindurch keine Gelegenheit gehabt, vor einem größeren Kreis von verständnisvollen und willigen Zuhörern zu sprechen. Es könnte mich reizen, meinen ersten öffentlichen Vortrag
mit den gleichen Worten zu beginnen wie mein Freund, der große
spanische Mystiker Luis de Leon ...«

»Den haben Sie auch persönlich gekannt?« warf jemand spitzig ein.

»Allerdings«, strahlte Tannenbaum, »allerdings kenne ich ihn.
Ich bin durch seine Bücher mit ihm befreundet, über die Jahrhun-
derte hinweg, ganz intim befreundet. Das gibt es doch, das werden Sie nicht leugnen wollen; es ist eigentlich die feinste und
höchste Form der Freundschaft. Nun, Luis de Leon jedenfalls
hatte fünf Jahre in den Kerkern der Inquisition geschmachtet...«

»Ja, die Schwarzen«, nickte Mochow, »immer die Schwarzen.«

»Man warf ihm übrigens«, Tannenbaum begann wieder die unsichtbare Perle mit den Fingern zu karessieren, »und das ist zeit-
geschichtlich recht interessant, 'unreine Christlichkeit' vor, das
heißt jüdisches Blut von irgendeinem Großelternteil her. Ja, das
gab es in der Tat schon damals, meine Herren. Man verfügte sogar im Spanien des sechzehnten Jahrhunderts über eigne amtliche
Rassenschnüffler, die 'auf die Dörfer gingen' und die Stammbäume
nachprüften. Zur Schande der dichtenden Welt, so muß man wohl
sagen, war auch der große spanische Dichter Gongora ein solcher Rassensachverständiger im Zivilberuf. Man hat Luis de Leon
allem Anschein nach nichts Rechtes nachweisen können; immerhin brauchte man fünf Jahre dazu. Als er endlich freigelassen
wurde und zum ersten Male wieder auf seinem Katheder in Sala-
manca stand, begann er sein Kolleg mit den berühmt gewordenen Worten: 'Wie ich gestern bemerkte' — Dicebamus hesterna
die, er sprach natürlich lateinisch, oder vielleicht auch spanisch:
deciamos ayer. So möchte auch ich gerne beginnen, wenn Sie,
meine Herren, mir das Vergnügen machen, zu meinem ersten

Vortrag zu erscheinen. Ich spreche über 'Das Problem der vierten Dimension in der neuesten Philosophie und Physik'. Und damit möchte ich mich für heute von Ihnen verabschieden.«

Tannenbaum rückte das kleine Radfahrermützchen auf dem mächtigen Schädel weiter nach hinten und ging auf seinen kurzen Beinen hurtig davon, im weiten Winkel seiner Augen den Eindruck seiner Rede bei den Zuhörern registrierend.

»Ein enorm gebildeter Mann«, sagte der Fabrikant Elzbacher. »Englisch, ganz fließend, Französisch, Italienisch; Spanisch scheint er auch zu können. Und offenbar verfügt er über ausgezeichnete Beziehungen zu den bedeutendsten Persönlichkeiten der gelehrten Welt.«

»Reden kann er«, meinte Mochow zu seinem Freunde, dem Schreiner. »Aber für uns kommen solche wie der nicht in Frage. Das ist ein unzuverlässiger Kantoniste, das ist er, sage ich Dir.«

Der Senatspräsident schwieg und suchte den Eindruck zu verarbeiten. Was für einer Disziplin mochte der merkwürdige Mann wohl angehören? Er hatte von philosophischen Dingen gesprochen, von Medizin, er schien in den Naturwissenschaften beschlagen zu sein, in der Literaturgeschichte; der angekündigte Vortrag sollte ein physikalisches Thema behandeln. Der geschulte akademische Lehrer war nicht zu verkennen, aber dann waren da diese eigentlich unstandesgemäßen Ausbrüche ins Marktschreierisch-Reklamehafte und die seltsamen Handbewegungen. Abschließend sagte der alte Herr zu Elzbacher:

»Erstaunlich, in der Tat, ein Phänomen. Ein Jurist ist er bestimmt nicht.«

Peter Pojarski pfiff die Melodie »O Tannenbaum« vor sich hin und sagte leise: »Wie grün sind deine Blätter ... Eigentlich sieht man die Blätter kaum vor dem gelehrten Christbaumschmuck, mit dem er sich behängt hat. Ich möchte ihn Professor Lametta nennen.«

5

DIE GRÜNDERZEIT

»Und wo gehen wir heute hin?« fragte Elzbacher seinen Bettgenossen.

»Die Wahl fällt einem schwer«, sagte der Senatspräsident. »Was für eine Fülle von Talenten und Begabungen wir hier im Camp haben! Und wie ausgezeichnet hat der junge Ledermann unsere Huddlestone-Universität organisiert! Zwei Nobelpreisträger sollen sogar dabei sein, wie er mir sagte, ein halbes Dutzend richtige ordentliche Professoren, und dann die Menge von Persönlichkeiten, die ich als 'Außenseiter' bezeichnen möchte. Ich war in meiner Studienzeit immer mehr für den regulären Vorlesungsplan, vielleicht zu sehr. Jetzt ziehen mich solche merkwürdigen Gestalten wie unser Professor Lametta ganz außerordentlich an. Man wird förmlich wieder jung. Man frischt seine Schulkenntnisse auf und lernt noch dazu. Haben Sie je etwas von byzantinischer Musik gewußt?«

»Nein«, erwiderte Elzbacher. »Das ist mir zu abgelegen.«

»Aber gar nicht«, sagte der Richter, »kommen Sie mit in die Waschküche von Haus 17 in der zweiten Reihe! Unsere ganze abendländische Musikentwicklung ist gar nicht recht zu begreifen, wenn man nichts von der byzantinischen Musik weiß. Die gregorianischen Hymnen, die Anfänge unserer Chormusik...«

»Das ist mir zu hoch«, meinte der Fabrikant. »Bei den Homervorlesungen unseres guten Vries komme ich noch mit. Schließlich hat man einmal sein Abiturium an einem humanistischen Gymnasium gemacht. Auch der Historiker Wilhelmsthal interessiert mich mit seinem Kolleg über die Karolinger und die Aachener Palastschule Alcuins. Wenn der Mann nur nicht so gräßliche Angewohnheiten hätte! Ein derart feinsinniger Herr, und dann bohrt er sich ganz ungeniert mitten im Sprechen in den Ohren oder kratzt sich unter den Achseln. Er war doch als Professor nach Oxford berufen. Ich verstehe das nicht.«

»Man muß über kleine Eigenheiten hinwegsehen«, sagte der Senatspräsident. »Mich stören nicht einmal mehr die Eitelkeiten unseres Lametta. Anfangs hat er mich damit sehr irritiert. Aber der Mann hat ein profundes Wissen, auf allen Gebieten. Allein seine Sprachkenntnisse! Wie er aus dem Kopf Stellen in altsyrisch oder kirchenbulgarisch zitiert, das macht ihm keiner nach.«

»Da kann ihn auch niemand kontrollieren«, meinte Elzbacher.

»Sagen Sie das nicht«, erwiderte der Richter. »Wittnitz ist eine Leuchte auf dem Gebiet der semitischen Sprachen. Er hat mir bestätigt, daß Lamettas Zitate wörtlich stimmen. Er liest übrigens über die textliche Überlieferung des Alten Testamentes. Hochgelehrt und ungemein fesselnd. Wußten Sie etwas über die Targumin oder die Peschito? Die Septuaginta? Die Hexapla des Origines? Sogar Pastor Agricola saß unter den Zuhörern. Der spricht über die 'Theologia Deutsch' und ihren Einfluß auf Luther, etwas stockend im Vortrag, aber höchst lehrreich, ja, geradezu spannend. Ich gehe auch zu Pater Haschka, der 'Die Liturgie in ihrer Bedeutung für unser tägliches Leben' behandelt. Man muß sich alles anhören.« Seine Backen glühten.

»Unsere Campuniversität ist erstklassig«, erklärte Elzbacher, »darüber besteht kein Zweifel. Ledermann leistet prima Arbeit. Damit könnten wir direkt im öffentlichen Leben konkurrieren, nicht nur hier hinter dem Stacheldraht. Dabei hat der junge Mann es nicht leicht, sich gegen die Technische Hochschule durchzusetzen. Die wird vom Kommandeur ganz offensichtlich protegiert: ein eignes Haus, alles Material, das sie nur haben wollen, Zeichenbretter, Drehbänke, Bücher, Zeitschriften. Der Schlick hat das wieder einmal verstanden. Er wird auch selber dabei nicht zu kurz kommen, da bin ich sicher. Er wußte, was er tat, als er sich gar nicht erst als Reihenleiter für die 'Dritte' aufstellen ließ. Für die jungen Bengel aus dem Jugendhaus ist eine solche T. H. das Richtige. Die kommen sonst nur auf dumme Gedanken und machen den ganzen Tag Radau oder spielen Mundharmonika. Jetzt sitzen sie fleißig an den sauberen Arbeitstischen im Omega-Haus und spalten Mica oder lernen Konstruktionsberechnungen.«

»Mica?« fragte der Senatspräsident, »was ist das eigentlich?«

»Eine Art Glimmer; für Funk- und Abhorchgeräte wird das gebraucht. Sehr wichtig für die Kriegsindustrie.«

»Nun, das mag ja ganz gut sein. Aber mir gefällt diese Bevorzugung der technischen Wissenschaften nicht so recht. Schon die aufdringlichen Abkürzungen, T. H. und so weiter. Das ist so eine moderne Manie. Die Omega-Abzeichen, die Schlicks Zöglinge im Rockaufschlag tragen! Das große griechische Omega aus Aluminium, das sie über der Tür angebracht haben! Sie tun sich ordentlich etwas zugute auf ihren Omega-Geist und renommieren im Lager herum: 'Wir leisten nützliche Arbeit, bei uns wird nicht spintisiert und diskutiert!' Nein, da bin ich mehr für die Geisteswissenschaften, wie sie bei uns gepflegt werden. Es ist schade, daß der Kommandeur dafür wenig Verständnis hat. Trotzdem: Wenn wir so mit unseren Stühlen auf dem Rücken über den Rasenplatz in die Häuser unserer Dozenten pilgern zu den Vorlesungen, dann kommt mir das wie im mittelalterlichen Universitätsbetrieb vor. Da gab es ja auch keine prunkvollen Gebäude. In dem großen Vorratsraum über den Brausebädern soll übrigens ein Auditorium maximum eingerichtet werden, sagte mir Ledermann. Für Lametta wird das eben reichen. Der hat doch immer ein 'volles Haus'. Sie stehen bei ihm bis auf den Vorplatz und Eingang hinaus. Und bei ganz großen Gelegenheiten will er sogar auf dem Platz sprechen, damit alle ihn hören können, wie neulich bei seinem Vortrag über die vierte Dimension. Den 'großen Rasen' hat das einer genannt. Das ist auch wieder so eine schnoddrige Bezeichnung.«

»Jedenfalls wird uns allerhand geboten«, sagte Elzbacher.

»In der Tat«, erwiderte der Senatspräsident. »Ein wahrer Repetitionskursus des ganzen Wissens unserer Zeit, auf engstem Raum zusammengedrängt. Wie einem die Zeit dabei verfliegt! Lametta hatte recht bei seinem Vortrag: wir müssen unser Zeitgefühl revidieren. Eine ganz neue Dimension wächst uns damit zu. Völlig habe ich ihn nicht verstanden; ich war immer etwas schwach in Physik und Mathematik, und wenn er seitenlang aus den Schriften seines Lehrers Ernst Mach zitierte, so ging das über meinen Horizont. Ich hatte nie etwas von Mach gehört. Aber das begriff ich doch, was er über die Verschiedenheit des Zeitgefühls sagte: Nur wenn wir bei Bewußtsein sind, können wir von Zeitempfindung sprechen; im traumlosen Schlaf geht sie uns ab. Die Arbeit der Aufmerksamkeit auf die Vorgänge um uns her empfinden wir als Zeit. Bei angestrengter Aufmerksamkeit erscheint uns die Zeit als lang, bei leichter Beschäftigung kurz. Und auch mit dem Alter ändert sich das Zeitmaß. Wie kurz erscheint uns jetzt jeder Tag im Vergleich zu unserer Jugend! Jeder Pendelschlag ist heute beschleunigt. Unsere Zeiteinheit ist größer geworden.«

»Sie haben das ganz gut behalten«, meinte Elzbacher.

»Es schien mir so bezeichnend für unsere Situation«, sagte der Senatspräsident. »Und dann das merkwürdige Phänomen, das er anführte, ebenfalls aus Ernst Mach: Da sitzt der Professor, in seine Arbeit vertieft, in seinem Zimmer, während im Nebenraum Versuche mit Explosionen angestellt werden. Sehr seltsam übrigens: Was experimentierten sie da wohl herum? Jedenfalls geschieht es ihm regelmäßig, daß er *zuerst* erschreckt zusammenzuckt und *nachher* erst den Knall der Explosion hört. Nachträglich! Ist das nicht faszinierend? Ist uns das mit den Ereignissen unserer Zeit nicht genau so gegangen? Erst sind wir erschreckt aufgefahren, ohne noch zu wissen, was geschehen war, und dann haben wir den Knall gehört. Die meisten von uns haben ihn viel zu spät gehört.«

»Zu spät, ganz richtig, Herr Präsident. Ich habe auch viel zu lange gewartet. Die Zeit verfliegt, allerdings. Und wir sitzen hier und hören Vorträge über byzantinische Musik an oder sehen zu, wie sie in der T. H. Mica spalten.«

»Auch für den Krieg gilt das Phänomen der verschiedenartigen Zeitempfindung«, fuhr der Senatspräsident unbeirrt fort. »Lametta hat das sehr schön ausgeführt. Im Anfang, mit dem Feldzug gegen Polen, raste er dahin; dann schien alles stillzustehen, monatelang. Im Frühjahr: In wenigen Wochen Ereignisse, die sich überstürzen und die Welt verändern. Und jetzt wieder diese unheimliche Stille. Sie stehen drüben am Kanal und kommen nicht herüber. Sie stehen vor dem Balkan und wagen sich offenbar nicht in dieses Wespennest hinein. Die großen Mächte stehen Gewehr bei Fuß und können sich nicht entscheiden. Jeder Monat ist ein Jahr, sagte Lametta. Die Zeiteinheiten, nach denen wir sonst rechneten, sind aufgehoben.«

»Ich kann ganz gut rechnen«, meinte Elzbacher. »Vier Monate sitzen wir jetzt hinter Stacheldraht. Mir genügt das. Ich will heraus. Meine Firma geht vor die Hunde. Es dauert mir zu lange.«

»Ich möchte diese Zeit trotz allem nicht missen«, sagte der Senatspräsident. »Nur wenn ich an meine liebe Frau denke, bei den täglichen Bombenangriffen ...« Er schwieg eine ganze Weile.

»Aber sonst«, fuhr er fort, »dürfen wir uns nicht beklagen. Nicht nur die geistigen Anregungen: auch das Zusammenleben mit all diesen verschiedenen Menschen aus den verschiedensten Ständen und Klassen. Mir war das zuerst alles sehr fremd. Jetzt habe ich mich daran gewöhnt. Nehmen Sie nur unser Haus 47. Das ist beinahe eine Familie, wenn wir uns auch manchmal zanken. Aber der Zusammenhalt ist doch da. Unser 'Totschläger' zum

Beispiel ist wirklich im Grunde ein guter Kerl. Er hat sich sogar erboten, mir den Treppendienst am Morgen abzunehmen.«

»So«, sagte Elzbacher. »Mir hat er das glatt abgeschlagen. Dabei wollte ich bezahlen. Er murmelte etwas von 'alle Knochen brechen' und 'die Stiege hinunterwerfen'.«

»Unser Hausvater Wenzel Rudnik ist reizend«, meinte der Richter. »Immer höflich, still, zuvorkommend und sehr gebildet dafür, daß er aus ganz kleinen Verhältnissen stammt. Was glauben Sie, was er liest, wenn er seine Töpfe aufgesetzt hat? Er zeigte mir das Buch: 'Haeckels Welträtsel'. Das ist doch sehr ehrenwert.«

»Kochen tut er jedenfalls ausgezeichnet«, sagte Elzbacher.

»Und dann unser Schreiner, stets vergnügt, fleißig, tüchtig, das Muster eines Handwerkers, wie er sein soll, und rührend besorgt um seinen Freund Mochow. Er arbeitet jetzt für die Kommandantur und hat einen neuen Vorbau gezimmert, mit sehr schön ausgesägtem Giebelmuster. Der Architekt Zatzelmann natürlich mußte sich davorstellen und kritisieren: haarsträubend, Kitsch, Muff und Mief des 19. Jahrhunderts! Zatzelmann hat übrigens neulich in Haus 9 seine Pläne für einen Umbau unseres Platzes und der ganzen Stadtfront ausgestellt. Schnurgrade Uferstraßen, flankiert von zwei Restauranttürmen mit zwölf Stockwerken. Eine Großgarage, unterirdisch, für achthundert Autos.«

»Wer soll denn das finanzieren«, sagte Elzbacher. »Und dann muß erst einmal der Krieg gewonnen werden.«

»Unsere Häuser reißt er selbstverständlich ab.«

»Um die alten Buden wäre es nicht schade.«

»Ich weiß nicht«, meinte der Senatspräsident. »Man hat sich an sie gewöhnt. Der Mensch schlägt so gerne Wurzeln. Schon in Prees Heath hatten wir das Gefühl, wir seien dort ansässig in unserer 'Gartenstraße'. Und hier fangen wir ebenfalls an, uns zu Hause zu fühlen. Unsere Nummer 47 ist doch ganz zweifellos eine der ersten im Camp. Wir können von Glück sagen, daß wir in unserer Reihe geblieben sind. Wenn ich an 'Klein-Algier' vorbeigehe und mir vorstelle, daß man da vielleicht hätte landen können, ganz zufällig, nur weil man im richtigen Augenblick nicht zusammenblieb ... Wir müssen dankbar sein.«

»Hören Sie, das ist mir zu bescheiden«, sagte Elzbacher. »Ich will heraus, ganz einfach heraus.«

»Das geht nun einmal nicht«, meinte der Senatspräsident. »Man muß sich fügen. Kommen Sie mit zur byzantinischen Musik?«

»Danke. Ich muß an meinen Anwalt schreiben. Lesser hat mir seine Schreibmaschine zur Verfügung gestellt. Man darf jetzt Anträge auf Entlassung stellen, wenn man 'kriegswichtige Gründe' dafür anführen kann. In Ihrem Falle allerdings ...«

»Ich weiß«, sagte der Senatspräsident. »Ich muß warten.«

Er nahm seinen Stuhl auf den Rücken und pilgerte über den Platz. Elzbacher stieg hinauf in die Stube des Schriftstellers.

In einem kleinen Verschlag neben dem großen Vorratsraum über den Brausebädern saß der Kurator der Huddlestone-Universität, der junge Ledermann, ein kleiner, wohlproportionierter Mann, Verleger des weltbekannten »Gloria«-Briefmarkenalbums von Beruf. Er brütete über dem Lehrplan. Für Sprachkurse war gesorgt; Lektoren für Englisch, Französisch, auch Spanisch für Auswanderer nach Südamerika hatten sich genügend im Lager vorgefunden. Ledermann lag aber vor allem an bedeutenden Persönlichkeiten von internationalem Ruf. Er hatte sich die größte Mühe gegeben, die beiden Nobelpreisträger heranzuziehen. Bei beiden war es ihm mißlungen.

Der eine, der Physiker Delbanco, ein schlanker, schöner Mann von spaniolischem Typus, sehr nervös und mit unruhig flackernden Augen in dem feingeschnittenen Gesicht, hatte strikt abgelehnt, sich zu beteiligen.

»Sehen Sie«, sagte er zu Ledermann, »ich brauche ein Blatt Papier und einen Bleistift, und eigentlich brauche ich nicht einmal das. Zuhörer können mir gar nichts nützen. Und außerdem würden höchstens vier bis fünf Leute meine Gedankengänge verstehen. Ich zweifele überhaupt, ob so viele hier im Lager sind. Die Gabe der populären Darstellung ist mir nicht verliehen. Das verstehen andere besser. Ich höre zum Beispiel, daß dieser merkwürdige Tannenbaum, der ja enormen Zulauf haben soll, demnächst über die vierte Dimension sprechen will. Halten Sie sich an den.«

Der andere war ein sehr korpulenter, gemütlich aussehender Professor aus Wien namens Mondstein. Er hatte noch in jungen Jahren aufsehenerregende Entdeckungen zur Bekämpfung der Schizophrenie gemacht und sich dann vorwiegend philosophischen und psychologischen Forschungen zugewandt. Mit stark österreichisch gefärbtem Dialekt und behaglichem Schmatzen seiner vollen Lippen sprach er über das Thema: »Der Lebensekel, taedium vitae, als Grundphänomen unserer Zeit« in seiner Antrittsvorlesung.

Der Lebensekel, resultierend aus der Lebensangst, erklärte Mondstein, während er mit seiner dicken Großvater-Uhrkette über dem prallen Bäuchlein spielte, sei die gegebene Haltung des modernen Menschen. In der neuesten Philosophie habe man endlich einmal Ernst gemacht mit der Entmythologisierung und Verweltlichung des Denkens. »In der traditionellen Metaphysik«, so führte er aus, »war Gott das Wesen, in dem Essenz und Existenz zusammenfielen, bei dem Denken und Handeln identisch waren. Jetzt wissen wir, daß der Mensch der Herr des Seins ist. Man nennt das den ontisch-ontologischen Vorrang des Daseins. Das Sein aber wiederum ist das Nichts.« Er verbreitete sich ausführlich darüber, daß Sorge, Angst und daraus resultierend Ekel daher unser Leben beherrschen müßten. Ekel in den verschiedensten Formen, die er, immer mit seiner Uhrkette hantierend, drastisch ausmalte: die Widerlichkeit des Geburtsvorgangs bereits, die ekelerregenden Details des Zeugungsprozesses, der Ekel vor dem Leben überhaupt, der zwangsläufig zu der Vorstellung vom Tode, und, als einzig wahrhaft reinlicher Lösung, zum Gedanken an den Selbstmord führen müsse. »Es gibt eigentlich nur *ein* wirklich ernstes philosophisches Problem«, so sagte Mondstein, mit den Fingern nachdrücklich auf seiner prallen Weste klopfend, »und das ist der Selbstmord.«

Hier hatte sich aber eine so allgemeine Unruhe erhoben, daß Mondstein seine Antrittsvorlesung nur mit Mühe zu Ende führen konnte. Sie blieb sein einziges Auftreten.

»Nein«, mußte Ledermann sich betrübt gestehen, »das geht nicht. Ich hatte mir so viel von ihm versprochen. Das geht nicht.«

Er konnte immerhin auf die beiden Berühmtheiten verzichten, da er eine solche Fülle von soliden und weniger aufregenden Darbietungen möglich gemacht hatte: Professor Wilhelmsthal über die Karolinger, Rechtsanwalt Leibmann über Hugo Grotius und das Völkerrecht, die Theologen, der Forschungsreisende Plautz über die Khmer-Plastik; der Dirigent Traeg hatte Vorträge über Haydn und Schubert angekündigt, mit Musikbeispielen am Klavier, einem schäbigen Klapperkasten, den man in einem der Häuser aufgestöbert hatte und den er sehr geschickt mit seinen langen Händen behandelte, die vier oder fünf nicht anschlagenden Tasten überspringend, ohne daß es jemand bemerkte. Ein Vortrag des Gesangslehrers Süßbrot über die Kastraten des achtzehnten Jahrhunderts hatte über vierhundert Zuhörer gefunden.

Nicht nur die ernste Forschung blühte, auch die Rand- und Afterwissenschaften hatten ihre Zeit. Ein Astrologe, Lockspeiser mit Namen, hatte eine ausgebreitete Kundschaft, die sich, zu vieler Verwunderung, bis in die höchsten Kreise des Lagervolkes hinein erstreckte. Er war ein schwammiger, unbeholfener Mann, der offenbar ständig an Heißhunger litt. Man sah ihn, selbst bei Diskussionen oder Konsultationen — für die er Gebühren nahm, was ihm von vielen Seiten sehr verübelt wurde —, nie anders als mit einer großen Scheibe Brot, an der er unablässig kaute. Die Krümel fielen ihm auf den Rock, während er seine Horoskopberechnungen vortrug; er nahm sie mit feuchten Fingern auf und stopfte sie ebenfalls in den Mund. Ein Spiritist trieb sein Wesen, und seine Séancen waren eine kurze Zeit sehr beliebt, bis man ihn ohne ersichtlichen Grund völlig fallen ließ. Es gab Spezialisten für Phrenologie, Charakterologie und einen fanatischen Propagandisten für Kneippmethoden, der am frühen Morgen, noch vor dem Appell, mit nackten Füßen unter den Möwen auf dem Golfplatz einherschritt, die Augen der Konzentration halber eingeschlagen und den Kopf hochmütig starr erhoben. Er wurde vielfach aufgezogen und gewann nur wenige Anhänger, zumal er selber ständig an irgendwelchen Erkältungserscheinungen litt. Er behauptete jedoch, daß er nur auf diese Weise seine sonst unfehlbar ins Riesenhafte wachsenden Schnupfen in Grenzen halten könne. Und dann, so führte er mit stolz überlegenem Lächeln aus, dürfe er sich auf den großen Dichter Rainer Maria Rilke berufen, der das Barfußlaufen auch längere Zeit kultiviert habe:

»Rilke hat gesagt, daß man eigentlich immer mit nackten Füßen gehen sollte. Man entwickelt dabei einen ganz neuen Sinn. Man sieht mit den Sohlen, und man sieht da Dinge, die unseren Augen verschlossen sind. Man erweitert seinen Erkenntnisbereich um das Doppelte.«

Andere suchten wie Kellerpflanzen, die überlange Schossen treiben, ihren Erkenntnisbereich nicht nur zu verdoppeln, sondern zu verdreifachen. Ein Schachklub hatte sich gebildet. Das gewöhnliche Brett wurde einigen raffinierten Spielern zu eng. Sie taten sich zusammen, um Raumschach zu spielen, wobei das dimensionale Spielfeld aus fünfhundertzwölf gedachten Raumzellen bestand, in denen man im Kopf die gedachten Figuren bewegte. Das Spiel war ungeheuer anstrengend. Die Teilnehmer verwilderten geradezu dabei, und wenn einer von ihnen abwesend über den Golfplatz schritt und vor sich hinmurmelte: »Ich ziehe also von A f 2 nach B f 2«, dann wurde ihm besorgt nachgeschaut. Ein Fanatiker unter ihnen berief sich darauf, daß man 1923 im Göttinger Mathematischen Seminar auch an vierdimensionales Schach gedacht habe, bei dem auf viertausendsechsundneunzig Feldern gespielt werden müsse. Er fand bei diesem Vorschlag keine Teilnehmer mehr.

Über all diese Aktivitäten erhielt der Kommandeur Bericht, wobei ihm allerdings das Raumschach vorenthalten wurde. Er nickte befriedigt und fragte dann etwas streng, wie es denn nun mit Sport stünde.

»Eigentlich wäre Cricket das Richtige, aber das lernen sie ja doch nicht. Da muß man etwas früher anfangen, und dann weiß ich überhaupt nicht... Es gehört so vieles dazu. Man muß hier geboren sein. Aber Fußball, das müßte doch gehen. Sehn Sie zu, Sergeant, daß Sie endlich eine Mannschaft zusammenbringen. In Peel haben sie sogar schon eine zweite Besetzung, die auch gar nicht schlecht sein soll, wie Major Petterson mir gesagt hat. Vorwärts, Mann, wir können nicht nur Vorträge und Diskussionen haben oder Leute, die barfuß auf dem Rasen herumspazieren. Und auf alle Fälle fangen Sie morgen mit den Spaziergängen an.«

»Jawohl, Sir«, antwortete Monihan.

6

DER SPAZIERGANG

Nach dem Frühstück wurde angetreten zum ersten Spaziergang. Es waren nur zweihundert Mann aus der ersten Reihe, mit denen der Major dieses »Experiment« machte, wie der aufsichtführende Offizier in einer kurzen Ansprache erklärte, und die vorschriftsmäßigen Sicherheitsmaßnahmen waren von Feldwebel Monihan getroffen worden. An der Spitze des Zuges marschierten vier Soldaten, am Schluß ebenfalls, und an den Seiten je zehn. Wenn ein Briefkasten in Sicht kam, sprang einer der Begleitmannschaften voraus und postierte sich mit dem aufgepflanzten Bajonett davor.

Die Kolonne war sehr militärisch in Viererreihen angetreten und hatte sich in voller Ordnung durch das große Doppeltor und die Straßen der Stadt Douglas hindurchgewunden. An den Fenstern zeigten sich nur wenige verdrossene Gesichter.

Ein Stück Wald, abweisend und kühl, nahm den Zug auf. Es wurde nur flüsternd oder mit leiser Stimme gesprochen. Viele hatten den Blick lediglich auf ihre Vordermänner gerichtet. Die Füße schlurrten gleichförmig dahin. Die Stimmung war gedämpft und bei vielen mißmutig. 'Ein schönes Experiment', hieß es. Wenn man das gewußt hätte, wäre man zu Hause geblieben. Das sei ja mehr ein Übungsmarsch als ein Spaziergang. Hoffentlich dauerte dieser Felddienst nicht allzulange. Die zu Hause würden sich ins Fäustchen lachen. Die schlenderten jetzt gemütlich um den Platz, oder spielten Golf, oder standen in den Hauseingängen und betrachteten die Möwen.

Freies Feld tat sich auf. Die strenge Ordnung wurde aufgegeben. Der Leutnant schritt neben Gärtner an der Spitze dahin. Er sprang auf eine Hecke zu, schnitt sich einen kräftigen Stecken heraus und benutzte ihn als Spazierstock, während er sein offizielles kleines Offiziersstöckchen wie ein Trommler vorn in seine Mannschaftsbluse steckte. Er begann ein kleines Gespräch, das zur Einleitung ein paar Phrasen über das prachtvolle Wetter enthielt:

»Ein schöner Morgen. Heute nachmittag wird es wohl regnen, aber bis wir zurück sind, wird es sicherlich anhalten.«

»Ein sehr schöner Morgen«, antwortete Gärtner.

»Das muß Ihnen gut tun, einmal herauszukommen«, sagte der Leutnant.

»Sicherlich.«

»Ausrücken wird ja wohl keiner. Es hätte auch wenig Zweck. Das nächste Festland ist etwa fünfzig Meilen ab.«

Gärtner antwortete nicht. Der Leutnant fuhr fort:

»Die Leute hier auf der Insel würden auch keinem weiterhelfen. Sie sind eine eigentümliche Gesellschaft. Nachkömmlinge der alten Wikinger, wissen Sie. Als Wappen haben sie noch so ein altes Wikingerzeichen, ziemlich ähnlich wie Ihr Hakenkreuz, nur mit drei Armen statt vier.«

Gärtner blickte ihn aufmerksam an. Wollte der Leutnant ihn auf die Probe stellen, oder war er ahnungslos? Er beschloß, zunächst nichts zu sagen.

»Ein großer Mann, Ihr Adolf Hitler«, sagte der Leutnant. »Im Augenblick ist er uns etwas lästig, ziemlich lästig sogar, und dieser Krieg ist ein Wahnsinn. Er hätte das nie anfangen sollen. Aber man muß zugeben: er ist ein großer Mann. Für Ihr Land hat er doch viel getan.«

»Wir glauben, er hat es ruiniert«, erwiderte Gärtner. »Wir sind Gegner des Regimes, wir sind Antinazis. Wir hassen sie.«

Der Leutnant schwieg höflich. Es war ihm anzusehen, daß er Gärtners Worte für Phrasen und Heuchelei hielt.

»Viele von uns«, fuhr Gärtner fort, »waren in den Konzentrationslagern, wo sie geprügelt und mißhandelt wurden. Sehr viele sind Juden, denen man alles weggenommen hat.«

»Ja«, meinte der Leutnant, »das sind so Auswüchse, die wir keineswegs billigen. Aber ist das wirklich so schlimm mit den Konzentrationslagern? Man liest so allerhand in den Zeitungen. Waren Sie in einem?«

»Ja«, sagte Gärtner.

»Ah so!« meinte der Leutnant. Er blickte sich um und erklärte: »Hier ist ein hübsches Fleckchen. Da wollen wir ein bißchen haltmachen. Es sind doch eine ganze Menge Ältere unter Ihren Leuten. Die werden müde sein.«

Sie lagerten sich wie eine Kompanie im Straßengraben und auf der Böschung, die von einer Rotdornhecke eingefaßt war. Eine Lücke zwischen den Zweigen gab den Blick auf die Landschaft frei: grüne Wiesen über welligen Hügelrücken, verstreute kleine Siedlungen und im Hintergrund die runde Kuppe eines Berges, der mit Buschwerk, Ginster und Erika bestanden war und in bunten Farben spielte.

»Das ist Snaefell, der höchste Berg hier auf der Insel«, sagte der Leutnant zu Gärtner, bemüht, die Konversation weiterzuführen. »Auch so ein altes Wikingerwort, das Ihnen eigentlich vertraut klingen muß. Und in den vielen kleinen Farmen dort überall auf den Hügeln haben sie noch die alten Wikingersteine stehen, meist aus Schiefer. Thor, Odin oder der Fafnirdrache sind auf ihnen eingemeißelt, und auf einem soll auf der einen Seite Odin, auf der andern die Kreuzigung dargestellt sein. Die Manx-Leute wurden ja allmählich Christen, aber ich glaube, nur sehr allmählich. Und eine Menge alten Glaubens hat sich erhalten« — er sagte aus Höflichkeit 'Glauben' und nicht 'Aberglauben' — »und sie hängen noch heute daran. Bemerken Sie die zahlreichen verfallenen Hausstellen? Wenn ein Gebäude aufgegeben wird, dann reißen sie es nicht ein, sondern lassen es liegen, bis es verfällt, damit die Hausgeister dort wohnen bleiben können. Sie haben da eine Art haarigen Troll, phynodderee, oder Meerkobolde, die sie bugganes nennen. Und dann soll es noch eine außerordentlich kapriziöse Dame geben, einen Vamp namens ben-varee, mit grasgrünen Augen und scharfen Eckzähnen, sehr verführerisch und nicht ungefährlich . . .«

»Sehr interessant«, sagte Gärtner.

»Dort drüben auf der anderen Seite der Insel, in der Nähe von Peel, wo ein anderes Camp mit Ihren Landsleuten ist, liegt der Tynwald Hill, auf dem das Parlament der Insel jedes Jahr tagt, am fünften Juli, dem alten Mittsommernachtsdatum. Tynwald ist auch so ein altes nordisches Wort, das Sie kennen müßten. Sie haben doch jetzt auch Thingplätze und Thingspiele in Deutschland.«

»Ja, die Nazis haben das eingerichtet«, sagte Gärtner.

»Ich war in Deutschland«, sagte der Leutnant, »während der Olympiade, und ich muß sagen, ich war sehr beeindruckt. Ja, da auf dem Tynwald Hill tagen sie, und sie sind stolz darauf, daß ihr Parlament noch älter sein soll als unseres in Westminster. Der Lieutenant-General nimmt teil, denn schließlich stehen sie unter der britischen Krone. Der Weg wird für ihn mit Binsen bestreut, und sein Adjutant trägt das Staatsschwert der Insel voran, ein prachtvolles Stück Waffenschmiedearbeit, wir haben es uns einmal zeigen lassen. Es soll von dem nordischen Jarl Olaf Godredson aus dem dreizehnten Jahrhundert stammen. Auf dem Knauf ist das dreibeinige Hakenkreuz eingraviert.«

Er blickte Gärtner erwartungsvoll an und verstummte. Genug jetzt, dachte er. Man wird aus diesen Deutschen nie klug. Sie sollen jetzt angeblich für alles Nordische schwärmen, für Folklore und alte Überlieferungen, und ich gebe mir die größte Mühe, diesem Kerl etwas zu erzählen. Er steht da wie ein Bock. Sie sind steif, stur, sie können sich nicht entspannen, und das ist wohl ihr größter Fehler.

Was soll ich ihm sagen? dachte Gärtner. Er würde mich nicht verstehen. Er ist nett, gebildet offenbar, bemüht, mich zu unterhalten in seiner grenzenlosen Ahnungslosigkeit. Wenn ich ihm widerspreche, hält er mich für unhöflich oder einen gerissenen Simulanten. Es ist schwer, sich mit Menschen eines anderen Volkes zu verständigen.

»Strecken wir uns noch ein bißchen in der Sonne aus«, sagte der Leutnant. »Dann müssen wir zurück.«

Gärtner ließ sich die Sonne ins Gesicht scheinen. Dann blinzelte er mit den Augen und schaute durch die Lücke in der Hecke. Ein kleiner Pfad schlängelte sich durch die Wiesen, verzweigte sich und führte den Blick nach allen Seiten ins grüne Unbekannte. Gärtners Erinnerungen tauchten durch die Jahre zurück zur Zeit des ersten Krieges. So hatte man bei Eisenbahnfahrten von einer Front zur anderen hinausgestarrt auf eine Straße oder einen Weg, von irgendeinem Bahndamm in Thüringen oder der Mark. Man brauchte nur auszusteigen, den Damm hinunterzulaufen und dem weißen Wegweiser zu folgen, der in die Freiheit zeigte. Wie oft hatten sie so geträumt! Es gab keine Freiheit, weder für den Gefangenen noch für den, der in seiner Uniform gefangen war. Der Leutnant hatte ganz recht: Ausrücken hat wenig Zweck. Niemand hilft einem weiter. Es gibt überall Ortspolizei, Gendarmen, Meldewesen, es gibt überall Denunzianten, die sich ein Vergnügen daraus machen, einen anzuzeigen, aus Fremdenfeindschaft, aus Patriotismus, aus Angst oder einfach aus Dummheit. Einer lief uns einmal davon, bei einem Halt im Elsaß. Merkwürdigerweise wurde er nicht gefaßt. Es schoß niemand auf ihn; das Gelände war mit Büschen bestanden. Vielleicht kam er hinüber nach der Schweiz. All die Jahre hindurch wurde von ihm gesprochen, wenn der Zug sich nach einem solchen Halt wieder in Bewegung setzte ...

Der Befehl zum Antreten kam. Der Leutnant ließ den Wanderstecken liegen; er holte sein glattes Stöckchen aus der Brust seines Mannschaftsrockes hervor und klemmte es unter den linken Arm. Einige Häftlinge pflückten noch schnell ein paar Rotdornblüten aus der Hecke und steckten sie auf den Hut oder ins Knopfloch. Sie marschierten zurück, zunächst noch in sehr loser Ordnung und in Gruppen von zehn, zwölf oder mehr nebeneinander.

Sie schwatzten aufgeregt, als müßten sie die kurze Zeit bis zum Eintreffen im Camp nach Kräften ausnutzen. Die Soldaten, die als Seitendeckung vorgesehen waren, hatten sich am Schluß der Kolonne zusammengefunden. Sie knüpften Gespräche mit den Häftlingen an und warfen die Gewehre von einer Schulter auf die andere.

Ein Wachmann, der sich mit zwei älteren Internierten gut unterhielt, achtete nicht auf den Weg; er stolperte, fiel, und sein Gewehr schlug knallend auf die Straße, seine Mütze rollte hinterher. Die Gefangenen hoben ihn auf. Einer nahm ihm das Gewehr ab und trug es. Der Soldat machte keinerlei Anstalten, es zurückzufordern, und war dankbar, daß ihm die Last abgenommen wurde. Ein anderer Häftling setzte sich die Soldatenmütze auf. Auch das entlockte dem Soldaten nur ein freundliches Grinsen. Er hoppelte neben seinen beiden Schutzbefohlenen weiter, sich von Zeit zu Zeit das schmerzende Knie reibend.

»Wollt Ihr nicht mal schnell einen Brief in den Kasten stecken?« flüsterte er den beiden zu. »Ich sehe nicht hin.«

Sie lehnten entsetzt ab. Er blickte sie enttäuscht an. Einer steckte ihm eine Zigarette zwischen die Lippen. Er rauchte und blickte vergnügt um sich: »Danke!«

Das Schwatzen wurde immer lauter und erregter. Die Schritte beschleunigten sich, zumal es jetzt bergab ging. Der ganze Zug schwebte wie auf Friedensflügeln dahin.

Vor den ersten Häusern zog der Leutnant seine Bluse zurecht und gab Befehl, zur Viererformation zurückzukehren. Die Gewehrträger gaben dem Soldaten seine Muskete und Mütze zurück. Diszipliniert rückte die Kolonne auf das Doppeltor mit dem Stacheldraht zu. Die 'Schleuse' öffnete sich.

Nur ein kurzer Aufenthalt entstand noch. Der Haltlose, der mit James Pollack in einem Zelt gewohnt hatte, sträubte sich plötzlich vor dem Gitter. Er wollte ausbrechen, er brachte die ganze vorzüglich geordnete Reihe in Verwirrung, seine Kameraden redeten auf ihn ein, suchten ihn zu halten, drängten sich um ihn und brachten ihn leidlich durch die Torenge, ohne daß der aufsichtführende Offizier etwas bemerkte, der an der Spitze schritt. Dröhnend marschierte die Kolonne auf dem Platz auf. Der Leutnant gab das Zeichen zum Auseinandergehen. Zu Gärtner sagte er noch kurz:

»Alles sehr ordentlich abgelaufen. Ich werde dem Kommandanten berichten. Ich glaube, wir können das Experiment wiederholen. Guten Morgen!«

7

DER NEGATIONSRAT

Das Leben im Camp hatte feste und fast ständisch gegliederte Formen angenommen. Die 'Gründerzeit' war vorbei. Die Gelehrten bildeten eine Kaste für sich; regelmäßig pilgerten die Hörer mit dem Stuhl auf dem Rücken zu ihren Vorlesungen in den verschiedenen Häusern. Die Jugendlichen saßen in der T. H. und spalteten Mica oder füllten ihre Hefte mit Konstruktionsberechnungen. An den Abenden fanden häufig Diskussionen statt, die nicht selten in wildes Geschrei ausarteten. Lametta war bei solchen Veranstaltungen stets in der vordersten Reihe zu finden, die den 'Honoratioren' reserviert wurde.

Keinen Abend gab es aber, bei dem Lametta nicht das Wort ergriffen hätte. Er sprach als Vortragender, über Themen der Kunst, Philosophie, Soziologie, Physik oder der Naturwissenschaften. Er sprach in der Diskussion, meist ohne sich vorher zum Wort zu melden. Es genügte, wenn er seinen mächtigen Schädel mit dem Radfahrermützchen erhob. Er sprach länger und auch oft besser als der Hauptredner.

Nicht immer behielt Lametta siegreich das Feld für sich. Es trat ihm sehr bald ein Widersacher entgegen, der auch sonst bei Streitgesprächen durch äußerst scharfe, gut fundierte Einwände auffiel. Er wurde, da er sich ausschließlich auf Kritik und Opposition beschränkte, der 'Negationsrat' genannt.

Ludwig Einwohner war an und für sich ein ganz wohlgebildeter, mittelgroßer Mann, mit dichtem, rötlichem Haar, das er in der Mitte gescheitelt trug. Er suchte, man verstand nicht recht weshalb, in seiner Haltung eine Art Buckel oder hohe Schulter zu affektieren und trieb das Spiel obendrein so weit, diesen 'kleinen Fehler' anscheinend sorgfältig zu kaschieren. So ging er niemals mit dem Rücken zum Publikum hinaus, sondern zog sich seitlich tastend oder mit dem Gesicht zu den Anwesenden tänzelnd zurück. Ebenso tänzelnd rückte er auch vor, die sehr lange und schöngeformte Hand mit revolverartig gespitzten Fingern auf seinen Gegner richtend und den fein abgesetzten Mund zu einem drohenden Grinsen verzerrt.

Ludwig Einwohner sah den Gesprächspartnern auf den Mund, nicht in die Augen. Er las ihnen die Sätze wie ein Taubstummer von den Lippen ab. Meist nahm er sie ihnen divinatorisch vorweg und haschte sie gewissermaßen schon von der Zunge fort. Ein Angegriffener sagte einmal wütend:

»Menschenskind, fahren Sie mir doch nicht in den Rachen hinunter bis zum Zäpfchen! Lassen Sie mich erst einmal ausreden! Ich will ganz etwas anderes sagen. Nämlich...«

Mit unfehlbarer Sicherheit traf Ludwig Einwohner auf hohle Stellen und wunde Punkte. Er erlangte bald Berühmtheit und wurde ebenfalls zu den Honoratioren gerechnet. Man fand, daß keine Diskussion ohne ihn vollständig wäre, und wenn er einmal fehlte, so hieß es: 'Wo ist unser Negationsrat? Her mit ihm!'

Ein Läufer rannte, ihn zu holen. Stolz, den Mund verzerrt, tänzelte er mit seiner hohen Schulter herein.

Gelegentlich wurde er gefragt, ob er nicht auch selber einmal einen Vortrag halten wolle. Er sei doch ungemein beschlagen und verfüge über ein grandioses Wissen. 'Können Sie nicht auch einmal etwas Positives an den Dingen sehen? Können Sie nicht einmal Ja sagen, Mann?'

Er wand sich schmerzlich und trat kunstvoll ein paar Schritte zurück: »Nein, meine Herrschaften. Das ist mir nicht gegeben. Dafür sind andere da. Meine Funktion ist es, zu kritisieren, zu widersprechen, die Luftblasen aufzustechen und aufzupassen, haarscharf aufzupassen. Es sind zu viele Scharlatane hier am Werk...«

Auf Lametta paßte er besonders auf. Er ließ sich nicht die kleinste Gelegenheit entgehen, ihn zu korrigieren oder auf einer Ungenauigkeit zu ertappen. Als Tannenbaum über 'Hegel und Marx' sprach und die 'Encyclopädie' des Philosophen von 1819 erwähnte, stieß der Negationsrat sofort mit revolverartig gespitzten Fingern vor und rief:

»1817, Herr Tannenbaum, Heidelberg 1817. Es gibt keine Encyclopädie von 1819.«

»Ich zitiere nach der zweiten Auflage«, gab Lametta zornbebend zurück.

»Dann zitieren Sie falsch!« beharrte der Negationsrat unbarmherzig. »Die zweite Auflage ist erst 1827 erschienen, ebenfalls in Heidelberg, bei Winter. Ich besitze sie.«

Lametta, der fast die Fassung verlor, erklärte nun, das sei doch überhaupt unwichtig, und er verbitte sich solche Kleinkrämerei, 1817 oder 1819, es komme vor allem darauf an...

»Dann nennen Sie keine genauen Zahlen«, sagte Einwohner mit großer Schärfe. »Werfen Sie nicht mit Daten um sich, wenn Sie sie nicht genau beherrschen.«

Gemurr erhob sich im Auditorium bei Lamettas begeisterten Anhängern. Andere nickten befriedigt dem Negationsrat zu. Einer von ihnen sprach ihn nach der Diskussion an und gab seiner Genugtuung Ausdruck:

»Das ist ja kaum auszuhalten mit diesem Lametta. Er zitiert im Original, und immer aus dem Kopf, alt-bulgarische oder südsyrische Textstellen. Er beruft sich auf seinen angeblichen Umgang mit Einstein, seine Freundschaft mit de Broglie, seine Korrespondenz mit Schumpeter. Kein Mensch kann ihn kontrollieren. Sicher weiß er enorm viel, aber er tut so, als ob er alles wüßte. Das war großartig, daß Sie ihm einmal den Marsch geblasen haben.«

»Wir werden dem Herrn noch auf die Sprünge kommen«, sagte Einwohner und schloß die feingezeichneten Lippen eng zusammen. »Ich habe so meine Beobachtungen gemacht. Eines Tages platzt die Bombe!«

»Ja, lassen Sie die Bombe platzen! Wir warten alle darauf. Die Eitelkeit und Anmaßung des Mannes ist ja unerträglich.«

»Er hat seine Verdienste«, widersprach nun Einwohner. »Beinahe ist er sogar ein Genie, aber eben nur beinahe, und die Differenz gilt es auf das genaueste festzuhalten.«

Er zog sich, nach rückwärts tänzelnd, aus dem Gespräch heraus.

»Ein unangenehmer Mensch«, sagte der Senatspräsident, der zu den Bewunderern Lamettas gehörte. »Das war doch wirklich kleinlich, wie er den Professor mit diesen unwichtigen Jahreszahlen kritisierte.«

Er wandte sich an einen der Hausgenossen des Negationsrates:

»Ist der Herr denn bei Ihnen im Hause ebenso ekelhaft? Das muß doch kaum zu ertragen sein. Und hat er wirklich eine hohe Schulter? Dann könnte er einem ja leid tun.«

»I wo«, meinte Einwohners Hausgenosse. »Bei uns zu Hause

ist er ganz normal. Von einem Buckel ist keine Rede. Der Mann ist gerade gewachsen wie eine Tanne. Und, offen gesprochen: Wir kommen sehr gut mit ihm aus. Man kann sagen, er ist besonders hilfsbereit. Er drückt sich vor keiner Arbeit. Er fegt die Treppe tadellos und schält die Kartoffeln mit, wie einer von den 'Alten'. Wir können nicht über ihn klagen.«

»Man lernt nie aus«, sagte der alte Richter nachdenklich. »Das ist mir immer wieder alles sehr fremd, diese vielen Menschen, und aus so verschiedenen Ständen und Lebenskreisen. Wenn meine liebe Frau dabei wäre, die würde sich leichter zurechtfinden und mir eine große Hilfe sein. Sie hat nämlich so einen ausgezeichneten Menschenverstand. Sie beobachtet die Leute nur, natürlich sehr dezent, und dann macht sie sich ihr Bild, und das stimmt fast immer. Sie könnte mir auch erklären, warum dieser eigentümliche Herr Einwohner sich so affektiert gebärdet und tut, als ob er eine hohe Schulter hätte. Und auch ihr Urteil über Professor Lametta würde ich gerne einmal hören. Denn bei aller Bewunderung — ich werde nicht ganz klug aus ihm. Irgend etwas versteckt er. Er hat auch so merkwürdige Hände. Und seine akademische Laufbahn ist, nach allem, was wir gehört haben, nicht recht aufgeklärt. Es heißt jetzt wieder, er sei ursprünglich irgendwo Rechtsberater und Konsultent gewesen. Das halte ich für ganz ausgeschlossen. Ein Jurist ist der Mann nicht. Ein Jurist ist er nicht.«

8

FELDWEBEL MONIHAN UND JESSICA

Feldwebel Monihan hatte bei einem seiner Abendausgänge in
einer Bar im Stadtzentrum eine hübsche, brünette Sergeantin
kennengelernt, die dem Lager für weibliche Internierte am anderen Ende der Insel zugeteilt war. Sie hieß Jessica, trug ihr
khakifarbenes Mützchen etwas schief auf dem krausen braunen
Haar und hatte lebhafte, braune Augen. Ihre Tunika saß vorzüglich, ihr Rock war auf das sorgfältigste geplättet, und die Strümpfe,
die ihre sehr wohlgeformten Beine umschlossen, zeigten nicht das
kleinste Fältchen. Monihan gedachte anfangs, diese Beziehung
nicht allzu ernst zu nehmen, aber er widmete sich ihr sogleich
mit der zielbewußten Entschlossenheit, die all seine Handlungen
kennzeichnete. Beim zweiten Zusammentreffen fragte er Jessica:
»Wie wäre es?«

Das Mädchen antwortete ohne Ziererei mit einem Ja, das nur
ein kleines Fragezeichen enthielt. Sie fügte hinzu:

»Aber wo? In eins der Hotels hier möchte ich nicht mit Ihnen
gehen. Das sind doch Räuberhöhlen. Und dann die Militärpoli-
zei ... Ich muß eigentlich am Abend zurück sein im Camp.«

»Überlaß das mir, Jessica«, sagte Monihan. »Ein Zimmer be-
sorge ich. Und wenn eine Streife kommen sollte, rede ich mit
den Kerlen. Sie kennen mich.«

Monihan wischte mit der Hand alle Bedenken beiseite. Sie
schritten hinaus, der Barkellner sah ihnen wohlgefällig nach:
ein schönes, stattliches Paar. Monihan begleitete die Sergeantin
zum Autobus und verabschiedete sich mit einer Handbewegung,
die auf einen festen Punkt deutete:

»Auf nächsten Freitag also!«

Jessica drückte ihr Mützchen noch etwas schiefer und nickte nur kurz, ehe der Autobus davonrasselte. Sie stammte aus einer streng religiösen Familie in Schottland; der Krieg hatte ihr, wie vielen Mädchen aus solchen Kreisen, willkommene Gelegenheit gegeben, sich von Hemmungen befreit zu fühlen, ohne daß sie allerdings bereit gewesen wäre, sich mit dem ersten Besten abzugeben. So hatte sie ziemlich lange gezögert, eine Beziehung anzuknüpfen. Monihan aber gefiel ihr. Jessica lehnte sich zurück und lächelte vor sich hin, die Lippen mit dem kleinen Finger nachziehend. Eine Kollegin, die neben ihr saß, sprach sie an:

»Na, Mädchen, war es schön?«

Jessica nahm das Mützchen ab, strich sich die Haare glatt und sagte abweisend:

»Ach Gott, Ihr könnt doch nur an solche Albernheiten denken!«

Monihan begab sich inzwischen auf die Suche nach einem möblierten Zimmer. Ganze Straßenzüge standen halb leer, seit die Insel abgesperrt war und der Fremdenverkehr aufgehört hatte.

Er wählte ein Haus aus, das ihm der Lage nach gefiel. Die Vermieterin war eine stämmige Frau mit schwarzen, kurzgeschnittenen und struppigen Haaren und einem starken Bartanflug auf der Oberlippe. Sie zeigte ihm mürrisch ein großes, reichhaltig und altmodisch möbliertes Zimmer mit einem stark eingesessenen roten Sofa und einer Spiegelkonsole über dem Bett.

»Ich nehme den Raum«, erklärte Monihan und nannte auch sogleich den Preis, den er dafür anzulegen gedachte. Die Vermieterin schwieg.

»Ich glaube, das genügt«, meinte Monihan.

Die Vermieterin begann, eine ganze Reihe von Verhaltungsmaßregeln aufzuzählen, die sie beachtet wissen wollte.

Der Feldwebel erwiderte freundlich: »Ich glaube, ich bin mehr oder weniger erwachsen, danke schön! Ich werde kommen und gehen, wann es mir paßt; meine Miete zahle ich pünktlich jede Woche im voraus. Ich bringe mir auch Bekannte mit, wie es mir paßt, Bekannte jeder Art, eh? Ich möchte das ganz klar haben, Mrs. ...«

»Hearse«, nannte die Vermieterin ihren Namen.

»Mrs. Hearse. Und nun geben Sie mir den Schlüssel!«

Sie lieferte ihm, immer noch widerwillig, aber doch überwältigt von seiner Bestimmtheit, die Schlüssel aus. Er legte zwei Pfundscheine als erste Wochenmiete auf den Tisch. Die Vermieterin strich sie schweigend ein.

Monihan fand es angemessen, noch ein paar 'freundliche Worte' an die Frau zu richten, ehe er ging:

»Ich weiß eigentlich nicht, was Ihr wollt. Ihr wollt doch vermieten. Die halbe Stadt steht leer.«

»Eben«, erwiderte Mrs. Hearse.

»Und habt Ihr Euren Sommerfremden auch Vorschriften gemacht, wann Sie kommen und gehen oder wen sie mitbringen sollen, Mrs. Hearse? Ich glaube doch kaum. Man hat ja allerhand gehört, wie die Kurgäste sich hier amüsiert haben.«

Mrs. Hearse lachte bitter:

»Amüsieren? Mein Gott! Glauben Sie, es ist ein Vergnügen, Zimmer abzugeben? Da verbrennen sie einem die Tischkanten mit ihren Zigaretten, und die Weiber sind die Schlimmsten, die wollen immer noch heimlich bügeln mit ihren Reisebügeleisen und versengen einem die Kommoden und waschen ihr Unterzeug und sind überhaupt die größten Ferkel in jeder Beziehung, das kann ich Ihnen sagen. Was Sie aber meinen mit 'amüsieren', das gibt es hier bei uns nicht, da drüben vielleicht, in Ihrem Viertel; wir sind eine hochanständige Straße, bei uns wohnen nur anständige Leute.«

»Mit anständigen Leuten und was sie tun und treiben, weiß ich so einigermaßen Bescheid, Mrs. Hearse«, erwiderte Monihan.

»Ich bin in meinem Zivilberuf Hauptportier im Chichester-Court in London, wenn Ihnen das etwas sagt. Da haben wir 320 Mietsparteien und kein Flat unter 250 Pfund. Meine Uniform habe ich nur wieder angezogen, weil wieder einmal ein Krieg ausgebrochen ist, wie Sie vielleicht gehört haben, obwohl Sie hier ja eigentlich nicht zum Vereinigten Königreich gehören und auch keine Steuern zahlen. Man will schließlich sein Bißchen mithelfen und dafür sorgen, daß alles bleibt, wie es ist, und daß die Deutschen nicht herüberkommen.«

»Die sind ja schon da«, meinte Mrs. Hearse grimmig. »Die ganze Insel ist voll mit ihnen. Und wenn wir erst wieder frei sind, dann werden wir uns den Schaden besehen können. Die ruinieren die Häuser doch in Grund und Boden. Die Bodenkammern brechen sie auf und holen unsere Sachen heraus und nageln Decken vor die Fenster und schlagen sogar die Schränke in Stücke.«

»Lassen Sie's gut sein, Mrs. Hearse, so schlimm ist das nicht. Wir sind ja schließlich dazu da, etwas aufzupassen.«

»Ein schönes Aufpassen! Die tanzen Euch doch auf der Nase herum, das ist bekannt.«

Monihan rückte seinen Leibriemen zurecht: »Mir tanzt keiner auf der Nase herum, weder im Camp noch sonstwo. Und was die Gefangenen angeht: das sind meistens ganz ordentliche Leute, jedenfalls die in meinem Camp, das möchte ich Ihnen sagen. Die sitzen in ihren Stuben und lernen Englisch, und haben Kurse für technische Fortbildung und spalten Mica, und dann haben wir Künstler, die malen.«

Monihan fand nun, daß er der Anstandspflicht vollauf genügt habe, und brach ab:

»Ich sagte Ihnen ja schon: ich möchte kommen und gehen, wann es mir paßt. Gebügelt wird bei mir im Zimmer auch nicht; wir haben unsere Wäscherei im Camp, und sie ist ausgezeichnet.

Ich kann sogar einmal für Sie etwas waschen lassen, wenn Sie das wollen.«

»Danke!« sagte Mrs. Hearse, und es blieb ungewiß, ob sie das Angebot annahm oder nicht.

»Auf Wiedersehen, Mrs. Hearse!« Monihan stieg langsam die Treppe hinab.

Am nächsten Freitag holte er Jessica, mit der er vorher telefoniert hatte, vom Autobus ab. Sie hatte ihr Mützchen gerade auf das krause braune Haar gesetzt und sah ernst aus. Monihan zeigte ihr die Schlüssel und berichtete über seine Wohnungssuche, nicht ohne Zimmer und Vermieterin erheblich zu verschönern.

»Sie sieht etwas struppig aus und hat einen Schnurrbart, aber Du kannst sicher sein, sie ist im Grunde die Gutmütigkeit selber. Paß auf: sie wird noch 'Madame' zu Dir sagen.«

Jessica blickte vor sich hin. »Ich bin ängstlich wegen der Militärstreifen.«

»Unsinn«, meinte Monihan, »die kommen jetzt nicht, und auf unser Zimmer erst recht nicht.«

»Ich weiß nicht . . .«

»Ich bringe das nächstemal einen elektrischen Kocher mit«, fuhr Monihan eilig fort, »den können wir dalassen, und Du machst uns dann den Tee. Du sollst sehen, es wird dort sehr nett.«

»Jim . . .«, sagte Jessica.

»Heute essen wir aber erst einmal zu Abend, unten am Hafen im Royal-Hotel.« Er sprach hastig und beschleunigte seine Schritte; er pries das Essen im Royal, das ganz besonders gut sein sollte; sie bekämen allerhand aus Irland, es werde ja jede Nacht geschmuggelt, ganze Flottillen führen manchmal hinüber.

Jessica blieb in einer stillen Straße unter der Straßenlampe stehen und sah ihm aufmerksam und mit höchster Intensität ins Gesicht. Sie holte tief Atem, stieß ihn leise zitternd wieder aus und legte ihre warme Hand auf seinen Arm.

»Jim«, sagte sie nochmals, aber in ganz veränderter Färbung. Dann lächelte sie und meinte, er solle nicht so rennen, sie könne den Berg nicht in solchem Tempo hinauflaufen.

Monihan wollte antworten, der Weg ginge ganz bequem bergab zum Hafen, aber er strich ihr wortlos mit der Außenseite der Finger über ihre Wange, die sehr weich und kühl war.

Beim Essen war Monihan bemüht, sich als Kavalier und Mann von Welt zu zeigen, der nicht umsonst im vorzüglichen Restaurant des Chichester-Court seine Studien gemacht hatte. Er bestellte zunächst Sherry und sorgte dafür, daß er 'dry' war — »oder möchtest Du lieber einen 'medium'?« Er überreichte Jessica die Menukarte zur Auswahl und fragte dann den Kellner, ob es nicht noch etwas 'Besonderes' gäbe, 'von drüben, er wisse schon, was gemeint sei'. In der Tat wurde ihnen ein Steak in Friedensqualität aufgetragen. Jessica aß mit gutem Appetit, und ihre braunen Augen funkelten lebhaft. Monihan bestand darauf, daß das Diner einen vorschriftsmäßigen Verlauf nahm, und schloß es mit Kaffee und einem Brandy ab. Er bot Jessica eine Zigarette an. Dabei versäumte er nicht, Konversation zu machen. Wie die meisten Iren besaß er die Gabe des leichten und guten Erzählens, und er gab Jessica eine Skizze seines Majors: »Er ist nicht übel, weißt Du, man kann mit ihm auskommen, wenn er nicht gerade einen fürchterlichen Kater hat; dann ist er unausstehlich und quengelt an den geringsten Kleinigkeiten herum, natürlich ganz ohne Sinn und Verstand. Überhaupt versteht er im Grunde von der ganzen Geschichte nichts; ich glaube, er weiß heute noch nicht den Unterschied zwischen A- und B- oder C-Internierten. Dann hat er noch jetzt nicht begriffen, daß er nicht von 'Gefangenen', sondern von 'Internierten' sprechen soll; sie haben ihm das von oben her schon ein paarmal angedeutet. Er behält das nicht. Ich habe es aufgegeben, ihn daran zu erinnern. Dabei macht man sich nur unbeliebt. Dann solltest Du ihn sehen, wie er dasteht, wenn etwas Unangenehmes passiert, wie die Sache mit dem Mann, der bellte . . .«

»Der bellte?« fragte Jessica.

»Ja, weißt Du, in Haus 17, in der ersten Reihe — wir haben drei Reihen Häuser, jede zu zwanzig Häusern —, da war ein Internierter, ein kleiner, unscheinbarer Mann, nicht größer als so, der bellte, wenn die Tür aufging, wie ein Hündchen. Er bellte ganz unerhört natürlich, kann ich Dir sagen, man erschrak förmlich und glaubte, sie hätten da wirklich einen Hund. Aber Tiere dürfen sie doch nicht halten, das ist streng untersagt. Ich habe selber fast einen Schock bekommen, als sie mich holten und ich das hörte. Er setzte sich dann unter die Treppe in den Zugang zum Keller; da hockte er den ganzen Tag und wartete darauf, daß jemand die Tür aufmachte. Dann fing er an, aus dem Kellereingang herauszufahren und auf die Leute loszuspringen, und eines Tages riefen sie mich, da war das Unglück passiert: er hatte einen ins Bein gebissen, nicht so zum Ulk, sondern tief, sie mußten ihm die Zähne auseinanderbrechen. Er hatte Schaum vor dem Mund, sage ich Dir, wir dachten schon, es könnte Tollwut sein.«

»Mein Gott, der arme Teufel!« meinte Jessica.

»Das will ich meinen, daß er ein armer Teufel war«, fuhr Monihan fort; »ich ließ ihn sofort ins Lazarett bringen, und drei Mann mußten ihn dabei halten, es war nicht zu glauben, was für Kräfte der kleine Mensch entwickelte. Aber was glaubst Du, was der Alte sagte, als ich ihm den Fall meldete? 'Sergeant', sagte er, 'ich will davon nichts hören; erledigen Sie die Geschichte. Ein Gefangener, der bellt, das kann ich doch nicht weitergeben. Damit mache ich mich ja lächerlich.' Ja, so ist er.«

»Und der Mann?« fragte Jessica, »ich meine, der Kranke?«

»Der ist dann eine Woche später im Lazarett gestorben«, erwiderte Monihan, »und vielleicht war das das Beste für ihn. Ja, wir erleben so allerhand in unserem Camp. Und wie sieht das nun bei Euch aus?«

Jessica berichtete nun über ihre unmittelbare Vorgesetzte, Miß Prestwick, die ungeheuer ehrgeizig sei, sie zittere immer nur so am ganzen Leibe vor Diensteifer; ihr Steckenpferd sei die Kleiderordnung, alles müsse bei ihren Untergebenen sitzen wie bei einer Modellpuppe, sie kümmere sich sogar um die Frisur — »und ich habe es da nicht leicht mit ihr, mit meinen krausen Haaren.«

»Na ja, ich bin auch für Ordnung«, meinte Monihan.

»Ich auch«, sagte Jessica, »was glaubst Du, wir wurden zu Hause streng gehalten. Da durfte nichts herumliegen, Mutter wäre mir schön gekommen. Vielleicht muß die Prestwick auch so sein. Manche von den Mädchen sind entsetzliche Schlampen. Die schmeißen ihre ganze Wäsche in einem Haufen in die Ecke und eine Zigarettenschachtel oben drauf. Aber eins muß ich der Prestwick lassen: um unsere Privatangelegenheiten kümmert sie sich nicht ein bißchen. 'Tut Eure Pflicht und haltet Eure Sachen ordentlich; was Ihr sonst macht, geht mich nichts an.' Das hat sie immer wieder gesagt, und sie spioniert auch nicht hinten herum, das muß ihr der Neid lassen. Das Spionieren besorgen schon die andern Mädchen, es ist schrecklich, wie sie ihre Nase in alles stecken. Und wie sie untereinander reden, über ihre Erlebnisse, sie erzählen sich alles, aber alles, Jim, man muß schamrot werden. Wenn Du aber etwas dagegen sagst, dann fahren sie auf Dich los: Stell Dich nicht so an, stille Wasser sind tief, Du hast es sicher faustdick hinter den Ohren. Und heute, als ich mich zum Ausgehen zurechtmachte, da tuschelten sie wieder so herum, und Lizzie, das ist die Schlimmste, sagte zu mir...«

Jessica brach plötzlich ab.

»Na, was kann sie gesagt haben?« meinte Monihan.

»Sie sehen doch alles, und sie machte ihre Bemerkungen über meine neuen Sachen und weshalb ich wohl grade heute...«

Monihan lachte: »Das kann ich mir denken, daß sie nicht Deinen Rock und die Tunika gemeint haben. Die sitzt übrigens vorzüglich, Mädchen, das muß ich sagen.«

Jessica verriet ihm, daß sie sich den Rock durch eine der internierten Schneiderinnen im Camp habe umarbeiten lassen. Und was das Bügeln anginge, da hätten sie wahre Künstlerinnen in ihrem Fach im Lager. »Überhaupt, es ist eine merkwürdige Gesellschaft. Da sind zum Beispiel eine Menge Köchinnen, aus den großen Restaurants in Mayfair oder aus feinen Häusern. Die nehmen die Rationen und veranstalten Wettkochen, jeden Tag kommt eine andere an die Reihe. Du solltest nicht glauben, was sie da alles zusammenbraten und -backen, und manche dekorieren es noch mit Papierrosetten. Schon die Namen für die Gerichte sind so komisch. Hast Du das einmal gehört: 'Apfelstrudl'?« Sie sprach das Wort auf deutsch aus, mit gespitztem Munde. »Oder: 'Marillenknödl'?«

Monihan versuchte die schwierigen Worte nachzusprechen, sie korrigierte ihn, und sie kamen beide ins Lachen.

Monihan sah nach seiner Uhr und meinte: »Lassen wir jetzt einmal all diese merkwürdigen Völkerschaften! Komm, 'Applestrundl'! Es wird sonst zu spät.«

Jessica blickte über den Tisch hinweg und sagte leise:

»Jim . . .«

Aber Monihan erwiderte nur: »Einen Augenblick, Jessica. Ich möchte erst einmal zahlen.« Er winkte dem Kellner und beglich die Rechnung. Dann erhob er sich und setzte seine Mütze mit einer energischen Handbewegung auf. Jessica rückte an ihrem Mützchen hin und her. Dann gab sie ihm einen leisen Schwung, daß es schief auf ihren krausen braunen Haaren saß, und folgte ihm hinaus auf die Straße.

Der Feldwebel schritt voraus, und es ging nun tatsächlich bergan; Jessica mußte sich anstrengen, um nicht zurückzubleiben. Vor dem Haus angekommen, zog Monihan den Hausschlüssel heraus und öffnete die Tür, ohne besonders leise zu sein. Er war entschlossen, seine ganze Autorität geltend zu machen, falls Mrs. Hearse sich zeigen sollte. Er sprach sogar auf der Treppe mit Jessica und leuchtete ihr mit seiner Taschenlampe und ermahnte sie, auf die Stufen achtzugeben: »Man kann sich ganz schön die Knochen brechen in diesen altmodischen Klapperkästen. Herrgott, da solltest Du unsern Lift sehen im Chichester-Court!«

Niemand zeigte sich, und sie traten in das Zimmer ein. Es sah im Schein der ziemlich verbrauchten und schwachen Glühbirne, die in einer Komposition aus eisernen Ästen und Perlenschnüren hing, ungeheuer groß und düster aus. Die Luft war stockig, und ein Geruch nach Staub und muffigem Plüsch lag wie ein grauer Belag auf allen Möbeln.

Jessica ging zum Fenster und öffnete es. Sie lehnte sich weit hinaus und blickte über die Dächer hinweg. Die Stadt, die noch keinen einzigen Luftangriff erlebt hatte, war nur recht unvollkommen verdunkelt, und überall am Hang funkelte es von winzigen Lichtern, wie vom Funkenflug einer Lokomotive in der Nacht. Irgendwie stimmte der Anblick das Mädchen fröhlich. Sie lehnte das Fenster an, wandte sich und schlug ihr Mützchen auf den Riegel.

Monihan war neben sie getreten und zog die Vorhänge vor.

»Eine liederliche Gesellschaft hier. Sie denken nicht daran, ihre Fenster richtig zu verdunkeln. Freilich haben sie bisher noch nie etwas abbekommen.«

Jessica blitzte ihn mit ihren braunen Augen an:

»Laß die Leute jetzt, Jim! Ich bin ja schließlich da.«

»Da hast Du recht, Jessica«, antwortete Monihan und nahm sie in seine Arme. Jessica öffnete die Lippen, und ihre frischen Zähne traten hervor, halb in Erwartung und halb in Furcht und leisem letzten Ekel. Dann schloß sie ihren Mund und preßte ihn kräftig auf den Monihans. Ihr Kuß war kindlich, aber ausdrucksvoll und sprechend, als sagte sie: So, hier bin ich nun, sei gut zu mir, Jim!

Sie lösten sich voneinander. Jessica stand in der Mitte des Zimmers und rieb sich unwillkürlich die brennenden Wangen. Sie war völlig verwirrt und begann sich auszuziehen. Monihan nickte ihr aufmunternd zu. Er warf sich in einen Sessel, der erschrocken und jämmerlich aufstöhnte, und würgte hastig an seinen Schuhen. Zwischendurch blickte er zu Jessica auf, die nun jede Ängstlichkeit abgelegt zu haben schien und mit jedem Kleidungsstück, das fiel, freier und selbstbewußter in ihren Bewegungen wurde. Dabei entging es ihm nicht, wie sorgfältig sie bei aller Eile ihre Sachen auf dem Sofa zurechtlegte.

»Das hast Du nicht geliefert bekommen«, meinte er.

»Nein«, antwortete Jessica, »sonst hätten sich die andern Mädel auch nicht das Maul darüber zerrissen.« Sie zog die Strümpfe von ihren langen Beinen, legte sie an Spitzen und Fersen zusammen und warf sie über den Rock und das Mieder. »So«, sagte sie abschließend, trat vor ihn hin und legte ihm beide Hände um den Hinterkopf. Sie erschien ihm überraschend groß gegen das Licht.

»Du riechst aber sehr gut«, meinte Monihan.

»Ja«, lachte Jessica, »und darüber würden sie wohl noch mehr lästern, wenn sie könnten.« Dann riß sie sich los, sprang leichtfüßig durch den Raum und drehte den Lichtschalter aus.

Mitten in der Nacht wachten beide durch ein trübes, winselndes Geräusch auf, das wie aus einem schmutzigen Brunnen zu kommen schien und in Windungen emporstieg. Es gurgelte, kickste und sank kläglich in sich zusammen.

»Die Sirene«, sagte Monihan. »Sie funktioniert nicht richtig. Ich habe den Kerls hundertmal gesagt, sie sollten sie in Ordnung bringen. Aber es ist schließlich nicht mein Dienstbereich. Übrigens glaube ich nicht, daß die Deutschen uns hier angreifen. Vielleicht sind sie in Belfast gewesen und fliegen hier in der Nähe zurück.«

Sie traten ans Fenster, öffneten es und blickten hinaus. Die Nacht war ruhig, nur ein winziges silbernes Sirren ritzte die mächtige Kuppel der Stille wie eine feine Schramme, die sich verdünnte und verlief.

»Nein, hierher kommen sie nicht«, sagte Monihan. »In London freilich, da soll es übel aussehen.«

Jessica legte den Arm um seine Schultern. Eine Welle von Wärme drang durch das dünne Hemd auf ihn ein.

»Jim«, flüsterte sie, »unser Zimmer kommt mir nicht mehr so gräßlich vor wie zuerst. Es ist auch gar nicht so groß. Es ist eigentlich sogar ganz hübsch.«

»Das sagte ich Dir doch«, erwiderte Monihan. »Und das nächstemal bringe ich den elektrischen Kocher mit. Dann machst Du uns Tee. Wann mußt Du denn aufstehen?«

»Der erste Autobus fährt um fünf«, sagte Jessica, »den muß ich unbedingt bekommen, sonst gibt es Ärger mit der Prestwick.«

»Ich wecke Dich«, meinte Monihan. »Du kannst Dich unbedingt auf mich verlassen. Ich wache zu jeder Stunde in der Nacht auf die Minute auf, wenn ich es mir vorgenommen habe. Und jetzt schleunigst wieder ins Bett. Soll ich Dich tragen?«

»Ja, trag mich, Jim«, nickte Jessica. Er umfaßte sie unter den Knien und um die Schultern und hob sie auf, etwas schwankend unter der unerwartet schweren Last. Stolz auf seine Kraft, schritt er mit ihr auf das Bett zu, als trüge er eine Neuvermählte über die Schwelle des eigenen Hauses.

9

MARKE RÜSSELSHEIMER

»Kinnings, jetzt geht es los, Ihr werdet sehen. Rüsselsheimer ist auch hier.« Der Bildhauer Groterjahn setzte seine Pfeife, an der er sonst ständig wie an einem Schnuller sog, von den vollen Lippen ab und paffte blanke Luftbläschen in die Weite. Um ihn herum standen die anderen Künstler des Lagers.

Der Name des berühmten Kunsthändlers wirkte erregend wie starker Wein. Sie hoben die Hände und sprachen durcheinander. Man erinnerte sich an seine Galerien in München, Berlin und Zürich, an Rüsselsheimers zahllose Konkurse und seine nicht minder glanzvollen Ausstellungspremieren. Seine sprichwörtlich zitierten Lieblingswendungen flatterten auf, das ironisch-marktschreierische: 'Hereinspaziert, hereinspaziert, meine Herrschaften!', mit dem er am Eröffnungstage das Publikum zu begrüßen pflegte, oder seine bekannte Parole: 'Alles dreht sich, alles bewegt sich, nicht herumstehen, meine Damen und Herren, der Fortschritt schreitet fort, nicht den Anschluß verlieren!'

»Er hat den Riecher, den unerhörten Riecher«, so hieß es von ihm, und alle wußten, daß dies nicht nur bildlich gemeint war. Jeder kannte die riesenhafte, knochige Nase des Mannes, die auf ebenso knochigen, breiten Schultern und einem untersetzten Körper mit Säbelbeinen als Wahrzeichen aufgepflanzt war. Übrigens, à propos seine Säbelbeine, so sagte einer: wisse man eigentlich, daß Rüsselsheimer auch nebenbei ein ganz hervorragender Reiter sei, der es sogar im ersten Weltkrieg bis zum Reserveoffizier der feudalen Bonner Husaren gebracht habe? Auch Pferdeverstand besitze der Bursche offenbar. Von seiner Generosität war die Rede, die nicht nur den Künstlern zugute kam, die er in seinen Galerien propagierte, sondern auch vielen anderen, ja eigentlich mit Vorliebe den Halb- und Viertelskönnern oder den ganz Hoffnungslosen, für die er sich eine eigene Kasse mit der Aufschrift »Nachtasyl« eingerichtet haben sollte. Sein ebenso notorischer Geiz und seine Knauserigkeit im Kleinen wurden erwähnt: die Bindfäden, die er eigenhändig von Ansichtssendungen abklaubte und auf seinem Schreibtisch zu Häufchen stapelte, oder die Briefmarken, die er sich herausgeben ließ, wenn das Wechselgeld um ein paar Pfennige nicht ausreichte.

»Bäcker hätte ich eigentlich werden sollen, wie mein Vater«, das war so eine seiner stehenden Redensarten, nicht wahr? »Brot brauchen die Leute immer — Kunst können sie entbehren.«

»War der Vater wirklich Bäcker?«

»Ach wo, ein Getreidegroßhändler, steinreich, mit Filialen in Odessa und Toronto! Markus Rüsselsheimer hieß die Firma, und der Sohn übernahm dann den Namen. Er verwandelte das Markus nur in Marke, es klang jedenfalls origineller. Manche dachten an Wagner dabei und andere an Markenschutz oder so etwas ähnliches. Vielleicht war es nur sein Widerspruchsgeist. Nichts war ihm doch lieber als Kontroversen und Debatten; je höher es dabei hergeht, um so besser. Was hat er nicht auf die Impressionisten geschimpft! 'Dieser zuckersüße Renoir! zeitlebens ist er nicht den Porzellanmaler losgeworden, immer so niedliche runde Weiberchen mit rosigen Bäckchen und Popochen, für den Export!' Oder auch van Gogh: 'Der hängt jetzt mit Recht in•jedem Jungmädchenzimmer mit seinen langweiligen Sonnenblumen. Ich weiß nicht, was die Leute an ihm haben. Vielleicht ist es das abgeschnittene Ohr und der Wahnsinn. Wahnsinnige sind ja immer sehr beliebt.' Und erinnert Ihr Euch an die Kataloge, in denen er links die wüstesten Verrisse abdruckte und rechts die Lobhymnen? 'Stunk belebt', sagte er dazu, und damit hatte er recht. Erst wenn die Fetzen fliegen, wird einer doch richtig bekannt.« Groterjahn sog nachdenklich an seiner leeren Pfeife. Dann hob er sie taktierend hoch:

»Wer hat Picasso zuerst bei uns ausgestellt, oder Matisse und Leger, von dem damals kaum jemand in Paris etwas wissen wollte? Mich hat er zwar nie recht gemocht, ich war ihm zu sanft und ruhig. Von Dir hat er übrigens ab und zu etwas gebracht, Bitter, wie?«

Der Dadaist Lebrecht Bitter, »Baby Bitter« genannt, ein niedersächsisch breit gebauter Mann, dessen graublonde Haare im Ponyschnitt bis tief in die niedrige Stirn hingen, ließ seine aquamarinblauen Augen etwas abwesend schweifen und sagte mit nöhliger Stimme:

»Jäöh ... meine Stotterplastik hat er ja woll einmal ausgestellt. Verkauft hat er nie etwas für mich.«

»Meinst Du, daß er mir Ton beschaffen kann?« fragte der riesenhafte Bildhauer Thumann, dessen ungeschlachte Fäuste über und über mit Leberflecken und Warzen besetzt waren. »Ich möchte jetzt meine 'Gebärende' machen. Die Idee habe ich schon lange. Ich brauche eine ziemliche Menge. Sie muß mindestens lebensgroß werden.«

»Kann sein, kann sein«, meinte Groterjahn. »Der Bursche versteht doch zu organisieren. Herrgott, wie er so in ein paar Jahren den ganzen Kunsthandel umgekrempelt hat!«

»Na ja, na ja, langsam, langsam!« warf ein kleiner, älterer Herr mit einem weichen, verzärtelten Mopsgesicht ein. Der Maler Lichtenberger war als einziger unter den Künstlern sehr elegant gekleidet, mit einem seidenen, nach Maß gearbeiteten Hemd und einem vorzüglich sitzenden Sportanzug aus bestem Stoff. Am kleinen Finger seiner linken Hand blitzte ein Solitär.

»Ihre Art, Lichtenberger, liegt ihm sicher nicht so ganz«, sagte Groterjahn versöhnlich. »Aber schließlich haben Sie auch ohne ihn Ihren Weg gemacht, sogar hier, wo keiner von uns recht vom

Fleck kam. Ich glaube, Sie sind einer von den zwei oder drei Malern, die auch in der Emigration gut verdient haben. Ich sage das ganz ohne Neid, Lichtenberger.«

»Es ist ja auch keine direkte, keine direkte, ich meine keine direkte Schande«, erwiderte Lichtenberger, der an leichten Sprachhemmungen litt.

»Gewiß nicht«, meinte Groterjahn, während Baby Bitter den Maler halb abwesend, halb aufmerksam betrachtete, als sei da ein höchst merkwürdiges Phänomen vor ihm aufgetaucht.

»Jäh«, sagte er, »wie machen Sie das eigentlich?«

»Ich mache das, mache das mit dem, ich meine mit dem Pinsel und der Palette«, gab Lichtenberger zurück.

»Na ja, aber Leinwand brauchen Sie doch auch dazu?«

Lichtenberger schwieg gekränkt. Er malte in sehr kleinem Format auf Holz oder Kupfer im Stile der alten Meister und mit sehr sorgfältig vertriebenen Farben, und seine gut komponierten und anmutig bewegten Genrebildchen erfreuten sich eines glatten Absatzes. Offenbar kannte in diesem Kreise außer Groterjahn niemand seine Produktionen.

»Was brauchen wir Leinwand!« rief der junge Erich Grimme, ein Zwanzigjähriger mit mädchenhaft hübschem Gesicht, dem er vergeblich durch einen blonden Flaum ums Kinn — er nannte ihn seinen 'Manetbart' — eine etwas männlichere Note zu geben suchte. »Ich bin zufrieden, wenn wir wenigstens ein paar große Bogen Zeichenpapier bekommen, die wir an die Wand picken können, und ein paar Stangen Kohle oder Rötel. Her mit Deinem Wundermann, Vater Groterjahn!«

»Le voilà«, sagte der Berufene, der von allen ungesehen herangetreten war und nun mit einer artistenhaften Grußbewegung beider Hände in den Kreis trat. »Ein Wundermann ist er nun grade nicht, der alte Marke, sondern einfach ein Geschäftsmann. Er hat den Riecher und er wittert das Geschäft. Er wird hier die

Kunstausstellung seines Lebens eröffnen, die Welt soll staunen. Er wird Euch Leinwand verschaffen, mit Malgrund, wenn es sein muß, Zeichenpapier, Kohle, Rötel, der Baby Bitter bekommt einen Haufen alte Streichholzschachteln, Gips und ausgekämmte Haare für seine Collagen. Und damit Ihr seht, daß der Marke schon angefangen hat, für seine Kinder zu sorgen: er hat mit dem Hausvater von Haus 12a gesprochen; der wird uns seine Waschküche als Künstlercafé einrichten. Ohne ein richtiges Café keine richtige Kunstbewegung. Da werden wir jeden Mittwoch sitzen und die Welt aus den Angeln heben. Ecco!«

Die Künstler drängten sich um ihn und schlugen ihn auf die breiten, knochigen Schultern. Ein Künstlercafé, das war es, in der Tat. Warum hatte nur keiner bisher daran gedacht?

Der Bildhauer Thumann trat dicht an Rüsselsheimer heran und sagte mit dumpfer, fast drohend klingender Stimme:

»Ich brauche Ton, und zwar eine ganze Menge.« Seine riesenhaften Arme klafterten ungeschlacht auseinander und räumten die anderen beiseite.

»Ton wird beschafft«, erklärte der Kunsthändler. »Wenn Ihr nicht gleich verlangt, daß ich Euch eine Bronzegießerei einrichte, wird Marke für alles sorgen. Er tut das nicht aus Menschenfreundlichkeit, das wißt Ihr. Er nimmt seine fünfundzwanzig Prozent von allen Verkäufen und zieht außerdem seine Spesen ab, das versteht sich von selbst. Wir sind Professionelle und keine Dilettanten. Und eins bitte ich mir aus, das müßt Ihr mir versprechen: Die Sache mit dem Künstlercafé bleibt ganz unter uns. Zaungäste können wir da nicht brauchen. Wir sind eine geschlossene, streng exklusive Gesellschaft. Mittwoch, Haus 12a, in der Waschküche. Für Bedienung ist gesorgt. Ich empfehle mich, Sela!«

Er machte eine knappe militärische Kehrtwendung und ging mit wiegenden Schritten auf seinen Säbelbeinen davon. Die Künstler starrten ihm schweigend nach.

»Jääh«, sagte Baby Bitter nach einer Weile, zu Groterjahn gewandt, »ein Husar, sagtest Du, nicht wahr? Ein Husar ...«

10

DAS KÜNSTLERCAFÉ

Am Mittwoch wurde tatsächlich im Haus 12a das Künstlercafé
eröffnet. Der Hausvater, ein Wiener Restaurateur, der aus Prag
stammte, hatte in der Abwaschküche aus langen Brettern eine
Tafel aufgestellt; es war ihm sogar gelungen, Kaffee zu beschaffen, der in der Küche zubereitet und von einem der Hausgenossen als Kellner serviert wurde. Die anderen Bewohner des Hauses
12a hatten sich etwas feindselig gegen diese Sonderveranstal-
tung für eine 'geschlossene Gesellschaft' verhalten und aus stillem
Protest auch an der Decke ihre halbnassen Unterhosen hängen-
lassen. Sie dachten nicht daran, die abzunehmen, so erklärten sie.
Der Wirt entschuldigte sich einmal über das andere, als Rüsselsheimer erschien, um den Raum zu inspizieren. Der Kunsthändler
fand dies Detail in dem sonst völlig kahlen und etwas modrig
riechenden Raum aber recht stilvoll. »Wir werden das beibehalten«, sagte er. »Das gibt der Sache Cachet. Tropfen tun sie doch
nicht mehr, wie?«

»Aber nein, aber nein!« versicherte der Hausvater.

»Lassen Sie nur«, meinte Rüsselsheimer, »das ist sehr hübsch
so. Ihren Hausgenossen können Sie sagen, daß sie dann Frei-
billetts für die Große Kunstausstellung bekommen.«

Er wartete, bis alle namentlich geladenen Gäste zusammen waren, und eröffnete dann die Sitzung mit einer kleinen Ansprache.
Man wollte, wie er wohl wußte, die bekannten marktschreierischen

Wendungen von ihm hören, und er enttäuschte seine Hörer nicht:

»Hereinspaziert! Hereinspaziert!« begrüßte er sie. »Bewegung, Bewegung, alles dreht sich, alles bewegt sich, nicht den Anschluß verlieren, nehmen Sie Platz! Wir kennen uns doch alle mehr oder weniger, zum mindesten dem Namen nach. Und was für Namen: die Crème de la crème, die Elite der europäischen Künstlerschaft, der Vortrupp der Avantgarde. Da ist unser alter Freund Baby Bitter, Ur-Dadaist noch aus den glorreichen Zeiten des Cafés Voltaire, nicht die spätere, schon stark abgequetschte Platte: Tritt vor, Baby, und mach Deinen Diener!«

Bitter nickte kurz, daß seine im Ponyschnitt gehaltenen graublonden Haare bis fast auf die Augenbrauen fielen, und nahm ohne weiteres den Ehrensitz am Stirnende der Tafel ein.

»Meister Hans Hanno Groterjahn«, fuhr Rüsselsheimer im Conférencierton fort, »den ich den deutschen Maillol nennen möchte...«

»Hinterwärts von Maillol, Marke«, warf der Bildhauer ein, »so haben Sie das früher formuliert, wenn ich mich nicht sehr täusche.«

»Möglich, möglich, ich rede ja so allerhand dahin, und was gebe ich schon auf mein eignes saudummes Geschwätz! Wer kennt ihn nicht, wer schätzt ihn nicht, unseren Groterjahn! Ich schulde ihm noch eine Gesamtausstellung und werde das hoffentlich einmal nachholen. Ein fauler Hund, so begabt er ist; nicht einmal seinen Brunnen für Lübeck hat er fertiggemacht, aber wir alle lieben ihn, schon als gemütlichen Plauderer und guten Kameraden, er braucht sich nicht zu verbeugen, er hat schon Platz genommen und zieht an seinem Pfeifenschnuller. Ich mache auf diese Pfeife besonders aufmerksam: sie deutet infantilistische Züge an, die ja auch in seiner Plastik so herzerfreuend hervortreten. — Großmeister Thumann: groß von Statur und groß von Plänen; wer hat nicht von seinem gigantischen Projekt eines Friedensdenkmals am Nordkap gehört, das aus einer Granitklippe von der Höhe des Empire Buildings herausgehauen werden sollte? Die Ereignisse haben den schönen Gedanken zeitweilig etwas in den Schatten gestellt.«

Thumann hob seine ungeschlachte Pranke und schüttelte ihm gerührt die Hand. Er sagte mit einer winzigen Stimme, er freue sich ungemein, aber ganz ungemein, daß man sein Friedensmonument in diesem Kreise nicht vergessen habe.

Er griff in die Brieftasche und entnahm ihr eine sechsseitige, auf Kunstdruckpapier gedruckte Broschüre über das geplante Denkmal, mit Lageplänen, Fotografien des Gipsmodells und begeistert zustimmenden Urteilen bekannter Persönlichkeiten aus aller Welt.

»Einen Augenblick, Thumann«, sagte der Kunsthändler, »wir kommen darauf noch zurück!«

Der Riese nickte freundlich, setzte sich und vertiefte sich in die Lektüre seines Prospektes, dessen Text ihm immer wieder neu und verwunderlich erschien. Mit erstaunlicher Zartheit hielten seine Tatzen das in den Falten schon etwas brüchig gewordene Heft vor sich hin.

Rüsselsheimer behandelte die übrigen Genossen etwas kürzer: den flaumbärtigen Erich Grimme, »einer von der jungen Garde, ich bin immer für die kommende Generation gewesen, alles dreht sich, alles bewegt sich, erfreulich selbständig, so 'indépendant' wie die Beine und Arme seiner Gestalten, die ihr Eigenleben führen und sich nach oben und unten ins Ungemessene vergrößern«; er wies auf den »Kleinmeister« Lichtenberger hin, dessen Miniaturmalereien gewissermaßen Petit Fours der Kunst darstellten und sich daher auch besonderer Beliebtheit beim Publikum erfreuten, das solche Leckerbissen . . .

Lichtenberger, in dessen weichem Mopsgesicht es zuckte, unterbrach ihn, seine beringte Hand schwenkend:

»Lassen Sie, lassen Sie das doch, Herr, Herr Rüsselsheimer, ich weiß ganz genau, weiß ganz genau, daß Sie mich nicht mögen! Aber das macht nichts, das macht hier schon gar nichts, und dann verkaufe ich meine kleinen Bilder ganz gut, und zwar zu großen, zu großen Preisen.«

»Ja, aber das sagte ich doch grade«, erwiderte der Kunsthändler, »Brot brauchen die Leute immer; mein Vater war schließlich Bäcker.«

»Es gibt nämlich«, fuhr Lichtenberger etwas hitzig fort, »gibt nämlich auch Leute, ja, die gibt es, die es gar nicht ungern haben, wenn sie auch erkennen, wenn sie tatsächlich auch richtig erkennen können, was auf einem Bild gemalt ist.«

Damit war die Diskussion sogleich in vollem Gange. Rüsselsheimer betrachtete nur noch mit etwas ungewissen Blicken einen älteren Herrn, der sich sehr bescheiden im Hintergrund gehalten hatte und ihm nun von Groterjahn als ein Herr Krausnitzer vorgestellt wurde, Bankier, großer Sammler und Kunstfreund; er gehöre, streng genommen, nicht dazu, aber man wolle doch nicht allzu engherzig verfahren, nicht wahr?

»Sicher nicht, immer hereinspaziert«, sagte Rüsselsheimer.

Krausnitzer nahm mit großer Zurückhaltung auf einem Stuhl hinter seinem Protektor Groterjahn Platz, außer der Reihe gewissermaßen. Er beteiligte sich mit keinem Wort an der Debatte, stützte die Hände auf die Knie und lauschte nach allen Seiten mit ergreifender Andacht den Worten der Meister. Sein teigiges Gesicht rötete sich vor Freude, dabeisein zu dürfen. Von Zeit zu Zeit stand er auf, um in der Küche, schwer nach Atem ringend, ein Glas Wasser zu sich zu nehmen, denn er litt an einem starken Herzfehler.

Baby Bitter führte das große Wort. Das Publikum, von dem Lichtenberger gesprochen habe? Die große Masse? Auf die solle man Rücksicht nehmen oder sich gar einstellen? Den Teufel werde er tun. »Die dreckigen Verdiener sollen unsere Bilder kaufen, statt zu grinsen oder zu feixen. Dazu sind sie da, zu nichts weiter. Die Kerle sollen die Knochen zusammenreißen und klatschen, basta!«

»Seien Sie nicht, nicht so diktatorisch«, wandte Lichtenberger ein, der sich trotz seines weichen Mopsgesichtes als sehr streitbar entpuppte. »Und vielleicht kaufen sie dann solche Bilder, solche Bilder eben nicht.«

»So-so-so-solche Bilder werden sie dann in zehn oder fünfzig Jahren kaufen«, gab Bitter zurück. »Die Hauptsache ist, daß erst einmal Platz geschaffen wird für unsere Sachen. Der alte Krempel verstopft doch alle Museen. Da muß erst aufgeräumt werden, tabula rasa, weg mit den Schinken von Raffael bis Cézanne!«

»Nein«, fiel Marke Rüsselsheimer ein, »übertreiben Sie nicht, Baby, Cézanne doch nicht!«

Baby Bitter wischte mit seiner Hand über den Tisch: »Weg mit ihm, weg mit ihm, weg mit ihm! Keine faulen Ausnahmen für die sogenannten Meisterwerke, damit kommen wir nicht vom Fleck! Ihr kennt die Geschichte von dem Museumsdiener in Neapel? Der hatte dreißig Jahre lang die Tazza Farnese bewacht, in ihrem Glaskasten, diese kitschige Zuckerbäckerei aus dem Altertum. Dreißig Jahre hatte er zugesehen, wie die blöden Fremden davorstanden und bewundernd ihr Gesicht verzogen und murmelten: lovely, oder épatant, oder grandios, und dann war ihm im einunddreißigsten Jahr endlich die Geduld gerissen, er griff hinein in den alten Glaskasten, holte die Tasse am Ohr heraus und schmiß sie auf den Fußboden, daß sie in hundert Stücke zersprang. Ich glaube, er trampelte noch auf den Scherben herum. Das ist ein Mann nach meinem Herzen. Wir haben ihn zum Ehren-Dada ernannt und ihm ein Telegramm geschickt. Aber dann kitteten sie die gräßliche alte Ruine wieder zusammen.«

Seine aquamarinblauen Augen waren starr und böse auf den Tisch gerichtet, als sähen sie dort die gerettete Schale vor sich.

»Nun, der Krieg wird Dir da vielleicht helfen, Baby«, meinte Groterjahn. »Da wird ja nun wohl allerhand in die Brüche gehen.«

»Nicht genug«, sagte Bitter. »Sie verstecken doch das Gerümpel überall, in Bergwerken, Salzminen oder auf alten Raubritterburgen. Da gehört das Zeug auch hin. Es wird viel zuviel übrigbleiben.«

»Und wenn sie nun mit Deinen Sachen später einmal ebenso verfahren«, wandte Groterjahn ein, »wie wird Dir das gefallen?«

»Nur zu, immer zu!« rief Bitter. »Von Zeit zu Zeit muß aufgeräumt werden, sonst erstickt ja die Welt in dem vermoderten Dreck. Mein Freund Wagenknecht, der die große Maskensammlung zusammengebracht hat, erzählte mir einmal von einem Indianerstamm am Orinoko. Er hatte zwei Jahre mit den Leuten gelebt. Die hatten einen sehr schönen und vernünftigen Brauch. Sie nannten ihn 'den großen Kattun', sagte Wagenknecht. Alle sieben Jahre zerschlugen sie alles, was sie hatten, die Töpfe, die Hütten, sie zerbrachen ihre Bogen und Pfeile und verbrannten sie, ihre Schlafmatten warfen sie in den Fluß. Und dann fingen sie ganz von vorne an. Sogar ihre Backen bemalten sie sich mit neuen Farben. So etwas schwebt mir vor, so ein großer Kattun. Es wäre herrlich. Es wäre ein Segen für die Menschheit und erst recht für die Kunst.«

»Ein hitziger junger Mann, unser Baby Bitter«, meinte Rüsselsheimer, »alles dreht sich, alles bewegt sich, wie? Wir haben ja schon ein paarmal einen solchen 'großen Kattun' erlebt. Und was war das mit der Ausstellung 'Entartete Kunst', mein Lieber? War das nicht ein Riesenkattun? Von Ihnen war doch auch einiges dabei, wenn ich mich recht erinnere, oder nicht?«

Baby Bitter bewegte den Kopf mit der Ponyfrisur langsam hin und her und ließ die Lider über die Augen fallen. »So meine ich das doch nicht, und Sie wissen das, Marke, Sie alter Fuchs und Kunstverschleißer. Der Plebs soll unsere Sachen nicht verbrennen. Wir selber müssen Schluß machen, wir selber. Aber dazu sind die meisten zu feige. Ihr klebt doch alle noch an Euren Eierschalen.« Er blickte sich im Kreise um.

»Du klebst Deine Collagen«, sagte Groterjahn, »und wir kleben an der Tradition. Ich jedenfalls tue das, und ich schäme mich gar nicht, es zu bekennen. Ich fand es immer einen sehr schönen Brauch bei unseren französischen Kollegen, daß man den Namen seines alten Lehrers im Katalog angab, auch wenn man schon ganz groß geworden war. 'Schüler von Lenormant', das habe ich immer von mir gesagt, und es auch drucken lassen, obwohl es bei uns ja nicht so üblich ist.«

»Na, das war aber doch ein ziemlicher Kitschier«, meinte Marke Rüsselsheimer.

»Sicher«, sagte Groterjahn, »aber der Mann konnte etwas. Man hat bei ihm etwas gelernt. Wenn er mit seinen fetten, weißen Fingern — und er ließ sich die immer tadellos maniküren — an einem Busen modellierte, dann lebte der bis in die Brustwarzen hinein. Der Kitsch kam bei ihm erst nachträglich hinzu. Da mußte sich eine Schlange um den Hals des Weibes ringeln, und dann nannte er es 'Die Sünde', oder er gab ihr einen Spiegel in die Hand, und es hieß 'Die Eitelkeit'. Wenn man seinen Sachen all diesen literarischen Unfug abschlagen könnte und nur den bloßen Torso übrigbehielte, dann würden Sie sich alle fünf Finger danach ablecken, Marke.«

»Nee, nee«, wehrte der Kunsthändler ab, »den können Sie mir nicht verkaufen, Groterjahn, auch in zwanzig Jahren nicht.«

»Was wissen wir, was in zwanzig Jahren 'dran' ist, Marke!« meinte der Bildhauer. »Vielleicht ist da das wieder obenauf, was Sie jetzt Kitsch nennen, wenn man sich an dem sauren Zeug die Galle verdorben hat. Die Surrealisten haben ja schon damit angefangen. Man muß nur eine süße, zuckrige Puppe nehmen, ganz sauber gemalt, eine richtige Badenixe, und sie mit Pfeffer und

Salz bestreuen oder ranziges Öl herumgießen, Du kannst ihr auch den Bauch etwas aufschneiden und ein paar Telefondrähte heraushängen lassen . . .«

»Telefondraht könnte ich gut brauchen«, unterbrach ihn Baby Bitter. »Ich wollte schon immer einmal eine Zitterplastik machen, die sich richtig bewegt und nicht steif und stur auf der Plinthe steht.«

Der bescheidene Beisitzer, der im zweiten Rang hinter Groterjahn Platz genommen hatte, rückte aufgeregt näher heran. Er suchte jedes Wort der Meister aufzunehmen und lauschte nicht nur mit den Ohren, sondern mit der ganzen Fläche seines teigigen Gesichtes. Er strahlte und murmelte kaum hörbar: »Eine Zitterplastik, das ist kolossal. Das ist einfach eine kolossale Idee. Das war noch nicht da.«

»Zitterbilder«, sagte Lichtenberger, sein weiches Mopsgesicht weinerlich verzogen, »haben wir, haben wir schon gehabt. Sie wissen, was Liebermann gesagt hat: 'So'n Bild, so'n Bild, det pisse ick Ihnen in den Schnee — bei Nacht.'«

»Gut!« applaudierte Marke Rüsselsheimer und schenkte Lichtenberger einen anerkennenden Blick, als wollte er ihn einen Platz heraufsetzen.

»Und das soll das Publikum, das Publikum«, fuhr der Miniaturmaler fort, »das sollen die nun fressen?«

»Ja, das werden die fressen«, erklärte Baby Bitter grimmig. »Ich meine das buchstäblich. Ich werde ein Kunstwerk schaffen, das mit Brotscheiben belegt ist und das der werte Beschauer, der Drecksack, mir aufzufressen hat. Das schwebt mir schon lange vor. Ich werde ihn mit der Faust im Genick packen und so lange mit der Nase daraufstoßen, bis er es herunterwürgt. Wenn ihm dabei ein Brocken in die falsche Kehle kommt, kann ich nichts dafür. Den Hals hinunter muß es.«

Groterjahn lächelte ihm zu und blies den Rauch mit Schnalzlauten wie in winzigen Bläschen neben seinem Pfeifenstiel hervor:

»Wenn man Dich so hört, Baby, so sollte man gar nicht glauben, daß Du eigentlich auch gute Porträts machen kannst, wenn es sein muß. Ich erinnere mich an den alten Kinobesitzer, Deinen Hauswirt, den Du in Ealing gemalt hast, tadellos, en face, die Nase mitten im Gesicht, mit zwei Augen und allen Warzen; ein alter Niederländer hätte es nicht besser machen können. In der Royal Academy hättest Du das Stück hängen können.«

»Was willst Du mit der Royal Academy?« sagte Bitter. »Ich habe meine Miete damit bezahlt, was ist dabei?«

»Es ist etwas dabei«, erwiderte Groterjahn freundlich.

»Der Mann war übrigens nicht so übel«, sagte Bitter. »Wir haben uns ausgezeichnet bei den Sitzungen unterhalten. Er verstand kein Wort Deutsch und ich kaum zwei Worte Englisch. Ich habe ihm das Scherzo meiner Lautsonate vorgetragen, das kapierte er sofort. Er hat applaudiert wie eine ganze Horde von Ashantinegern und wollte mich für seine Nachmittags-Show engagieren. Soll ich Euch das Stück rezitieren? Hanno kennt es, aber die andern doch nicht.«

Ohne die Antwort abzuwarten, erhob er sich in seiner ganzen niedersächsischen Breite. Er stellte einen Fuß auf den Stuhl, stützte seinen Ellenbogen auf das Knie und nahm die linke Gesichtshälfte in die Hand. Den Kopf hielt er gesenkt; die Ponyhaare fielen auf seine Augenbrauen. Er schlug die Augen ein und begann mit flötender Stimme:

> »Langke tyrggel,
> Pippippippi,
> Oh ka', oh ka — . . .
> Langke tyrggel,
> Zitzitzitzi,
> Oh ha', oh ha — . . .«

Er verschluckte sich kunstvoll und ließ seine Stimme dann in eine Art von gurgelnder Kadenz ausbrechen, die wieder absank und in einer röchelnden Fermate endigte. »Das ist nur der Anfang«, sagte er abrupt.

Die Kameraden klatschten laut Beifall. Groterjahn summte die erste Zeile nach: »Langke Tyrggel ... ja, ich erinnere mich.«

Die Tür zur Küche öffnete sich plötzlich, und die Gesichter der Hausbewohner von 12a zeigten sich, dicht übereinander angeordnet, von Neugier verzerrt, feixend, grinsend, mit Tränen in den Augen.

»Was wird denn hier getrieben?« platzte einer heraus. »Wir dachten, Ihr seid eine geschlossene Künstlergesellschaft. Unser Hausvater hat uns das so erklärt. Wenn hier Kabarett gemacht wird, dann wollen wir auch dabei sein.«

»Hier ist kein Kabarett«, sagte Marke Rüsselsheimer streng. »Einem von uns ist eine Gräte im Hals steckengeblieben. Bringt ihm lieber ein Glas Wasser, aber schnell!«

»Ihr wollt uns wohl für dumm verkaufen?« fragte der Wortführer der Hausgenossenschaft zurück. »Das war ein Tierstimmenimitator oder so etwas ähnliches. Glaubt Ihr, wir haben das nicht gehört?«

Baby Bitter, der stets für Zuhörer aufgeschlossen war, forderte sie auf, doch hereinzukommen. »Stellt Euch dort vor das Fenster! Stühle haben wir nicht mehr. Ich werde Euch mein Gedicht vom Fischgerippe vortragen.«

Sie blickten sich gegenseitig an und zögerten. Unter den Künstlern erhob sich leises Gemurr: man wolle sich doch unterhalten und unter sich bleiben.

»Herein oder heraus«, rief Baby Bitter gereizt, »aber entscheidet Euch! Ignoranten habe ich gern, nur die Halbseidnen, die hasse ich wie die Pest.« Er fing an zu brüllen: »Hinaus mit Euch, Ihr habt hier nichts zu suchen, wenn Ihr nicht zuhören wollt!«

»Kommt Kinder«, sagte der Wortführer der Hausgenossen, »die sind ja vollständig übergeschnappt! Das ist ja haarsträubend, was hier verzapft wird. Und dann wollen sie uns noch aus unserem eignen Haus hinausschmeißen. Eine Unverschämtheit!«

Der Hausvater und Wirt eilte erschreckt herzu und vermittelte; er drängte die Hausgenossen zurück, schloß die Tür und entschuldigte sich vor den Gästen. Gleichzeitig deutete er an, daß er Rücksicht auf seine Wähler zu nehmen habe; es sei auch schon etwas spät geworden, und man werde sehr bald zum Abend-Appell antreten müssen. Vielleicht werde man ihm ein andermal wieder die Ehre erweisen.

»Wir überlegen uns das«, sagte Marke Rüsselsheimer. »Übrigens haben wir noch Zeit, und der Kaffee ist schließlich bezahlt.«

»Aber gewiß, gewiß«, meinte der Wirt. Er wedelte mit den Händen, als hielte er eine Serviette und wollte die Krümel damit vom Tisch fegen. »Nichts dagegen zu sagen, meine Herren, nichts dagegen zu sagen.«

»Nun also«, bemerkte Marke Rüsselsheimer. »Wo waren wir eigentlich stehengeblieben? Bei der Diskussion über das Publikum. Wir haben eine kleine Lektion bekommen, ein bißchen Anschauungsunterricht, nicht wahr, Baby?«

Baby Bitter stellte wieder seinen Fuß auf die Stuhlkante und blickte mit kalten Augen um sich: »Ihr seid genau solche Spießer, das habe ich gemerkt. Meine Gedichte sind in der Sammlung *Anna Ubu* veröffentlicht. Es gibt Exemplare auf Bütten, zu zwanzig Mark das Stück, Ihr Banausen. Weshalb soll ich die nicht vortragen? Warum fallt Ihr mir in den Rücken, Ihr Halunken?«

»Stille jetzt!« sagte Groterjahn. »Das wird ja beinahe ungemütlich. Du mußt nicht immer Deine Gedichte abschießen, Baby, und dann kennen wir sie zum Teil schon. Andere wollen auch zu Worte kommen. Und eigentlich sind wir hier zusammengekommen, um ein nettes Fachgespräch zu führen und unsere Pfeife zu rauchen. Nimm Deinen Fuß vom Stuhl und setz Dich hin! Wenn Du sitzt, wirst Du gleich etwas friedlicher werden.«

Der Riese Thumann, der unbeirrt durch den Lärm in seinem Prospekt gelesen hatte, blickte nun auf und sagte mit seiner winzigen Stimme: »Frieden, das ist es, Kinder. Kein Mensch kann doch im Grunde einsehen, warum wir uns gegenseitig den Hals abschneiden sollen. Wenn das erst einmal alle begriffen haben, dann wird es besser. Dafür habe ich auch mein Denkmal bestimmt.« Er schwenkte vorsichtig das brüchige Heft. »Wenn alle, die guten Willens sind, sich an einer solchen Stätte zusammenfinden wie bei den Olympischen Spielen, dann muß es gelingen. Herrschaften, helft doch mit dabei! Streitet Euch nicht! Wir sind doch gute Kameraden.«

Baby Bitter nahm seinen Fuß herunter, ging zu Thumann heran und drückte ihm vorsichtig einen Kuß auf die Wange. »Du bist ein Engel, Thumann, und viel zu schade für diese Welt. Entschuldige, wenn ich Unfug gemacht habe! Du hast recht.«

»Ja, da ist nun eigentlich nichts mehr zu sagen«, meinte Marke Rüsselsheimer etwas verlegen. »Ich denke, wir machen für heute Schluß. Und jetzt hinausspaziert, meine Herren, damit wir zum Antreten rechtzeitig in unsere Häuser kommen!«

Sie zerstreuten sich. Nur der Bankier Krausnitzer blieb noch einen Augenblick. Er hatte sich aus der Küche ein Glas Wasser geholt und nippte daran mit verzerrtem Gesicht. Die Hausgenossen strömten herein, räumten den Tisch und die Stühle zusammen und nahmen die halbnassen Unterhosen von den Seilen an der Decke.

»Das wollen nun Künstler sein«, sagte einer.

Krausnitzer nahm das Glas von den Lippen und sagte mit pfeifendem Atem: »Das *sind* Künstler, meine Herren. Das sind weltberühmte Künstler, Männer mit Ideen, mit ganz kolossalen Ideen.«

»Na komm, komm«, sagte der andere, »sieh zu, daß Du den Anschluß nicht verpaßt! Mit Deinem Herzen kannst Du doch nicht laufen, und da draußen rufen sie schon zum Appell. Feldwebel Monihan, der hat auch so seine Ideen, und der teilt Dich zum Latrinenschrubben ein, wenn Du zu spät bist.«

Krausnitzer gab schweigend sein Wasserglas zurück und setzte sich in Bewegung, vorsichtig trottend und die Hände balancierend erhoben, als fürchte er sich, etwas zu verschütten. Auf seinem Gesicht stritt sich die schmerzhafte Anstrengung mit dem alles überwältigenden Gefühl der Glückseligkeit, wieder einmal »dabeigewesen« zu sein.

11

DER BEISITZER

Auch bei den weiteren Sitzungen und Debatten im Künstlercafé war der Bankier Krausnitzer ständiger Gast, stets zurückhaltend und bescheiden am Rande der illustren Gesellschaft im zweiten Rang verharrend und lediglich als 'unser Beisitzer' einbezogen in den sonst sehr streng geschlossenen Kreis.

Dabei zu sein, ganz einfach dabei zu sein, wenn Künstler zusammensaßen und sich unterhielten von den hohen Dingen ihres Metiers, vom Atelierklatsch oder technischen Finessen, war sein Schönstes und war es auch früher in seinem sehr viel behaglicheren Leben gewesen. Sein Geschäft, eine kleine Privatbank in Potsdam, die von seinem Vater begründet worden war und vor allem die frühere Hofgesellschaft beriet, hatte er im wesentlichen seinem Prokuristen überlassen. Krausnitzer aber hatte so wie hier in Haus 12 a fast jeden Nachmittag und Abend in Berlin im Romanischen Café gesessen und seinen koffeinfreien Kaffee getrunken, ja, schon das sagenhafte »Alte Café des Westens«, in dem der berühmte bucklige Richard bediente, hatte ihn zu seinen Stammkunden gezählt. Er hatte dem verrückten oder vielleicht im Grunde sehr gewitzten Maler Höxter den obligaten Obolus entrichtet, den der Schnorrer-König gebieterisch von Tisch zu Tisch einforderte und mit kaum verhohlener Verachtung in seine kunstvoll ausgefranste Tasche versenkte. Auch der nicht weniger schnorrbegabte Schauspieler Beierle war von ihm unterstützt worden, der häufig im Taxi vorgefahren kam und rasch und souverän hineinging: »Hören Sie, Prausnitzer« — er nahm sich nicht einmal die Mühe, den Namen des Beschnorrten richtig zu behalten—, »ich habe eben kein Kleingeld bei mir, der Schofför wartet da draußen . . .« Krausnitzer zahlte.

Krausnitzers großer Tag war es gewesen, als er einmal im Romanischen Café an den Marmortisch geladen wurde, an dem der Verleger Bruno Cassirer und Max Slevogt über eine neue zwölfbändige Serie von illustrierten Märchenbänden berieten. Da durfte er nun, den Stuhl leicht zurückrückend, mit halben Blicken die Probedrucke mit ansehen, die der Meister in Händen hielt und mit brummigen Kommentaren versah:

»Der alte Manke hat sich wieder einmal Mühe gegeben mit dem Drucken, Felsing hätte das nicht besser machen können. Aber trotzdem: die Farbe ist schmierig, viel zu schmierig, in den Schatten läuft ja alles ineinander. Ich weiß, was Sie sagen wollen: wenn er die Farbe steifer nimmt, dann rupft das Papier. Das ist ja eben die Geschichte. Sie müssen echtes Japanpapier nehmen, das rupft nicht. Ich habe das schon hundertmal gesagt. Dieses deutsche Japan ist zu lose gearbeitet, das muß rupfen. Geben Sie Ihrem Herzen einen Stoß und bestellen Sie das echte!«

»Was glauben Sie denn«, hatte der Verleger erwidert. »Das ist doch heutzutage einfach unbezahlbar, jeder Bogen kostet eine halbe Million, und dann muß man noch obendrein in Devisen bezahlen.«

»Sie verdienen ja auch in Devisen«, meinte der Maler.

»Keine Rede«, erklärte der Verleger. »Wir sind nicht Paris. Vielleicht kommt das noch, wenn wir es erleben.«

Mit vorgerecktem rechtem Ohr hatte Krausnitzer diese unvergeßliche Unterhaltung in sich aufgenommen, ohne ein Wort zu sagen. Über Drucke und Japanpapier hätte er eigentlich sogar mitreden können, denn bei aller sonstigen Mittelmäßigkeit und Indolenz besaß Krausnitzer doch eine heimliche Leidenschaft, die all seine schlummernden Kräfte weckte: er sammelte Graphik. Auf diesem Gebiet war er ein Kenner von hohen Graden, ein ungemein wählerischer Käufer. Der zweite große Tag seines Lebens war es gewesen, als ihm nach einer Auktion in Leipzig der Chef des Hauses Boerner gesagt hatte: »Sie verstehen etwas von Stichen, Herr Krausnitzer. Ihre Sammlung möchte ich einmal im Ganzen versteigern.« Aber auch von diesem Erlebnis, das er wie eine Ehrenbürgerurkunde in seinem Herzen aufbewahrte, ließ er kaum je etwas verlauten.

Nur an einem Nachmittag, als die Stammtischrunde wegen des schönen Spaziergehwetters stark gelichtet war, fühlte sich Krausnitzer ermutigt, seinen bescheidenen Rücksitz bis an den Tisch in die erste Reihe vorzuschieben und seinen Nachbarn Plautz anzusprechen. Er erhoffte sich von dem Kunsthistoriker einiges Verständnis für seine Sammlerleidenschaft.

»Ich hatte nicht viele Blätter, Herr Plautz, aber sie waren fast alle von erster Qualität und von bester Provenienz. Rembrandt, Dürer, Schongauer, Hirschvogel, auch ein paar frühe Blätter, einen sehr schönen Israel von Meckenem: Die spielenden Kinder; über van Dyck bin ich aber nie hinausgegangen.«

»Ja?« sagte Plautz, der sich ausschließlich für Ostasien und im Grunde nur für die Khmer-Plastik interessierte.

»Ich habe mich bewußt auf Graphik beschränkt. Zur Farbe habe ich nie ein Verhältnis gehabt.«

»Ja, die Farben, die Farben«, meinte Plautz träumerisch. Er dachte an einen Sonnenuntergang über Saigon.

»Ölbilder sagten mir nichts. Ich kann Gebrüll überhaupt nicht ausstehen. Deshalb habe ich mir auch nie ein Radio angeschafft. Aber solch ein Blatt von Dürer zum Beispiel, das klingt doch förmlich, wenn man es in die Hand nimmt.« Das sonst so teigige Gesicht des schweren Mannes hatte sich gespannt und glühte; seine Augen strahlten. Er fand Worte, die ihm in seinem übrigen Leben nie zur Verfügung gestanden hätten.

»Förmlich metallen klingt das.«

»Ja, Metall«, sann Plautz nach, »besonders Bronze, das verstehen sie da drüben zu behandeln. Keiner kann Bronze so vergolden wie die Khmer.«

»Ich besaß all die großen Blätter«, fuhr Krausnitzer fort, »den Hieronymus, Adam und Eva, vor der Spalte in der Baumrinde unterhalb der linken Achselhöhle des Adam, auf Ochsenkopfpapier, die Melancholie, Maria auf der Rasenbank, mit einer Provenienz bis ins sechzehnte Jahrhundert zurück, bis zur Sammlung des Abraham Ortelius. Und dann meine Rembrandts. Das war freilich ganz etwas anderes. Der samtige Ton und der Grat bei so einem frühen Abzug! Man soll es ja eigentlich nicht tun, aber ich konnte mich doch oft nicht beherrschen und bin mit dem Finger leise darübergestrichen, um den Grat zu fühlen, wenn ich meine Blätter zur Hand nahm.« Krausnitzer war wie verwandelt. Er sprach laut, er gestikulierte über den Tisch hinweg.

»Ich besaß das große Blatt mit dem Porträt des Goldschmieds Jan Lutma, in dem äußerst seltenen allerersten état, vor der Bezeichnung und dem hinzugefügten Fenster, in einem ganz tieftonigen Abdruck. Aber ganz abgesehen von der Technik mit all ihren Finessen: Was für ein Kopf ist das! Das ist nicht irgendein Handwerker oder Zunftmeister, das ist ein großer Herr, ein Fürst der Goldschmiedekunst, der da in seinem hohen Samtsessel mit den Löwenköpfen vor uns sitzt und einen anschaut, wissen Sie, als ob er einem eine Audienz gewährte.«

»Hm«, machte Plautz.

»Und was ist dann aus Ihrer Sammlung geworden? Haben Sie die mit herüberbringen können?«

»Ich besitze noch ein Blatt«, sagte Krausnitzer, und seine Augen verschleierten sich. »Auch das ist nicht in sehr gutem Zustand. Ich bin ja leider erst sehr spät fortgegangen, nach der ›Kristallnacht‹, und ich hatte die Stücke alle bei mir zu Hause. Ich habe mich nie entschließen können, sie auf eine Bank zu geben. Da gingen sie denn gleich daran, als sie kamen. Sie haben die Blätter herausgenommen, zerrissen und darauf herumgetrampelt, die letzten Mappen haben sie zum Fenster hinausgeworfen, als es ihnen zu langweilig wurde. Es waren Jungens, Lausejungens, halbe Kinder. Sie hatten keine Ahnung, was das war. Mir persönlich taten sie übrigens nichts, aber auf die Straße habe ich mich doch nicht getraut für die nächsten beiden Tage. Da ist denn wohl der Rest gestohlen worden oder in die Müllabfuhr gewandert.«

Er schwieg eine ganze Weile. Plautz fragte vorsichtig nach dem einen Blatt, von dem er gesprochen habe.

»Ja so«, meinte Krausnitzer. »Unsere Portierfrau kam am andern Morgen, Frau Lentze, eine hochanständige Frau, die sich auch bis zum Schluß großartig zu uns benommen hat. Sie brachte mir das Blatt, und ich muß ihr das hoch anrechnen. Es waren die ›Spielenden Kinder‹ von van Meckenem. Es war am Rande mehrfach eingerissen und verschmutzt, denn sie hatten daraufgetreten. Das Stück ist nur noch eine Ruine, aber ich habe es doch mitgenommen, obwohl es so gut wie wertlos ist. Nur ansehen kann ich es nicht mehr; ich habe es unten in meinem Koffer liegen.«

»Spielende Kinder«, sagte Plautz.

»Ja«, meinte Krausnitzer. »Ich sehe jedes meiner Blätter so deutlich vor mir, als ob ich es in der Hand hätte, jeden Kratzer, jede Stelle, wo die Radiernadel etwas ausgeglitscht ist, ich könnte Ihnen das aufzeichnen. Es sind dürre und ziemlich häßliche gotische Knaben: im Hintergrund panschen sie mit Töpfen und einem Wasserkrug herum — aber unser Porzellan haben sie übrigens nicht angerührt —, und einer wälzt sich schreiend am Boden. Vorn versuchen zwei eine Tafel mit der Signatur des Meisters zu lesen, sie sind wohl Analphabeten. In der Mitte jedoch steht einer, der grinst und·schwingt die Peitsche.«

»Kommen Sie!« sagte Plautz. »Trinken Sie ein Glas Wasser! Und dann müssen wir wohl gehen.«

Krausnitzer stützte sich mit beiden Händen auf die Tischkante und blickte in sich hinein, wo die Bilder mit scharfem Stichel eingegraben waren. Dann richtete er sich auf und nickte Plautz zu: »Ja, gehen wir.«

12
LEISER DONNER
ÜBER DER TECHNISCHEN HOCHSCHULE

Schlick saß im Gebäude der Technischen Hochschule vor seinem Schreibtisch, dessen Kanten mit Aluminiumleisten eingefaßt waren. Sein Adjutant und Geschäftsführer Cronberger, der den Kantinenbetrieb im Zeltlager organisiert hatte, stand vor ihm, in gedrückter und scheuer Haltung.

»Ein bißchen näher heran, mein Lieber!« sagte Schlick. »Steh nicht immer so an der Tür herum, als ob Du gleich fortlaufen wolltest!«

»Ich laufe nicht fort«, murmelte Cronberger.

»Nein, das kannst Du auch gar nicht«, sagte Schlick. »Ich habe mit Dir zu reden. Das flutscht noch nicht richtig. Die lächerlichen Universitätsleute mit ihren Vorträgen über Byzantinische Musik oder Die Kastraten im achtzehnten Jahrhundert fangen uns die Leute weg. Wir müssen an die Spitze. Ich habe keine Lust, die zweite Geige zu spielen. Der Kommandant ist für uns. Der schreibt jeden zweiten Tag an das Kriegsministerium: 'Ich habe nun eine Technische Hochschule organisiert', oder: 'Ich habe nun dafür gesorgt, daß die jungen Leute im Camp an Kursen zum Micaspalten teilnehmen.' Aber die meisten dieser faulen Hunde im Lager wollen lieber auf dem Rasen herumstehen und die Möwen anglotzen. Du mußt ihnen Beine machen.«

»Laß sie lieber!« erwiderte Cronberger. »Sie reden sowieso über Dich.«

»Das sollen sie«, lachte Schlick.

»Ich weiß nicht«, meinte Cronberger, »Du bist immer so leichtsinnig. Warum mußt Du das mit den Spiegeleiern zum Frühstück anfangen? Das macht böses Blut.«

»Blut?« sagte Schlick. »Die haben doch höchstens Limonade in ihren verkalkten Adern. Ich lebe, wie ich lustig bin, und ich bin für gutes Leben, das weißt Du.«

»In Berlin war es dasselbe, mit Deinen Sektgelagen und dem blödsinnigen Maybach, mit dem Du herumgondeln mußtest, als kein Mensch mehr ein Auto besitzen durfte.«

»Ja, ich fresse meine Spiegeleier und von morgen ab sogar Bacon dazu, verstehst du? Wenn ich Lust dazu habe, lasse ich mir ein paar Mädel aus der Stadt über den Zaun kommen. Du wirst dabei die Leiter halten.«

»Ich weiß nicht, wohin Du eigentlich willst«, sagte Cronberger. »Du hast das doch hier wieder phantastisch gefingert. Ich staune jedesmal, wie Du das machst.«

»Staune nur«, meinte Schlick, »und halte Deinen Mund. Du weißt, was ich meine. Laß die andern sich das Maul zerreißen. Das ist nur Reklame für mich.«

»Sie reden auch darüber, daß Du die Hausgenossen immer so anbrüllst.«

»Ich brülle, mein Schatz, und sie springen. So soll es sein. Wenn ihnen das nicht paßt, können sie ja in ein anderes Haus ziehen. Ich halte keinen. Es zieht aber keiner um. Sie bleiben alle da, und Du bleibst mir auch erhalten.«

»Einmal brichst Du Dir das Genick«, sagte Cronberger, »und dann möchte ich nicht dabeisein.«

»Du bist aber dabei«, erklärte Schlick freundlich, »mitgefangen, mitgehangen. Laß das Moralisieren, das führt zu nichts!«

»Von Moral spreche ich zu Dir nicht«, sagte Cronberger, »nur von Vorsicht.«

»Glaubst Du, ich bin aus Porzellan? Ich bin aus Federstahl, mein Liebling. Und jetzt bin ich gerade schön aufgezogen. Das muß ticken, hier bei uns.«

»Und wenn sie sich eines Tages zusammentun und Dir die Bude einschlagen? Glaubst Du, daß die Menschen sich alles gefallen lassen?«

»Alles«, sagte Schlick. »Wer soll sich denn da zusammentun? Der Hoppenheit mit seinen Leuten? Der rennt nur mit dem Kopf gegen die Wand. Unsre dritte Reihe etwa? Das glaubst Du selbst nicht. Die kuschen. Heckenast, der Campvater mit seinen acht Pfeifen? Oder Gärtner? Und nun Schluß! Fort mit Dir in Deine Schreibstube! Ich wünsche, daß wir dem Kommandanten eine tadellose Aufstellung vorlegen. Übrigens habe ich angeordnet, daß Du von morgen ab bei mir im Zimmer schläfst, mein alter Freund. *Eine* Seele muß der Mensch haben, an die er sich halten kann. Ich möchte mich vor dem Einschlafen immer noch ein bißchen mit Dir unterhalten. Das tut mir gut.«

»So, das hast Du angeordnet?« flüsterte Cronberger. Er machte Miene, davonzulaufen.

»Bleib hier«, schrie Schlick, »bis ich Dir sage, daß Du gehen sollst!«

»Ich warne Dich«, erwiderte Cronberger leise.

»Ich warne *Dich*«, sagte Schlick. »Und nun hinaus mit Dir!«

Cronberger schlich davon, ein paar hilflose Worte zwischen den Zähnen zerkauend. Schlick blickte ihm nach.

13

BESUCH DER HAUSWIRTIN IM CAMP

Eine kleine, farblose Frau mit einer Art Einkaufstasche aus schwarzem Kunststoff hatte sich auf der Kommandantur melden lassen. Sie gab an, sie sei die Witwe Barragan, Eigentümerin des Hauses 47, und müsse unbedingt einige Sachen aus der Bodenkammer ihres Hauses entnehmen. Das Wesen hatte keine Augenlider und merkwürdig weiche, dicke Hände, an denen die Nägel zu fehlen schienen, so daß sie wie Flossen aussahen. Wie mit Schwimmbewegungen ruderte sie leise und unbestimmt vor sich hin; überraschend sicher bahnte sie sich ihren Weg durch die verschiedenen Vorzimmer. Monihan hatte ihr den Schreiber Quilliam als Begleiter mitgegeben und verdutzt und leicht verdrossen hinter ihr hergemurmelt:

»Solch ein schleimiger Fisch! Das ist mir noch nicht passiert. Der Posten hätte die Hexe gar nicht erst hereinlassen dürfen. Früher hätte man so etwas mit ein paar guten Klaftern Buchenholz verbrannt.«

Er bekreuzigte sich verstohlen, vermied es aber, ihr nachzugehen. Der Schreiber Quilliam hingegen, der von der Insel stammte und den Ruf des Hauses kannte, war ganz vergnügt über den Auftrag. »Sie sollen einmal sehen«, sagte er zu der Witwe Barragan, während er sie durch das Doppelportal mit dem Stacheldrahtkranz schleuste, »da ist alles tadellos in Ordnung. Kein Stück fehlt. Jeden Morgen schrubben sie die Treppe.«

»Idiot!« flüsterte sie. »Als ob es darauf ankommt!«

»Fleißig sind sie, die Deutschen«, meinte der Schreiber. »Sehen Sie sich nur den Vorgarten an, wie sie den hergerichtet haben. Das nenne ich Gartenarbeit.« Er zeigte voll Stolz auf die glattgeschnittene Buchsbaumhecke.

Die Witwe schwamm vor dem Eingang hin und her, als könnte sie ihn nicht finden, und bewegte abwehrend ihre Flossen.

»Gefällt Ihnen das nicht?« fragte der Schreiber.

»Nein«, sagte die Hausbesitzerin. Es erschien ihr müßig, dem Ignoranten zu erklären, was ihr mißfiel. 'Das sieht jetzt aus wie eine Vorstadtvilla, in der solide Leute wohnen', dachte sie. 'Die Besucher werden vorbeigehen und glauben, sie hätten sich in der Adresse geirrt. Und der Esel von einem Schreiber denkt noch, es sähe besser so aus.' Sie sagte aber nichts weiter, sondern drang nun in das Haus ein. Die rosa Ampel aus Kunstalabaster im Eingang war wenigstens ein vertrauter Anblick. Auf dem Boden der Schale pflegte sich sonst ein Häuflein toter Mücken und Fliegen anzusammeln, der nun fehlte. Unangenehm berührte sie auch der Geruch nach Bohnerwachs und die peinlich saubere Gescheuertheit der Treppe, die täglich mit Sand abgerieben wurde, bis sie fast wund aussah wie eine zu scharf rasierte empfindliche Backe. Die bräunliche Linoleumtapete des Treppenhauses war gewaschen und gebürstet worden, daß die graue Farbe des Grundgewebes in Flecken herauskam. Am Fuß der Stiege, auf der untersten Treppenstufe, pflegte die Wirtin ein Paar mit Schwanendaunen besetzte hellblaue Damenslipper zu plazieren, die so aussahen, als ob sie eben von einer der Insassinnen beim Hinaufstürmen in den oberen Stock stehengelassen wären. Das schuf sogleich für jeden Eintretenden Atmosphäre und Behagen. Es gab ihrem Etablissement eine Note. Die kleinen Pantöffelchen blieben den Gästen unvergeßlich in der Erinnerung, auch wenn alle anderen Eindrücke längst verwischt oder verdrängt waren. Jetzt standen dort zwei schwarze, ausgetretene Männerstiefel, deren lederne Schnürsenkel lang heraushingen.

»Alles sauber gehalten, wie?« fragte der Schreiber. Sie antwortete nicht.

Der Schreiber öffnete die Tür zum großen Eßzimmer. Es war voll von Männern in Hemdsärmeln oder Strickwesten, die lasen, Pfeife rauchten, Schach spielten oder ihre Wäsche flickten. Es roch nach Männern, nach ältlichen Männern. Wütend starrte sie in die Gesichter, die sich erstaunt ihr entgegenwendeten. Was war das alles für klägliches Volk, unnütz und unter gar keinen Umständen als Kundschaft für spätere Zeiten zu denken! Nicht einer dieser Kerle würde je als Sommergast die Insel wieder aufsuchen. Das machte sich hier breit und verschwand dann auf Nimmerwiedersehen. Einer stopfte an einer dicken, grauen Unterhose.

Sie sah den Raum vor sich, wie sie ihn kannte: Die Mädchen saßen wie bei einer Gruppenaufnahme des Hochzeitsfotografen am Orte schön dicht beisammen. Jede hatte eine Art Matrosenbluse aus hellblauer Kunstseide, tief ausgeschnitten und statt des Schlipses mit einem Kolibri aus funkelnder Emaille zusammengehalten, der mit einem lauten »Klipp« aufsprang, wenn man ihn nur leise berührte. Sie trugen ganz kurze bordeauxrote Röckchen und schwarze Strümpfe, über denen ein breiter Rand der Schenkel grellweiß hervorquoll. Die Witwe Barragan war sehr stolz auf diese Kombination, die sich bewährt hatte.

Sie war auch stolz auf ihr Team und die Disziplin ihres Hauses. Die Mädchen wußten das zu schätzen. 'Man weiß mit ihr, woran man ist', sagten sie von ihr, 'und das kann man nicht von jeder behaupten. Launisch ist sie nicht, und richtig abrechnen tut sie auch. Sie zieht Dir das Fell über die Ohren mit all den Extras für Reinemachen und Heizung und Frühstück und Dienstkleidung und was nicht noch, aber das tun sie ja alle, und jedenfalls kannst Du Dich darauf verlassen, Daß Du Dein Geld am 1. und 15. richtig bekommst. Es gibt ganz andere, die tun nett mit Dir und bringen Dir den Tee morgens ans Bett und fahren Dir alle Augenblicke über die Haare: überanstreng Dich nicht, mein Entchen; aber dann werden sie hundsschnäuzig kalt und gemein, wenn Du mit ihnen abrechnen willst, und Du kannst Dich wochenlang mit ihnen herumzerren, ehe sie das Geld herausrücken, und auch dann nie richtig. Die Barragan ist genau, bei der gibt es nichts. Bei der kannst Du zu etwas kommen, wenn Dir sonst nichts passiert.'

Sie sah die Mädchen auf den kleinen Stühlen an der Wand vor sich sitzen, die kleinen, niedrigen Tischchen davor, auf denen die Drinks standen, an denen eigentlich mehr zu verdienen war als an allem übrigen. Es war wichtig, daß viel getrunken wurde, nicht nur wegen des Umsatzes, sondern vor allem, weil viele Besucher Angst hatten oder scheu waren und nicht wußten, was sie sagen und mit ihren Händen anstellen sollten. Sie empfand förmlich Heimweh nach ihren Haustöchtern. Und jetzt saßen da vierzig alte Männer, flickten ihre schmutzigen Unterhosen und starrten sie an, als ob sie ein unbefugter Eindringling wäre.

Was sollte aber vor allem nach dem Kriege werden, dachte sie.

Abrupt wandte sie sich zum Gehen, und der Schreiber Quilliam war froh, daß sie aus der ungemütlichen Atmosphäre des großen Zimmers herauskamen.

Die Witwe schwamm die Treppe hinauf, und Quilliam zeigte ihr einige der Schlafzimmer, um zu beweisen, daß auch da alles so sei, wie es sein sollte. Schwer schockiert zeigte sich aber die Besitzerin, als er ihr auf Befragen nach der Belegung der Räume mitteilen mußte, daß jeweils zwei Gefangene in jedem der Betten untergebracht seien.

»Schämt Ihr Euch gar nicht?« flüsterte die Witwe.

»Aber was wollen Sie«, antwortete der Schreiber, der das Gefühl hatte, er müsse die Ehre 'seines' Lagers verteidigen. »Die Betten sind schließlich groß genug. Da hat auch sonst schon einmal mehr als eine Person drin Platz gehabt.«

»Aber nicht so«, zischte die Besitzerin empört. »Es sind anständige Betten, und ich habe sie immer mit anständigen Bettlaken überzogen, aus irischem Leinen. Jetzt schlafen diese Kerle da auf den bloßen Matratzen.«

»Ja, wollen Sie, daß wir ihnen auch noch Ihr Bettzeug geben?« fragte Quilliam spitzig. »Kommen Sie lieber auf die Bodenkammer und zählen Sie Ihr Zeug nach! Dazu sind Sie ja schließlich hergekommen, oder was sonst?«

Die Witwe sagte nichts mehr und bewegte nur ruhelos ihre Flossenhände. Der Schreiber nahm das große Vorhängeschloß von der Bodenkammer ab und schob sie hinein. Durch die mit blauer Luftschutzfarbe bemalte Dachluke fiel blasses Licht in den Raum und tauchte alles in Leichenfarbe. Da standen nun die kleinen Serviertischchen, lieblos aufeinandergestapelt, anstatt hübsch nebeneinandergestellt und mit kleinen Deckchen versehen; dicker Staub lag auf ihnen. Die Witwe sah sogleich, daß die beiden Füllungen aus dem großen Schrank herausgenommen waren. Sie sah, daß die Bilderrahmen an den drei prachtvollen Öldrucken fehlten, der 'Lady Godiva', nackt durch die Straßen mit winkligen Giebelhäusern reitend, dem riesigen Hirsch mit der Unterschrift 'Der Monarch des Hochmoors' und dem 'Dreadnought in voller Fahrt', dessen Turmgeschütze so stämmig in die Luft ragten.

»Hier ist eingebrochen worden«, hauchte die Witwe. »Das werdet Ihr mir alles ersetzen.«

»Reden Sie nicht solches Zeug«, erwiderte der Schreiber ärgerlich und etwas schuldbewußt. »Hier ist kein Mensch gewesen. Und wenn irgend etwas fehlt, dann melden Sie den Schaden an, aber genau nach der Liste. Sie haben doch eine Liste?«

Die Witwe holte ihr Schlüsselbund aus der schwarzen Einkaufstasche und schloß erbittert die Schubladen der Kommode auf. Sie hob die Wäsche, die darin verstaut war, die Deckchen und Vorhänge an, zählte und mußte zu ihrem Mißvergnügen feststellen, daß davon nichts fehlte.

»Nun also, was wollen Sie, Barragan?« sagte der Schreiber. »Ich sagte Ihnen doch, daß wir aufpassen. Hier kommt nichts weg.«

Die Witwe schwamm unruhig vor der Kommode hin und her; sie stellte sich mit dem Rücken gegen den Schreiber und griff tief unter die Wäsche, um etwas herauszuheben, was sie sorgfältig vor Quilliams Blicken zu verbergen suchte.

»Halt, das geht nicht«, sagte der Schreiber, »ich bin dafür verantwortlich, daß alles so bleibt, wie es ist, sonst kommen Sie womöglich mit Schadenersatz . . .«

Er drängte sie beiseite, sie wehrte sich mit den Ellbogen, und dabei fiel ein großer Pappkarton über den Rand der Kommode und schüttete eine Flut von sorgfältig auf Pappdeckeln aufgezogener Fotografien auf dem Boden aus. Die Witwe warf sich darüber und suchte sie mit ihrem Leibe zu decken, aber Quilliam bückte sich rasch und sammelte einen Teil der Aufnahmen ein, als wollte er ihr helfen. Er trat damit dicht unter das Fenster, während die Witwe immer wieder versuchte, ihm die Stücke zu entreißen.

»Albernes Weibstück«, sagte der Schreiber lachend und hielt die Fotos der Reihe nach unter das blaue Licht. »Glauben Sie denn, ich weiß nicht Bescheid, was Sie hier spielen, Barragan? Warum sollen Sie da nicht ein paar nette Fotos haben! Lassen Sie doch mal sehen!«

Aber er war enttäuscht. Die Bilder zeigten sorgfältige Gruppenaufnahmen der Insassinnen des Hauses, vom Hochzeitsfotografen am Orte aufgenommen; jedes Jahr hatte die Barragan sie anfertigen lassen. Die Mädchen saßen steif wie ein Pensionat auf ihren Stühlen, dicht zusammengedrängt, in der vordersten Reihe hatten einige auf dem Teppich Platz genommen, in der letzten Reihe standen sie. Die kurzen Röckchen hatten sie so weit wie möglich heruntergezogen, so daß sie sich mit den schwarzen Strümpfen deckten. Sie blickten starr und 'freundlich', wie der Fotograf kommandiert hatte, auf die Linse des Objektivs.

»Nun, was wollen Sie?« meinte der Schreiber und gab die Aufnahmen der Witwe zurück, die sie hastig einsammelte und in den Karton packte. »Das kann doch schließlich jeder sehen. Was stellen Sie sich denn da so an wie eine versengte Katze?«

Die Besitzerin griff nach einem Wäscheband und verschnürte das Paket mit zornigen Rucken, ohne ihn eines Blickes zu würdigen.

»Sie können das ruhig mitnehmen«, sagte der Schreiber, um einzulenken. »Das sind schließlich 'persönliche Erinnerungsstücke', die nicht zum Inventar gehören. Wir sind nur für das Inventar verantwortlich. Und da fehlt ja wohl nichts.«

Die Witwe richtete sich auf: »So«, sagte sie mit ihrer flüsternden Stimme, »da fehlt nichts, was? Da fehlt alles. Ich werde mich beschweren. Alles habt Ihr auf den Kopf gestellt, nichts an der alten Stelle. Alles ruiniert. Wie sieht schon der Vorgarten aus, der Empfangssalon, die Treppe, die Wandbekleidung zerkratzt, die Betten kann ich verbrennen, wo diese Kerle geschlafen haben.«

»Ihr?« sagte der Schreiber ärgerlich, »was heißt Ihr?«

»Jawohl Ihr«, keifte die Witwe, »Ihr, Ihr, die da drüben« — dabei zeigte sie nach dem englischen Festland hinüber — »und Ihr hier auf unserer Insel. Schlimm genug, Quilliam, daß Sie dabei sind und noch helfen, uns zugrunde zu richten. Aber wir werden uns das nicht gefallen lassen. Wir verlangen Schadenersatz, für jeden Penny.«

»Es ist immerhin Krieg«, meinte der Schreiber kleinlaut.

»Ja, das kennen wir«, sagte die Besitzerin. »Mein Fleischer sagt das auch, wenn er mir sein schlechtes Fleisch verkauft, zähes Zeug, zusammengerollt, damit man die zaddrigen Stücke in der Mitte nicht sieht, und mit einem Holzspieß zusammengepiekt, nehmen Sie's oder lassen Sie's bleiben, Madame. Wir werden dafür sorgen, daß wir wieder ein anständiges rosa Stück Fleisch bekommen für unser Geld, nach dem Kriege. Das Publikum kann das verlangen.«

Sie nahm den Karton unter den Arm und schwamm die Treppe hinunter, ohne sich umzuschauen. Quilliam folgte ihr. Auf der untersten Stufe stieß sie erbost die Stiefel mit den herumhängenden Schnürbändern zur Seite.

Im Eingang unter der Ampel aus Kunstalabaster, die nun bereits angeknipst war in der einbrechenden Dämmerung und ein sanftes Licht verbreitete, traf sie auf Mochow und den Schreiner. Die beiden kamen von einem kurzen Rundgang um den Platz zurück und hatten ihre Regenmäntel an. Fast hätte man sie für Besucher halten können. Unwillkürlich warf die Witwe ihnen einen wohlwollend-ermunternden Blick zu, ehe sie hinausruderte und verschwand.

»Hast Du die Olle gesehen?« sagte der Schreiner zu seinem Gefährten. »Was wollte die denn von uns, Wilhelm?«

»Das weiß ich nicht«, meinte Mochow. »Vielleicht wollte sie zu ihren Sachen auf dem Boden. Der Schreiber war doch dabei. Die wird Augen gemacht haben über die Schranktüren.«

»Aber hast Du gesehen, wie die uns angeguckt hat, Wilhelm?«

»Das habe ich wohl gesehen. Vielleicht hat die früher hier so mit ausgeholfen, Emil, wenn Not am Mann war. Aber ich habe nie viel für so etwas übrig gehabt, das kannst Du mir glauben, nicht aus Ehrpusseligkeit, bloß so. Wir sind für ein gesundes Familienleben, und das muß wahr sein.«

14

BARBARAS BRIEF AUS PORT ERIN

Gärtner erhielt einen Brief Barbaras aus dem Lager für weibliche Internierte in Port Erin, am anderen Ende der Insel. Der Brief war auf dem vorgeschriebenen weißen Glanzpapier geschrieben, das jede Verwendung von Geheimtinten unmöglich machen sollte. Die Schulung der letzten Jahre hatte aber dazu geführt, daß man sich recht gut auch in offener Schrift verständigen konnte, selbst wenn man keinen besonders verabredeten Kode benutzte. So übertrug sich Gärtner das Schreiben aus den harmlos klingenden Sätzen in die Wirklichkeit, die dahinterstand. Barbara schrieb:

»Mein lieber Vetter Konrad!«

Gärtner entnahm daraus, daß in dem Frauenlager wohl zunächst nur Korrespondenz mit Verwandten erlaubt war, und die nächsten Zeilen, in denen Barbara »Tante Ida«, »Onkel Werner« und einen anderen Vetter namens Leo erwähnte, bestätigten ihn in diesem Verdacht. Angestrengt musterte er den weiteren Satz, der davon sprach, daß sie sich ganz außerordentlich wohl fühle, »geradezu kannibalisch wohl«. Das bedeutete zweifellos das Gegenteil; sie war kreuzunglücklich. Gärtner übersetzte Zeile um Zeile:

»Ich habe das besondere Glück, mit einem anderen Mädchen das Bett zu teilen, das mehr oder weniger den gleichen Beruf ausgeübt hat wie ich. Allerdings scheint ihre Stelle sehr viel weniger streng gewesen zu sein und sich mehr auf gesellschaftliche Repräsentation beschränkt zu haben.«

Das hieß: eine Animierdame.

»Sie ist ein gutherziges Wesen, das wie meine irische Freundin Kathleen versucht, mir jeden Wunsch vom Munde abzulesen und mir auf alle Weise gefällig zu sein. Du kannst Dir aber denken, daß ich mit dieser Art von gefälligem Mädchen nicht allzuviel gemeinsam habe.«

Es war also ein Straßenmädchen.

»Sie ist zwar schon seit über vier Jahren in London, kennt aber nicht viel mehr von der Stadt als die zwei oder drei Straßenzüge, in denen sie gearbeitet hat. Ihr Mitteilungsbedürfnis ist manchmal etwas lästig, aber gottlob darf in unserem Hause gar nicht so viel geredet werden. Ich empfinde das als eine wahre Wohltat. Wir dürfen am Tage nicht auf unser Zimmer und sitzen alle dreißig zusammen in dem Eßraum, wo unter Aufsicht der englischen Pensionsinhaberin Handarbeiten gemacht werden. Man hört nur das leise Klappern der Stricknadeln. Mrs. Leech, unsere Landlady, ist streng, aber gerecht. Ich komme gut mit ihr aus, weil ich gar nicht erst den Versuch mache, mit den andern zu schwatzen. Viele können das nicht unterlassen. Mrs. Leech ist dann genötigt, ihnen den Nachmittagstee zu entziehen oder sie auf andere Weise an die Hausordnung zu erinnern.«

Ein Gefängnis demnach, mit einer Art Schweigeverbot.

»Das Essen ist hervorragend. Wir haben ein halbes Dutzend Köchinnen in unserem Hause; manche waren in großen Stellungen und sind wahre Künstlerinnen in ihrem Fache. Sie veranstalten Wettkochen und zaubern aus unseren bescheidenen Rationen die tollsten Dinge. Eine von ihnen, die im Institut Charavay in Paris den 'cordon bleu' gemacht hat, stellte sogar französische Menükarten auf. Ich habe eins der Gerichte 'au jardinier absent' getauft. Das gefiel allen, weil es so hübsch klang. Nur unsere

Mrs. Leech beanstandete die Menükarten. 'Was soll denn das?' sagte sie. 'Und übrigens muß ich Ihnen sagen: wir hassen die Franzosen ebenso wie Ihr Deutschen.' Sie ist ein Original.«

Gärtner knitterte den Brief mit der glasigen Oberfläche hin und her.

»Zeitungen gibt es nicht, Bücher kaum. Sie sollten wenigstens Sprachkurse einrichten. Die meisten Mädchen sprechen ein schauderhaftes Englisch. Ich habe mit der Sergeantin unseres Häuserblocks darüber gesprochen. Das ist eine hübsche, brünette Schottin, Jessica, mit lebhaften braunen Augen. Ihr Mützchen trägt sie meist sehr schief auf ihrem Kraushaar. Ihre Tunika sitzt vorzüglich, ihr Rock ist immer tadellos geplättet. Es ist ein Vergnügen, sie anzuschauen. Sie hatte aber nicht viel Verständnis für meinen Vorschlag. 'Ich weiß nicht recht, was Sie wollen, Miß Barbara', sagte sie. 'Sie haben doch einen ausgezeichneten Akzent. Man merkt kaum, daß Sie eine Ausländerin sind.' Und dann fehlt es uns an Lehrkräften. Wir haben nur eine Mittelschullehrerin. Die hielt einmal einen Vortrag über Goethe und Frau von Stein. Das war nicht sehr lustig.«

Gärtner senkte den Kopf und dachte beschämt an das Wochenprogramm, das soeben erst am Schwarzen Brett der Universität angeschlagen worden war.

»Schick mir um Himmels willen etwas zu lesen, lieber Vetter Konrad«, fuhr der Brief fort, »aber nur nichts Leichtes! Es kann so schwer sein wie nur möglich. Ich glaube, ich könnte jetzt sogar eine Deiner Vorschriften über Spannbeton lesen oder Kants Kritik der reinen Vernunft.

Nun aber noch eine wichtige Mitteilung: Es geht hier das Gerücht, daß in absehbarer Zeit ein Zusammentreffen von 'engsten Verwandten' aus den verschiedenen Frauen- und Männerlagern erlaubt werden soll. Allerdings heißt es, daß nur Geschwister oder Ehepaare zugelassen werden. Ich hoffe sehr, daß man es nicht so streng nimmt. Du bist doch der einzige Mann aus unserer Familie, der mir sagen kann, was aus den andern geworden ist, ob Tante Ida das Einreisevisum für Venezuela bekommen hat und ob Leo noch nach Kanada abfahren konnte oder auch interniert worden ist. Lieber Vetter Konrad, ich muß so oft an unsere langen Gespräche denken, die wir als Kinder in Deinem kleinen Stübchen im Dachgeschoß führten. Ich weiß, Du warst manchmal etwas ungeduldig, wenn ich zu lange schwatzte. Dafür muß ich jetzt still sein. Sieh aber auf alle Fälle zu, daß Du Dich rechtzeitig für die Zusammenkunft meldest. Man kann uns das eigentlich nicht gut abschlagen. Bis dahin also!

Deine getreue Cousine Barbara.«

Gärtner ging zu Feldwebel Monihan, den Brief in der Hand. Der rieb mit dem Nagel seines kleinen Fingers die wohlrasierte fleischige Wange und meinte:

»Cousine? Wirklich? Warum ist sie nicht wenigstens Ihre leibliche Schwester? Können Sie nicht eine Schwester aus ihr machen? Wir haben sehr genaue Anweisungen für das Treffen. Und dann steht noch gar nicht fest, ob es überhaupt stattfindet.«

Gärtner wiederholte etwas stockend Barbaras Sätze aus dem Schluß des Briefes.

»Schon gut«, sagte Monihan, »Sie brauchen sich nicht so viel verdammten Unsinn auszudenken. Ich werde sehen, was ich für Sie tun kann. Ist das Mädchen denn wenigstens hübsch?«

Gärtner lächelte: »Ich weiß nicht, ob sie Ihnen gefallen würde.«

»Wir warten es ab«, meinte der Feldwebel. »Jedenfalls erzählen Sie mir nicht im Camp herum von der Geschichte. Sonst kommen dreitausend Vettern zusammen. Die ganze Sache soll eine halbe Stunde dauern, unter Aufsicht, im Tanzsaal des Imperial Hotel. Stellen Sie sich nicht zu viel darunter vor.«

Er zog seinen Waffenrock glatt über den mächtigen Hüften und nickte Gärtner wohlwollend zu:

»Vielleicht treffen wir uns mit der Cousine einmal in der Stadt. Das wäre schon eher etwas, wie? Ich habe da auch eine nahe Verwandte in Port Erin.«

15

MOCHOW BLÄST DIE POSAUNE

»Ja, da könnte ich so allerhand erzählen«, sagte Mochow, »das kann ich woll flüstern, meine Herren. Was sie mit mir altem Knochen angestellt haben, das war noch das wenigste. Aber kleingekriegt haben die mich nicht, das haben sie nicht. Und einmal, da habe ich ihnen etwas vorgeblasen, auf der Posaune. Das war vorher, eh' sie mir die Rippen eingetreten hatten.« Er steckte die Hände tief in die Taschen seiner abgewetzten Windjacke.

»In Bautzen war das, und Ihr wißt ja, was mit Bautzen los ist. Aber eh' ich nach Bautzen kam, da mußte ich eine ganze Tour machen. Meine Herren, was sind die in Deutschland mit mir herumgejockelt! Von einem Lager ins andre. Und der ganze Packen mit meine Akten immer mit, das waren woll Stücker dreißig Pfund. Die wußten Bescheid über mich, nach Heller und Pfennig, und nicht erst von heute auf morgen. Schon wie sie mich das letztemal verhaften kamen, unser alter Wachtmeister Hanke vom Revier an der Möckernbrücke, der war soweit ein ganz anständiger Kerl, und er gab mir auch Zeit, meine Sachen zu packen. Der sagte zu mir: 'Mochow', sagte er, 'was ist denn das nu wieder mit Ihnen? Unter Kaiser Wilhelm haben wir Sie verhaftet, und unter die Weimarer Republik haben wir Sie festgenommen und nu wieder unter Adolf Hitler! Menschenskind, ändern Sie sich doch mal, wir haben uns doch auch geändert!'

Und dann sagte er noch etwas von meinem Ollen, was das für ein ruhiger, ordentlicher Mann war, und Mitglied des Posaunenchors, und nie eine Anzeige oder irgendwas mit der Polizei. 'Lassen Sie den man in seinem Grabe, Hanke', sagte ich, 'der würde sich im Sarge wälzen, wenn er sehen sollte, was jetzt hier gespielt wird.' Mein Oller nämlich, der war im Posaunenchor, das stimmt. Das war seine schönste Freude. Fromm war er eigentlich nicht, so richtig christlich, und an 'Auferstanden von den Toten und aufgefahren gen Himmel' oder so was hat er nicht geglaubt, woher denn. Und was die Bewegung ist, das hatte er erfaßt und war auch von Anfang an dabei, aber feste, und der alte Wilhelm Liebknecht, der Vater von unserm Karl, der war mein Pate, von dem hatte ich meinen Vornamen und nicht von dem König von Preußen mit der Watte ums Kinn, dem reaktionären Knacker, den sie den 'Kartätschenprinzen' genannt hatten, als er auf die Arbeiter schießen ließ. Aber von seinem Instrument, da wollte der Olle nicht lassen. Was habe ich mit ihm geredet! 'Vater', sagte ich, 'nu wird es Zeit, daß Du austrittst. Es schickt sich nicht für einen alten Gewerkschaftler und klassenbewußten Arbeiter.' 'Das verstehst Du nicht, Wilhelm', sagte er, 'wenn wir da so am Weihnachtsabend oben auf der Galerie von unserm alten Nikolaiturm stehen und Vom Himmel hoch blasen, zehn Mann hoch, da ist was drin, und das laß mir man.' Na, ich wollte ihn nicht kränken, und Mutter war ja auch so, die mußten wir eben verbrauchen, wie sie waren. Und, Ihr mögt das glauben oder nicht: er hat mir seine Posaune vermacht, und ich habe das gelernt, es ist gar nicht so einfach, und man braucht Lunge dazu und vor allem den richtigen Ansatz. Und es ist etwas dran an einer solchen Tuteröhre, das muß ich selber sagen. Das hat Wucht, das geht in die Knochen, und ich habe den Genossen oft gesagt, sie sollen auch so einen Posaunenchor bilden. Aber die blieben bei ihren Schalmeien, weil die einfacher zu blasen sind und keine

Übung brauchen. Der Ton ist immer ein bißchen miekrig und klingt wie aus der Gießkanne.«

Mochow fuhr sich mit dem Handrücken über die Lippen. »Jetzt kann ich das nicht mehr, aber in Bautzen, da konnte ich noch. Ja, Hanke, der holte mich also ab, und auf der Treppe fragte ich ihn noch: 'Wie machen Sie denn das nun, Hanke? Sind Sie jetzt bei der Partei?' Er wollte natürlich nichts sagen und murkste bloß: 'Wir tun unsre Pflicht.' 'Na ja', sagte ich, 'und wenn die Zeiten wieder mal anders kommen?' 'Polizisten, die ihre Pflicht tun, werden sie immer brauchen', meinte er, 'das wissen Sie so gut wie ich, Mochow. Aber eh die Zeiten wieder anders kommen, da bin ich nicht mehr im Dienst.' 'Vielleicht geht das schneller als Sie glauben, Hanke', sagte ich. 'Kann sein', meinte der. 'Aber nun mach man zu, sonst bekomme ich noch einen ausgewischt, und das kannst Du von mir nicht verlangen.' Schlecht war er nicht, der olle Hanke, nur schlapp, wie so die meisten mit Brust heraus und der strammen Haltung.

Ja, da kam ich denn erst nach Oranienburg, das war noch das reine Sanatorium gegen später, und dann nach Buchenwald. Da fingen sie an, uns zu schleifen. Wie bei den Preußen war das, und ich kann Euch sagen, meine Herren, ich habe bei den Franzern aktiv gedient, da hatten wir auch nichts zu lachen. Unteroffizier Seegebart, der verstand das. Der holte uns sonnabends aus der Stube, wenn wir uns grade umziehen wollten, und im Drillichanzug hinaus auf den Hof, und Hinlegen! und Arme aufstützen! und Vorwärts marsch! und ließ uns über den ganzen Hof robben, dreimal oder viermal, wie ihm grade zu Mut war, und der Hof war mit schwarzer Schlacke tapeziert. Da blieben so ein paar Fasern von dem Drillichzeug hängen, und die Haut von den Ellbogen, und manche bluteten wie die Schweine. Und dann mußten wir das Zeug waschen, aber tadellos, und stopfen und um halb sechs vor seiner Stube damit antreten, wenn die andern längst bei ihrer Molle Bier in der Kneipe saßen und über uns grienten. Das war das Gardegrenadierregiment Kaiser Franz, da herrschte Disziplin, Kommandeur Oberst von Kloeden. Ich sage immer: von da kommt es her, erst Soldatenmißhandlung und Rekrutenschinderei, und dann Gefangene bimsen und piesacken. Aber Adolf mit dem blutigen Finger, der Schlawake, der versteht das noch besser als die Preußen, der sorgte dafür, daß die richtigen Kriminaler auf uns losgelassen wurden. Die dachten sich so allerhand aus, das taten sie. Die lagen noch nachts auf der Pritsche und simulierten, was sie mit uns anstellen wollten den nächsten Tag.

Anfangs, da ließen sie mich mehr beiseite. 'Was well denn die Figur hier?' sagte der Obermotz von der SS, er sagte immer nur 'die Figur' zu mir. Aber dann kamen meine Akten, und da wurde es schlimm. Was gaben die sich für Mühe, meine Herren! Der Schreibstubenhengst hat mir die Papiere einmal gezeigt. Da hatten sie aber auch alles über mich, von Anfang an. Ordnung herrscht bei denen, das muß ihnen der Neid lassen. Daß ich mit fünfzehn schon Plakate geklebt habe und Handzettel verteilt für die Partei, das hatten sie da, und den Sozialistenkongreß in Stuttgart, 1911, wo ich Delegierter war. Das war eine internationale Sache, kann ich Euch sagen, und mir gegenüber, da stand ein leerer Stuhl, und auf den hatten wir einen Kranz gelegt, denn der italienische Genosse, der da sitzen sollte, den hatten die Katzelmacher grade eingebuchtet, und das war der Genosse Mussolini, jawoll, der gehörte damals zu uns. Das stand nun grade nicht in den Papieren, aber ich erzähle es dem Schreibstubenfritzen, und der macht Augen und sagt zu mir: 'Mensch, wenn das stimmt, denn schreib doch mal an ihn, vielleicht fällt ein Maurer vom Dache und er hilft Dir!' 'Ne', sage ich, 'an den schreibe ich nicht, an den nicht.'

Das lasen sie sich denn alles durch, und dann ging es los.

Da schickten sie mich nach Bautzen. Aber davon wollte ich ja nicht reden. Nur, wie sie uns auf der Kammer arbeiten ließen. Die war oben auf dem Turm, so ein dicker Turm mit Wackersteinen, aus der Raubritterzeit, da mußten wir die halbverschimmelten alten Klamotten sortieren. Der Kammerbulle war noch nicht der Schlimmste, nur wenn der Spieß kam, dann brüllte er und schlug uns die Knobelbecher um die Ohren, daß es rauschte. Aber sonst konnte man mit ihm reden. Ich linzte herum, und da sah ich durch eine Tür eine kleine Stube, da hatten sie die Instrumente liegen. Das war meistens Gerümpel von Anno Tobak her, und voll Grünspan. Aber da war doch richtig eine Posaune dabei. Ich nehme mir die so vor und wische mit den Handballen über das Mundstück. 'Laß das Ding man liegen, Großvater', sagt der Kammerbulle, 'dazu hast Du die Puste nicht mehr!' 'Meinst Du?' sage ich. 'Das wollen wir erst mal sehen.' Und ich probiere die Züge, die gingen etwas schwer, aber sie machten sich noch, und dann blies ich los. Erst so ein Stückchen aus dem Hohenfriedberger und dann so ein bißchen aus Vaters ollen Chorälen. 'Is das die Meeglichkeet', sagt der Kammerbulle, 'der kann das!' Jawoll, der kann das. Und dann stelle ich mich mit beiden Beinen hin, mitten in die Kammer, und blase ihnen die Internationale. Erst hat er wohl gar nicht kapiert, was das sein sollte, aber dann wurde er käseweiß und hielt sich an der Wand fest, und die andern ließen die Stiebel fallen und glotzten mich an. Die glaubten, der olle Mochow ist plemplem geworden. Bis zum Schluß habe ich ihnen das vorgetutet und dann das Handstück heraus und die Spucke ausgegossen. 'So', sage ich zu dem Kammerbullen, 'und jetzt kannst Du gehen und mich melden, wenn Du willst, aber dann brechen sie Dir auch das Kreuz in zwei Teile.'

Kein Wort hat der ihnen geflüstert, meine Herren. Nur unter den andern, da muß wohl so ein Schweinehund gewesen sein, und da haben sie mich dann gründlich vorgenommen. Aber das freut mich doch noch heute, wenn ich so denke, wie ich ihnen das vorgeblasen habe.«

Er nahm den eisenbeschlagenen Stock und hielt ihn wie eine Posaune und spannte die Backen und versuchte die Melodie zwischen den Zähnen zu summen. Er begann zu husten und faßte sich an die Brust.

»Laß man, Wilhelm«, sagte der Schreiner besorgt, »das bekommt Dir nicht!«

»Das bekommt mir auch nicht«, meinte Mochow. Er stellte den Stock mit der eisernen Spitze hart auf den Boden. »Aber wenn Ihr zurückkommt, dann sage ich, Ihr sollt einen Posaunenchor auf die Beine stellen. Es ist etwas dran, Vater hatte ganz recht, es ist etwas dran.«

16

DIE GROSSE KUNSTAUSSTELLUNG

Der Tag der großen Kunstausstellung nahte heran. Marke Rüsselsheimer hatte den Gedanken im Künstlercafé zuerst geäußert, und in seinen bewährten Händen lagen dann auch die Vorbereitungen. Acht Tage lang wurde im Auditorium maximum über den Duschräumen geklopft und gehämmert. Lametta beschwerte sich bitterlich darüber, daß ihm der Vortragsraum für einige seiner besten Abende entzogen wurde. Einladungen und Eintrittskarten wurden von der Technischen Hochschule hektographiert. Ein vier Seiten umfassender Katalog war in Vorbereitung.

Eine Hängekommission trat zusammen, die über Zulassung und Platzverteilung entscheiden sollte. Die Künstler waren für strenge Auswahl.

»Keine Dilettanten!« erklärten sie. »Keine Außenseiter und Halbkönner! Alle Richtungen sollen vertreten sein, selbstverständlich. Aber die Sache muß repräsentativ werden.«

Der Architekt Zatzelmann war erschienen und hatte seinen Großraumplan für eine neuzeitliche Umgestaltung der gesamten Uferfront mit Turmbauten und Riesengaragen vorgelegt. Er wurde abgewiesen. Das gehöre in die Technische Hochschule, hieß es. Da habe er ja auch seine Vorträge gehalten und gesagt, das Ethos der neuen Bauweise vertrage keine Bilder auf den sachlich-glatten Wänden.

»Wenn er keinen Platz für unsere Bilder hat«, sagte einer der Maler, »dann haben wir keinen Platz für seine Pläne.«

Zahlreiche Skizzen und Zeichnungen, Linolschnitte und Schnitzereien von Amateuren wurden eingesandt und verworfen. Marke Rüsselsheimer zog jedoch aus dem großen Haufen ein sorgfältig mit Ölfarben auf Pappe gemaltes Stück heraus und stellte es ins Licht:

»Das gehört hinein, Herrschaften. Ohne einen richtigen Sonntagsmaler sind wir nicht komplett.«

Das Bild zeigte den Huddlestone-Platz aus der Vogelschau, sehr genau gezeichnet mit den starren Giebeln der gelben Backsteinhäuser, dem Stacheldrahtzaun und der 'Schleuse'. Auf dem grasgrünen Rasen standen, schwarz und winzig, die Gestalten der Internierten. Ihre puppenhaften Gesichter waren starr und schräg nach oben gerichtet, als suchten sie den grauen Himmel ab.

»Der Mann kann etwas«, sagte Marke. »Obendrein ist er im Zivilberuf bei der Post, wie unser unvergeßlicher August Stramm. Nicht den Anschluß verlieren, Herrschaften! Es gibt Amateur-Sonntagsmaler und professionelle Sonntagsmaler. Der hier gehört zu uns. Er heißt Minkwitz. Ihr werdet seinen Namen noch hören.«

»Sie wollen wohl, wollen wohl ein paar hundert Mink-, ein

paar hundert Minkwitze aufkaufen«, stammelte Lichtenberger, das weiche Mopsgesicht schmerzlich verzogen, »und dann los-, dann loslegen.«

»Immer hereinspaziert«, erwiderte der Kunsthändler, »der Mann ist nur leider noch am Leben, mit seiner Witwe würde ich heute schon abschließen. Dann den Nachlaßstempel hinten auf die Pappdeckel, Ihr solltet sehn, wie die fortgehn würden, das Stück zu achthundert Mark. Dies Lagerbild hat Stimmung, das müssen wir unbedingt haben. Ich weiß schon eine Unterschrift: 'Wir warten auf Entlassung!' Seht Euch an, wie sie in die Luft stieren, alle in eine Richtung!« Er hob seinen Bleistift wie bei einer Auktion: »Also, zum ersten, zum zweiten . . ., wer bietet mit? . . . zum dritten!« Er hieb den Bleistift auf die Tischplatte: »Zuschlag für mich! Der echte Minkwitz kommt in die Ausstellung, Fräulein, und kleben Sie mir gleich unten in die Ecke die kleine rote Marke 'Verkauft'!«

Streitigkeiten gab es bei der Platzverteilung. Erich Grimme beanspruchte eine ganze Längswand für seine riesigen Farbskizzen mit den hemmungslos nach oben und unten ausfahrenden Extremitäten. Bildhauer Thumann, bei der Debatte ungewandt und schweigsam, hatte kurzerhand mit seinen gewaltigen Armen eines Abends den großen Zementsockel in der Mitte des Rasenplatzes losgewuchtet und die Treppe hinaufgebracht, eine übermenschliche Leistung, die keiner recht begriff. Er pflanzte den grauen Block am Eingang des Saales auf und krönte ihn mit der überlebensgroßen Tonskizze seiner 'Gebärenden'. Ebenfalls bei Nacht schleppte er, ohne Verständigung mit den Kunstgenossen, die beiden schrankhohen Mahagonitüren heran, die er im Haus 47 aus der Füllung gebrochen und mit afrikanisch wilden Halbreliefs beschnitzt hatte. Er nagelte sie mit zollstarken Eisenhaken in die Wand.

Alle murrten. Drei Kollegen versuchten, mit vereinten Kräften den Block auf die Seite zu rücken. Er rührte sich nicht. Thumann hatte eine am Boden des Betonsockels vorstehende Eisenschiene tief in den Fußboden eingelassen.

Auch Lichtenberger wurde von der Hängekommission nicht besonders begünstigt; die Wand, die man ihm zuwies, war ziemlich dunkel und klein. Für seine kleinen Bildchen, so hieß es, brauche er nicht mehr Raum. Lichtenberger wartete bis zum letzten Tage mit dem Aufhängen. Es erwies sich, daß er als einziger dafür gesorgt hatte, seine Bilder sämtlich sehr ansprechend zu rahmen. Einige Rahmen waren neu und hübsch getönt, andere auf Bodenräumen aufgestöbert und durch feine Samtstreifen oder Papierleisten verbessert. Eines seiner Hauptstücke hatte er in eine Art Guckkasten gesetzt und mit versteckter Soffittenbeleuchtung versehen. Grimme protestierte gegen solche 'Zirkustricks'.

»Seid nicht so engherzig und neidisch, Kinder«, sagte Groterjahn. »Der Mann versteht sein Handwerk. Ihr könnt nur davon lernen. Ein guter Rahmen ist der halbe Verkauf, das ist nun einmal so.«

In Peter Pojarskis Kabarett warf das große Ereignis seine Schatten voraus. Peter gab, in Krämpfen zuckend, eine mimische Beschreibung von Baby Bitters 'Stotterplastik', die sicherlich ein Hauptstück sein würde; er imitierte Rüsselsheimers bekannte Phrasen: »Alles dreht sich, alles bewegt sich«, und fuhr fort: »Manchem dreht sich sogar der Magen um. Da werden wir von Meister Thumann eine Gebärerin zu sehen bekommen, oder eine Bärin, genau weiß es noch niemand, oder eine gebärende Bärin, jedenfalls so groß« — er wies zur Decke —, »so breit« — er zeigte die Breite des Raumes an — »und so schwer!« Er versuchte vergeblich, ein unsichtbares Gewicht hochzustemmen. »Ebenso schwer wird es uns werden, Meister Grimmes Zeichnungen zu verstehen: ein Bein emigriert nach New York, ein Arm ist schon in Venezuela, und das zweite Bein steht noch fest auf dem Boden der Tatsachen hier bei uns im Huddlestone-Camp und schlägt Wurzeln. Aber nichts für ungut, Kinder, es ist schön, daß so etwas zustandekommt. Wir leben in einer großen Zeit, einer Blütezeit, Ihr wißt gar nicht, wie gut Ihr es habt, dabeizusein, Ihr Lagergenossen, Ihr Lagergenüßlinge, Ihr Lagerlüstlinge! Morgen ist die Eröffnung, jeder wird dabeisein, mit Ausnahme der Leute von der Technischen Hochschule. Die halten nichts von solcher Allotria, die wollen währenddessen fleißig über ihren Heften sitzen, die braven Musterknaben, oder Mica spalten. Wir andern aber werden ohne Murren unsere zwei Groschen bezahlen und uns an den ausgestellten Herrlichkeiten erlaben, ob wir sie verstehen oder nicht: *eine* große Familienkutsche! Mitsingen: *eine* große Familienkutsche!«

Der Andrang war überwältigend. Die Sonderkarten für die Eröffnung, in Anwesenheit des Kommandanten, waren Gegenstand heftiger Auseinandersetzungen. Die Camp-Hierarchie hatte natürlich ohne weiteres das Recht zur Teilnahme, aber die übrigen Karten mußten verlost werden. Es gab verdrossene Gesichter. Rüsselsheimer bezeichnete kurzerhand die Vorbesichtigung als 'Vernissage' und gab neue Karten mit dem Aufdruck 'Große Eröffnungsfeier' für den nächsten Tag aus, die für alle bestimmt waren. Die Gemüter beruhigten sich.

Der Kommandant erschien um Punkt elf Uhr. Er wurde an der stacheldrahtbewehrten 'Schleuse' vom Festkomitee in Empfang genommen, das aus Rüsselsheimer, Gärtner und Groterjahn als Vertreter der Künstlerschaft bestand. Major Hicks erschien mit großer Suite, dem Stabsarzt, dem Intelligence Officer, dem Lagerverwalter und Feldwebel Monihan. Rüsselsheimer hatte dafür gesorgt, daß am Eingang zum Ausstellungssaal ein kleines Tischchen aufgestellt wurde, mit Festprogramm auf besonderem Papier und einer Flasche Sherry sowie Gläsern.

Hicks nickte wohlwollend, hob sein Glas, wartete, bis die andern Mitglieder seines Stabes sich bedient hatten, und brachte den Toast auf den König aus:

»The King!«

»The King!« murmelte die Suite. Sie tranken die Gläser aus. Hicks wandte sich an das Festkomitee und die Anwesenden:

»Freue mich, diese Gelegenheit zu haben, bin in der Tat sehr angetan von Ihrer Regsamkeit, das ist der richtige Geist, den Sie hier an den Tag legen, die Moral der Gefangenen, ich meine der Internierten, zu heben, wünsche Ihrem Unternehmen den besten Erfolg!«

»Danke bestens, Sir!« sagte Rüsselsheimer. Er hatte eigentlich noch eine Eröffnungsrede halten wollen und war beunruhigt, ob es ihm gelingen würde, seine stark ironischen Gedankengänge dem Verständnis des Kommandanten einigermaßen anzupassen. Aber Hicks, angenehm erwärmt durch den Sherry, begann sogleich den Rundgang. Rüsselsheimer eilte voran und suchte den Blick des Majors vor allem auf die Stücke zu lenken, die sein Wohlgefallen erregen konnten. Thumanns gewaltige Mittelgruppe wirkte immerhin rein quantitativ als ein Werk, das zweifellos große Kräfte erfordert hatte, und erhielt ein Kopfnicken des hohen Herrn, dem glücklicherweise der eigentliche Sinn der Darstellung nicht aufgegangen war. Erich Grimmes wandgroße Skizzen mit ihren in wilder Elephantiasis wuchernden Armen und Beinen freilich lösten gelinden Unmut aus und konnten Zweifel wecken, ob hier wohl 'im richtigen Geiste' gearbeitet werde.

»Der Mann kann nicht richtig zeichnen«, sagte der Major zu dem Stabsarzt gewandt. »Oder hat er einen Augenfehler? Sie sollten ihn einmal untersuchen. Sieht der Mensch das nicht selber?«

Auch Baby Bitters 'Stotterplastik' konnte ihm unmöglich etwas sagen. Rüsselsheimer suchte durch Wendungen wie 'Ein ganz moderner Künstler, ein Experiment, Sir' den aufsteigenden Groll des Majors zu besänftigen.

»Experiment? Na, ich muß schon sagen...«

Glücklicherweise fiel der Blick des Kommandanten nun auf Groterjahns 'Mädchen mit dem Kruge'. Seine Mienen hellten sich auf. Er besah die Plastik von allen Seiten, kniff die Augen ein und öffnete sie, er begann zu schmunzeln und fühlte sich versucht, die anmutigen Rundungen der nackten Figur mit der Hand nachzufühlen, was er eben noch unterließ. Er nahm das Bildwerk von hinten in Augenschein und war da ebenso befriedigt. Eine ganze Weile unterhielt er sich mit Groterjahn, der sich zur Ehre des Tages ausnahmsweise sorgfältig rasiert hatte. Die klaffenden Spitzen seiner einstmals so eleganten schwarzen Wildlederschuhe waren von innen her mit etwas Leukoplast zugeklebt. Groterjahn stand ungezwungen vor dem Lagerherrscher und machte Konversation. Der Major verabschiedete sich äußerst gnädig.

»Solche Bemühungen«, dabei deutete er auf die Kurven der Krugträgerin, »müssen gefördert werden. Das ist der richtige Geist, den wir hier pflegen wollen.«

Er nahm Groterjahn einen Augenblick beiseite und fragte ihn: »Wie steht es eigentlich mit Tieren? Modellieren Sie auch Pferde zum Beispiel?«

Groterjahn erklärte, das sei nicht gerade seine Stärke; außerdem brauche er dazu das lebende Objekt als Modell.

»Schade«, sagte Hicks. »Dann geht das nicht. Wo sollen wir hier einen anständigen Gaul herbekommen? Die haben doch nur Ponies vor ihren Milchwagen, oder traurige Ackergäule, abgetriebene Zossen, ohne Rasse, ohne Feuer. Ein richtiger Araber, wissen Sie, so eine Vollblutstute... Lassen wir das! Es hat keinen Zweck.« Er starrte aus seinen malariamatten Augen mit den gelblich verfärbten Winkeln vor sich hin.

»Und Sport?« fuhr er fort. »Cricket natürlich nicht, das kennt man bei Ihnen nicht. Wie ist es mit Fußball?«

Groterjahn schüttelte den Kopf.

»Oder Golf? Haben Sie wenigstens einmal zugesehen?«

Groterjahn nickte; er sei zuweilen Gast des Hamburger Golf-clubs gewesen.

»Na also, ausgezeichnet!« meinte Hicks. Er regte an, der Bild-hauer solle ihm die Statuette einer Golfspielerin modellieren, »nicht zu groß, ich möchte sie auf den Schreibtisch stellen zu meinen anderen Sachen, ohne etwas an, natürlich, so wie Ihr Mädchen da. Sie wissen, wie man einen Schläger hält?«

Groterjahn bejahte mit einer vorsichtigen Verbeugung.

»Ich schicke Ihnen meinen ganzen Köcher ins Atelier«, sagte Hicks. »Sie suchen sich einen aus. Da haben Sie ein Modell. Die Haltung: so!« Er deutete ihm mit einer Pirouette den Schlag an. Sein verfälteltes Jungensgesicht leuchtete auf.

»Wenn Sie sonst noch etwas brauchen, sagen Sie es. Feldwebel Monihan sorgt dafür. Es hat mich sehr gefreut, Mr. Grootjohn, sehr gefreut in der Tat.«

Er schritt mit wiegenden Bewegungen rasch davon.

Zurückgeblieben war Feldwebel Monihan. Er winkte Gärtner und machte nun noch seinerseits einen kleinen Rundgang. Die ausgestellten Kunstwerke freilich beachtete er dabei nur sehr wenig; die Billigung des Majors war ihm eine ausreichende Legitimation. Hingegen bemerkte sein scharfes Feldwebelauge sogleich die von Thumann ausgehängten Schranktüren.

»Aus Haus 47, eh?« sagte er. »Da standen zwei solche großen Mahagonischränke auf dem obersten Korridor. Die Besitzer werden einen Höllenkrach schlagen, wenn sie die Häuser übernehmen und auf ihren Schranktüren Neger und Indianer geschnitzt finden. Das geht eigentlich nicht.«

Er ließ es aber bei dem »eigentlich« bewenden, zumal auch ihm die gewaltige Kraft, mit der Thumann das harte Holz bearbeitet und dann glänzend poliert hatte, Eindruck machte. Dann erregten aber die mächtigen Eisenhaken, mit denen der Bildhauer die Tafeln vor jedem Umhängeversuch geschützt hatte, sein ausgesprochenes Mißfallen:

»Der Kerl ruiniert uns die ganze Wand. Wenn er die Haken wieder herauszieht, bleibt ein faustgroßes Loch. Sorgen Sie dafür, daß er die Stellen tadellos ausgipst und übermalt!«

Er betrachtete den Betonblock Thumanns:

»Wie habt Ihr denn den die Treppe heraufgebracht?«

Gärtner versuchte zu erklären, daß Thumann den mächtigen Klotz allein des Nachts in die Halle geschleppt habe, ohne Erlaubnis; er müsse zugeben, daß der Vorgang nicht ganz korrekt sei.

»Allein?« sagte Monihan. »Grundgütiger Himmel, der Mann muß Kräfte haben!« Er packte den Block an und suchte ihn zu rücken. Der Sockel stand wie festgeschmiedet. Der Feldwebel wurde rot und machte noch einen Versuch mit Aufbietung aller Energie. Dann ließ er ab, als sei es unter seiner Würde, sich mit dem Ding zu befassen, rieb sich flüchtig die Hände und zog seinen Waffenrock zurecht. Überraschend freundlich blickte er sich noch einmal im Saal um:

»Ein gutes Stück Arbeit, das Sie hier geleistet haben. Nur die Papiere da« — er wies auf Erich Grimmes Skizzen, die etwas flüchtig mit Reißnägeln angepickt waren und sich an einer Ecke schon gelöst hatten —, »die müssen besser festgemacht werden, sonst halten sie nicht zwei Tage. Dann sorgen Sie mir dafür, daß der Thumann seine Hakenlöcher wieder ausgipst! Ich verlasse mich darauf.«

Auch er nahm seinen Begleiter einen Augenblick beiseite. Er rieb mit dem Nagel seines kleinen Fingers die glatte Wange und sagte leise:

»Ich habe mit Port Erin telefoniert. Ich habe da auch so eine leibliche Schwester oder Cousine, eh? Ihr Mädel ist ganz munter. Langweilt sich natürlich zu Tode. Aus dem Familientreffen wird leider nichts vorläufig. Zweitausend 'engste Angehörige' haben sich gemeldet. Wo sollen wir die unterbringen? Im Tanzsaal vom Imperial haben höchstens zweihundert Platz. Soll übrigens bildhübsch sein, die junge Dame, habe ich gehört. Na, Kopf hoch, das dauert hier nicht ewig! Ich habe so etwas gehört von Entlassungen. Sprechen Sie aber nicht davon, sonst werden mir die Leute verrückt. Und passen Sie auf, daß der Sockel wieder richtig auf den Platz kommt und daß der Kerl uns nicht dabei die ganze Treppe zerschlägt! Er kann das doch nicht allein gemacht haben.«

»Doch«, sagte Gärtner. »Besten Dank übrigens! Ich spreche mit niemand.«

Monihan ging, nachdem er sich mit einem zweiten Glas Sherry bedient hatte.

Die »Große Eröffnungsfeier« für das allgemeine Publikum wurde von Rüsselsheimer eingeleitet, der denn auch in seiner Ansprache die Wendungen »hereinspaziert« und »alles dreht sich, alles bewegt sich« anbrachte, wie es erwartet wurde. Aber der Kunsthändler verharrte nicht in seinem gewohnten ironischen Ton. Er wurde gerührt. Er versicherte ein über das andere Mal, dies sei für ihn, der schon so viele Ausstellungen eröffnet habe, das schönste, das bewegendste Erlebnis eines reichen Lebens. Er begann zu stammeln:

»Die Kunst, meine Herren, die Kunst, und die Künstler, auch hier hinter dem Stacheldraht . . . der Krieg . . . es wird gemalt, gebildhauert, gezeichnet wie in den besten Zeiten . . . Klassik, Expressionismus, Surrealismus, auch einen Sonntagsmaler haben wir unter uns . . ., es ist großartig, unvergeßlich, sie malen und schnitzen weiter, als ob es keine Luftangriffe und U-Boote gäbe, die Kunst geht weiter, die Entwicklung der modernen Kunst ist durch nichts aufzuhalten . . .«

Er brach plötzlich ab und sagte mit halber Stimme:

»Ich erkläre hiermit die Große Kunstausstellung 1940 der Künstlervereinigung Huddlestone-Camp für eröffnet!«

Bis zum Abend wogten die Menschenmassen durch den Saal. Vor Lichtenbergers Guckkasten standen die Neugierigen Schlange, um einen Blick zu erhaschen. Thumanns 'Gebärende' und ihr gewaltiger Sockel wurden gebührend bestaunt. Vor Erich Grimmes großen Blättern standen Kenner und versuchten den Umstehenden zu erläutern, weshalb hier ein übermächtiger Darstellungswille die äußeren Formen im Rausche des Schaffens deformiert habe. Baby Bitters Stotterplastik wurde nach Peter Pojarskis vorbereitender Ankündigung mit freudigem Hallo wie ein alter Bekannter begrüßt. Wahrhaftig, da war es nun, dies vielbesprochne Stück. Eine tolle Idee, durch gestaffelte Gipsstäbe den Gedanken einer Sprachhemmung wiederzugeben. Und statt des Gesichtes der Figur hatte dieser Hexenmeister nun eine Drahtöse angebracht, in der einzelne Gipsstückchen hingen. Das sollten wohl die Zähne sein? Aber nicht doch, belehrte man den Fragenden; das seien die gestotterten Worte: das Ganze sei kontrapunktisch angelegt. Der so Beschiedene nickte verständnisvoll.

Auch Mochow hatte sich eingefunden. Er nahm die Aufgabe ernst und stapfte an seinem Stocke, den Katalog in der Hand, von einem Ausstellungsgegenstand zum andern. Sein Urteil war laut und bestimmt und deckte sich ziemlich genau mit dem des Kommandanten. Vor Erich Grimmes Wandskizzen erklärte er:

»Der kann nicht richtig zeichnen, der Junge. Solche Beine und Arme hat doch kein Mensch.«

Die Stotterplastik Baby Bitters machte ihn böse:

»Das ist einfach Quatsch. Der macht sich ja lustig über uns. Wie kommt der dazu? Der verhöhnt ja das Volk. Nee, das wollen wir nicht. Wir wollen eine gesunde Kunst, an der jeder seine Freude hat.«

Groterjahns 'Mädchen mit dem Kruge' schien ihm ein gutes

Beispiel für gesunde Kunst. »Der kann was«, erklärte er. »Der soll uns mal ein Denkmal hinstellen 'Die neue Zeit im Aufbruch'. Der Mann ist richtig.«

Lichtenbergers schön gerahmte Miniaturbildchen entlockten ihm den Ausruf: »Kinder, das ist sauber! Den merken wir uns. Das müßte meine Olle sehn. Der würde das nicht schlecht gefallen.«

Zusammenfassend sagte er vor seinen Freunden, die Künstler hätten gute Arbeit geleistet, trotz gewisser Auswüchse bei einigen bürgerlichen Formalisten. Solche Männer wie Lichtenberger oder Groterjahn aber seien hochzuschätzen. Das sei wahre Kunst fürs Volk. »Die gehören eigentlich zu uns.«

Bei Dunkelwerden mußte der Saal geschlossen werden, da er keine Luftschutzgardinen hatte. Spät in der Nacht stieg Bildhauer Thumann noch einmal die Treppe hinauf, mit einer Taschenlampe und einem großen Bündel unter dem Arm. Er stellte den Stab der Lampe neben dem Sockel der 'Gebärenden' auf den Boden und knipste das kleine Licht an. Ein dünner Scheinwerferstrahl stieß gegen die Decke und zeichnete die Konturen des Bildwerkes an. Thumann entfaltete das Bündel, das aus naßgemachten Bettlaken bestand. Seine riesigen Pranken legten die Tücher zart um die Figur.

»Mach das Licht aus!« rief der Posten vom Stacheldrahtzaun.

Thumann löschte eilig die Lampe. Er fuhr im Dunkel noch einmal vom Kopf bis zum Sockel über das nasse Leinen und drückte es in den Falten fest. Dann tappte er behutsam die Treppe hinunter und verschwand in der Tür seines Hauses.

17

DISKUSSION ZUR SCHULDFRAGE

Die Historische Arbeitsgemeinschaft hatte sich entschlossen, die Frage der Schuld an den Ereignissen der letzten Jahrzehnte zu behandeln, und zwar wollte man nicht nur dem Problem nachgehen, welche Schuld das deutsche Volk an ihnen trüge, sondern auch wiewiet die Juden mitverantwortlich zu machen seien. Den Vorsitz führte Rechtsanwalt Kahane, der 'Rittmeister' genannt. Als Teilnehmer hatten sich der Archäologe Plautz und der Senatspräsident gemeldet, außerdem der Historiker Wilhelmsthal, der als eine Art Ehrengast hinzugezogen wurde. Auch Hoppenheit erschien und brachte einige Leute seiner Reihe mit, darunter den Rechtsanwalt Leibmann und den Ingenieur Wasinski, der durch seine Erfindung eines neuen Farbdruckverfahrens einen Namen hatte.

Kahane, der früher verschiedentlich bei der Demokratischen Partei als Kandidat, oder genauer gesagt als Kandidatenanwärter aufgetreten war, liebte es, seine Kenntnis der parlamentarischen Formen auch im kleinen Kreise zu zeigen. Er erteilte das Wort und gab dabei mit der Hand den Einsatz wie ein großer Dirigent, der die Bläser aufruft. Er entzog es auch notfalls und war überhaupt für eine straffe Handhabung der Zügel. Gelegentlich wurde über seine 'diktatorischen Allüren' gemurrt. Im allgemeinen fügte man sich ihm.

»Wir gehen an dies Problem ohne Voreingenommenheit heran«, begann Kahane die erste Sitzung. Sie fand in der Waschküche des Hauses 42 statt, wo er als Hausvater über die Gesellschaftsräume verfügen konnte. Er stand aufrecht an der Kopfseite des Tisches und hielt den linken Rockaufschlag von unten her mit dem Daumen fest, wie er das auf Fotos von älteren Parlamentsgrößen gesehen hatte. »Ohne Voreingenommenheit, meine Herren! Wir sind niemand Rechenschaft schuldig als unserem Gewissen!« Er ließ das Wort laut hallen, als spräche er in einer Volksversammlung.

»Vielleicht wird einmal aus unserer Debatte ein fruchtbarer Keim entsprießen, der Wurzeln schlägt und Schossen treibt und eines Tages zu weithin die Zweige breitenden Ergebnissen führen mag.«

Wilhelmsthal, der neben ihm saß, rüttelte mit Wucht den kleinen Finger im Ohr und sagte, sich im Kreise umblickend, mit seiner milden Stimme:

»Ich glaube, wir können anfangen, Herr Rechtsanwalt. Es sind alle Teilnehmer da.«

»Ich habe bereits die Sitzung eröffnet, Herr Professor«, sagte Kahane, nicht allzu scharf, um den bedeutenden Gast nicht zu verlieren. »Ich habe auch schon das Problem angedeutet, an das wir herangehen wollen. Ich sage absichtlich: *das* Problem. Es ist in der Tat ein und dasselbe Problem. Die deutsche und die jüdische Frage sind nicht voneinander zu trennen. Wenn die Machthaber dort drüben davon sprechen, daß sie eine 'reinliche Scheidung' herbeiführen werden, so wollen und können, so können und wollen wir das für unsere Untersuchung ignorieren. Die beiden Fragen gehören zusammen. Wir werden versuchen, sie gemeinsam zu lösen, und dann eine Art Schlußkommuniqué aufstellen, das uns vielleicht die Technische Hochschule hektographieren wird. Es ließe sich denken, daß auch weitere, auch allerweiteste Kreise an unseren Ergebnissen interessiert sind. Ich glaube, daß ich damit im Sinne der ganzen Versammlung...«, er korrigierte sich, »unseres ganzen Gremiums spreche.«

Man nickte Beifall. Nur Wilhelmsthal hob mit dem rechten Daumennagel sein Jackett an und begann sich laut und ungeniert an den Rippen zu kratzen. Sein etwas hemmungsloses Benehmen, das in so auffälligem Kontrast zu seinem Ruf als besonders feinsinniger und kultivierter Gelehrter stand, war aber hinreichend bekannt und wurde diskret übersehen.

Kahane bedankte sich für die Zustimmung damit, daß er jeden einzelnen Teilnehmer bei Namen nannte und in seiner Bedeutung kurz umriß. Er wußte aus seiner parlamentarischen Erfahrung, daß es für die meisten Menschen süß ist, wenn ihr Name erwähnt wird, auch wenn das im kleinen oder kleinsten Kreise geschieht. So wies er, nach gebührender Respektbezeigung vor dem Altmeister der Karolingerforschung, Professor Wilhelmsthal, auf Plautzens Verdienst um die Kenntnis Ostasiens hin, auf Wasinskis Farbdruckverfahren, des Senatspräsidenten Wirken im »Rechtssektor«, wie er es nannte, Hoppenheits bekannte aufrechte Haltung und Leibmanns führende Anwaltskanzlei.

»So können wir«, schloß er seine Einleitung ab, »mit gutem Gewissen sagen, daß wir eine repräsentative Versammlung, oder sagen wir besser, ein repräsentatives Gremium darstellen. Wir gehen nicht als Laien oder Amateure an diese Frage heran, sondern als Männer, die sich in der Öffentlichkeit mannhaft bewährt haben, die auch in Zukunft ihren Mann stehen werden und die Manns genug sind, für ihre Überzeugung grade zu stehen.«

Er spürte hellhörig, daß es nun wohl genug der Pourparlers sei, und wurde auch stark abgelenkt durch den Anblick Wilhelmsthals, der nun mit der ganzen Hand in seine Hose fuhr und begann, den unteren Teil seines Rückgrates und den Anfang seines Steißbeins zu massieren.

»Zur Sache, zur Sache, meine Herren!« rief Kahane scharf wie bei einem Ordnungsruf. »Als erster Punkt steht auf der Tagesordnung die Frage der jüdischen Schuld oder, wie manche wollen, Mitverantwortung. Kollege Leibmann hat liebenswürdigerweise das Referat übernommen, und als Korreferent wird sich Herr Rosnauer beteiligen, der leider erst jetzt gekommen ist. Nehmen Sie Platz, Herr Rosnauer! Wir sind schon mitten im Text.«

Nun erhob sich aber Hoppenheit und erklärte, er sei gar nicht einverstanden mit dieser Reihenfolge und müsse überhaupt sagen, diese Art von Überobjektivität gehe ihm zu weit.

»Sprechen Sie zur Geschäftsordnung?« fragte Kahane.

»Allerdings!« rief Hoppenheit. Sein Schopf flatterte. »Was soll denn das häißen? Da hat man Euch — und mich auch — aus Deutschland mit Schimpf und Schande hinausjeworfen, aus Jemäinheit, aus Näid, man beschmeißt uns mit Dreck, man lügt, schwindelt, hetzt, keine Verläumdung ist jroß jenug . . .«

Kahane unterbrach: »Aber gewiß, Herr Hoppenheit. Sie haben völlig recht, und wir wissen Ihre aufrechte Haltung zu schätzen. Aber wir wollen doch nun grade die historischen Ursachen dieser bedauerlichen Zustände ergründen.«

»Das ist doch janz äinfach«, meinte Hoppenheit. »Deutschland hatte den Krieg verloren, und da brauchten sie einen Sündenbock und Prüjelknaben. Weiter ist jarnichts darüber zu sagen.«

»Dann brauchten wir unsere Studiengruppe nicht«, erklärte Kahane. »Was Sie sagen, Herr Hoppenheit, stimmt natürlich, aber doch nur in gewisser Beziehung. Überhaupt vereinfachen Sie die Dinge etwas reichlich. Die Frage zum Beispiel, ob das deutsche Heer wirklich besiegt war im Jahre 1918, ist keineswegs so apodiktisch zu entscheiden, wie Sie das tun. Ich vertrete natürlich nicht die naive These vom 'im Felde unbesiegt', ich denke nicht daran. Aber es ist doch eine Tatsache, daß Deutschland damals erheblich bessere Friedensbedingungen erhalten hätte, wenn man die Flinte nicht gleich ins Korn geworfen hätte. Auch Rathenau, Walter Rathenau hat das damals gesagt. Das ist doch bestimmt ein Kronzeuge, den Sie gelten lassen müssen. Er hat sogar zur Levée en masse aufgerufen, im Oktober 1918. Ich habe damals seinen Auf-

327

ruf im Felde gelesen, und ich muß sagen, ich war tief ergriffen und begeistert.«

Er rief sich selber erneut zur Ordnung: »Zur Sache, zur Sache, meine Herren! Wir müssen Ordnung in der Debatte halten. Herr Hoppenheit wollte zur Tagesordnung sprechen. Er möchte zunächst die Frage der deutschen Schuld behandelt sehen. Habe ich Sie recht verstanden, Herr Hoppenheit?«

»Janz jewiß.«

»Nun«, meinte Kahane, »das geht schon deshalb nicht, weil ja unser Kollege Leibmann sein Referat vorbereitet hat, das zweifellos mit seiner bekannten Sorgfalt und Gründlichkeit angelegt ist. Es wäre sehr unhöflich, wenn wir über ihn hinweggehen würden. Und dann hat Herr Rosnauer das Korreferat ausgearbeitet. Er ist zwar etwas reichlich spät erschienen, aber immerhin, er ist da. Auch ihn müssen wir berücksichtigen. Ich bitte, mich nicht mißzuverstehen, Herr Hoppenheit: wir wollen mit dieser Reihenfolge keineswegs unterstellen, daß eine jüdische Schuld, besonders an den Ereignissen der letzten Zeit, zu statuieren wäre.«

»Davon kann doch auch käine Rede sein«, meinte Hoppenheit.

»Das sagte ich ja eben«, erklärte Kahane. »Also, ich glaube, wir lassen nun erst einmal die beiden Referenten...«

Die Tür öffnete sich, und Mochow stand dort mit seinem Freunde, dem Schreiner.

»Entschuldigen Sie, meine Herren«, sagte er, »aber wir haben gehört, daß hier eine Debatte stattfindet über eine Frage, die uns mächtig interessiert. Da möchten wir uns gerne beteiligen, wenn's gestattet ist.«

Kahane war nicht sehr erfreut. Es sei eigentlich eine geschlossene Studiengruppe mit vorbereiteter Tagesordnung, keine öffentliche Diskussion. Vielleicht werde man später noch Gelegenheit finden, auch die übrigen Lagergenossen teilnehmen zu lassen, aber im Augenblick gehe das doch kaum.

»Ich sehe das jarnicht ein«, erklärte Hoppenheit, der sich von dem Zuzug nichtjüdischer Elemente eine gewisse Stärkung seiner Position versprach. »Wir haben nichts zu verbärjen. Lassen wir die beiden Herren teilnehmen!«

»Ich habe auch nichts einzuwenden«, erklärte Rechtsanwalt Leibmann. »Natürlich muß der Vorsitz weiter in den bewährten Händen von Kollegen Kahane liegen.«

»Gewiß doch«, sagte Mochow, »gewiß doch. Wir wollen nur dabei sein. Die Judenfrage interessiert uns kolossal. Und dann haben wir auch vom Standpunkt des Proletariats etwas dazu zu bemerken.«

»Aber bitte keine Volksreden, Herr Mochow«, sagte Kahane. »Wir sind hier eine ernste Forschungsgemeinschaft. Wenn ich die Stimmung unseres Gremiums richtig erfasse, so sind die meisten für Teilnahme der beiden neuen Herren? Gut! Und nun muß endlich unser Referent zu Wort kommen. Jawohl, Herr Mochow, ich notiere Sie für die Diskussion vor. Aber zunächst Herr Kollege Leibmann mit seinem Referat über die jüdische Schuldfrage.«

Leibmann holte seine Lesebrille aus dem Futteral, putzte sie und entfaltete die Bogen seines sehr sorgfältig geschriebenen Manuskriptes. Sein Referat war eine fleißige, gediegene Arbeit, an der offenbar die nun brachliegenden Energien eines früher vielbeschäftigten Anwaltes eine willkommene Aufgabe gefunden haben. Gut gegliedert und nach dem Muster der Geschäftsberichte, die er für große Konzerne in seinem Büro in der Jägerstraße aufgesetzt hatte, ließ er die bekannten Tatsachen und Argumente Revue passieren.

Zunächst erwähnte er die Verdienste der Juden. Er schilderte sie wie die Tätigkeit eines Industrieunternehmens mit vielen Zweigstellen. Da war ihre Pionierarbeit auf dem Gebiet des modernen Geld- und Bankwesens ... »Na ja, na ja«, machte Mochow an dieser Stelle.

... in neuen, noch unerprobten Wirtschaftszweigen: er erinnere nur an die Elektroindustrie, die Rathenau so viel verdanke, dem alten Rathenau natürlich; der Sohn sei dann schon eine wesentlich problematischere Erscheinung gewesen.

»Achtundvierzig Aufsichtsratsstellen!« warf Mochow ein.

»Was ist dagegen zu sagen?« meinte Leibmann. »Und dann vergessen Sie den Rapallovertrag mit Sowjetrußland, Herr Mochow.«

»Da hat er wieder recht«, sagte Mochow, zu dem Schreiner gebückt. »Was wahr ist, muß wahr bleiben.«

»Wir wollen doch nicht immer unterbrechen«, mahnte der Vorsitzende.

Leibmann vergaß nicht die Verdienste der Juden um das Geistesleben. Er nannte Heinrich Heine, die großen Ärzte wie Traube, Ehrlich oder Wassermann, er erinnerte an Einstein und Haber, ohne dessen Verfahren der Stickstoffgewinnung der Krieg schon nach einem Jahre verloren gewesen wäre...

»Sehr richtig!« fiel Kahane ein. »Das wird immer vergessen.«

»Der Krieg?« fragte Hoppenheit. »Welcher Krieg denn? Sie meinen doch den ersten Weltkrieg?«

»Allerdings«, sagte Leibmann, über seine Lesebrille hinwegblickend. Er entfaltete nun eine Landkarte der Anklagen, die von den verschiedensten Seiten gegen die Juden erhoben worden seien. Er betonte energisch, daß er natürlich die wissenschaftlich ganz unhaltbare Rassentheorie und erst recht die Phantastereien über Rassenseele und feststehende Rasseneigenschaften außer acht lassen werde. Es lasse sich jedoch nicht leugnen, daß die Juden auch beträchtliche Schuld träfe.

»Das könnte man sehr wohl läujnen«, rief Hoppenheit.

Sie hätten, fuhr Leibmann im Tonfall eines Offizialverteidigers fort, der einen zweifelhaften und nicht sehr sympathischen Angeklagten zu vertreten hat, immer wieder die größten Fehler begangen. Erstens: Taktlosigkeit. Zweitens: ungenügende Verteilung auf die verschiedenen Berufsschichten. Sie hätten sich — was allerdings durch die historische Entwicklung zu erklären sei — in bestimmten Berufen ganz übertrieben zusammengedrängt, während sie andere unberücksichtigt gelassen hätten.

»Sehr richtig«, sagte Mochow, »besonders die handarbeitenden Schichten!«

»Es gibt nicht nur Handarbeiter«, fiel Kahane scharf ein, »es gibt auch Menschen, die mit ihrem Kopf arbeiten.«

»Jawoll«, meinte Mochow, »die sind uns ebenfalls willkommen. Aber was Sie eigentlich wollten, das wissen wir: Sie wollten, daß die Juden auch Gardeoffiziere bei Wilhelm Tatütata werden können, das wollten Sie!«

»Und warum nicht?« krähte Kahane erregt, »was ist dagegen zu sagen? Die Juden haben sich im Kriege ausgezeichnet geschlagen. Da war der Pour le mérite-Flieger Frank, der eine Zeitlang an der Spitze aller Abschüsse stand; mein Schulfreund Kirstein, der auch den Pour le mérite bekam, allerdings hat er es nicht mehr erlebt, er war kurz vorher abgestürzt; da war der sozialdemokratische Reichstagsabgeordnete Frank, der schon in den ersten Tagen fiel und an den Sie sich besonders erinnern sollten, Herr Mochow!«

»Ich erinnere mich lieber an Karl Liebknecht, der die Kriegskredite verweigerte«, sagte Mochow, »und den die Reaktion dann hingemordet hat.«

»Aber das stimmt ja gar nicht«, erklärte Kahane.

»Was?« Mochow fuhr hoch und stieß drohend seinen Stock auf den Fußboden. »Das wollen Sie bestreiten?«

»Nein, ich meine die Sache mit den Kriegskrediten«, sagte Kahane. »Das ist eine Legende. Auch Liebknecht hat die allerersten Kriegskredite mitbewilligt, erst später ist er abgesprungen, das ist doch bekannt.«

»Ach was!« meinte Mochow.

»Nicht 'ach was', Herr Mochow! Sie müssen der historischen Wahrheit die Ehre geben. Damals ging es doch bekanntlich vor allem gegen Rußland, und das erkannte auch Liebknecht ...«

»Wie, was? gegen Rußland?«

»Ja, das zaristische Rußland. Sie scheinen das vergessen zu haben.«

»Wir vergessen gar nichts«, erklärte Mochow. »Und wir merken uns alles.«

»Zur Sache!« rief Kahane. »Wir dürfen Kollegen Leibmann unmöglich so fortwährend unterbrechen.«

»Sehr verbunden, Herr Kollege«, sagte Leibmann ironisch. Er blätterte erneut in seinem umfangreichen Manuskript und erklärte, er könne nur noch ein Résumé seiner Untersuchungen geben, denn man höre bereits den Ruf zum Abendappell. Im übrigen werde er sein Manuskript bei ernstlichen Interessenten zirkulieren lassen. Um aber wenigstens die Hauptpunkte anzudeuten, von denen er eins: Taktlosigkeit und zwei: Zusammendrängung in bestimmten Berufen bereits erwähnt habe, so sei nun drittens auf verhängnisvolles Vordrängen bei gesellschaftsbedrohenden und revolutionären Bewegungen hinzuweisen.

»Ha«, rasselte es aus Mochows Kehle, »dazu haben wir noch was zu bemerken!«

»Ruhe!« donnerte Kahane.

Viertens: bedenkliches Sichzusammenballen in Sondergruppen, Punkt fünf, sechs und sieben gehörten eigentlich als Unterabteilungen in diese Obergruppe, aber er müsse angesichts der vorgerückten Zeit darauf verzichten, sein Material vorzulegen, und wolle lediglich noch sagen, daß mit dieser Aufstellung den derzeitigen Machthabern in Deutschland keineswegs das Recht eingeräumt werde, über die Juden ein Urteil zu fällen. Das hätten sie sich durch ihre jedem Rechtsgedanken hohnsprechende Haltung verwirkt. Aber man komme auch nicht weiter, wenn man sich durch die Ereignisse der letzten Zeit, so bedauerlich sie seien...

»Bedauerlich«, schrie Hoppenheit, der sich nur noch mit Mühe zurückhielt, »ist das die Möglichkeit! Bedauerlich nennen Sie diese jrauenhaften Jemäinheiten, diese Schwäinerei . . .«

»Aber bitte, Herr Hoppenheit!« mahnte der Vorsitzende.

. . . man habe ihn wieder nicht ausreden lassen, erklärte Leibmann. Also: wenn man sich nun in eine schlecht angebrachte Selbstgerechtigkeit treiben lasse, so könne das nur unheilvolle Folgen haben. Deshalb die Studiengruppe. Selbstverständlich werde sie in den nächsten Sitzungen auch die Frage der deutschen Schuld berühren.

»Berühren, sagt der Mann, berühren!« rief Hoppenheit. Er drängte sich nun vor und sprengte alle parlamentarischen Formen. Er schlug mit der Faust auf den Tisch, er sprach wild durcheinander, mit Wendungen wie 'Ihr Juden', die er sonst zu vermeiden suchte, er fragte, ob sie denn wohl bei Troste wären, und paukte sich mit den Fäusten die Stirn.

»Taktlosigkeit, ist es die Möglichkeit. Sind die Deutschen nicht taktlos?«

»Aber darauf kommen wir doch noch in den nächsten Debatten zu sprechen«, entgegnete Kahane.

»Näin«, rief Hoppenheit, »nehmen Sie's mir nicht übel, ich kann da nicht mehr mitmachen! Ich bin nicht so objektiv. Das ist ja ein wahres Laster bei Euch Juden. Ihr seid ja wohl wahnsinnig vor Objektivität. Das ist ja jrotesk, das ist ja jrauenvoll!«

Der Ruf zum Abendappell war näher gekommen. Kahane versuchte die Würde der Sitzung zu retten und noch einen Dank an Leibmann vorzutragen. Aber die Tür wurde aufgerissen, ein Mitglied seines Hauses brüllte herein: »Antreten, antreten! Machen Sie zu, Hausvater!« und die Versammlung löste sich formlos auf. Die Teilnehmer gingen oder liefen, je nach der Entfernung ihres

Hauses vom Doppeltor, wo Monihan seinen Rundgang begann, hastig davon. Auch Wilhelmsthal entfernte sich, mit abwesender Miene das Innere seines Taschentuchs betrachtend.

Nur Mochow stapfte neben seinem Freunde, dem Schreiner, langsam an seinem schweren Stock dahin.

»Deswegen beeilen wir uns noch lange nicht«, sagte er. Seine Blicke hingen an der Hose Kahanes, der in seinen Breeches eilfertig über den Platz strebte, dabei bemüht, eine gewisse Würde zu wahren. Mochow hob die Stockspitze:

»Das sind Reithosen, Reithosen sind das.«

»Na ja«, meinte der Rotbäckige.

»Nicht 'na ja'«, rückte Mochow ihn streng zurecht. »Du bist immer so pflaumenweich, Emil.«

»Komm lieber etwas schneller, Wilhelm, die stehen schon alle. Du wirst noch aufgeschrieben.«

»Soll er man, soll er man. Mich haben sie oft genug aufgeschrieben in meinem Leben, unter Kaiser Wilhelm, unter der Republik, unter Adolf und jetzt hier beim Engländer.«

Er schritt noch bedächtiger als vorher über den Platz.

»Eigentlich«, fuhr er mit vergnügtem Lächeln fort, »war das eine ganz interessante Diskussion, aber Du merkst natürlich, daß sie alle keine richtige Unterlage haben. Da fehlt es bei ihnen. Nur der Hoppenheit, der gefiel mir wieder. Der hat Murr. Der geht drauflos.«

»Geh Du lieber ein bißchen mehr drauflos, Wilhelm«, sagte der Schreiner.

»Die bringen mich nicht zum Laufen, die nicht. Immer langsam, keine jüdische Hast, immer ruhig, wir kommen schon noch zurecht.«

18

GROTERJAHNS UNTERWEISUNG AN SEINEN JÜNGER

Bildhauer Groterjahn saß wieder einmal mit seinem Jünger Erich Grimme auf seiner Dachstube. Grimme, den blonden Manetbart ängstlich streichelnd, erwartete das Urteil des Meisters über seine neuesten Skizzen, die er ihm vorgelegt hatte, große, kühne Kompositionen, bei denen die Extremitäten nur nach oben und unten wie in einer Art Akromegalie ins Abenteuerliche auswuchsen. Groterjahn kochte ihm zunächst einen seiner berühmt vorzüglichen Kaffees, breitete die runden Finger schützend über den duftenden Rauch und sagte:

»Erich, mien Jong, heute werde ich einmal ein paar ernste Worte zu Dir sprechen.«

»Ich höre, Vadder Groterjahn, ich höre wie ein Schießhund.«

»Nicht so ironisch! Ich meine es wirklich ernst. Ich will Dir ein paar gute Ratschläge fürs Leben mitgeben. Das hat man in Deinem Alter nicht gern, und Du wirst sie wahrscheinlich vergessen. Vielleicht bleibt aber doch etwas hängen. Ich habe Dich jetzt eine ganze Weile beobachtet. Ich habe Dich beim Zeichnen gesehn. Die Art, wie Du den Stift in die Finger nimmst, gefällt mir. Du weißt noch nicht, wo Du hinauswillst, und deshalb kommst Du am Rande oft so etwas ins Schwimmen. Aber Du gehst richtig drauflos und fummelst nicht nur im Kreise herum wie der sterile alte Mops Lichtenberger. Bei dem sieht es immer aus, als ob er nur eine Vorlage durchreibt. Du hast den richtigen Griff, und wenn Du dich noch entschließen kannst, der Farbe etwas mehr an den Busen zu gehen, dann kann etwas aus Dir werden. Das hat übrigens auch Marke gesagt.«

Der Jüngling strahlte. Es war bekannt, daß Groterjahn, bei aller

Liebenswürdigkeit seiner Natur, in Kunstdingen eine unbarmherzige Strenge zeigte. Er schonte sich selbst nicht, und er war scharf gegen andere. Ein halbes Ja oder Mjä aus seinem Munde galt als Auszeichnung.

»Es kann etwas aus Dir werden ... es könnte«, sagte der Bildhauer und umfing den hübschen Kopf des Jungen mit dem blonden Vollbärtchen aus weichen Flaumhaaren so zärtlich, daß Grimme unwillkürlich mit den Händen über die Stirn fuhr, um sich die Spuren dieses Blickes abzuwischen. »Aber nun spitz Deine Ohren und hör auf den alten Hans Hanno! Der war auch einmal ein hoffnungsvolles Kerlchen und trug einen Manetbart spazieren, als er bei Bourdelle arbeitete. Er hat sein Leben erbärmlich versaut.«

»Aber Vadding!« sagte der Jüngere.

»Versaut hat er es, wir machen uns nichts vor. Wenn wir hier herauskommen, bin ich über sechzig. Da fängt man nicht von neuem an. Was wird von mir bleiben? Den Brunnen in Lübeck haben die Nazis abmontiert. Die Flora in Turin haben meine italienischen Freunde hoffentlich in den Keller gestellt; vielleicht kommt sie noch einmal ans Licht. Und meine Formen beim alten Lühse in Hamburg? Er hat sie mir brav und treu all die Jahre aufgehoben, und dabei habe ich nie einen Nachguß bestellt. Nach diesem Kriege werden sie wohl kaum mehr da sein. Dann haben wir noch ein paar Fotos. Das ist alles.«

»Aber man kennt Dich doch. Man weiß, wer Du bist. Deine Kollegen wenigstens wissen es.«

»Die werden es nicht weitersagen. So weit geht nun auch die Kameradschaft bei Künstlern nicht. Nein, mein Leben ist Bruch, mit kleinen Kanten. Und weißt Du warum? Ich habe es verschlafen, verdöst, verhurt vor allem, ja ...« Er gebrauchte noch eine Reihe von stärkeren Wendungen und wälzte förmlich seine Zunge in ihnen.

»Beneidenswert, wirst Du sagen, mien Jong: ich sehe es an Deinen Augen. Ja, es war schön, ich will das nicht bestreiten. Das wäre undankbar, sehr undankbar.«

Er umfing die große runde Tasse zärtlich und sinnlich wie eine Brust mit seinen Händen und ließ die Fingerkuppen leicht vibrieren. Dann raffte er seine etwas weichen Schultern unter der losen Jacke zusammen:

»Trotzdem: lieber Erich, Freund und Kupferstecher, hör auf meinen Rat! Verzappele Deine Zeit nicht! Arbeite, arbeite, arbeite! Es gibt nichts anderes. Hab keine Angst, etwas falsch zu machen! Die größten Meister haben unglaublich gepatzt. In allen Museen hängen ihre Schludereien. Wenn sie Glück haben, dann kommt einer und tauft das dann 'Werkstattarbeit'. Du weißt doch, was der alte Liebermann über die Kunsthistoriker gesagt hat? 'Die sind für nischt zu jebrauchen – höchstens später unsere schlechten Bilder für unecht zu erklären.' Ich habe einen großen Fehler gemacht: ich wollte keine schwachen Stücke schaffen, die man dann Schule Groterjahn nennen würde. Ich wollte lauter Meisterstücke kreieren. So nannte man das damals. Es wurde nichts aus diesen Créations. Sie waren alle viel zu großartig angelegt, und deshalb ist aus ihnen nichts geworden. Ich sage Dir: Nimm jeden Auftrag an, auch den kleinsten und schäbigsten! Wenn ein Fabrikant eine Medaille bei Dir bestellt, dann mach sie ihm! Wenn Du ein Firmenschild malen sollst, dann gib Dir Mühe damit wie Watteau mit seiner Tafel für den Gersaint! Wir Künstler brauchen den Zwang. Wir brauchen den Auftraggeber. Wenn er ein wirklicher Kenner und Mäzen ist – um so besser. Wenn er ein halber Esel ist, dann mußt Du trotzdem für ihn arbeiten, so gut Du kannst, und wenn es der Staat ist, der immer ein ganzer Esel ist, dann darfst Du noch längst nicht die Bestellung ausschlagen. Ich habe mich immer nur auf mein Ingenium verlassen« – er dehnte das Wort erbittert in die Länge –, »und das ist treuloser als jede

Frau. Und wenn es mich gerade wieder einmal enttäuscht hatte, dann bin ich über die Weiber hergefallen. Vielleicht sind sie auch über mich hergefallen. Aber das ist dasselbe. Die Schuld liegt bei mir.«

»Aber hat Dich das denn nicht auch, ich meine, hast Du dabei nicht...«

»Natürlich, natürlich. Glaube nicht, daß ich Dir die Weiber vergraulen will. 'Ehret die Frauen, sie flechten und weben', so heißt es ja wohl beim alten Schiller. Sie flechten und weben nur immer etwas viel zusammen, und ehe Du Dich versiehst, bist Du eingesponnen. 'Wer sich mit den Weibsen schleppt, der wird abgesponnen wie ein Rocken'; ich weiß nicht mehr, wer das gesagt hat, Goethe vielleicht oder der alte Tolstoj. Ich habe heute eine sehr lehrhafte Ader. Aber glaube um Gottes willen nicht, daß ich Dir da billige Ratschläge anhängen will. Du würdest sie doch nicht befolgen. Tob Dich aus, in Gottes Namen! Sie werden es Dir leicht machen. Bei unserem Beruf ist es ja überhaupt ein Kinderspiel. Sie sehen Dich ohnehin als halben Zigeuner an, mit dem man sich alles erlauben darf. Schon das Entrée ist immer so einfach: Du bittest sie zu einer Sitzung, trittst heran, rückst ihnen ein wenig den Kopf in die Höhe, und schon schlagen sie erwartungsvoll die Augen zu Dir auf. Du kannst sie sogar leichter loswerden als andere; Du mußt arbeiten, oder ein anderes Modell kommt. Du kannst plötzlich abreisen, irgendwohin. Du bist frei. Eine furchtbare Sache, diese Freiheit...«

Der Jüngere blickte verwundert auf die große Gestalt in der losen Jacke. Sie dehnte sich so lässig in dem niedrigen Sitz und sah doch zugleich wie gepeitscht aus. Um die Wangen Groterjahns war ein greisenhaftes Zittern.

»Keine Entschuldigungen — aber auch keine Undankbarkeit«, sagte der Meister. »Die platte Phrase, daß alle Weiber im Grunde gleich sind, wirst Du von mir nicht hören. Der Jammer ist gerade, daß sie so verschieden sind. Jede zappelt anders, jede hat eine andere Haut, einen anderen Geruch, jede schnauft anders, jede hat einen anderen Bruch im Auge. Das Geschnaufe hatte es mir immer besonders angetan. Ich bin in der Beziehung Ohrenmensch. Ich erinnere mich an eine, die stieß pfeifende Töne aus wie eine schwer Lungenkranke; dabei war sie hart wie Teakholz. Eine andere hatte solche gurrenden Laute in der Kehle, wie eine Lachtaube. Es war irgendwie unwiderstehlich komisch, aber sie nahm es mir übel, wenn sie merkte, daß es mich leise schüttelte. Und wieder eine andere: die gab so merkwürdig hauchende, rhythmische Küsse, immer in Dreierpaaren: pf-pf-pf ... pf-pf-pf, wie Triolen, wenn Du etwas von Musik verstehst.«

Er taktierte mit dem Mittelfinger auf dem Rand seiner Tasse.

»Nein, das Geschwätz ’Weib ist Weib‘, das stammt nur von Philistern oder Nichtskönnern.«

»Du hast doch wenigstens gelebt!« rief der Jüngere neidisch.

»Gelebt?« sagte der Bildhauer und setzte die Tasse auf den Tisch. »Ja, vielleicht habe ich gelebt. Aber ich wollte ja nicht von meinem Leben schwatzen, sondern Dir guten Rat geben.«

»Ich höre es gern, wenn Du so erzählst«, meinte der Jüngere.

»Man hat mir immer gern zugehört. Ich verbreite so eine gemütliche Stimmung«, sagte der Meister bitter. »Vielleicht ist das meine produktive Note. Es ist ein bißchen wenig. Und jetzt muß ich mit dem ernsteren und zynischen Rat herausrücken.«

Er legte dem Jüngeren seine runde, weiche Hand auf die Schulter. Die Wärme ging dem andern bis tief in die Haut.

»Vom Arbeiten habe ich Dir schon gesprochen. Damit allein kommst Du aber heutzutage nicht fort. Die Zeiten sind vorbei, wo man einfach schöne Dinge schuf, die dann schon ihren Weg fanden. Du brauchst einen Impresario, jemand, der dich lanciert. Du brauchst Leute, die sich für Dich interessieren, eine Clique bilden. Die Kunst geht heutzutage nach Parolen.«

Seine Hand fuhr scharf abteilend durch die Luft.

»Geh nicht nach Deutschland zurück! Du mußt zuerst einmal nach Paris. Da verstehen sie das immer noch am besten. Auch die Luft ist da anders, und das Essen. Aber vor allem die Kameraderie. Tu Dich mit ein paar Freunden zusammen, nehmt euch einige Literaten dazu! Die warten dort nur darauf, eine neue Bewegung in Gang zu setzen. Es gibt Hunderte von solchen Kerlen, und sie sind oft sehr begabt. Es kommt gar nicht darauf an, welche Parole ihr ausgebt, aber eine Parole muß es sein. Ob ihr die Formen noch mehr zerschlagt oder sie wieder zusammenfügt, das spielt keine Rolle. Wenn Euch kein zugkräftiger Name einfällt, dann nennt Euch einfach die Gruppe der Fünf oder Sechs. Beharrlichkeit spielt die Hauptrolle. Ihr müßt den Leuten eine kurze, leicht faßliche Schlagzeile einhämmern, die sie behalten können. Es gibt zehntausend Künstler in Paris. Da ist es nicht leicht, aufzufallen.«

»Das ist doch nicht Kunst«, meinte der Jüngere.

»Nein, das ist der Kunstbetrieb. Aber von dem lebt die Kunst. Kein Händler interessiert sich für einen Einzelgänger, kein Schreiber schreibt einen Artikel über Erich Grimme. Aber wenn es heißt: da ist die Gruppe der Apokalyptiker, oder der Kreis der Lunairisten, oder Die Neue Klassik — das kommt sehr bald wieder, mein Freund, nachdem wir alles zerfasert haben —, dann wirst Du Dich wundern, wie sie überall die Federn wetzen. Da setzen sich mit einem Male Kräfte in Bewegung, über die Du staunen wirst.«

»Na ja«, sagte der Jüngere.

»Sag nicht: na ja! Ich weiß, was Du denkst. Vater Groterjahn scheint Dir plötzlich etwas alt und spießig. Er gefällt Dir besser, wenn er von den Weibern spricht. Darauf komme ich auch noch zurück.«

»Ich höre schon«, sagte der Jüngling.

»Mit einem halben Ohr. Aber ich hoffe, daß es sich wenigstens irgendwo in Deinen Gehirnwandungen festsetzt. Ein Genie bist Du nicht, mein Lieber. Du bist ein Talent, und Talente müssen sich zusammentun, wenn sie etwas werden wollen. Ihr werdet es sowieso nach dem Kriege nicht mehr so leicht haben. Als ich jung war, konnte man noch den Bürger erschrecken. Das war ein leichtes Arbeiten. Jetzt verschwindet der Bürger. Épater le bohémien — das ist nicht so einfach. Ihr werdet Euch verflucht heranhalten müssen. Alle Gewaltsmittel nutzen sich auch ab. Ich habe die große Zeit der aufgeklebten Streichholzschachteln erlebt, oder die Reiseplastiken, die man aus dem Handköfferchen aufrollen konnte. Das steht jetzt längst im Museum. Unser Freund Baby Bitter ist so ein Überbleibsel. Hier im Lager kann er noch einmal Furore machen. Wenn er herauskommt, wird er elendiglich auf den Sand laufen. Vielleicht hier in England, wo sie immer dreißig Jahre zurück sind, oder in Amerika, wo ihnen noch alles neu erscheint, kann er ein Weilchen weiterkrebsen. In Paris ist das passé. Und auf Paris kommt es allein an.«

Der Jüngere seufzte, und Groterjahn legte ihm noch einmal die Hand auf die Schulter:

»Zweiter Rat: Arbeite Deine Handschrift aus! Du mußt heutzutage eine ganz persönliche Hand schreiben, an der man Dich erkennt. Die großen Zeiten sind vorbei, wo selbst die Genies von den Schülern nicht zu unterscheiden waren, wo ein Bol oder Eeckhout so gut malte wie Rembrandt und dann auch prompt später als Rembrandt im Museum hing. Du mußt Dir eine dicke schwarze Kontur zulegen, oder einen ganz dünnen faserigen Strich, oder wie unser Freund Rouault eine Art Glasfenstertechnik — und das ist ein großer Meister, mein Lieber, ein großer Meister! Du mußt ein paar Motive haben, die immer wiederkommen, bis selbst die Händler sie erkennen und ihren Kunden empfehlen können: ein typischer Grimme. Gitarren sind schon von Braque verbraucht, oder schwarze Fische. Du mußt Dir etwas Neues ausdenken. Und wenn Du etwas gefunden hast, was Anklang findet, dann mußt Du dabei bleiben, eisern, bis an Dein Lebensende, und wenn es Dich noch so sehr anekelt.«

»Na, weißt Du, Groterjahn«, sagte der Jüngere, der unwillkürlich die respektvollere Vater-Form beiseite ließ, »das ist mir doch etwas reichlich, wie soll ich das sagen, etwas reichlich . . .«

»Du wirst es später verstehen. Ich sage nicht, daß Du freudlos irgendwelche Routine betreiben sollst. Versteh mich nicht falsch! Du mußt auch Vergnügen an Deiner Arbeit haben, ohne das geht es nicht. Selbst Kitsch will mit Hochgefühl und Selbstüberzeugung fabriziert sein. Alle Schlager werden so gemacht, in der Kunst, der Literatur oder Musik. Aber die Marke, die Note, den typischen Zug, den mußt Du festhalten, und wenn es Dich noch so sehr ankotzt. Aus Ekel und Selbstbefriedigung setzt sich unsere Arbeit zusammen. Das ist nun einmal nicht anders.«

»Ja«, sagte der Jüngere folgsam und ohne rechte Überzeugung. Er blickte auf den Speichel, der sich in dem losen Mundwinkel des Älteren festsetzte. Der fing den Blick mit seiner weiblich reizsamen Art sogleich auf und fuhr sich über die Lippen.

»Rat Drei, und damit komme ich wieder auf die Weiber zurück, und Du wirst besser zuhören. Du brauchst einen Impresario, der Dich lanciert. Kein noch so fleißiger Geschäftsmann ist durch eine Frau zu ersetzen. Such Dir eine Frau, am besten eine Jüdin, und zwar von dem hageren, ehrgeizigen Typus. Es gibt auch den anderen, den weichen Haremstyp. Der taugt nicht für Dich. Alle meine Freunde, aus denen etwas geworden ist, hatten eine Jüdin, die sie in die Hand nahm. Es ist ihre produktive Begabung. Sie entwickeln enorme Fähigkeiten dabei, sie sind zäh, rastlos, sie denken Tag und Nacht über jede kleine Position nach, die erobert werden muß. Und jede Karriere besteht aus kleinen Fleckchen Erde, die man besetzen muß. Du bist blond, und deshalb werden sie an Dich glauben. Sie haben ein tiefes Mißtrauen gegen die eigne Farbe. Aber es kommt überhaupt nicht darauf an, was sie von Dir denken. Sobald sich eine für Dich entschieden hat, dann bist Du 'ihrer', dann wird sie durch dick und dünn für Dich gehen. Sie wird Dich entweder für ein Genie halten, und dann ist ihre Durchschlagskraft unwiderstehlich. Oder sie hat nach einiger Zeit erkannt, daß es mit Dir im Grunde nur sosolala steht; dann wird sie erst recht dafür sorgen, daß der Erfolg eingeheimst wird, ehe die Welt dahinterkommt. Auf alle Fälle...«

»Aber Groterjahn«, sagte der Jüngere, »Du hast doch das alles versucht. Deine erste Frau...«

»Eben nicht, eben nicht!« erwiderte der Meister; er schrie es fast. »Sie war reizend, liebevoll, was Du willst, und sie war eine Jüdin, jawohl, aber es war der falsche Typus. Wir stehen uns ja noch jetzt immer sehr gut, und ich bin schließlich ihretwegen fortgegangen, oder doch großenteils. Aber sie war weich, bequem; es war ihr völlig genug, daß wir unseren netten Kreis da in Lübeck hatten. Dabei waren wir ja nicht einmal reich; wir hatten gerade genug, zu leben und ein paar hübsche Reisen zu machen. Sie trieb mich nicht an, sie hatte keinen Ehrgeiz. Sie hatte mich lieb, allerdings; sie liebt mich noch heute, viel mehr als Gundi...«

Seine etwas schwammigen Wangen verkrampften sich. Der Jüngere zog die Augen leicht zusammen und blickte zur Seite. Aber Groterjahn sah ihn kaum mehr.

»Die denkt allerdings überhaupt nicht über mich nach. Sie hat die ganze germanische Kälte. Ob ich ein Genie bin oder ein Stümper, das ist ihr völlig egal. Sie ist zu mir gezogen, weil wir uns im Bett gut verstanden, und wir haben dann geheiratet, als der Junge gekommen war. Wenn wir kein Geld hatten, dann tobte sie. Wir haben uns geprügelt, daß die Fetzen flogen, und dann wieder ins Bett, natürlich. Meine Kunst ist ihr schietegal.«

Der Jüngere legte ihm vorsichtig die Hand auf die Schulter, die unter der losen Jacke zuckte. Seine Finger waren dabei etwas widerwillig gespreizt.

»Kein Mitleid!« schrie Groterjahn. »Ich hasse Mitleid. Verachte mich lieber, das ist gesünder! Wie Du mich hier sitzen siehst, bin ich ein Wrack, ein nutzloser alter Schlauch. Nicht einmal die Weiber wollen mehr etwas von mir wissen. Im Grunde bin ich froh, daß sie mich hier eingesperrt haben. Ich wüßte nicht, was ich draußen anfangen sollte. Ich habe Angst vor der Freiheit.«

Grimme zog erschreckt vor diesem Ausbruch die Hand zurück.

»Aber Du, mien Söön, Du solltest von mir altem Esel lernen, wie man es nicht machen soll. Ich habe mir meine Weisheiten teuer erkauft. Und Du wirst nun hingehen und Deine eigenen Dummheiten machen, und kein Vadder Groterjahn kann Dir dabei helfen, c'est la vie, such is life, questa e la vita. Und jetzt wollen wir noch eine halbe Stunde vor dem Abendappell hinübergehen ins Atelier und an unserer 'Golfspielerin' pusseln. Kommst Du mit?«

»Natürlich.«

»Dem Kommandanten war der Busen zu üppig. Willst Du das wohl glauben? Nun, ich mache auch das. Man soll keinen Auftrag ablehnen, auch den kleinsten und schäbigsten nicht; ich habe Dir das eben lang und breit gepredigt. Das wirst Du doch wenigstens behalten von meinem Sermon?«

»Ich werde alles behalten, was Du mir gesagt hast«, meinte der Jüngere ernst.

»Das glaube ich nun wieder nicht«, lachte Groterjahn. Er spülte aus und räumte die Tassen beiseite, und der Jüngere bewunderte wieder, wie geschickt und fast zärtlich der schwere Mann das Gerät behandelte. Beim Heruntergehen sagte der Meister auf der Treppe mit gedämpfter Stimme:

»Laß übrigens zu den andern nichts über unsere Unterhaltung laut werden. Das sind Männergespräche, und es sind etwas viel alte Weiber hier im Lager. Und dann geh selber an Deine Morgenlandschaft und laß mich mit meinem Auftrag allein! Du hast jetzt genug von mir, ich merke das. Nimm etwas mehr Ultramarin! Ich werde Dir eine echte Tube Gevaert geben. Ich habe sie von Lichtenberger gegen einen Marderpinsel getauscht, den ich noch hatte. Damit soll der alte Mops seine Abziehbildchen durchreiben. Du kannst das Blau besser brauchen. Du mußt der Farbe noch etwas resoluter um den Busen gehen, mein Junge.«

Er machte eine modellierend zupackende Bewegung, während sie über den Hof auf das stacheldrahtbewehrte Gatter zuschritten. Seine bequemen, früher eleganten schwarzen Wildlederschuhe, die vorn an den Kappen aufgeplatzt waren und ein Stück der ungestopften Strümpfe sehen ließen, schwippten leicht wie die Sohlen eines Panthers über den Boden.

19

DER CHRONIST

»Wer weiß eigentlich noch, wie es war?« hieß es bei den Gesprächen unter den Hauseingängen am Morgen. »Wer erinnert sich noch richtig an Warts Mill oder Kempton Park? Die Jüngeren haben überhaupt keine Ahnung über die Herkunft unserer drei Reihen. Das verwischt sich allmählich alles. Man vergißt schnell im Lager. Es ist ein Glück, daß wir jetzt wenigstens den Chronisten haben.«

Der Chronist Erwin Halbwachs hatte begonnen, die Begebenheiten aufzuzeichnen. Er machte seine Eintragungen in das 'Blaue Buch', einen dauerhaft in Kalbleder gebundenen Band aus bläulichem Aktenpapier, der eigentlich als Hauptbuch für eine kaufmännische Firma bestimmt war und einen eingedruckten frommen Vorspruch auf der Titelseite trug. Halbwachs, ein langaufgeschossener, immer dunkel gekleideter Mann mit sorgfältig über die Glatze gekämmten Haarsträhnen und stark verfälteltem Gesicht, das wie aus Bindfadenenden zusammengeknüpft war, schrieb eine flotte, schrägliegende Hand. Er war Kassierer einer Textilfabrik in Chemnitz gewesen und hatte im Vereinsleben seiner Vaterstadt bereits eine bescheidene Rolle gespielt und seinen historischen Sinn geschult. Als Schatzmeister des Schachklubs und der Ortsgruppe des Monistenbundes hatte er genauestens Buch geführt über Feste, Persönlichkeiten und Vorkommnisse. Auch in der Emigration war er sogleich mit karitativen Ehrenämtern betraut worden. Mit großer Gewissenhaftigkeit verwaltete er die undankbaren Posten, machte Gänge zu den Behörden, vermittelte Unterstützungen und erteilte Auskünfte. Dabei wog er mit Strenge und Rechtlichkeit die Bedürftigkeit und den Wert der Antragsteller gegeneinander ab.

Seine Einzeichnungen im 'Blauen Buch' waren ebenso unparteiisch und genau. Er ging bis zu den Uranfängen der drei Stämme zurück; er trug die Namen der ersten Zeltführer ein, an die sich nur noch die 'ältesten Leute' erinnerten; er verzeichnete die Wahl Ithamars und seine kurze Regierungszeit. Jeden Einmischungsversuch wies er entrüstet zurück:

»Ich schreibe hier nur auf, wie es war und wie es ist«, sagte er nachdrücklich. »Ich lasse mich von niemand bestechen.«

Das bezog sich vor allem auf Schlicks Versuche, ihn zu einem der vielberedeten Frühstücksessen in der Technischen Hochschule einzuladen.

»Der Mann hat seine Verdienste«, betonte er. »Die Begründung der Kantine und jetzt hier der T. H. wird gebührend vermerkt. Damit ist es genug. Er mag so unsympathisch sein, wie er will, davon nehme ich keine Notiz. Und wenn immer wieder irgend etwas über ihn gemunkelt wird, dann bringt mir Fakten und Unterlagen bei! Für Gerüchte ist in meiner Chronik kein Platz.«

Das 'Blaue Buch' gewann den Ruf eines dokumentarisch getreuen Geschichtswerkes, ja, fast eines Gewissens für das Lagervolk. Halbwachs saß bei Vorträgen in der Reihe der Honoratioren. Die Großen des Camps sprachen ihn bei den abendlichen Rundgängen 'ums Carré' an und fragten ihn um seine Meinung. Tannenbaum suchte ihn vor jedem seiner Vorträge auf und nahm ihn danach unter den Arm:

»Haben Sie bemerkt, Herr Halbwachs, wie überfüllt das Auditorium maximum wieder war? Die Leute standen auf der Treppe. Ich werde am Freitag wieder auf dem Rasenplatz sprechen müssen. Sie kommen doch? Sie müssen unbedingt kommen! Ich spreche über den historischen Jesus. Sehr hübsch!«

Der Chronist schrieb nur kurz auf das blaue Aktenpapier: »Am 12. Oktober Vortrag von A. Tannenbaum über die kyrillische Fassung des Matthäus-Evangeliums.« Er ließ den 'großen Rasen' fort; er überging die Bezeichnung Professor, die Tannenbaum freigebig zugestanden und von ihm ohne Protest akzeptiert wurde.

Halbwachs hielt es in solchen Punkten mit äußerster Präzision. Sein fanatischer Eifer, genau und gerecht zu sein, bekam eine detektivische Note, wenn es galt, unberechtigte Ansprüche aufzudecken. Er schrieb an Gewährsmänner in London, er ließ sie im British Museum in Nachschlagewerken forschen, er fragte bei Archiven an. So hatte er den Schwindel eines schwammig-dicken Mannes namens Wunder aufgedeckt, der sich Jack Wunder nannte und behauptete, er sei der Autor der mysteriösen, unter dem Pseudonym 'Traven' erschienenen, bekannten Romane. Es war sogar ein Telegramm im Lager eingegangen, adressiert an 'Mr. Traven-Wunder, Huddlestone Camp, Isle of Man'. Halbwachs wandte sich sogleich an den Londoner Verleger der Werke Travens und erhielt die Auskunft, es müsse sich um einen Irrtum handeln; der Autor, obwohl in strenge Anonymität gehüllt, lebe in Mexiko, wohin ihm auch seine Tantiemen überwiesen würden.

»Und das Telegramm?« fragte man Halbwachs.

»Sehr einfach: das hat der Bursche durch einen Mittelsmann an sich selber aufgeben lassen. Der Absender saß in London. Ich werde ihn auch noch feststellen. Solchen Leuten muß das Handwerk gelegt werden.«

Jack Wunder ließ sich in ein anderes Lager versetzen, unter dem Vorwand, er wolle dort mit seinem jüngeren Bruder zusammen sein. Merkwürdig aber war der Eindruck, den der Bericht von diesen Begebenheiten auf Lametta machte. Er rückte die kleine Radfahrerkappe tief in den Nacken. Die Furchen auf seiner olympischen Stirn verschoben sich. Der große, schlaffe Mund zuckte.

»So, so«, sagte er, »der Halbwachs bekommt alles heraus. Der Mann spielt ja den wahren Totenrichter und gibt sein Urteil ab über die armen Seelen. Da muß man sich vorsehen, wie?«

»Aber lieber Herr Professor«, scholl es aus dem Kreise seiner Bewunderer, »das gilt doch nicht für jemand wie Sie, gottbehüte! Wohin kämen wir denn da?«

»Ja«, meinte Lametta, »das würde etwas zu weit führen. Menschen sind wir schließlich alle. Auch ich mache einmal einen kleinen Fehler, wenn ich auch heute noch nicht zugeben kann, daß unser Negationsrat recht hatte mit seinen Einwürfen über die zweite Auflage von Hegels Enzyklopädie. Und jeder von uns hat wohl irgendeinen dunklen Punkt in seinem Leben, den er lieber nicht aufgedeckt sehen möchte. Man soll die Toten ruhen lassen. Das Recht aller Völker kennt ja auch die höchst sinnvolle Einrichtung der Verjährung für Verfehlungen, die weit zurückliegen.« Er begann eine ungemein fesselnde, international vergleichende Vorlesung über dieses Thema zu improvisieren. Dann ging er sehr langsam in sein Haus.

Der Senatspräsident und Elzbacher, die auch zum Kreise seiner Bewunderer gehörten, blieben noch eine Weile auf dem Platze stehen.

»Blendend«, sagte der alte Richter. »Manchmal erinnert er mich an Kohler. Der war auch so ein Allerweltskerl. Die Vierte Dimension, die Ästhetik des Häßlichen, der historische Jesus, die Entwicklung des Seeigels, über alles spricht er mit gleicher Souveränität. Aber ein Fachjurist, dabei bleibe ich, kann er nicht sein, obwohl ich heute wieder erstaunt war, wie er die Materie beherrscht. Er hat nur so merkwürdige, lange Hände...«

»Der Mann ist ein Phänomen«, meinte Elzbacher mit skandierender Aussprache, »ein Phä-no-men.«

»Ganz recht, ein Phänomen«, erwiderte der Senatspräsident. Der Ausdruck klang in seinem Munde nüchterner, als bezeichnete er etwas leicht Suspektes, Schillerndes, das sich vielleicht in ein Luftgebilde auflösen könnte. »Und nun müssen wir zum Abendessen.«

20

VATERSORGEN

»Kinder, Kinder«, sagte Gärtner seufzend. Der enge Platz vor seiner Dachkammer in Haus 47 war überfüllt. Beschwerdeführer und Antragsteller standen auf der Treppe bis hinunter zum Hausflur mit der rosa Ampel und den sauber gescheuerten Wänden. Alle nahmen sie als selbstverständlich an, daß der 'Reihenvater' für sie Zeit und Verständnis haben müßte. Sie zeigten Briefe ihrer Frauen vor, sie klagten über Hausgenossen und Lagerkameraden, sie hatten Gesuche in den Händen, die er an den Kommandanten weiterreichen sollte. Mit erwartungsvollen Augen und unsinnigem Vertrauen in die Möglichkeiten, die sie seiner Stellung zuschrieben, blickten sie zu ihm auf.

Elzbacher schob mit einem kurzen »Pardon!« die Wartenden beiseite und trat herein.

»Warum werden die Künstler so bevorzugt?« sagte er. »Sie bekommen Passierscheine und gehen ohne weiteres durch die 'Schleuse' bis in die Kommandantur. Da sitzen sie in einem eignen Zimmer, nur weil sie für die Offiziere etwas zusammenpusseln sollen. Groterjahn macht eine nackte Golfspielerin für den Major, unser Dadaist Baby Bitter malt den Stabsarzt. Er kann auf einmal auch ganz anders: ein tadelloses Porträt soll das sein, ohne Gestotter oder Mätzchen, naturgetreu bis auf die Ordensschnalle, nur weil er dafür fünf Pfund einkassiert.«

»Nun«, meinte Gärtner, »um das Geld werden Sie ihn doch nicht beneiden, Herr Elzbacher?«

»Nein«, sagte der Fabrikant, »aber das Zimmer! Ich brauche *auch* einen eignen Raum. Ich kann nicht immer mit dem alten Knacker von Senatspräsidenten zusammenhocken, der mich mit seiner lieben Frau langweilt. Ich muß in Ruhe meine Korrespondenz erledigen, mit meiner Firma und meinem Anwalt. Er schreibt mir, daß jetzt Aussicht auf Entlassung besteht. Wirtschaftswichtige Betriebe werden an erster Stelle berücksichtigt. Ich möchte wissen, ob meine Firma etwa kein kriegswichtiger Betrieb sein soll?«

Er drückte das goldene Hufeisen in seinem Schlips fest und blickte Gärtner kriegerisch an.

»Wir haben alle unsere Sorgen, Herr Elzbacher«, erwiderte der Reihenvater.

»Sie sprechen schon fast wie Heckenast«, sagte der Fabrikant. »Der sitzt breit auf seinem Sessel hinter seinen acht Pfeifen und wirft alle Anträge in den Papierkorb oder läßt sie liegen. Von

Ihnen erwarten wir uns etwas mehr. Ich brauche ein Zimmer für mich. Ich will mir meinen Anwalt kommen lassen. Können Sie nicht darüber mit dem Kommandanten sprechen?«

»Kommen Sie morgen vormittag mit und tragen Sie ihm das selber vor«, meinte Gärtner.

Elzbacher zögerte. Er trat von einem Bein auf das andere.

»Es wäre mir lieber, wenn Sie das erledigten, Herr Gärtner. Ich kann mit ihm nicht so richtig reden. Ein alter Kolonialsoldat, ich bitte Sie, was versteht der von wirtschaftlichen Dingen! Sie können ihm auch sagen, daß Lord Stembuster schon zweimal persönlich im Kriegsministerium vorgesprochen hat in meiner Angelegenheit.«

»Ich will es versuchen«, sagte Gärtner. »Und nun müssen wir die andern drankommen lassen.«

James Pollack schlüpfte durch die Tür. Er klagte über Nieren- und Ohrenschmerzen, die trotz vorübergehender Besserung im Zeltlager wieder zugenommen hätten. Er müsse unbedingt in spezialärztliche Behandlung.

»Ich werde mit dem Stabsarzt sprechen«, sagte Gärtner.

»Aber das ist doch ein Stümper!« rief Pollack aufgeregt. »Er hat mich schon zweimal untersucht. Angeblich findet er nichts. Was wollen Sie von einem Militärdoktor verlangen. Der kennt bestenfalls Rhizinus für äußere Wunden und Jod für innere Beschwerden. Ich brauche einen Spezialisten.«

Er schaute unruhig auf die Tür, hinter der das Summen der Ungeduldigen ärgerlich anstieg.

»Ich weiß, ich weiß, ich bin hier nicht allein. Sie brauchen mir das nicht zu sagen. Aber da ist noch etwas. Ich muß unbedingt mit Ihnen darüber sprechen.«

»Schön, und was ist das?«

»Der Haltlose!« sagte Pollack. »Schon in Prees Heath wurde ich mit ihm in ein Zelt gesperrt. Jetzt sind wir wieder in einem

Haus zusammen. Es ist nicht auszuhalten. Wir werden alle verrückt gemacht durch diesen Wahnsinnigen. Er behauptet ständig, sie wollten ihn in den nächsten Tagen abholen und erschießen. Er macht seinen Hausdienst wie jeder andere, nur nach dem Abendessen, wenn wir die Zeitung lesen oder Schach spielen, fängt er davon an. Wir reden immer wieder auf ihn ein: 'Lassen Sie doch den Unsinn, hier tut Ihnen niemand etwas.' Er nickt freundlich: 'Ja, Ihr habt gut reden. Ihr könnt noch bleiben. Mich führen sie morgen ab.' Feldwebel Monihan hat mit ihm gesprochen. Der Major sogar war neulich da. Er unterhielt sich mit ihm eine Viertelstunde. Der Haltlose war ganz vernünftig. 'Was wollen Sie eigentlich?' sagte der Kommandant zu unserem Hausvater. 'Der Mann ist völlig normal.' Als er hinausging, lief der Haltlose hinter ihm her: 'Danke bestens, Sir, für die menschliche Behandlung! Aber warum wollen Sie mich hinters Licht führen? Ich weiß, was man mit mir vorhat.' Hicks war außer sich. 'Ein Irrenhaus!' rief er. Es half alles nichts, und geschehen ist auch nichts. Wenn Sie schon nicht durchsetzen können, daß der Mann in eine Anstalt kommt, dann legen Sie mich wenigstens in ein anderes Haus. Und noch besser wäre es, wenn Sie sich für meine Entlassung einsetzen würden. Das soll doch jetzt in Gang kommen. Fälle mit 'besonderer gesundheitlicher Gefährdung' werden berücksichtigt. Wenn ich nicht unter diesen Paragraphen falle, dann weiß ich nicht, wer gesundheitlich gefährdet sein soll.«

»Es liegen etwa zweitausend Anträge bei der Kommandantur«, erwiderte Gärtner. »Wir wollen alle heraus.«

»Natürlich, ich weiß das«, sagte Pollack. Er eilte an die Tür, die mehrmals mahnend geöffnet worden war, und rief hinaus: »Sehen Sie nicht, daß wir hier noch dringend zu sprechen haben?«

»Ich weiß das ganz genau«, fuhr er fort, »aber *mein* Fall liegt doch besonders. Finanziell ist für mich gesorgt, wenn ich draußen bin. Die meisten wissen gar nicht, wovon Sie leben sollen.

Ich falle keiner Organisation zur Last. Ich gehe in ein Sanatorium oder Erholungsheim, irgendwo auf dem Lande. Was soll denn aus all diesen Menschen werden, in London, unter den Bombenangriffen, ohne Arbeitserlaubnis, ohne gesicherte Existenz?«

»Das frage ich mich auch zuweilen«, erwiderte Gärtner. »Wir wollen jetzt den Nächsten hereinlassen.«

Bis zum späten Nachmittag riß der Zustrom nicht ab. Gärtner holte sich nach der Mittagspause Lesser zu Hilfe, der seine Schreibmaschine zur Verfügung gestellt hatte. Sie saßen, nachdem der letzte Besucher gegangen war, noch lange über den Gesuchen und Briefen, tippten Schriftstücke ab, formulierten Anträge neu oder füllten Formulare aus.

»Mir summt der Kopf«, sagte Gärtner. »All diese Schicksale: manchmal bin ich hundemüde und glaube, ich kann es nicht bewältigen. Sie kommen mit dem läppischsten Kleinkram. Zwei Wiener frühere Ministerialbeamte: der eine behauptet, der andere führe zu Unrecht den Titel Hofrat; der Beklagte weist mit Hilfe unseres tüchtigen Chronisten nach, daß ihm diese Bezeichnung sehr wohl gebühre. Sie ist ihm von Dollfuß verliehen worden. Der erste entschuldigt sich, murmelt aber beim Hinausgehen: 'Nun ja, wenn Sie das gelten lassen wollen.' Ich habe sie mit Mühe auseinandergebracht.«

»Ich würde die Hälfte der Kerle hinauswerfen«, meinte Lesser.

»Dazu habe ich nicht das Herz«, sagte Gärtner. »Die Leute flüchten sich in diese Dinge. Auch ein alberner Titel ist für sie der letzte Rest von Ansehen, der ihnen geblieben ist. Man hat sie diffamiert, man hat sie hinausgestoßen aus ihrer Existenz, mag sie noch so spießig gewesen sein. Das Gefühl der Schande läßt sich schwerer ertragen als materieller Verlust. Da klammern sie sich an ihren Hofrat oder Doktor, den Namen ihrer früheren Firma oder, wenn sie gar nichts weiter anführen können, ihre alte Hausadresse in irgendeiner besseren Straße.«

»Ich kann das Geschwätz nicht hören«, meinte Lesser. »Der Hochmut, die Anmaßung von manchen Leuten, auch jetzt, auch hier, wo wir nur ein Häuflein von Armseligen sind. 'Der', sagte neulich so ein Berliner von jemand aus Haus 46, 'der war doch nie etwas Besonderes. Nebenstraße vom Kurfürstendamm, ich kannte die Wohnung.' Er selber hatte, glaube ich, ein Schuhgeschäft.«

»Ja, wir sind ein Häuflein von Armseligen«, sagte Gärtner und stützte seinen Arm auf einen Packen mit Gesuchen. »Manchmal habe ich das Gefühl, daß wir ganz besonders privilegiert sind. Wir haben das Schlimmste hinter uns. Für die andern kommt es erst. Wir sitzen hier im stillen Zentrum des Taifuns. Der wird noch manche Häuser abdecken, ehe es zu Ende ist, und dann werden viele obdachlos auf die Wanderung gehn müssen, die mitleidig über uns lächelten, als wir unser Köfferchen packten. Ich sage das ohne Schadenfreude. Am schlimmsten trifft es doch immer die Unschuldigen. Gestern war unser Homerphilologe Vries bei mir. Ein schrecklicher Fall, mitten zwischen all dem Kleinkram.«

»Ich weiß«, nickte Lesser, »seine Frau hat sich von ihm scheiden lassen und ist mit den beiden Jungen in Deutschland geblieben.«

»Sie wollte die Kinder retten«, meinte Vries. »Er stammt aus einer Mischehe, die Frau ist Nichtjüdin. Die beiden Buben sind also nur noch zu einem Viertel 'belastet'. Sie hat sich von ihm losgesagt, ziemlich schroff sogar anscheinend: 'Geh nur und laß mir die Jungen, ich will nicht, daß die auch noch unter dem Fluch leiden sollen! Sie wissen bisher von nichts. Ich sage ihnen kein Wort.' Man hat sie eingezogen. Vries zeigte mir einen Brief vom Roten Kreuz, den er neulich bekam, über Spanien und Portugal. Sie sind alle beide gefallen, der eine vor Warschau, gleich zu Anfang, der andere bei Dieppe. Wofür?«

Lesser schwenkte schweigend seine Stahlbrille.

»Sie hätten den Mann sehen sollen, wie er vor mir stand«, fuhr Gärtner fort, »den grauen Schal hoch um seinen dünnen Hals gewickelt. Er flüsterte etwas vom Haus der Atriden, vom nie endenden Verhängnis, er zitierte ein paar griechische Verse. Und dann schrie er plötzlich laut auf: 'Ich erwürge das Weib, ich erdrossele sie, mit meinen beiden Händen, wenn ich je zurückkomme! Ich habe in alles eingewilligt, ich bin stillschweigend gegangen, ich habe mich von ihr bereden lassen, und nun dies! Glauben Sie mir, Gärtner: ich bin ein friedlicher Mensch, ich bin vielleicht sogar ängstlich und feige, ich kenne nur meine Bücher, aber ich sage Ihnen, ich werde um die halbe Welt laufen, ich werde sie finden, ich ruhe nicht, bis ich ihr die Kehle zugedrückt habe, sollen sie dann mit mir machen, was sie wollen.' Dabei meinte die Frau es wahrscheinlich gut. Die Menschen richten oft das größte Unheil an, wenn sie es gut meinen.«

»Er wird sich beruhigen«, meinte Lesser unsicher.

»Er wird daran zugrunde gehen«, sagte Gärtner, »ehe er seine Rache ausführen kann. Was soll man aber so jemand sagen? Ich war hilflos. Manchmal bin ich todmüde von all den Vatersorgen, mit denen sie mich beladen. Die Leute zerren an mir, buchstäblich, sie reißen mir fast die Kleider vom Leibe, sie stürzen auf mich zu, aus den Hauseingängen, auf der Treppe. All diese Kümmernisse, das endlose Reden, die Gerüchte und Latrinenparolen: ich muß heraus aus all dem. Ich muß einmal wieder frische Luft atmen. Sie kann ruhig nach Brisanzmunition riechen. Ich halte das nicht mehr aus.«

»Das dauert jetzt nicht mehr lange«, meinte Lesser. »Der Wind hat schon umgeschlagen. Mein Verleger ist sehr optimistisch. Für Persönlichkeiten von literarischer oder kultureller Distinktion bestehen gute Aussichten auf Entlassung.«

»Ich bin Betonfachmann«, erwiderte Gärtner. »Vielleicht lassen sie mich Unterstände zementieren, damit wir uns noch tie-

fer verkriechen können für die nächsten paar Jahre. Eigentlich
möchte ich Brücken bauen. Die werden zur Zeit gesprengt. Und
nun kommen Sie: wir haben hier noch einen dicken Packen vor
uns, den wir abtragen müssen. Ihre Schreibmaschine ist ein wahrer Segen. Wenn sie leise klappert, dann spitzen alle die Ohren
und wiegen hoffnungsvoll den Kopf.«

21

GUNDI WEISSHÄUPTL

Groterjahn hatte wieder seit Wochen keine Post erhalten. Er
saß oft vor dem Fenster und starrte hinaus. Sein Jünger mit dem
Manetbart vermied es, den Meister zu fragen, aber schließlich
wandte der sich von selbst um und sagte leise und hilflos: »Das
Luder!«

Er griff in die Brusttasche seines weiten Jacketts und zog ein
Paket mit Fotografien heraus.

»Das ist sie, die Gundi«, sagte er. »Eigentlich heißt sie Kunigunde, Kunigunde Weißhäuptl, aber so habe ich sie nie genannt
und sie selbst sich auch nicht. Nur wenn sie ganz böse war, bestand sie auf ihrem vollen Namen. Wir zanken uns oft. Und
wenn ich sie jetzt packen könnte, dann würde ich ihr eins hinter
die Ohren schlagen. Warum schreibt das Luder nicht?«

Erich betrachtete die Fotografie aufmerksam. Sie zeigte eine etwas derbe, aber sehr schöne junge Frau, in der vollen Sonne aufgenommen und daher hart in den Schatten. Sie hatte offenbar
nur ein ganz dünnes Leinenkleid an und kaum etwas darunter.
Der üppige Leib trat in allen Einzelheiten heraus.

»Ja, mein Junge«, meinte Groterjahn, der mit seiner femi-

ninen Einfühlsamkeit den Jünger beobachtet hatte, »jetzt glaubst
Du: Was für ein Glückspilz ist doch Vadding! Eine schöne Person, das will ich nicht bestreiten. Ich werde Dir auch die anderen
Fotos zeigen. Ich habe sie selber aufgenommen, damals in Positano. Ich habe ja viel fotografiert, wie Du weißt.«

Die anderen Aufnahmen zeigten die Frau völlig nackt. Sie stand
oder ging ohne jede Fotografierpose. Sie blinzelte auch nicht,
sondern blickte mit vollen Augen in das Bild oder in die Landschaft. Es war ein vollendet schöner Körper, allerdings nicht von
modischer Schlankheit, sondern von griechischer Fülle.

»Du siehst, mein Junge, wie ungezwungen sie sich bewegen
kann. Ich habe das bei keiner anderen Frau erlebt. Ungezwungen
ist sie überhaupt, in jeder Beziehung. Das ist einer ihrer Vor-
züge. Aber sonst ist sie ein Aas.«

Der Jüngling schaute etwas verlegen auf Groterjahns Finger,
die mit ihren Kuppen die Tasse streichelten. Er wollte sprechen,
aber der Meister unterbrach ihn sogleich:

»Sag nichts, Du kannst davon nichts verstehen. Hör zu, vielleicht lernst Du etwas dabei! Unsere Dummheiten müssen wir
freilich jeder selber machen. Es war meine größte Dummheit, daß
ich mit ihr zusammenblieb.«

»Und wie lange seid ihr jetzt zusammen?« fragte der Jüngling.

»Frag mich lieber, wie lange das noch gehen soll!« antwortete
der Ältere. »Bisher geht es zehn Jahre so. Wir haben drei Kinder
zusammen, aber um die kümmert sie sich fast noch weniger als
um mich. Sie hat sie jetzt irgendwo auf dem Lande bei Bekannten
oder völlig unbekannten Leuten abgesetzt; ich glaube, wenn die
sie behalten wollten, würde sie nicht einen Augenblick ihren schönen Mund verziehen. Wie leicht sie die schon bekommen hat!
Sie wirft Kinder wie ein Tier im Walde; nach zwei Tagen ist sie
wieder auf, als ob nichts gewesen wäre, vorher hat sie nicht die

leisesten Beschwerden gehabt. Sie hat sie auch selbst genährt, wenigstens während der ersten paar Monate, und da sah sie dann so herrlich aus, daß man fromm werden konnte. Aber dann wurde es ihr immer sehr schnell zuviel; sie setzte sie ganz brüsk von der Brust ab und sagte: 'Jetzt hat der Fratz genug, der freche, der zutzelt mir ja noch die ganze Kraft aus.' Und dann gab sie das Kleine einfach zu einer Nachbarin und lag tagelang auf dem Bett oder saß im Espresso mit den Burschen zusammen, die wie die Hunde hinter ihr her waren.«

Er seufzte und blies die Luft in langem Strom aus. Der Jüngling stammelte etwas von der Eifersucht, die sicherlich eine große Plage sein müsse. Groterjahn schüttelte das Haupt:

»Ich bin nicht eifersüchtig, mein Junge. Betrogen, wie man das so nennt, hat sie mich ja ständig. Man kann es eigentlich nicht betrügen nennen, denn ich wußte es ja. Oft war ich sogar im Grunde froh, wenn sie mich etwas in Ruhe ließ; ich kam dann endlich zum Arbeiten. Aber sie hat mich mit meinen besten Freunden auseinandergebracht. Das konnte ich ihr nicht so leicht verzeihen wie die Bauernjungen oder Fischerknaben. Dafür war sie aber eifersüchtig auf mich wie eine Furie. Was für Szenen hat sie mir immer wieder gemacht: mir die Hemden zerrissen, mit dem Schürhaken ist sie auf mich losgegangen, mit dem glühenden, mein Lieber, ich habe hier noch die Narben auf der Schulter und der Brust.«

Er knöpfte das Hemd auf und zeigte die langen, weißen Striemen, die seinen starken, graumelierten Haarwuchs unterbrachen.

»Hundertmal haben wir versucht, Schluß zu machen. Glaub mir, ich habe manchmal an Mord gedacht, tatsächlich. Ich habe davon geträumt, ich hätte sie in der Untergrund vor den fahrenden Zug gestoßen. Sie hat mir gestanden, daß sie mich immer wieder vergiften wollte, nach einer unserer furchtbaren Streitereien. Sie wollte mir etwas ins Essen tun, sie wußte nur nicht, wie sie es anstellen sollte. 'Leiden', so sagte sie mir, 'solltest Du nicht, Du Schuft, Du elendiger; es muß schnell gehen, ganz schnell.' Wahrscheinlich hätte sie sich dann ins Wasser geworfen danach oder wäre schnell mit irgendeinem Lausbuben davongefahren und hätte den kreuzunglücklich gemacht mit Erzählungen über meine Vortrefflichkeit.

Denn schließlich kam sie doch immer wieder zu mir zurück nach all ihren Eskapaden. 'Du bist doch der Beste', sagt sie dann. 'Die andern langweilen mich so schnell, ich könnte sie anspucken, so langweilen sie mich schon beim zweiten Male.' Auch Frauen hat sie so verbraucht, gar nicht selten, und sie sind ihr ebenso schnell wieder leid. Ich weiß bis heute nicht recht, ob sie damit nicht nur erproben will, wie sehr ich . . ., ich meine . . . wie es eigentlich mit mir steht. Vielleicht ginge es besser, wenn ich ebenso eifersüchtig wäre wie sie. Aber ich kann mich nicht verstellen. Und sie würde das auch sofort spüren. Sie wittert alles mit ganz unheimlicher Sicherheit.«

Groterjahn umspannte die Tasse mit beiden Händen.

»Sie ist überhaupt so merkwürdig begabt. Sprachen zum Beispiel lernt sie wie nichts, es fliegt ihr nur so zu. In Paris parlierte sie nach zwei Monaten Französisch, als ob sie im Elsaß aufgewachsen wäre; als wir dann eine Weile in der Provence lebten, sprach sie sehr bald sogar den Dialekt. Und erst in Italien! In Positano stand sie nach einem Vierteljahr mit den Weibern aus dem Nest zusammen auf dem Markt oder am Brunnen und klatschte mit ihnen, wie wenn sie dazugehörte. Sie liebten sie zärtlich, jedenfalls die etwas älteren. Sie konnte sogar den Krug auf dem Kopfe tragen wie eine Einheimische. Wir wohnten etwas außerhalb des Ortes, die Wasserleitung reichte nicht bis dahin, da holte sie das Wasser vom Brunnen.«

Groterjahn war aufgestanden und ging mit weichen Schritten durch die Stube.

»Wenn sie da den Weg zu unserem kleinen Häuschen heraufgeschritten kam, den braunroten Tonkrug auf dem Kopfe, und die Brust in ihrer ganzen Pracht herausgetrieben durch die Bewegung, den Mund halb offen und die Füße in den offenen Sandalen ganz fest und folgerichtig auf die Steinplatten setzend: ich sage Dir, mein Junge, die alten Weiber zeigten mit Fingern auf sie und riefen: 'Bella, Bellissima!' und dann zeigten sie auf mich und lachten. Sie wußte auch sehr gut, was für ein herrliches Schauspiel sie mir damit bot, und wiederholte es bei jeder Gelegenheit und mit immer neuen Variationen; ich kann Dir nicht sagen, wie sie dabei immer wieder andere Stellungen und Bewegungen erfand wie beim raffiniertesten Liebesspiel, und bei dem war sie nicht weniger begabt. Sie liebte es, wenn ich sie beobachtete, und sie sagte mir das auch immer wieder: 'Du siehst mich wenigstens, die andern Deppen sehen mich doch gar nicht! Du weißt auch wenigstens, wie gut ich rieche. Und Du hast ein Gefühl dafür, wie meine Haut sich anfühlt; für die andern Kerle könnte ich auch ein Gummihemd auf dem Leibe haben!' Ja, ihre Haut, die ist wohl überhaupt das Schönste an ihr: immer sämisch weich, und dabei doch straff . . .«

Er blieb stehen und häufte in Gedanken noch einige Epitheta zu einem Scheiterhaufen zusammen, den er dann wieder zornig auseinanderriß:

»Sie hatte so etwas Nahrhaftes, wenn Du weißt, was ich damit meine. Aber das täuscht. Es gibt zwei Typen von Frauen, mein Junge: den nährenden und den zehrenden Typus. Und die Gundi, die gehört ganz entschieden zum zehrenden Typ. Sie frißt einen auf, in aller Liebe, sie zieht einem das Mark aus den Knochen; ich habe nicht ein Stück fertiggemacht in diesen zehn Jahren. Jeder hat mich beneidet: 'Was haben Sie da doch für ein wundervolles Modell! Es muß ja ein Glück ohnegleichen sein für einen Bildhauer wie Sie, so etwas um sich zu haben.' Sehr schön, mein

Lieber, wenn es nur ein Modell ist, das man dann am Nachmittag wieder hinauswerfen kann aus dem Atelier. Ich rate Dir, ich beschwöre Dich: nimm Dir nur ein Modell, das Du malst oder modellierst, und weiter nichts. Es genügt völlig, wenn sie einen schönen Körper hat; das Gesicht kann platt wie ein Pfannkuchen sein. Aber nicht so ein Weib, bei dem Du hier engagiert bist, hier innen, mit dem Herz und den Eingeweiden.«

Er nahm dem Jüngling die Fotos fort, die dieser bezaubert anstarrte, und herrschte ihn förmlich an:

»Vergaff Dich nicht in so ein Gesicht, mein Junge! Die würde Dich wohl wie ein kleines Hündchen im Genick packen, mein Lieber, Dich ein paarmal um die Ohren schlenkern und dann in die nächste Pfütze setzen. Blick mich nicht so wütend an! Sie hat das mit Älteren und Stärkeren getan als Du einer bist. Sie hat mich in die Pfütze gesetzt, daß ich nicht weiß, ob ich da noch einmal herauskomme.«

»Aber wieso denn nur?« stammelte der Jüngling.

»Sagte ich es Dir nicht, Erich, mein Sohn? Kein Stück habe ich fertiggemacht all diese Jahre, wo ich mit ihr herumziehe. Kein Stück fertiggemacht, in Paris, in der Provence, in Positano, hier in London; ein paar Rötelskizzen, das ist alles. Geschlafen habe ich mit ihr, jawohl, fünfmal in einer Nacht, wenn es ihr so gefiel, ihre Haut bewundert, das Spiel ihrer Muskeln beobachtet; und dann haben wir uns gezankt, daß die Fetzen flogen, aber gearbeitet habe ich nichts. Ich war im besten Zuge. Meine ganze Karriere hat sie umgeworfen. Ich sollte Churchill porträtieren, Gilbert Murray, von den Damen der Gesellschaft nicht zu reden. Die Herzogin von Ilchester war die erste, die mir einen richtigen Auftrag gab. Ich mietete mir ein schönes Atelier, und sie saß mir für eine Büste, die ich dann in Alabaster ausführen wollte — eine alte englische Technik übrigens, die gut zu ihr gepaßt hätte, denn sie war eine ganz durchsichtig zarte Person, dabei stahlhart natürlich, wie all solche zart aussehenden Frauen. Zwei Sitzungen hatten wir, und ich war eben schön im Schwunge, natürlich plauderten wir auch dabei, und ich erzählte ihr ein paar von meinen üblichen Geschichten, sie lachte über meine ungeschickte Aussprache: da stürzte Gundi schon herein, wie eine Küchenmegäre, und schlug auf mich los, und dann fuhr sie mit den nackten Händen der Büste ins Gesicht und zerkratzte sie und riß sie herunter und trat darauf. Man sah es ihr an, daß sie am liebsten die Herzogin so traitiert hätte. Die sah sich das alles leicht amüsiert an mit ihren eiskalten blauen Augen und empfahl sich. Am nächsten Morgen telefonierte sie mich persönlich an, was ich ihr immerhin hoch anrechnen muß. Sie war sogar recht objektiv und meinte, das Mädchen sei eigentlich eine 'Prachtperson', so voll Leben, voll Kraft, ein wahrer Augenschmaus — für ein Künstlerauge. Aber solche Sitzungen seien ihr ein wenig zu aufregend ... Und somit: 'Allerbesten Dank, mein lieber Professor!' und natürlich dann noch ein Anstandsscheck, der sehr generös bemessen war. Wir haben das nächste halbe Jahr davon leben müssen. Aufträge kamen keine mehr. Die Duchess muß die Geschichte herumerzählt haben; wahrscheinlich hat sie sich königlich dabei unterhalten, sich und ihre Gäste.

Und Gundi? Die lachte nur: 'Laß doch die alten Weiber, die schlamperten! Wenn wir kein Geld haben, gehe ich auf die Straße und verdiene uns etwas. In vierzehn Tagen habe ich so viel zusammen, daß wir wieder nach Italien fahren können.' Mit meiner Karriere in London war es aus.

Eigentlich habe ich nur noch eine Hoffnung: daß sie fort ist, wenn wir herauskommen. Vielleicht ist sie schon weg, sie schreibt ja nicht all die Wochen, keinen Brief, keine Postkarte, nicht eine Zeile, das Luder.«

Er zog seine Pfeife aus der Tasche, stopfte sie aber nicht, sondern blickte nur in die kahle Höhlung hinein, winkte mit der Hand ab und steckte sie wieder fort. Der Jüngling sagte leise, er wolle ihn nun wohl lieber etwas allein lassen, und ging, mit einem leicht störrischen und sehnsüchtigen Ausdruck in den Augen.

»Ich hätte ihm die Fotos nicht zeigen sollen«, murmelte Groterjahn vor sich hin. Dann sprang er auf und trommelte wie rasend gegen die Fensterscheibe: »Warum schreibst Du wirklich nicht, Du Mistvieh, du niederträchtige, hinterhältige Kanaille?«

Er ließ sich in den Stuhl fallen, seine rechte Hand griff in den Hemdausschnitt, und seine warmen, runden Fingerkuppen legten sich auf die vernarbten Stellen auf seiner Schulter. Sein großes, weiches Gesicht verzog sich wie das eines kleinen Jungen, und seine Lippen bewegten sich, als kaute er an einem sehr großen, bitteren Bissen, den er nicht herunterwürgen konnte.

22

FUSSBALLMATCH 6:1

Feldwebel Monihan war in schlechter Laune. Er schrapte mit dem Nagel seines kleinen Fingers unruhig an seinem peinlich sauber rasierten Kinn, und selbst das Wohlgefühl seiner Tadellosigkeit, das ihn immer dabei erfüllte, konnte ihm nicht über den Berg, den er vor sich sah, hinweghelfen. Major Hicks hatte ihn am Morgen gerufen und erklärt:

»Die Spaziergänge funktionieren ja jetzt einigermaßen. Ausgerückt ist bisher keiner. Post haben sie auch nicht in die Briefkästen gesteckt. Sehn Sie zu, Sergeant, daß das so weitergeht!«

»Jawohl, Sir.«

»Der Gottesdienst ist auch in Ordnung und wird gut besucht. Wir haben ein lebendiges religiöses Leben hier im Camp. Ich werde das in meinem nächsten Bericht an das Kriegsministerium erwähnen. Haben die orthodoxen Juden ihre Thorarolle bekommen?«

»Jawohl, Sir.«

»Und den Zeigestock, den sie angefordert haben?«

»Ist bestellt, Sir. Ich habe mit dem Oberrabbiner in Manchester erst gestern telefoniert.«

»Und das Essen? Haben Sie inzwischen genau festgestellt, was sie essen dürfen und was nicht? Ich will da keine Überraschungen. Man muß solche Bräuche achten, sonst gibt es alle möglichen Schwierigkeiten.«

»Es ist alles eingeleitet, Sir.«

»Eingeleitet, Sergeant? Warum nicht durchgeführt? Auf jeden Fall wird das richtige Fett beschafft. Mit solchen Dingen ist nicht zu spaßen. Sie wissen, was bei der Großen Meuterei von 1849 in Indien passiert ist.«

»Nein, Sir.«

»Sie sollten das aber wissen, Sergeant Monihan. Schweinefett! Die Patronen waren mit Schweinefett eingeschmiert. Die wurden damals noch mit den Zähnen abgebissen, verstehn Sie? Das ging den Sepoys, die Mohammedaner sind, gegen ihre Religion, und da meuterten sie, ganz verständlicherweise. Die Sache hat uns beinahe das indische Empire gekostet. Die Holzköpfe hier zu Hause verstehn so etwas nicht. Es ist aber wichtig. Sehn Sie zu, daß die Leute bekommen, was sie nötig haben! Und wie steht es mit dem Sport?«

»Nicht besonders, Sir. Wir haben nicht viel Auswahl. Zu viel alte Leute. Zu viele Professoren, Künstler, Musiker, Kaufleute.«

»Schwierigkeiten sind dazu da, daß sie überwunden werden, Sergeant. Was ist mit dem Fußballteam? Ich habe Ihnen den Platz doch angewiesen, und die Leute hier in Douglas haben ein Mordsgeschrei erhoben, daß wir ihnen die halbe Stadt requirieren.«

»Wir trainieren schon, Sir. Der Sturm ist ganz leidlich, unser Rechtsaußen ist sogar gut. Aber der Torwart ist nicht besonders.«

»Der Torwart? Wieso?«

»Zu klein, Sir. Der Mann ist ganz fix und sehr eifrig, aber zu klein.«

»Und warum haben Sie keinen Größeren? Herrgott, es muß doch ein paar stramme junge Bengel unter den paartausend Leuten geben, aus denen man einen anständigen Torwart herausfischen kann!«

»Ich hatte einen ganz guten, Sir, sechs Fuß und etwas. Aber er ist weg.«

»Weg? Einfach weg? Was soll das heißen, Sergeant?«

»Viele von den Jungen haben sich doch zu den Arbeitskommandos bei der Armee gemeldet.«

»Zurückholen, sofort!«

»Das wird nicht gehen, Sir. Außerdem haben sie ihn da sofort in ihre Mannschaft gesteckt. Der Bengel war erstklassig.«

»Ja, das geht aber doch nicht, daß sie mir hier meine besten Leute wegholen! Passen Sie besser auf, Sergeant! Und sehn Sie zu, daß sie einen andern beschaffen! Mit einem Dreikäsehoch können wir gegen Peel nicht antreten. Major Petterson drängelt schon die ganze Zeit. Ich kann mich nicht lächerlich machen und sagen, wir haben hier im Huddlestone Camp nur Zwergmenschen oder Künstler und Kaufleute. Ich kann die Geschichte auch nicht immer wieder hinausziehen. Die glauben ja, wir kneifen. Das gibt's nicht. In vierzehn Tagen müssen wir soweit sein. Sehn Sie zu und tummeln Sie sich ein bißchen!«

Feldwebel Monihan überschlug in Gedanken noch einmal seine gesamte Lagermannschaft. Er kannte ja nun so ziemlich jeden Einzelnen und hatte sich sein Urteil über seine Verwendbarkeit gebildet. Auch die Künstler erkannte er durchaus an. Sie bildeten gewissermaßen die Musikkapelle, die Band, und trugen zum Ganzen bei. Die große Gemäldeausstellung war ein voller Erfolg gewesen, und er hatte Jessica darüber berichtet: »Ein ganzer Saal voll, weißt Du, über unseren Duschräumen, Ölbilder, richtig gerahmt, einer hatte sogar einen Guckkasten mit künstlicher Beleuchtung, das gefiel auch dem Major ganz besonders.« Die Männer der Lagerleitung: da war der Campleiter Heckenast, faul und eigentlich untüchtig, aber irgendwie schien er doch mit den Leuten fertigzuwerden, obwohl sie über seinen enormen Tabakverbrauch maulten. Die Reihenleiter waren eigentlich sehr viel besser: 'Der Schlick, den sie alle hassen und über den sie sich das Maul zerreißen. Aber der Mann bringt doch etwas zustande. Sein Haus der Technik: ein erstklassiges Stück Arbeit. Der Gärtner von der Ersten ist ganz anders. Ein ruhiger, vernünftiger Mann, der nicht viel redet. Sie folgen ihm, und alles geht da am Schnürchen. 'Oppeneit von der Zweiten: auch ganz ordentlich. Ein frischer Bengel, jung und lebendig. Den könnte man eigentlich noch für das Fußballteam ins Auge fassen. Er ist aber zu undiszipliniert. Schon die Haartolle, die ihm um den Kopf fliegt. Ich habe ihm fünfmal gesagt, er soll sie sich abschneiden lassen. Er tut es nicht.'

'Sehn Sie zu, wie Sie das machen!' sagt Hicks. Wie sollen wir da ein Team zusammenstellen? Vielleicht versuche ich es doch noch mit 'Oppeneit. Sehr viel Zutrauen habe ich zu der ganzen Geschichte nicht. Wenn wir mit 3:2 herauskommen, will ich heilfroh sein. Und jetzt werde ich erst einmal Jessica anrufen. Der Major macht mich ja verrückt mit seinem 'Sehn Sie zu, Sergeant, sehn Sie zu!' Wenn wir geschlagen werden, ist er eine Woche ungenießbar.

Er ging zunächst in die Technische Hochschule, um die Arbeiten an der Rundspruchanlage zu besichtigen, die Major Hicks bestellt hatte. In jedem Haus sollte ein Lautsprecher aufgestellt werden, durch den die Mitteilungen und Verlautbarungen der Kommandantur abgehört werden konnten. Am Tage des Wettspiels mit Peel-Camp wollte Hicks die Anlage einweihen. Schlick versprach, dann fertig zu sein, verlangte allerdings Extrarationen für seine Omega-Leute und hatte auch noch einen Spezialwunsch für sich selber:

»Ich muß unbedingt ein paarmal in die Stadt gehen können und mir verschiedenes aus den Radioläden besorgen. Wir bauen doch die Lautsprecher alle in eigner Regie.«

»Das weiß ich«, sagte Monihan. »Die Kästen hat der Schreiner schon fertig. Sie müssen nur noch gebeizt werden.«

»Ich brauche alle möglichen Einzelteile für die technische Ausstattung. Wenn ich die aufschreibe und durch das Depot anfordere, dann dauert das zu lange. Ich kann auch nicht immer sagen, was ich brauche. Ich muß mich umsehen, was sie da haben in den Geschäften, und danach meine Dispositionen treffen.«

»Ich verstehe«, sagte Monihan. »Sie wollen sich umsehn, eh? Ich werde Ihnen einen Passierschein geben.«

»Kann ich nicht einen Dauerpassierschein bekommen?« fragte Schlick. »Der Bildhauer hat auch einen.«

»Dauerpassierscheine gibt es nicht«, erklärte Monihan. »Der Bildhauer darf außerdem nur bis zum Kommandanturgebäude, da ist ja auch sein Atelier, und da arbeitet er für den Kommandanten. In die Stadt, um sich...« — er räusperte sich — »umzusehen, kann er nicht.«

»Ich soll aber bis zum Wettspieltag fertig sein«, beharrte Schlick.

»Ja, das wenigstens muß klappen«, sagte Monihan. »Wollen sehn, was sich tun läßt. Aber trödeln Sie dann nicht so viel in den Straßen herum beim 'Umsehn'. Die Leute erkennen Sie doch gleich. Dann gibt es Gerede.«

»Wer soll mich denn hier in Douglas erkennen?« fragte Schlick, dem das Wort 'erkennen' außerordentlich unbehaglich war.

»Sie sehen so aus«, meinte Monihan. »Jeder weiß gleich, daß Sie ein Fremder sind.«

Schlick schwieg. Er machte sich an seine Arbeit und kommandierte mit lauter Stimme in der T. H. herum. Die Omega-Leute saßen fieberhaft bastelnd über ihre Spulen und Drähte gebückt. Schlicks Hausgenossen sprangen in langen Sätzen, um ihren Meister zu bedienen, der immer neue Wünsche äußerte. Er ließ sich noch einmal rasieren und behauptete, die Morgenrasur sei erbärmlich gewesen, er habe vor dem Feldwebel 'wie ein Schwein' ausgesehen. Er goß Unmengen von Eau de Cologne über seinen Scheitel und bestellte beim Koch einen Doppelmokka.

»Mit Sahne, Herr Schlick?« fragte der Koch in devoter Haltung.

»Selbstverständlich mit Sahne, Du Idiot! Was dachtest Du denn?«

Die Rundspruchanlage war zur Zeit fertig, und auch das Training war abgeschlossen, so gut es gehen wollte. Hoppenheit spielte als halblinker Stürmer mit.

Major Petterson vom Peel-Camp war mit etwas verdächtiger Bereitwilligkeit auf alle Wünsche Hicks eingegangen. Das Wettspiel sollte auf dem neuen Fußballplatz am Huddlestone-Camp, hinter dem Gerätedepot, stattfinden? Bitte sehr. Schiedsrichter Captain Pole von der Kommandantur Douglas? Sehr recht. Für den Antransport seiner Mannschaft und der Zuschauer werde er schon selber sorgen.

»Ja, wen wollen Sie denn da alles mitbringen, Petterson?« fragte Hicks.

»Wir kommen doch natürlich alle«, sagte Petterson, »auch die Herren von der Kommandantur in Peel und von unserer Marinestation wollen unbedingt dabei sein.«

»Soso«, meinte Hicks. »Na, ich werde dann für ein paar Drinks sorgen.«

»Und unsere Damen bringen wir auch mit«, sagte Petterson.

»Fein«, erwiderte Hicks voll bitteren Vorgefühls. »Wieviel werden dann das im ganzen sein?«

»Ich denke: acht Dutzend alles zusammen«, strahlte Petterson. »Und dann ein paar Wagenladungen von unseren Gefangenen. Die wollen doch auch dabei sein.«

»Natürlich, natürlich«, sagte Hicks. »Für die habe ich aber keine Drinks.«

»Gar nicht nötig, Hicks. Wir bringen uns alles mit. Und wenn ich noch eine Bitte äußern darf: Ich möchte gern vom Spielplatz aus eine Feldtelefonleitung anlegen, damit wir die Resultate gleich während des Spiels nach Peel durchsagen können. Die warten doch alle darauf, und das ganze Camp kann ich unmöglich mitbringen. So viele Wagen habe ich nicht zur Verfügung. Kann ich das Feldtelefon an Ihre Leitung in der Kommandantur anschließen? Das würde mir eine Menge Arbeit ersparen. Ich kann es aber auch über die Insel weg legen lassen ...«

»I wo«, meinte Hicks, dem das Herz immer mehr sank. »Schließen Sie an, selbstverständlich. Also dann auf Sonntag!«

Bei strahlendem Sonnenschein fand das Wettspiel statt. Aus Peel waren ganze Karawanen eingetroffen, mit Frühstückspaketen für die Häftlinge und großen Tragkörben voll Limonadeflaschen. Sogar ein paar Bierkisten sollten dabei sein; sie wurden allerdings versteckt gehalten. Aus der Stadt Douglas hatten sich nur wenige Neugierige eingefunden, die mißmutig den großen Spielplatz betrachteten, der aus ihrem 'besten Wohnviertel', wie sie behaupteten, herausgeschnitten war.

Hicks war ausgezeichneter Laune über den Eindruck, den seine sorgfältigen Vorbereitungen auf die Gäste machten. Kurz vor Spielbeginn trat er noch einmal an seine Mannschaft heran und ermahnte sie, dem Huddlestone-Camp keine Schande zu machen und ihr Bestes zu geben, wenn möglich noch etwas mehr.

»Ich zähle auf Euch!« sagte er und warf einen besorgten Blick auf den kleinen Torwart. »Wir müssen gewinnen. Wir haben zu gewinnen, da gibt es gar nichts.«

Er nahm neben Major Petterson auf einer Tribüne Platz, die der Schreiner mit einigen Hilfskräften noch in der Nacht errichtet hatte. Petterson hatte es gar nicht für nötig gehalten, sein Team noch einmal aufzusuchen. Er unterhielt sich gelassen mit seiner Dame, einer bildhübschen Telefonistin in Hilfsdienstuniform.

Das Spiel begann, und Hicks konnte sich schon nach den ersten Minuten nicht verhehlen, daß die Sache für Huddlestone schlecht stand. Mit Mühe bezwang er sich, um nicht mit lauten Zurufen einzugreifen. »Kein Zusammenspiel! Kein teamwork!« murmelte er zu sich selber. »Am Ball bleiben!« schrie er dann doch Hoppenheit zu. »Der Bengel ist ausgezeichnet, hat viel Schneid«, sagte er zu Petterson gewandt, »aber undiszipliniert. Er geht immer allein drauflos.«

Peel hatte bei der ersten Halbzeit drei Tore zu verzeichnen. »Der Torwart ist zu klein«, sagte Hicks zu Petterson, »er springt wie ein Affe, aber er kann den Ball nicht kriegen. Wir hatten einen erstklassigen Mann, sechs Fuß und etwas, aber den haben mir die Arbeitskommandos weggefischt. Die Sache würde ganz anders aussehen . . .«

»Der Mann ist nicht schlecht«, meinte Petterson, »er tut, was er kann. Entschuldigen Sie einen Augenblick, Hicks!« Er eilte zu seinem Feldtelefon, um selber das erste Resultat nach Peel durchzusagen.

Das Spiel endete 6:1 für Peel. Hoppenheit schoß kurz vor Schluß das Ehrentor für Huddlestone, und der Major stöhnte laut: »Na also! Warum nicht gleich so!« Mit mühsamer Fassung bat er die Gäste in die Kommandantur, wo Tische aufgestellt waren und Drinks verabreicht wurden. Die mitgekommenen Internierten aus Peel lagerten sich auf dem Spielplatz, verzehrten ihre Frühstückspakete und tranken ungezählte Flaschen Limonade. Auch die Bierkisten wurden hervorgeholt.

Am Abend trat Major Hicks vor das Mikrophon. Er hatte durch Läufer ankündigen lassen, daß alle Häuser um halb neun Uhr vor den Lautsprechern versammelt sein sollten, um eine wichtige Verlautbarung des Kommandanten entgegenzunehmen. In gedrückter Stimmung saßen die Häftlinge vor den sauber gezimmerten braunen Kästen, die noch nach frischer Beize rochen.

»Huddlestone Camp«, begann der Major mit dröhnender Stimme, »ich schäme mich für Euch. Wir sind von Peel Camp mit sechs zu eins geschlagen worden. Das geht nicht. Ich werde jetzt diesen Unsinn mit Kunstausstellungen, Kabarettvorführungen und so weiter und so weiter ein bißchen stoppen. Wir haben mächtig aufzuholen. An den Spaziergängen nimmt mir jetzt jeder teil, auch die Micaspalter. Das ist alles schön und gut mit Nützlichkeit und Kriegseinsatz, aber wenn wir so schlappmachen, dann können wir den Krieg nicht gewinnen. Ich will keine Bleichgesichter im Camp. Das Herumstehen in den Hauseingängen hört auf. Die Hausväter werden dem Feldwebel genaue Listen einreichen mit Angaben über Alter, frühere Sportbetätigung und Größe! Die Größe ist wichtig, daß mir die nicht vergessen wird. Das ist alles für heute. Auf Wiederhören!« Kopfschüttelnd und halb abwesend fügte er zu sich selber noch hinzu: »Mit sechs zu eins ...«, was in den meisten Lautsprechern zu hören war.

Am nächsten Morgen meldeten sich die Reihenväter zusammen mit Heckenast beim Major, um Erklärungen und Entschuldigungen vorzubringen. Heckenast hielt sich dabei ganz zurück und ließ Gärtner das Wort führen, der ausführte, es sei nun eben nicht möglich, aus einem Lagervolk von völlig überalterten Leuten, noch dazu vielfach aus intellektuellen Berufen, eine genügende Anzahl von spielfähigen jungen Burschen herauszuziehen.

»Na ja«, sagte Hicks. »Es sind doch nicht alles Greise.« Dabei warf er einen wohlwollenden Blick auf Hoppenheit. »Es fehlt nur die Disziplin. Kein Zusammenhalt, kein team-work. Jeder läuft, wohin er will. So geht das nicht.«

Gärtner gab zu bedenken, daß im Peel-Camp die Jugend dominiere. Das Durchschnittsalter dort sei höchstens dreißig, im Huddlestone-Camp über fünfzig. Der beste Trainer der Welt könne aus solchem Material nicht viel machen.

»Na ja«, schloß Hicks die Unterredung ab, »ich verstehe Ihre Argumente. Es ist etwas daran. Aber« — er erhob noch einmal drohend die Stimme — »sechs zu eins ist zu viel!«

23

TERROR IM HAUSE DER OMEGA-LEUTE

»Eine Blütezeit, eine veritable Blütezeit, meine Herren. Die Künste, die Wissenschaften florieren; es ist eine Lust zu leben, so könnten wir wie Ulrich von Hutten ausrufen.« Tannenbaum hatte diese Worte am Schluß seines letzten Vortrags ausgesprochen, gerührt und überwältigt von dem Applaus, der ihm entgegenprasselte. Der Satz machte im Lager die Runde und wurde vielfach kommentiert.

»Ein bißchen pathetisch, der gute Lametta«, meinte der Schriftsteller Lesser und schwenkte seine Stahlbrille am Henkel. »Aber für manchen mag das stimmen, der jahrelang allein in irgendeiner Stube saß und keinen Menschen sah. Jetzt haben sie Publikum wie nie in ihrem Leben, dreihundert, vierhundert begeisterte Zuhörer, sie haben Jünger und Anhänger, sie können in der Honoratiorenreihe sitzen und werden hochgeehrt, wenn irgend etwas los ist. Die Geistlichen haben jeder eine Gemeinde und werden in Gewissensfragen um Rat gebeten. Und die Spießer, die von einem Vortrag zum andern laufen, ihr Stühlchen über der Schulter: die haben auch in ihrem ganzen Leben nicht so viel Kultur in sich hineingelöffelt, Kollegs über die vierte Dimension, Homerstunde, Diskussionen zur Neuen Kunst und was nicht noch alles. Dazu Baby Bitter mit seiner Lautsonate, oder Peter Pojarskis Kabarett, und für politische Interessenten die Diskussionen zur Schuldfrage...«

»Sie müssen das nicht lächerlich machen«, sagte der Senatspräsident. »Es ist doch schön, wenn gereifte Männer noch einmal an all das erinnert werden, was sie in der Schule und auf der Universität gelernt und dann im Drange des Lebens wieder vergessen haben. Ich bin dem Professor Tannenbaum sehr dankbar für die vielen Anregungen, die er uns gibt. Ich habe meine Vorbehalte gegen ihn, das wissen Sie. Aber wir wollen doch gerecht sein: wir alle haben sehr viel von ihm. Und dann lenkt er uns so wohltätig ab. Wenn ich an meine liebe Frau denke...«

»Ich weiß«, sagte Lesser. »Aber es ist doch nicht alles Blütezeit und Glanz, wie Lametta meint. Die Künste und Wissenschaften, schön und gut, da mag es stimmen. Aber wissen Sie, was sich im Haus der Technik abspielt?«

»Ich gebe nicht viel auf Zwischenträgereien und Klatsch«, erwiderte der Senatspräsident. »Der Mann hat doch auf alle Fälle ein tüchtiges Stück Organisationsarbeit geleistet. Und dann steht er sich ausgezeichnet mit dem Kommandanten.«

»Eben«, meinte Lesser und ließ seine Brille schwingen.

»Was wollen Sie damit andeuten?«

»Er steht sich so gut mit der Kommandantur, daß er jeden Morgen zum Frühstück Spiegeleier mit Speck frißt, Herr Präsident! Billigen Sie das auch?«

»Nun«, erwiderte der Senatspräsident leise bekümmert, »das

mag nicht gerade sehr kameradschaftlich gedacht sein, und ich
würde es nicht tun. Aber sonst kann ich nicht soviel dabei finden.«

»Herr Präsident«, unterbrach ihn der Schriftsteller, »ich muß
Ihnen reinen Wein einschenken. Es geht nicht nur um die Spiegeleier zum Frühstück. Wissen Sie, daß der Kerl ein wahres Ter-
rorregiment in seinem Hause führt? Wissen Sie, daß er sich seine
Hausgenossen wie die Sklaven abgerichtet hat? Wissen Sie, daß
sie alle vor ihm zittern und nur so springen, wenn sie seine
Stimme hören? Der eine muß ihm die Schuhe bringen, der andere muß ihn rasieren, der dritte darf ihn mit Eau de Cologne
abreiben nach dem Rasieren, der vierte serviert ihm das Essen,
und unser Freund Schlick sitzt breit und fett in seinem knall-
roten Schlafrock im Sessel und läßt sich von hinten und vorne
bedienen.«

»Ist das nicht etwas schriftstellerische Übertreibung, Herr Lesser?« fragte der Senatspräsident. »Und warum sollten sie das
denn alles tun? Es zwingt sie doch niemand dazu. Sie brauchten
sich doch nur zu weigern.«

»Weigern? Keiner weigert sich! Sie kriechen, sie ducken sich,
alle, und wenn der Bursche morgen von ihnen verlangt, daß sie
vor ihm strammstehen und salutieren, dann stehen sie stramm
und salutieren. Und wenn er übermorgen verlangt, daß sie ihm
die Stiefel lecken, dann bringen sie die Zunge heraus und lek-
ken ihm die Stiefel. Es ist ekelhaft und empörend.«

»Ich kann mir das immer noch nicht vorstellen. Er hat doch
keinerlei Disziplinargewalt über seine Hausgenossen. Warum
sollten sie sich vor ihm fürchten?«

»Sie fürchten sich, sie haben Angst, sie sind feige. Warum?
Weil der Halunke ihnen weismacht, er hätte die Macht, durch
seine Beziehungen zum Kommandeur, sie bis zum Ende des Krieges hier sitzen zu lassen oder ihre Entlassung zu beschleunigen.

Weil er ihnen vorflunkert, er sei persona grata beim Kriegsministerium und werde als allererster von uns herauskommen. Weil er behauptet, er werde sich dann an jeden erinnern, und wehe dem, der gegen ihn gewesen sei. Der könne dann auch nach dem Kriege sehen, was aus ihm werden solle. Dann winkt er natürlich auch mit Belohnungen. Er könne tüchtige Leute in seinem Konzern unterbringen, sagt er. Er verspricht und droht, und das wirkt. Alle kuschen, alle.«

»Hören Sie, Herr Lesser«, sagte der Senatspräsident besorgt, »hat der Mann wirklich Beziehungen zum Kriegsministerium? Und was ist das für ein Konzern?«

»Das will ich eben herausbekommen!« rief Lesser kriegerisch. »Seine Leute sprechen nur nicht. Sie sind so eingeschüchtert, daß man kein Wort aus ihnen herausziehen kann. Vielleicht wissen sie auch nur, was er ihnen erzählt. Einer ist darunter, sein Adjutant Cronberger, der weiß Bescheid. Aber der zittert wie Espenlaub, wenn man ihn anspricht, und blickt sich dreimal um, ob Schlicks Schatten nicht zu sehen ist, ehe er den Mund aufmacht. Einmal hat er etwas verlauten lassen, und das genügte mir. Schlick selber hat sich nämlich gerühmt, daß er erst mit dem letzten Schiff vor Kriegsausbruch hier angekommen ist und daß er noch im Frühjahr vor dem Kriege mit seinem eignen Auto in Berlin herumfahren konnte. Jetzt frage ich Sie, Herr Präsident, wie man sich das zusammenreimen soll? Da muß doch etwas erzfaul sein.«

»Hören Sie, lieber junger Freund«, sagte der Senatspräsident, »ich finde das alles höchst unerfreulich, was Sie mir da erzählen. Aber ich würde doch lieber die Finger davon lassen. Wenn dieser Mann tatsächlich einen Konzern in London begründet hat, dann muß er doch über ausgezeichnete Verbindungen verfügen, und sicherlich hat man ihn genauestens überprüft. Wir wissen doch, wie hervorragend die Behörden hier Bescheid wissen.«

Lesser schwieg. Er nahm die Brille ab und versorgte sie in seiner Brusttasche. Dann sagte er leichthin:

»Lassen wir das alles einmal auf sich beruhen, lieber Herr Präsident. Aber darin werden Sie mir doch recht geben, daß es ein erbärmliches Schauspiel ist, wenn hier mitten unter uns ein Miniaturdiktator sich auftun kann, der die Menschen terrorisiert und herumjagt, nicht wahr? Wir sind gegen den Faschismus und für die Freiheit, ich schreibe Bücher und Broschüren darüber. Und hier unter meinen Augen muß ich sehen, wie die Leute sich dukken und sich hudeln lassen, auch da, wo es nicht nötig ist. Wir geben ein schlechtes Beispiel. Das regt mich auf, nicht der lächerliche Kerl mit seinem roten Schlafrock und den dicken Backen, die er sich mit Eau de Cologne abreiben läßt von seinen Domestiken.«

»Gewiß, lieber Herr Lesser«, sagte der Senatspräsident, »ich verstehe das durchaus. Aber sehen Sie, wir leben hier doch sonst in so vorzüglicher Harmonie in unserem Lager. Man kann wirklich nicht klagen über Mangel an Kameradschaft und Rücksichtsnahme. Es ist geradezu vorbildlich, wie sich das alles geordnet hat mit der Selbstverwaltung. Da muß es vielleicht, wie überall im Leben, auch ein paar dunklere Flecken geben. Wir sollten das nicht zu tragisch nehmen. Es trübt uns nur das erfreuliche Bild.«

Lesser blickte ihn an und brach plötzlich aus:

»Hingehen müßte man und dem Kerl seine Platte mit den Spiegeleiern über den Kopf schlagen vor all seinen Leuten! Das würde sie vielleicht kurieren!«

»Aber lieber junger Freund«, mahnte der Senatspräsident, »das ist doch nicht Ihr Ernst.«

»Nein, leider nicht«, sagte Lesser. »Man hat nur manchmal solche Wunschträume; in Wirklichkeit werden sie nie realisiert. Im ersten Kriege war es wohl nicht anders, obwohl ich nicht dabei war. Da haben alle davon geträumt, ihren Schinder von Rekrutenfeldwebel vor dem Ausmarsch vorzunehmen, in einer stillen Ecke der Kaserne: Warte, Du Hund, rechts und links in die Visage, und hier vor den Bauch und zum Schluß in den Hintern. Das kommt nur in den Büchern vor, die unsereins schreibt. Tatsächlich stand der Spieß dann wahrscheinlich am Kasernentor und winkte zum Abschied, und die meisten winkten zurück: 'Machen Sie's gut, Herr Feldwebel!' Manche hatte Tränen der Rührung in den Augen.«

Er starrte vor sich hin und fügte leiser hinzu:

»Übrigens wäre ich dem Burschen auch körperlich nicht gewachsen. Muskeln hat er. Und dann würde wahrscheinlich seine ganze Trabantenhorde über mich herfallen und mithelfen, mich zu verprügeln. So sind die Menschen doch. Wir Schreiberlinge haben meist nur Mut mit der Feder. Aber zum Schreiben gehört auch manchmal etwas Courage.«

»Sicherlich, Herr Lesser«, sagte der Senatspräsident. »Jeder hier weiß doch, was Sie geleistet haben und wie unerschrocken Sie unsere Sache vertreten, auch jetzt wieder mit Ihrem Buch.«

Der Schriftsteller schaute vor sich hin. »Ich kann mir das im Grunde nicht verzeihen. Immer wieder sage ich mir: Da stehst Du nun, Heinrich Lesser, ein Mann von fünfzig Jahren, Verfasser eines Dutzend nicht unbekannter Bücher, von denen die meisten in mehreren Sprachen erschienen sind, befreundet mit André Gide, mit Heinrich Mann, mit Sinclair Lewis, Gilbert Murray und Harold Nicolson, ein Hirnmensch von einigen Graden, da stehst Du nun, und wenn Du die Stimme des Feldwebels hörst, beginnst Du zu laufen. Ich will gar nicht laufen, ich sträube mich dagegen mit allen Fasern, aber meine Beine rennen unter mir weg. Es ist widerlich. Man könnte sich selber anspucken.«

»Nun, nun, aber wirklich«, sagte der Senatspräsident, »das ist ja geradezu morbide. Wer macht Ihnen denn einen Vorwurf?«

Lesser sah auf: »Ich werde der Sache doch noch nachgehen,

Herr Präsident! Ich bin vielleicht physisch feige, aber ich bin zäh und lasse nicht so leicht los. Ich kapituliere nicht ohne weiteres vor einem solchen Taschen-Mussolini. Ich spreche mit dem Chronisten; der kann mir behilflich sein, den Fall aufzudecken. Ich bringe den Kerl zur Strecke und hole ihn aus seinem Bau in der T. H. heraus.«

»Lieber, verehrter Herr Lesser«, sagte der Senatspräsident, »Sie wissen, ich schätze Sie aufrichtig. Glauben Sie mir, als einem alten, erfahrenen Mann und Richter: es kommt wenig heraus bei solchen Sachen. Und vor allem eins, das müssen Sie mir versprechen: keine Übereilung, vor allem keine Übereilung! Beschlafen Sie die Geschichte erst noch einmal, das ist immer das Beste. Ich bin überzeugt, morgen sieht sich das ganz anders für Sie an.«

»Danke bestens für den freundlichen Rat«, erwiderte der Schriftsteller. Er murmelte etwas von seiner Schreibmaschine, die auf ihn warte, verabschiedete sich und ging raschen Schrittes davon.

Der Senatspräsident sah ihm lange nach. »Ein hochanständiger Mensch, ein hochanständiger Mensch. Schwer hysterisch. Das liegt wohl in dem Beruf.«

24

DAS GRAUBUCH,
DURCH DAS GANZE ZIMMER AUFGEROLLT

Es wurde Winter. Regenschauer fuhren über den Golfplatz. Nebel lagerte sich um den Hafeneingang und die Küste. Nachts stöhnte ein mächtiges Nebelhorn. »Das ist noch schlimmer als das Postengeschrei im Zeltlager Prees Heath«, klagten die Internierten, die nicht schlafen konnten. Der Himmel war schieferfarben, und grau wurde auch die Stimmung im Lager. Sie wechselte in allen Schattierungen von Weiß zu Grau, denn jetzt war von der Regierung ein kleines Heft veröffentlicht worden, das die Bezeichnung »Weißbuch« trug, nach diplomatischem Gebrauch, in Wirklichkeit aber nur aus ein paar Seiten bestand, mit enggedruckter Aufzählung der Punkte, die einen Internierten zur Entlassung qualifizierten. Wirtschaftlich wichtige Positionen waren an erster Stelle angeführt, es folgten »besondere persönliche Umstände und Härtefälle im Familienstand«; auch Lehrtätigkeit und schließlich künstlerische oder schriftstellerische Bedeutung waren nicht vergessen.

Das Wort »Bedeutung« wurde Gegenstand lebhafter und oft erbitterter Debatten. Ein Schatten fiel über die festgefügte Gemeinschaft. Schlick erhob seine tiefe Stimme und ließ wissen, er werde selbstverständlich nun als erster herauskommen. Über die wirtschaftliche Wichtigkeit seines Büros für feinmechanische Installationen könne doch gar kein Zweifel sein. Elzbacher war ebenso sicher, daß seine Firma in der King Williams Street unter diese Kategorie fallen müsse, mit Lord Stembuster und Lord Rascarrel im Aufsichtsrat. Schriftsteller Lesser war über seine »Bedeutung« völlig beruhigt, zumal sein Buch 'Our greatest Ally' nun nahezu ausgedruckt war und demnächst erscheinen sollte.

Unruhe herrschte jedoch bei den 'kleinen Leuten', die sich unmöglich als genügend 'kriegswichtig' ansehen konnten. Die Risse im sozialen Gefüge verbreiterten sich. In den Häusern wurden Tische umgestellt, an denen sich die Habenichtse auf der einen und die vermeintlich Bessergestellten auf der anderen Seite zusammensetzten.

Peter Pojarski, ständig auf dem Auslug nach neuen, zugkräftigen Themen für sein Kabarett, nahm das 'Weißbuch' aufs Korn. Seine Vorstellungen waren immer gut besucht, und er hatte mit dem 'Bromeo und Julia-Abend', der die ständige Zugabe des Be-

ruhigungsmittels Brom zu dem morgendlichen Haferbrei persi-
flierte, einen großen Erfolg gehabt. Er war da als jugendlicher
Liebhaber — vor dem Fenster seiner angebeteten Julia erschienen,
mit einer kleinen Leiter. Sein Freund Griensteidl als Apotheker
hatte ihm aus einer riesigen braunen Flasche den verhängnisvol-
len Trunk verabreicht, und Peter versuchte nun vergeblich, die
Sprossen zu erklimmen. Er fiel kraftlos immer wieder zurück;
schließlich rutschten seine Hosen herunter und enthüllten das
graue, in weiten, jämmerlichen Falten herunterhängende Unterzeug, was ungeheure Lachstürme hervorrief. Die feinere litera-
rische Anspielung, die er dann noch murmelte:

»Es ist das Brom und nicht das Vögelchen, die Nachtigall!« ging
in dem Lärm fast unter.

Aber das war nun schon eine ganze Weile her. Peter Pojarski
fand, er müsse wieder etwas schärfer politisch werden. Er ließ
durch Griensteidl verbreiten, daß er große Vorbereitungen getroffen habe. Gespannt wartete man. Das Zimmer war bis auf
den Korridor hinaus gefüllt, als die Eröffnungsvorstellung begann.

Pojarski und Griensteidl hatten keine Mühe gespart. Durch
die ganze Länge des Raumes, von der schon bei 'Bromeo und Julia' benutzten Leiter bis zum Podium mit dem Telefon, das Pojarski ständig benutzte, um sich selber oder die Lagerleitung an-
zurufen, war eine riesige, schmutziggraue Tapetenrolle aus einem
der Bodenräume ausgespannt.

»Ihr seht hier«, so begann der Kabarettist, »Ihr Lagergenossen, Ihr Lagergenüßlinge, Ihr Lagerlüstlinge, das soeben veröf-
fentlichte Graubuch. Es umfaßt 2111 Paragraphen und reicht von
hier und heute« — damit wies er auf das Podium — »bis ins Asch-
graue, das heißt bis zum Jahre 1984, wo der Streit über die Bedeutung der einzelnen Punkte endlich entschieden sein wird und
die ältesten Leute endlich ihrer Julia wieder in die Arme sin-

ken werden. Ihr kennt alle die Geschichte von den beiden ur-
alten Flüchtlingen, die sich im Jahre Ichweißnichtwann als Greise
vor dem Lautsprecher in einem Seitental der Anden zusammenhocken, um den Tagesbericht anzuhören, der vom Rundfunk des
Deutschen Allreichs verbreitet wird: 'Heute ist unser geliebter,
immer noch überraschend rüstiger Führer an der Spitze seiner
siegreichen Truppen in Tokio eingezogen!', und wie dann der
eine zum andern sagt: 'Das bricht ihm das Genick, das muß ihm
das Genick brechen!' Nun, wir brechen uns nicht das Genick, wir
verrenken es uns nur. Werft einen Blick auf das Graubuch!«

Er begann nun einige der 2111 Paragraphen herauszuziehen.
Es hagelte Anspielungen auf die Lagerleitung, besonders Hek-
kenast, dessen wirtschaftliche Notwendigkeit zur Hebung des Umsatzes der Tabakfabriken unbezweifelbar sei, auf bekannte Hausväter oder Persönlichkeiten »mit Gold im Munde oder im Schlips«,
und sogar den gefürchteten Herrn der T. H. »Feinmechanische
Installationen«, sagte der Kabarettist, »ganz feine, superfeine In-
stallatiönchen, so fein und zart wie gespaltene Micablättlein, Ihr
versteht schon die feine Anspielung, Ihr treuherziges Gesindel,
so fein und klein, daß man sie im Knopfloch unterbringen kann
wie eine Geheimkamera, oder im Ohr, damit man besser horchen
kann — wenn das nicht wichtig ist und zur Entlassung nach Paragraph 1a berechtigt, dann helfen alle Spiegeleier nichts.«

Oha! raunten die Hörer. Sogar an Schlick wagt er sich jetzt
heran, den er bisher so ziemlich ungeschoren gelassen hat. Sollte
Peter schon seinen Entlassungsbescheid in der Tasche haben, daß
er jetzt so keck wird? Und was sollten die Anspielungen auf superfeine Installationen, auf Geheimkamera und Hörapparat bedeuten? Da braut sich irgend etwas zusammen. Der Peter weiß irgend
etwas.

»Lauter!« riefen sie ungeduldig. »Wir können Dich nicht richtig verstehen, Peter. Nuschele nicht in Deinen Bart!«

»Der Bart wird uns noch allen wachsen«, fuhr Pojarski fort, »bis zum Jahre 1984, so lang...«

»Wie Deine alten Witze!« rief jemand dazwischen.

»... wie meine alten Witze und Eure neuen Zwischenrufe, grau, weiß, grauweiß, gräulich-weißlich, oder wwwwwwweißlich, wie unser Freund der große Kunststotterer sagen würde; wir wakkeln nur noch mit dem Kopfe und den Lippen, die Zähne fallen uns aus, mit denen wir immerhin ab und zu einen Campleiter ins Bein gebissen haben, daß er seinen Titel fallen ließ vor Schreck, wir hocken uns zusammen, nicht in einem Andental, sondern in 'Klein-Algier', was ebensogut ist, und sind ein Herz und eine Seele: *Eine* große Familienkutsche! Mitsingen: *Eine* große Familienkutsche!«

Er mußte eigens auffordern, einzustimmen, was schon seit langem nicht mehr nötig gewesen war. Die Aufmerksamkeit war zerstreut. Die Hörer standen noch lange in Gruppen zusammen und rätselten an Peter Pojarskis Worten herum.

Griensteidl suchte ihn in seinem Zimmer auf, das Pojarski sich mit Spiegel und Schminktisch fachgerecht hergerichtet hatte.

»War's gut?« fragte Pojarski ängstlich.

»Der Anfang war besser als der Schluß, Peter«, sagte der Partner. »Du mußt nicht auf blöde Zwischenrufe eingehen, das ist doch eine alte Regel. Wenn einer was Witziges sagt, ist es anders. Dann nimmst Du ihm das weg und machst selber etwas daraus. Wenn er was Blödes sagt, dann kommst Du auch ins Blödeln. 'Neue Zwischenrufe', das war schwach, Peter.«

»Aber die Sache mit Schlick, die schlug doch ein?«

»Ja, die schlug ein. Da gingen sie mit.« Er schwieg einen Augenblick und fragte dann: »Sag, Peter: weißt Du denn wirklich etwas über den? Ich sag Dir, sieh Dich vor! Mit dem bändeln wir besser nicht an.«

»Es war etwas zuviel, Du hast recht, Poldi,« sagte der Kabarettist. »Aber sie wollen doch, daß man Schneid zeigt. Und ich sag Dir: mit dem ist's bald aus.«

»Und was weißt Du nun wirklich, Peter? Warum sagst Du's mir nicht? Das ist doch méchant.«

»Weil ich's selber nicht weiß, Poldi. Ich spür's bloß. Der Cronberger hat halt ein paar Winke fallen lassen.«

»Die würd' ich nicht aufheben, Peter, da verbrennst Du Dir die Pfoten dran. Das ist doch ein Angsthase. Der red't heut so, morgen so und läßt Dich aufsitzen, wenn's Ernst wird.«

»Ewig bleiben wir auch nicht hier«, meinte Pojarski.

»Nein«, sagte Griensteidl. »Und dann müssen wir richtig an die Arbeit gehen. Die Leut' hier, die machen's Dir zu leicht. Du wirst schaun, wenn Du herauskommst.«

»Hast recht, Poldi. Da müss'n wir trainieren. Zwei Stunden mindestens.«

»Vier«, sagte Griensteidl streng. »Das ist keine Familienkutsche. Die sind unbarmherzig. Die woll'n lachen!«

25

SCHLICK IM NETZ

Gerüchte schlichen immer wieder um Schlick herum. Peter Pojarskis Anspielungen bei der Graubuch-Vorstellung wurden kommentiert. Man suchte vorsichtig Cronberger auszufragen, der jede Unterhaltung ablehnte und sich überhaupt fast unsichtbar machte.

»Näin, ich verstehe das nicht«, sagte Hoppenheit zu Gärtner, »wie kann der Kommandant diesen Kerl so protegieren? Der ist doch janz leicht zu durchschauen. Jeder sieht doch, daß er ein Strolch ist.«

»Sie vergessen, Hoppenheit«, erwiderte Gärtner, »daß wir hier in einem fremden Land sind. Da beurteilt man die Menschen, die man nicht genau kennt, immer nach einem vorgefaßten Bild. Schlick ist 'true to type', ein typischer Ausländer. So sehen sie aus, so benehmen sie sich, glauben die Leute. Und das beruhigt sie und macht sie sicher. Wenn jemand nicht 'so aussieht', werden sie nervös und unsicher.«

»Jräßlich«, meinte Hoppenheit. »Aber irgend jemand müßte doch etwas unternehmen. Ich jehe zum Kommandeur.«

»Lassen Sie das, Hoppenheit!« meinte Gärtner. »Es hätte gar keinen Zweck. Er würde Sie nicht begreifen und wahrscheinlich nur für mißgünstig oder eifersüchtig halten. Ich glaube, wir warten, bis der Mann sich selber eine Grube gräbt. Solche Leute bringen sich immer selber zu Fall.«

»Ich bin für stoßen«, sagte Hoppenheit und ließ seinen Haarschopf flattern. »Und alle alten Warts Miller sind sich einig: wenn der Bursche in die Nähe unserer Reihe kommt, dann knallt es. Er hütet sich aber wohl. Er ist schlau. Er macht einen Bogen um uns. Er grüßt mich immer ganz ungemein freundlich. Nur seine Leutchen da in der Dritten, die zwiebelt er, und die lassen es sich gefallen. Na, das ist schließlich ihre Sache. Sie wollen es nicht anders. Und trotzdem: es ist eine Schande für das ganze Camp. Eine Affenschande.«

Mit dem Eintreffen der ersten Entlassungsbescheide erreichte Schlicks Tyrannei ihren Höhepunkt. Er wurde unerträglich in seinen Launen und brüllte, daß man es über den ganzen Platz hören konnte. Seine Hausgenossen huschten auf Zehenspitzen. Mit Cronberger zankte er sich täglich und immer erbitterter. Sein alter Partner hob jetzt täglich den Kopf höher und widersprach ihm. Er schlug sogar eines Tages auf den Tisch. Schlick drehte mit einer behenden Wendung seinen Kopf und faßte ihn scharf ins Auge:

»So. Du meuterst, mein Lieber.«

»Ich warne Dich. Du treibst es wieder einmal zu weit. Ich will nicht dabei sein, wenn Du auffliegst.«

»Du bist aber dabei, mein Liebling, und Du weißt das. Wenn Du mir ausrücken könntest, wärst Du längst über alle Berge. So bleibst Du hier und machst brav Deine Abrechnungen.«

»Es kann sein, daß noch einmal eine Abrechnung kommt, Schlick«, sagte Cronberger, der sich vor Angst wand.

»Du meuterst nicht nur, Du drohst, mein Schätzchen. Mir ist auch zu Ohren gekommen, daß Du da so Winke ausgestreut hast über feinmechanische Installationen. Der Pojarski hat sich in seinem albernen Kabarett das Maul an mir abgewischt. Das macht mir Spaß. Es erhöht den Respekt. Aber daß Du ihm die Winke dazu lieferst, du alter Massenlieferant, das paßt mir nicht. Das ist kein Spaß. Was hast Du Dir dabei gedacht?«

»Ich habe mir gedacht«, sagte Cronberger, der das Schlottern seiner Beine nicht kontrollieren konnte, »daß ich Dich warnen will. Die Leute reden über ganz andere Dinge. Sie reden über Deine Spiegeleier, Deinen Bademantel, Dein Badesalz und die Mädchen . . .«

Schlick lachte laut und befriedigt: »Das sollen sie. Das macht mir ein unbändiges Vergnügen. Das tut mir gut. Aber« — er beugte sich zu Cronberger hinüber und griff ihm in die Schulter über dem Schlüsselbein — »wenn Du da Anspielungen verteilst, Du alter Detaillist, dann ist das etwas anderes. Ich schlage vor, daß Du das unterläßt. Es könnte mir sonst zu viel werden.«

»Es ist schon genug«, sagte Cronberger.

»Ja«, nickte Schlick gelassen.

Er erhob sich und schlug ihn nieder. Cronberger hatte den Hieb kommen sehen. Er wandte sich nicht ab, er akzeptierte ihn gewissermaßen. Er sank zusammen. Dann fiel er ungeschickt rücklings auf die Erde und schlug schallend mit dem Hinterkopf auf den Boden.

»Bringt ihn auf unser Zimmer«, herrschte Schlick seine Haussklaven an. »Geredet wird nicht. Der Esel ist ja so ungeschickt, daß er über seine eignen Beine stolpert und sich Löcher in den Kopf schlägt.«

Sie trugen Cronberger davon. Einer mußte aber doch geredet haben. Der Stabsarzt erschien, stellte eine Gehirnerschütterung fest und befahl Überführung in das Hospital am Ende der zweiten Reihe.

»Ich würde ihn lieber selber pflegen«, sagte Schlick zu dem Stabsarzt. »Wir sind alte Freunde.«

»Ich ziehe geschulte Krankenpfleger vor«, sagte der Stabsarzt freundlich.

»Lassen Sie ihn hier!« erwiderte Schlick. Unwillkürlich rutschte ihm die Stimme aus. Es klang nicht wie eine Bitte, sondern herrisch und fast wie ein Befehl.

»Wer gibt hier eigentlich Anordnungen?« fragte der Stabsarzt. »Der Mann kommt ins Hospital, und zwar sofort. Vorwärts, holt eine Krankenbahre! Besuche gibt's nicht, von niemand. Haben Sie verstanden?«

»Jawohl, Sir«, antwortete Schlick unbeweglich.

Der Stabsarzt ließ Cronberger im Hospital Kompressen machen und schickte einen Sanitätsunteroffizier zur Aufsicht. »Es kommt mir keiner hier in das Haus«, ordnete er an. »Wenn der aufgeblasene dicke Lümmel aus der dritten Reihe sich zeigt, dann jagen sie ihn fort. Absolute Ruhe hat zu herrschen. Der Mann ist ernstlich krank.«

Schlick zeigte sich nicht. Er saß vor seinem mit Aluminiumschienen eingefaßten Schreibtisch und klopfte Pausenzeichen auf die Platte.

In der nächsten Nacht stahl sich Cronberger, die Kompresse wie einen Turban um den Kopf gewickelt, durch das Fenster aus dem Hospital. Er schlich sich, von Vorhalle zu Vorhalle tastend, im Schatten der Häuser an der zweiten Reihe entlang bis zum oberen Ende. Dann sprang er in langen Sätzen über den freien Platz hinüber zur ersten Häuserreihe. Jeder Sprung erschütterte sein schmerzendes Gehirn empfindlich. Er hielt einen Augenblick inne, um sich zu verschnaufen. An der Hinterseite der Häuser zwischen den Abfalltonnen und dem Stacheldrahtzaun stolperte er auf Gärtners Haus Nummer 47 zu. Ein Posten, der schläfrig auf und ab wanderte, rief ihn an:

»He, Du! Was ist mit Dir los? Was machst Du da nachts um halb zwei? Ihr sollt doch jetzt im Haus sein.«

»Ich sehe nach den Mülltonnen«, flüsterte Cronberger zitternd.

»Mülltonnen, meine Fresse!« lachte der Soldat. »Hier wird nicht geschmuggelt. Mach, daß Du ins Haus kommst!«

»Jawohl«, erwiderte Cronberger. Er hatte den Kücheneingang zu Gärtners Haus gefunden und verschwand.

Langsam stieg er die steile Treppe hinauf zu Gärtners Kammer im Dachgeschoß. Er verbrauchte ein Streichholz nach dem andern. Die Treppe war mit den weißen Hölzchen bestreut.

Er klopfte leise an und fiel, ohne eine Antwort abzuwarten, in die Kammer. Gärtner fuhr schlaftrunken empor und machte Licht.

»Cronberger, Sie?« rief er. »Was machen Sie denn hier? Menschenskind!« Er sprang auf und stützte den Schwankenden. »Setzen Sie sich erst einmal hier auf das Bett. Einen Stuhl habe ich nicht. Am besten legen Sie sich, so, kommen Sie. Soll ich Ihnen ein Glas Wasser holen?«

»Ja, bitte«, flüsterte Cronberger.

Gärtner holte das Glas, und Cronberger trank. Das Wasser lief ihm über das Kinn.

»Ruhig, Mann!« sagte Gärtner und hielt ihm den Kopf.

»Ich will ... ich muß ...«, stammelte Cronberger.

»Sie wollen etwas beichten«, meinte Gärtner.

»Ja. Ihr werdet mich alle verachten.«

»Reden Sie keinen Unsinn! Niemand verachtet Sie!«

»Doch«, sagte Cronberger und stierte vor sich hin. »Ich habe mich erbärmlich benommen.«

»Erzählen Sie erst einmal, wenn Sie das erleichtert«, erwiderte Gärtner. »Wir werden dann sehn.«

Cronberger erzählte, stockend und zuweilen innehaltend, um Atem zu schöpfen. Er sei Schlicks Geldgeber in Berlin gewesen. Man habe ihm den Mann als außerordentlich tüchtig und erfinderisch empfohlen. Er habe, bei seinen sonstigen weitverzweigten Interessen im Billgut-Konzern, öfter einmal begabte Erfinder gefördert und unterstützt, ohne sich um Einzelheiten allzuviel zu kümmern. So habe er dafür gesorgt, daß Schlick ein technisches Laboratorium mit einer kleinen Werkstatt eingerichtet erhielt, und nur von Zeit zu Zeit gehört, daß da aufsehenerregende Erfindungen gemacht und ausgewertet wurden.

»Nun ja, das wissen wir doch«, meinte Gärtner. »Erfinderisch ist der Bursche. Das ist kein Grund, sich so aufzuregen. Wahrscheinlich hat er dann irgendwelche Schiebungen gemacht. Aber das hatten Sie doch nicht nötig, bei Ihren Vermögensverhältnissen.«

Cronberger schüttelte den weißen Turban. Er schluckte und sagte sehr leise:

»Es waren keine Schiebungen, jedenfalls nicht nach dortigen Begriffen. Es war alles völlig legal. Die Geschichte wurde sogar von den höchsten Dienststellen als 'ganz geheime Kommandosache' gefördert. Alles Geld der Welt stand zur Verfügung. Warum Schlick mich hineingezogen hat, weiß ich noch heute nicht. Vielleicht brauchte er einen Komplizen. Vielleicht machte es ihm einfach Spaß, mich zu quälen. Es macht ihm Spaß, Menschen zu quälen.«

Gärtner drängte ihn nicht.

»Wir haben die Abhorchgeräte fürs Telefon fabriziert«, sagte

Cronberger. »Das war sein feinmechanisches Büro. Mikrophone hatten sie wohl schon vorher, dafür brauchte man ihn nicht. Aber der Mann hat ganz raffinierte Verbesserungen erfunden. Jeden Monat kam er mit etwas Neuem. Sie wissen, die Menschen wurden bald mißtrauisch und hielten die Hand vor den Hörer oder warfen ein Tuch darüber. Er erfand Verstärkeranlagen. Er baute Aufnahmeapparaturen, die jedes Gespräch auf einem Metallband aufzeichneten. Auf einem Metallband, nicht auf einer Platte, verstehen Sie? Sie sind doch Ingenieur, Herr Gärtner?«

»Ich bin Betonfachmann«, sagte Gärtner. »Aber ich verstehe immer noch nicht, was Sie damit zu tun hatten.«

Cronberger antwortete nicht. Er starrte gegen die Wand und fuhr fort:

»Er machte sich unentbehrlich. Er bekam alles bewilligt, was er brauchte, auch für sich persönlich. Er durfte sogar mit seinem Auto herumfahren, was uns allen doch längst verboten war. Er lebte in Saus und Braus, ging mit seinem Spezialausweis in die teuersten Lokale, und gerade in solche, in denen die SS-Leute und Obergruppenführer saßen. Er nahm mich immer mit. Ich mußte dabei sein. Ich mußte dabei sein.«

Gärtner nickte und sagte behutsam:

»Abspringen war nicht so leicht, wie?«

»Nein«, erwiderte Cronberger. »Der Kerl fuhr doch wie der Teufel, immer mit hundert Kilometern. An diese Fahrten werde ich denken. Er fuhr ein Dutzend Male über die Stopplichter weg und bekam Strafmandate. Die bezahlte er aus der linken Hosentasche. Oft bezahlte er gar nicht. Er zeigte nur seinen Ausweis vor, das genügte. Hier hat er ja auch schon wieder einen Passierschein und läuft sogar in der Stadt herum. Und dann drohte er mir natürlich, das können Sie sich denken.«

»Ja, das kann ich mir denken«, sagte Gärtner.

»'Wenn Du singst', sagte er in seiner Gaunersprache zu mir,

'dann fliegst Du auf. Dann stecke ich Dich ins KZ.' Und so habe ich ihm seine Abrechnungen gemacht. Ich hatte ja sonst nichts zu tun. Meine Firma hatten sie mir längst weggenommen. Sie wollten natürlich auch genaue Abrechnungen haben über alle Ausgaben. 'Schreib alles auf, Cronberger', sagte er immer wieder zu mir, 'auch die Lokale und Mädchen. Das sind Geschäftsspesen. Billig bin ich nicht, das sollen sie wissen.' Ich habe alles aufgeschrieben. Es waren Tausende, Zehntausende. Er lud immer die ganze Gesellschaft ein, die dasaß.«

»Na schön«, sagte Gärtner. »Und hier in England? Warum sind Sie da nicht abgesprungen?«

»Er hat doch immer weiter gedroht und mich erpreßt«, erwiderte Cronberger. »Er sagte nur: 'Wenn die Geschichte aufkommt, dann bist Du erledigt. Ich ziehe mich schon heraus, das weißt Du. Aber von Dir wird kein Mensch mehr ein Stück Brot nehmen, mein Liebling.' Er nannte mich immer 'Liebling' oder 'Schätzchen', und das ging mir eigentlich am meisten auf die Nerven. Ich habe schwache Nerven. Ich bin ein Feigling, ich weiß es. Und Ihr werdet mich nun alle verachten. Ich nehme es Euch nicht übel.«

Gärtner schwieg eine Weile. »Für die andern kann ich nicht garantieren«, sagte er dann. »Ich persönlich verurteile niemand. Und den andern werde ich es auch sagen. Es ist schandbar genug, daß wir uns das alles so lange gefallen ließen. Wir hätten den Burschen längst unschädlich machen sollen. Aber da redet sich jeder heraus: Man muß Rücksicht auf den Kommandeur nehmen, der nimmt uns das vielleicht übel, oder: Er gehört doch nicht in unsere Reihe, sollen die von der Dritten sehen, wie sie mit ihm fertig werden, oder überhaupt: Was geht's mich an? Der bricht sich noch von selber das Genick. Ich habe das auch gesagt.«

»Er bricht sich nicht das Genick«, flüsterte Cronberger. »Er fällt immer wieder auf die Füße.« Er klammerte sich an Gärtner an:

»Machen Sie ihn unschädlich, Gärtner! Wenigstens eine Zeitlang, bis ich fort bin. Ich habe doch mein Affidavit für Amerika. Aber nur kein Skandal...«

»Wir werden sehn«, sagte Gärtner. »Und jetzt kommen Sie! Sie können hier doch nicht bleiben. Ich begleite Sie.«

»Kann ich nicht hier bleiben in Ihrem Haus?« stammelte Cronberger.

»Nein, das geht nicht. Sie haben doch den Sanitätsunteroffizier im Hospital. Später vielleicht, wenn Sie wieder in Ordnung sind. Warten Sie einen Augenblick! Ich will Ihnen die Kompresse neu wickeln, die ist ja ganz verrutscht.«

»Ich brauche keine Kompresse mehr«, sagte Cronberger. »Mir ist sehr viel besser. Aber es ist sehr freundlich von Ihnen, wenn Sie mich begleiten.«

Sie gingen schräg über den Platz zum Hospital. Gärtner half ihm durch das Fenster und sagte ihm gute Nacht. Der weiße Turban leuchtete noch einmal auf und verschwand in der dunklen Fensteröffnung.

Nachdenklich schritt Gärtner zurück. 'Soll ich meines Bruders Hüter sein?' dachte er. 'So heißt es wohl in der Bibel. Vielleicht sollten wir aber unsres Bruders Hüter sein. Ich werde morgen mit Hoppenheit sprechen.'

Sie gingen zum Kommandeur, der ärgerlich war und mit seinem afrikanischen Buschmesser auf die grüne Löschpappe klopfte:

»Na ja, das ist ja alles schön und gut, was Sie mir da berichten. Das geht natürlich nicht, daß da einer niedergeschlagen wird, das geht gar nicht. Feldwebel Monihan wird sehn, daß da etwas mehr Ordnung hineinkommt. Der Stabsarzt hat sich auch beschwert über den Schlick.«

»Ein Verbrecher ist das, ein Gangster, ein Strolch!« fuhr Hoppenheit auf. Sein Schopf flog. »Er muß eingesperrt werden, er muß ins Gefängnis!«

391

Major Hicks blickte ihn an: »Das lassen Sie unsre Sorge sein. Schließlich sind Sie ja alle hier mehr oder weniger eingesperrt. Und sehn Sie mir zu, daß Ruhe im Lager herrscht! Ich will keine Zwischenfälle haben. Ich will in meinen Berichten sagen können, daß alles tadellos funktioniert. Zusammenhalten, am Ball bleiben, richtig zuspielen, team-work — Sie wissen, was ich meine?«

»Jawohl, Sir«, sagte Hoppenheit. Sie traten ab.

»Ich könnte mich prügeln«, sagte Hoppenheit zu Gärtner, als sie auf die Schleuse zuschritten. »Da habe ich wieder dagestanden wie ein dummer Junge. 'Der gehört nicht in unsre Mannschaft', hätte ich sagen müssen. 'Der hält sich nicht an die Regeln, mit dem spielen wir nicht, den schmeißen wir 'raus, der wird disqualifiziert.' Das ist überhaupt kein Fußball. Das ist blutiger Ernst. Der Kerl wird geächtet. Mit dem spricht keiner aus der zweiten Reihe mehr ein Wort. Und wenn er sich zeigt, dann brechen wir ihm alle Knochen. Ich drehe ihm den Schlunk um.«

»Er wird sich nicht zeigen«, meinte Gärtner. »Er wird sich hier nicht mehr zeigen. Vielleicht woanders, wo man ihn noch nicht kennt . . .«

26

DER LETZTE »GROSSE RASEN« FÜR LAMETTA

Schlick zeigte sich nicht. Er saß an seinem mit Aluminiumkanten eingefaßten Schreibtisch in der T. H. und brütete vor sich hin oder horchte auf die Stimmen der Scharen von Internierten, die sich immer wieder vor dem Hause versammelten und Verwünschungen oder Drohungen murmelten. »Totschlagen, den Kerl!« hieß es, oder: »Aufhängen!« Das ganze Lager war in Gärung.

Nun aber trat Campvater Heckenast mit aufgesparter Energie in Aktion. Er veranlaßte, daß Major Hicks einen Posten vor die Tür des Bedrohten stellte, er brachte seine Hausgenossen in anderen Häusern unter, und er sorgte dafür, daß Schlick eines Morgens verschwunden war, abtransportiert in ein anderes Camp, für A-Leute, wie es hieß.

»Gottseidank ist es nicht noch zu Ungesetzlichkeiten gekommen«, sagte der Senatspräsident, »ich glaubte tatsächlich, ein paar Heißsporne würden zur Lynchjustiz greifen.«

»So einer muß baumeln«, meinte Mochow, »und ich ziehe ihm die Beine lang dabei. Von selber bricht sich der nicht das Genick.«

»Aber nicht ohne Untersuchung und Urteilsspruch«, erwiderte der alte Richter scharf. »Wissen wir denn, ob das alles stimmt, was Cronberger erzählt?«

»Da braucht mir keiner was zu erzählen«, erklärte Mochow. »Wie ich den bloß von hinten gesehen habe das erste Mal, da wußte ich, was mit ihm los war. Und denn hier im Lager: was der seine Leute kujoniert hat, die bibbern ja noch jetzt, wenn sie an ihn denken.«

»Darauf steht aber nicht die Todesstrafe«, sagte der Senatspräsident.

»Sollte man«, meinte Mochow, »das wäre sehr viel besser. Der Cronberger, der traut sich noch heute nicht über den Platz alleine. Der ist immer noch ganz von sich. Ich möchte auch nicht in seiner Haut stecken. Mitgefangen, mitgehangen, die Brüder haben genug zusammen ausgekocht.«

»Aber das ist doch ein Bedauernswerter«, sagte der Senatspräsident. »Wie können Sie denn so unbarmherzig reden, Herr Mochow! Cronberger kann einem in der Seele leid tun.«

»Mir tun die Leute leid, die die Brüder ins Unglück gebracht haben mit ihrer 'feinmechanischen' Horcherei, die tun mir leid. Dafür kann der Cronberger ruhig ein bißchen schlottern. Das schadet ihm gar nichts. Und dann wird er ja auch gleich als erster entlassen mit seinem Billett nach Amerika; morgen zieht er ab. Wenn er erst drüben ist, dann wird er woll die Puste wiederkriegen und seine Kettenläden aufmachen und den Leuten Eierbecher und Zahnpasta verkaufen. Aber den andern, den merken wir uns.«

Cronberger erhielt in der Tat als einer der ersten seinen Entlassungsbescheid. Das halbe Lager folgte ihm bis zur Schleuse, als er mit seinem Koffer in der Hand in Begleitung des Schreibers Quilliam hinauszog. Auch jetzt wurde Cronberger seine Angst nicht ganz los. Er blickte sich unter dem Tor scheu nach dem Gebäude der T. H. um, als stünde Schlick dort am Fenster und beobachtete ihn. Erst als er den Drahtzaun passiert hatte, richtete er sich langsam auf. Er setzte aber seinen Koffer noch einmal ab, kam zurückgelaufen an den Zaun und flüsterte seinen Hausgenossen zu:

»Paßt auf, was er macht! Schreibt mir, wo er ist, ich habe Euch ja meine Adresse gegeben! Tut mir den Gefallen, ich habe sonst keine ruhige Stunde!«

Sie versprachen es ihm. Er lud seinen Koffer auf und schlich davon.

Niemand schrieb ihm. Er wurde vergessen. Man strich auch den 'Fall Schlick' aus der Erinnerung. Es wurde rasch vergessen im Lager.

Und dann nahm das Schicksal Lamettas alle Aufmerksamkeit in Anspruch. Es bewegte die Geister sehr viel tiefer und nachdrücklicher. Da war ein Mann, der sich allgemeiner Bewunderung erfreute, der von vielen hochverehrt, ja geradezu geliebt wurde. Wer war so zu einer Institution geworden, zu einem wesentlichen, nicht wegzudenkenden Bestandteil des Huddlestone-Volkes? Wer hatte je wie er stets ein 'volles Haus' gehabt, bis hinunter zum Eingang des Saales über den Duschräumen? Und wer hatte es zu

drei Malen sogar bis zu einem 'großen Rasen' gebracht? Keiner;
Lametta war der einzige gewesen, dem das gelang.

Nun mußte man sich aber mit dem Gedanken vertraut machen,
daß ganz andere Dinge im Spiel waren als kleine Unstimmig-
keiten. Gefängnis oder doch wenigstens gefängniswürdige Verfehlungen, Unterschlagungen, dunkle Geschäfte, Schädigung von
arglosen Gönnern und Förderern, das alles sollte auf das Konto
des Mannes mit der imposanten Stirn und dem kleinen Radfahrermützchen kommen.

Der Chronist stand hinter diesen Gerüchten. Er berief sich auf
authentische Korrespondenzen, die er geführt hatte, bis nach Südamerika hinüber. Er hatte ein förmliches Dossier 'Tannenbaum,
genannt Lametta' angesammelt, das er zu gegebener Zeit vorlegen werde. »Im Augenblick warte ich noch«, sagte er, »wir
wollen ganz korrekt vorgehen. Keine Übereilung, meine Herren!«

Lametta ahnte nichts. Er hatte einen großen Vortrag 'Freud
und Jung' angekündigt. Ein volles Haus harrte der Dinge, die
kommen sollten. Die Treppe zum Saal über den Duschräumen
war bis zum Eingang gefüllt. Befriedigt stieg Lametta hinauf.
Mit seinen weitwinklig spähenden Augen musterte er die Anwesenden.

Sehr bald spürte er, daß etwas in der Luft lag. Keines seiner
Aperçus zündete. Niemand lächelte, wenn er seine sonst so be-
liebten witzigen Wendungen anbrachte. Er zitierte, auf englisch,
den bekannten Satz von James Joyce — den er wieder als »meinen alten Freund Joyce« bezeichnete, wobei er behauptete, er sei
in Triest mit ihm bekannt geworden —: 'When young, I was
easily freudened.' Das Echo blieb aus. Er versuchte es mit aggres-
siven Vorstößen und wartete auf Widerspruch. Nicht einmal der
Negationsrat, der still auf einem Eckplatz in der Honoratiorenreihe saß und sehr aufmerksam zu ihm aufschaute, rührte sich.
Lametta wandte sich geradezu auffordernd an ihn und erklärte,

den Zeigefinger gotisch starr erhoben, die beiden Forscher kurzerhand für Scharlatane.

»Es glitzert bei ihnen«, sagte er und karessierte mit Daumen und Zeigefinger die unsichtbare Perle, »es glitzert und blendet, bei allen beiden; die Oberfläche ist höchst verführerisch, und wir können nicht bestreiten, daß wir ihnen Anregung und Belehrung verdanken. Aber unter dieser dünnen, sehr dünnen Hülle ist doch nichts als Verwirrung und Unklarheit...«

Er blickte erneut auf den Negationsrat, der fasziniert und stumm an seinen Lippen hing.

»Unklarheit«, fuhr er fort, »sagte ich, aber wir müssen noch einen Schritt weiter gehen. Unklarheit ist ja eine verzeihliche, eine läßliche Sünde, wie die Kirche es nennt. Hier aber handelt es sich um mehr: um bewußte Unklarheit, ja, ich möchte kühn behaupten: um Unehrlichkeit!«

Noch immer kam keine Antwort. Ludwig Einwohner fixierte ihn nur mit einer Art Schlangenblick und wiegte in der Tat seinen Kopf auf eine seltsame Weise hin und her, als wollte er im nächsten Augenblick zustoßen.

»Jawohl, Unehrlichkeit!« rief Lametta, immer lauter und schärfer werdend, »das Schlimmste, was man einem Forscher, einem Gelehrten vorwerfen kann, und wenn wir es grob populär ausdrücken wollen, was hier durchaus angebracht ist, dann nenne ich es kurz und schlicht: fauler Zauber und Schwindel.« Er wiederholte das Wort: »Schwindel!!« und schrie es fast in den Saal, außer sich über Kopfbewegungen Einwohners.

Aber nicht der Negationsrat, sondern ein ganz einfacher Hörer in einer der hinteren Reihen konnte es nun nicht mehr aushalten. Er schrie zurück:

»Schluß jetzt! Genug! Hören Sie auf!«

Lametta begriff sofort, daß etwas Entscheidendes geschah, und taumelte zurück. Er stammelte:

»Was soll das heißen? Was fällt Ihnen ein?«

Der Zwischenrufer schrie böse: »Das soll heißen, daß wir über Sie Bescheid wissen! Herr, Sie wagen es, angesehene Forscher, die ein musterhaftes Leben geführt haben, als Schwindler zu bezeichnen? Sie sprechen von Unehrlichkeit? Sie? Sie? Sie?«

Jedes 'Sie' war im Ton gesteigert, und ruckweise, wie von furchtbaren Speerstößen getroffen, sank Lametta zusammen. Seine weitwinklig spähenden Augen ließen auch jetzt nicht das Publikum fahren. Er sah den ganzen Saal, er sah alle, er sah, daß sie alle wußten, wie es um ihn stand. Sie glotzten zu ihm auf, sie stierten, sie grinsten; viele freuten sich offenbar, dabei zu sein, wie er hier nun 'abgeschlachtet' wurde. Es fehlte nur noch, daß sie die Hände erhoben, um ihn vom Katheder herunterzuzerren. Der Griff seiner langen Hände lockerte sich. Er gab auf, er ließ den Saal fahren. Er wandte sich blitzschnell und lief davon, so wie er wohl schon oft in seinem Leben davongelaufen war. Er stolperte die Treppe herunter, auf der man ihm scheu Platz machte, quer über den Golfplatz, wo ein paar müßige Spieler erstaunt zu ihm aufschauten und die watschelnden Möwen sich erschreckt in die Luft hoben. Er verschwand in seinem Haus und warf sich in seinem Zimmer auf das Bett.

Der Negationsrat erhob sich in dem Tumult, der im Auditorium maximum ausbrach, und suchte zu Wort zu kommen: »So geht das doch nicht, meine Herren!« Niemand hörte auf ihn. Sie tobten und schrien.

Der Chronist wurde gerufen, und er erschien vor den aufgeregten Lagergenossen, das Dossier in der Hand. Er las die Akten vor.

Das verfältelte, wie aus Bindfadenenden zusammengeknüpfte Gesicht straffte sich in detektivischem Eifer:

»Da haben wir zunächst einen Brief aus Aberdeen, von einem früheren Studiengenossen Tannenbaums, meine Herren.« Es fiel sogleich auf, daß er nicht die vertraute Bezeichnung 'Lametta' verwandte, sondern den bürgerlichen Namen. »Der Studienfreund ist dort Gastprofessor. Seine Mitteilungen müssen stimmen. Er schreibt folgendes:

Aribert Tannenbaum ist mir sehr wohl bekannt aus unserer gemeinsamen Studienzeit in Leipzig. Er war der Lieblingsschüler unseres allverehrten Lehrers Ohlig, des großen Rechtshistorikers, der sich wie ein Vater seiner annahm. Tannenbaum war eine Leuchte des Seminars, er schrieb die beste Doktorarbeit, von der man seit Menschengedenken in der Fakultät gehört hatte, und Ohlig, der in ihm wohl seinen künftigen Nachfolger auf dem Lehrstuhl sah, sorgte dafür, daß er mit einem sehr reichlichen Stipendium und einer Forschungsbeihilfe nach Italien geschickt wurde, wo er in den Archiven arbeiten sollte. Wir hörten eine Weile nichts außer kurzen Mitteilungen über seinen Aufenthalt in Pavia und Bologna, den altberühmten Lehrstätten unserer Wissenschaft, und das Thema seiner Habilitationsschrift, die er vorbereitete. Sie sollte die 'Quellen des syrisch-römischen Rechtsbuches' behandeln, und Ohlig versprach sich große Dinge davon. 'Ein hochinteressantes Thema, meine Herren', sagte er im Seminar. 'Eine Gesetzessammlung, die auf vorkonstantinischen Unterlagen fußt und sich merkwürdigerweise von dem großen Kodifizierungswerk Justinians ziemlich frei gehalten hat. Im Orient hat sie große Verbreitung gefunden. Tannenbaum wird noch — bei aller Begabung — gewaltige Studien machen müssen, vor allem auch sprachwissenschaftlicher Art, denn das Rechtsbuch ist nur in syrischen und anderen orientalischen Fassungen erhalten, obwohl es ursprünglich auf griechisch abgefaßt war. Auch mit Kirchengeschichte wird sich unser Freund zu befassen haben; das Werk diente vornehmlich dazu, den Kirchenbehörden Aufschluß über Familien- und Erbrechtsfragen zu erteilen.' So sagte Ohlig, und Sie können sich denken, wie gespannt wir waren.«

Halbwachs ließ den Brief sinken und sagte als Zwischenbemerkung:

»Wir sehen nun schon etwas klarer und wissen, woher seine merkwürdigen Kenntnisse auf dem Gebiet der Theologie und Sprachwissenschaft kommen. Wer über das syrisch-römische Rechtsbuch schreibt, dem ist wohl auch zuzutrauen, daß er richtig aus dem Syrischen zitiert, vielleicht sogar aus dem Alt-Südsyrischen, wenn das auch unter Umständen eine seiner kleinen Ungenauigkeiten und Schwindeleien ist, die unser Freund, der Negationsrat, so scharfsinnig herausfand.«

Er wurde ungeduldig unterbrochen: »Weiter, weiter; diese wissenschaftlichen Details interessierten doch nur mäßig!«

»Warten Sie ab, meine Herren«, sagte der Chronist, »es kommt noch ganz anders. Aber auch diese Einzelheiten gehören zum Bilde des Mannes. Wir wollen uns doch ein gerechtes Urteil verschaffen.«

Er hob den Brief, der auf Papier mit dem Blindstempel der Universität geschrieben war, wieder an und fuhr fort, vorzulesen:

»Zu unser aller Entsetzen — und Ohlig war wohl am tiefsten betroffen — tauchte Tannenbaum eines Tages wieder auf, völlig verstört. Er bat um Geld, und wir alle schossen zusammen. Ohlig gab die größte Summe und sorgte dafür, daß Tannenbaum verschwinden konnte und nicht nach Italien ausgeliefert wurde. Es sickerte durch, daß er dort kostbare Handschriften aus den Archiven entwendet hatte. Ein Antiquar in Mailand, dem er frühromanische Miniaturen angeboten hatte und der Verdacht schöpfte, deckte den Fall auf. Es war ihm aufgefallen, daß die Pergamentblätter ganz frische Schnittränder hatten. Tannenbaum hatte die wertvollen Codices nicht nur gestohlen, sondern auch vandalisch zerschnitten, um die Bilder zu gewinnen. Noch nach Jahren sollen einzelne Stücke dieser Art im Handel aufgetaucht sein. Offenbar hat er auch später noch aus seinem Vorrat verkauft, und das nahm

Ohlig ihm mit Recht besonders übel, während er über den Fall sonst mit seiner bekannten Großzügigkeit urteilte. 'Seien wir nicht zu selbstgerecht, meine Herren', sagte er wiederholt zu uns. 'Wer weiß, in was für Lagen der Mensch geraten kann! Der Mann war doch arm wie eine Kirchenmaus. Allerdings hatte er die Forschungsbeihilfe und konnte davon leben.' Jedenfalls verschwand Tannenbaum, soviel ich weiß, nach dem Balkan. Es hieß, daß er in Sofia eine einigermaßen gesicherte Zuflucht gefunden habe. Ich habe später nichts mehr von ihm gehört.«

»Sofia stimmt«, erklärte der Chronist und zog einen weiteren Brief aus seinem Dossier hervor. »Er hat dort sogar bei den bulgarischen Kirchenbehörden Eingang gefunden, Vorträge gehalten und eine Audienz beim Zaren gehabt. Wir wissen nun, daß es mit seinen Zitaten aus dem Kyrillischen seine Richtigkeit hat. Jedenfalls ist es ihm überall gelungen, Freunde und Gönner zu finden, die ihn großzügig unterstützten. Zurückgezahlt hat er offenbar nie etwas, auch seinem wohlwollenden Lehrer und seinen Studienfreunden nicht, obwohl er zeitweise auf großem Fuße gelebt hat.«

»Toll«, sagte einer der Zuhörer.

»Ja, es ist toll«, erwiderte der Chronist. »Überall hat er auch immer wieder nach kurzer Zeit seinen Stab weitersetzen müssen. Die nächsten Stationen — ich kann Ihnen nicht alles vorlesen — sind Konstantinopel, Tiflis und La Paz in Bolivien. Daher hat er wohl sein Spanisch. Ich habe hier ein Schreiben eines Gewährsmannes, der mir bestätigt, daß Aribert Tannenbaum anderthalb Jahre lang Direktor des Naturwissenschaftlichen Museums in La Paz war, bis er aus ungeklärten Ursachen seinen Abschied nahm und nach Mexiko ging. Auch mit den Naturwissenschaften stimmt es also. Es stimmt überhaupt alles. Nur der Mann selber stimmt nicht. Und wenn unser Freund, der Negationsrat, einmal gesagt hat, er sei 'beinahe ein Genie', so ist er auf alle Fälle ein Pumpgenie. Darüber sind sich alle Zeugnisse einig. Nur aus den letzten Jahren habe ich keinerlei zuverlässige Nachrichten beibringen können, meine Herren. Da fehlen alle Spuren. Vielleicht hat er versucht, wieder ehrlich zu werden. Seien wir gerecht: wir wollen es hoffen.«

»Na, ’das genügt, sprach der Staatsanwalt‘«, sagte einer der Anwesenden. »Mehr wollen wir doch gar nicht hören.«

Am tiefsten erschüttert war der Senatspräsident, der keinen der Vorträge Lamettas versäumt hatte. »Also doch ein Jurist«, sagte er fassungslos zu Lesser, »und noch dazu Schüler von Ohlig. Ich hätte das nie für möglich gehalten. Allerdings war er wohl mehr Rechtshistoriker, und von da ist er dann auf seine Sprachstudien gekommen.« Er schien darin einen gewissen Trost zu finden. »Aber Unterschlagung, Diebstahl, in öffentlichen Bibliotheken! Ein Akademiker, ein angehender Dozent, eine Leuchte seiner Wissenschaft, und noch dazu keineswegs in Notlage. Das ist mir alles doch sehr fremd. Ich wollte, meine liebe Frau könnte einen Blick auf den merkwürdigen Menschen werfen. Sie wäre vielleicht imstande, mir das Rätsel zu erklären. Ich erinnere mich, daß mir von Anfang an seine merkwürdigen Hände mit den langen Fingern auffielen, die er dann immer so starr aufreckt. Man spricht nicht umsonst von Langfingern.«

»Eigentlich schade«, sagte Lesser. »Mir machte der Kerl Spaß.«

»Spaß?« sagte der Senatspräsident scharf. »Hören Sie mal, das ist kein Spaß. Darauf steht Gefängnis, und im Wiederholungsfall womöglich Zuchthaus. Da hört der Spaß auf.«

Der Negationsrat hatte sich schweigend entfernt.

Er ging am Abend in Lamettas Haus und trat in sein Zimmer. Der Vernichtete lag quer über das Bett gestreckt, den großen Kopf auf den langen Händen, als hätte ihn eine gewaltige Hand dort hingeschleudert. Das Radfahrermützchen war auf den Boden gerollt. Sein Gesicht war trocken und glühte.

Ludwig Einwohner rührte ihn vorsichtig an. Lametta wandte den Kopf.

»Sie?« fragte er, »Sie?« Die Erinnerung an das schreckliche dreimalige 'Sie' übermannte ihn, und er brach erneut zusammen. »Was wollen Sie von mir? Wollen Sie mir den Gnadenstoß geben? Sind Sie jetzt zufrieden? Sie haben das doch alles ausgeheckt, Sie haben das veranlaßt, Sie ...«

»Ich veranlasse nichts«, sagte Ludwig Einwohner ruhig. »Ich beobachte nur, und manchmal greife ich ein, um eine Kleinigkeit zu korrigieren. Ich bin gar nicht zufrieden mit unserm Verhalten. Ich finde, wir haben uns miserabel benommen. Ich bewundere Sie, Herr Professor!«

»Ich bin kein Professor«, sagte Lametta. »Das wissen Sie doch jetzt alle. Warum nennen Sie mich so?«

»Seien Sie mir nicht böse«, erwiderte Einwohner. »Ich denke nicht daran, Sie demütigen zu wollen. Sie sind für mich der Professor, allen wohlbestallten Geheimräten und Ordinarien zum Trotz, die doch meist, oder sagen wir besser: oft große Esel sind. Sie wissen mehr als sie alle, Sie können besser sprechen ...«

»Nun«, meinte Tannenbaum und begann sich aufzurichten.

»Jawohl, Sie sind ein wahrer Forscher und Gelehrter, das haben uns Ihre Vorträge bewiesen, kein bloßer Wiederkäuer und Abschreiber von längst Gesagtem. Wie ich diese selbstgerechten Funktionäre des Geistes hasse, die ihre Posten und Titel doch immer nur — oder jedenfalls sehr häufig — bekommen, weil sie Assistent bei ihrem Vorgänger waren oder seine unverkäufliche Nichte geheiratet haben! Nein, da bin ich für Tannenbaum, für Professor Tannenbaum.« Er tippte ihm mit der Revolverhand auf die glühende Stirn. »Da sitzt es, bei Ihnen, da. Bei den andern ist Stroh oder Watte.«

»Ich danke Ihnen, ich danke Ihnen, Herr Doktor Einwohner!« sagte Lametta bebend.

»Ich bin kein Doktor, und im übrigen ist nichts zu danken. Ich möchte mir das sogar verbitten, auch von Ihnen. Ich sage, was ich denke und was ich will. Guten Abend!«

Damit tänzelte der Negationsrat hinaus, sorgfältig auch hier im kleinen Zimmer bemüht, seinen Rücken nicht zu zeigen. Tannenbaum nahm sein Taschentuch heraus und wischte sich die Stirn. Mit hochgezogenen Beinen saß er auf dem Bett und atmete schwer. »Ein merkwürdiger Mensch«, murmelte er vor sich hin. »Ich hätte geschworen, daß er das angestiftet hatte. Aber es hat mir doch gut getan, was er sagte. Es hat mir gut getan.«

Er wurde plötzlich schwach und mußte sich legen. Sein Herz schlug gegen die Rippen, als wollte es ausbrechen. Die großen, wie mit einem Rastral gezogenen Falten auf seiner mächtigen Stirn verwirrten sich. Er rang verzweifelt nach Atem.

Am nächsten Tage traf seine Entlassungsorder ein. Man war allgemein froh, daß man auf diese Weise des weiteren Zusammenseins mit ihm enthoben wurde. Still und einsam schlich er durch die große 'Schleuse', sein Köfferchen in der Hand und das getreu und akademisch gemalte Porträt, das Baby Bitter von ihm erst vor kurzem, zur Zeit seines höchsten Ansehens, angefertigt hatte, unter dem Arm. Es war noch ein wenig frisch, und die Farbe blieb an seinem Ärmel hängen. Niemand gab ihm das Geleit. Selbst seine begeisterten Anhänger wagten es nicht, sich zu zeigen. Nur aus den Fenstern oder unter den Vorhallen hinweg blickte man ihm nach. Das kleine Radfahrermützchen auf dem gewaltigen Schädel verschwand hinter dem Gebäude der Kommandantur.

»Da zieht er nun hin«, sagte jemand flüsternd, »ganz klein und jämmerlich. Wir werden ihn nicht so bald wiedersehn.«

Sie sollten ihn sehr bald wiedersehen. Schon am Nachmittag hieß es, es sei etwas passiert. Am Hafen, beim Hinaufsteigen auf dem Laufsteg des Dampfers, der ihn nach Blackpool bringen sollte, war Lametta zusammengebrochen. Man brachte ihn auf einer Krankenbahre zurück ins Lager, mit schwerem Herzkollaps. Diesmal folgte ihm eine große Schar von der 'Schleuse' bis ins Hospital am Ende der zweiten Reihe. Dort lag er bewußtlos. Besucher wurden nicht zugelassen. Am Abend war er, trotz der wiederholten Kampferspritzen, die der Stabsarzt ihm verabreicht hatte, tot. Seine letzten Worte waren ein geflüstertes: ». . . Verjährung, meine Herren . . ., es gibt doch im Recht aller Völker die Institution der Verjährung . . .«

Der Schreiner zimmerte den Sarg. Die Lagerleitung bat den Kommandanten, eine Trauerfeier für den verstorbenen Kameraden veranstalten zu dürfen, was sogleich bewilligt wurde. Man beschloß, sie auf dem Platz stattfinden zu lassen, damit alle teilnehmen könnten. Und so kam es noch einmal zu einem 'großen Rasen' für Lametta. Der Sarg wurde in der Mitte aufgebahrt und das Porträt davor aufgestellt, von grünen Zweigen aus den Hecken vor den Häusern umgeben. Die Farbe des Bildes war zum Teil an Lamettas Jackenärmel hängengeblieben, und seine Züge hatten einen eigentümlich verwischten Ausdruck, als sei eine mächtige Hand quer darübergefahren. Der junge Geiger Schendschersitzki spielte, mit Doppelgriffen und rauschendem Strich, das Kol Nidre von Bruch und das Largo von Händel. Die Häftlinge hatten sorgfältig Toilette gemacht und ihre besten Sachen angelegt, soweit ihnen das möglich war. Alle waren ernst, viele hatten Tränen in den Augen. Reden wurden nicht gehalten, nur Wittnitz sprach ein paar kurze Worte:

»Zieh hin in Frieden, Aribert Tannenbaum! Wir alle haben Dir viel zu verdanken. Du warst ein guter Lehrer und hast uns getröstet. 'Frommen Sinnes Eigenschaft ist es, Dornen und andere Dinge, woran sich einer beschädigen kann, zu verbergen', so steht geschrieben. Möge die Erde Dir leicht sein, die Dir so schwer war! Amen.«

Die Hausgenossen trugen den Sarg hinaus durch die 'Schleuse', die sich langsam öffnete und nun endgültig hinter ihm schloß.

27

SPÄTZEIT UND AUFLÖSUNG

Gärtner hielt eine der schicksalsvollen Botschaften über die Freilassung in der Hand, diesmal für Groterjahn. Der Bildhauer starrte nachdenklich auf den Zettel:

»Tja, jetzt werden wir also frei, mein Lieber.«

»Freuen Sie sich nicht?«

»Doch, ich freue mich«, sagte Groterjahn. Er blies den Pfeifenrauch in kleinen Bläschen in die Luft. »Natürlich freue ich mich. Gundi hat auch geschrieben, endlich, das Luder. Sie hat sogar ein Atelier für mich besorgt. Ich weiß, wohin ich gehe, und das ist mehr als die meisten von sich sagen können.«

»Aber? Irgendein 'aber' ist in Ihrer Stimme, Hanno.«

»Sehen Sie, Gärtner, ich habe in diesen langen Monaten viel darüber nachgedacht: was fangen die Menschen eigentlich mit ihrer Freiheit an? Wollen sie wirklich frei sein? Haben sie nicht im Grunde Angst davor? Vor der Verantwortung, dem Zwang, sich zu entscheiden, dem Alleinsein? Ist ihnen nicht die Sicherheit lieber, die Geborgenheit, die Wärme, auch wenn es die Wärme eines Gefangenenbettes ist, auf dem man zu zweien schläft? Vielleicht friert man 'da draußen'. Ein furchtbares Geschenk, die Freiheit. Ich habe das schon einmal unserem jungen Freund Erich gesagt. Er hat natürlich nicht zugehört.«

»Der Bescheid für Grimme ist auch schon unterwegs«, sagte Gärtner.

»Er wird vergnügt sein, wenn er herauskommt«, meinte Groterjahn. »Da wird er dann in irgendeinem gottverlassenen Winkel von London sitzen, unter den Bomben, und seine Bilder pinseln, die nach oben und unten ausfahren. Niemand wird sie ihm abkaufen. Er wird frei sein zu verhungern.«

»Marke will versuchen, etwas für ihn zu tun.«

»Der muß selber strampeln, um sich über Wasser zu halten. Hier kennt ihn niemand. Alles dreht sich, alles bewegt sich, und jetzt ist er unten, wie wir alle. Alle sind wir unten, auch die Sieger von heute und morgen. Seit Jahrtausenden kämpfen die Menschen um die Freiheit. Wir hatten sie. Wir haben die freieste Zeit erlebt, die es je gegeben hat. Was haben wir damit gemacht? Wir haben sie in Stücke geschlagen. In unsern Bildern lagen die Trümmer herum, längst ehe die Bomben kamen. Unsere Politik war ein Scherbenhaufen, den die großen Einheitshelden nur zusammenzukehren brauchten. In unseren menschlichen Beziehungen ...« Er schwieg. Um seine Mundwinkel war ein greisenhaftes Zittern.

Gärtner legte ihm leise die Hand auf den Arm.

»Danke«, sagte der Bildhauer.

Gärtner nahm seine Hand vorsichtig wieder zurück und blickte ihn aufmerksam an: »Hören Sie, Hanno, das klingt mir etwas zu surrealistisch und bequem, was Sie da sagen, nehmen Sie es mir nicht übel. Vielleicht gibt es keine absolute Freiheit, für die Völker wie für den Einzelnen. Aber es gibt Grade der Unfreiheit. Wir haben sie erlebt.«

»Hier waren wir frei«, sagte der Bildhauer. »Vielleicht müßte jeder Mensch einmal ein paar solche Monate hinter dem Stacheldraht zubringen.«

»Es gehören gewisse Bedingungen dazu«, erwiderte Gärtner. »Eine Menscheninsel, ein malariakranker Kolonialmajor, ein Hotelportier, der seine Feldwebeluniform wieder angezogen hat, das ist noch nicht das Schlimmste. Es gibt andere Lager und anderen Stacheldraht.«

»Wahr, mein Lieber, und aus dem werden wir uns in diesem Leben nicht mehr herauswickeln. Was für eine Freiheit soll das sein, auf die wir hoffen? Ein Waffenstillstand bestenfalls, wenn überhaupt jemand diesen Krieg gewinnt. Der Haß, die Bosheit, die Rachsucht, das alles bleibt doch, nachdem es einmal aufgestört worden ist. Das frißt weiter. Neulich hatten wir da eine Debatte über die hochwichtige Frage, was mit Hitler geschehen soll, wenn man ihn fängt. Die üblichen törichten und blutrünstigen Vorschläge; unser guter Philologe Vries brachte aus der byzantinischen Geschichte die Bestrafung des Kaisers Andronikos bei, den das Volk eine Woche lang marterte, um ihm all die Qualen anzutun, die er andern zugefügt hatte, sorgfältig bedacht, ihn nicht zu schnell sterben zu lassen. Ich mußte dabei an die Geschichte vom bösen Weib aus Tausendundeiner Nacht denken: die wird nach unendlichen Missetaten endlich ergriffen, getötet und in den Euphrat geworfen. Die Leiche treibt den Strom hinunter und landet unten im Delta bei Basra. Eine Seuche bricht aus. Die halbe Bevölkerung fällt ihr zum Opfer. Man stößt den Kadaver ins Meer. In Indien wird er angetrieben. Die Pest erfaßt den halben Kontinent. So etwa denke ich mir Hitlers Ende. Wir sind seine Gefangenen, lebenslänglich. Wir werden die Freiheit nicht mehr erleben.«

»Auch die Pest erlischt eines Tages«, meinte Gärtner. »Sie erfaßt nur die halbe Bevölkerung.«

»Und was sind das für Menschen, die da übrigbleiben?« fragte der Bildhauer. »Halten Sie die für frei? Ich nehme an, sie werden verängstigt, müde, erschöpft sein, ratlos und eine leichte Beute für jeden neuen Zwang.«

»Etwas in mir weigert sich, Ihre These anzunehmen, Hanno. Das Leben geht weiter.«

»Das tut es wohl«, sagte der Bildhauer bitter. »Manchmal wünscht man, es bliebe stehen.«

»Nein«, erwiderte Gärtner, »es bleibt nicht stehen. Übrigens: ich habe gestern, als ich die Ankündigung meiner Entlassung erhielt, zum ersten Male wieder meine Uhr aufgezogen. Ich habe mir sogar in der Kantine einen Kalender gekauft und darin den 12. Juli 1941 rot angestrichen.«

»Vielleicht hätten Sie Arzt werden sollen, Gärtner«, meinte Groterjahn. »Schönen Dank jedenfalls für die Lektion. Und jetzt muß ich die letzte Hand an meine Golfspielerin legen. Der Major besteht darauf, daß ich sie mit meinem vollen Namen signiere. Man soll keinen Auftrag ablehnen, auch den kleinsten nicht.«

Er schritt mit weichen Sohlen davon zur Kommandantur.

Die Entlassungen folgten nun Schlag auf Schlag, und immer mehr Häftlinge erhielten vom Briefboten die Order zugestellt, meldeten sich auf der Kommandantur und zogen mit ihrem Koffer durch die Schleuse ab. Die Abschiedsfeiern wurden zur Routine, und kaum gab man noch jemand wie zu Beginn in großen Scharen das Geleit zum Tor. Eine neue Ordnung griff von außen her in das Camp ein und überlagerte die alte, nun schon so festgefügte ständische Schichtung. Der Druck, der alle zusammengehalten und zu einer Einheit geformt hatte, ließ nach, und damit lösten sich die Bindungen an Hausgenossenschaft, Reihengemeinschaft und Lagervolk.

»Wir haben oft über die Armseligen in ›Klein-Algier‹ gespottet, die nur den Ausblick auf die Hinterseite von ›Zwei‹ haben«, so hieß es. »Jetzt sitzen wir selber da und können auf die Möwen starren, die immer frecher werden und auf dem Golfplatz herumwatscheln, als gehörte er ihnen.«

Auch das politische Leben schlief ein. Die Wahlen fanden nur noch geringe Beteiligung. Als Campvater Heckenast ging, die Taschen mit Pfeifen und Tabak gefüllt und gelassen seine gewaltige

Sitzfläche durch das Tor bugsierend, herrschte allgemeine Gleich-gültigkeit über die Bestimmung eines Nachfolgers. Der Reihen-vater der Dritten, Fotograf Wießner, wurde gewählt, obwohl bekannt war, daß der eckig gebaute Mann mit den Kugelaugen ziemlich schroff und willkürlich war. Nur etwa die Hälfte der Stimmberechtigten war überhaupt erschienen; die anderen blie-ben fern und erklärten, es sei ihnen völlig egal, wer da nun über 'die' regieren würde.

Die Außenwelt rückte näher heran. Immer häufiger wurden Besuche von Angehörigen. Wohlhabende ließen sich ihre Ver-treter kommen. Elzbacher, außer sich über die unerwartete Ver-zögerung seiner Befreiung, die er sich nicht erklären konnte, hatte sich seinen Anwalt bestellt, einen Königlichen Rat und In-haber einer berühmten Kanzlei. Man sah ihn mit dem ungemein elegant gekleideten Herrn im schwarzen Paletot und der Melone vor dem Zaun bei der Kommandantur auf und ab gehen und er-regt gestikulieren.

»Junge, Junge«, sagte Mochow zu seinem Freund, dem Schrei-ner, »das wird ihn eine Stange Geld gekostet haben. So einer nimmt's doch von den Lebendigen. Sieh Dir nur den goldnen Füllfederhalter an! Damit macht er sich nun seine Notizen. Und wenn er wieder zu Hause ist, dann gibt er den ganzen Kohl sei-nem Bürovorsteher. Laß Elzbachern ruhig ein bißchen zappeln. Der kann warten, bis wir auch dran sind. Der braucht sich keine Extrawurst zu braten.«

Das geistige Leben konnte sich von dem Schlag, den es durch Lamettas Tod erlitten hatte, nicht recht erholen. Noch immer pil-gerten Hörer mit dem Stuhl über dem Rücken in die Häuser der Dozenten. Das Auditorium maximum stand leer. Von einem 'gro-ßen Rasen' war gar keine Rede mehr.

Nur Baby Bitter erlebte noch einmal eine große Epoche. Er zog sich in seine Dachkammer zurück, die er nun allein bewohnte.

In dieser Spätzeit schuf er seine reifsten Werke. Sie brauchten in der Tat geraume Zeit zum Reifen, so seine Porridgeplastik, die er aus wochenlang gesammeltem Haferbrei an Stäben und Drähten emporspann. Die anfangs glasig ziehende und dann allmählich in bunten Farben verschimmelnde Masse ergab ihn selbst immer wieder überraschende Effekte in Kalkweiß, Rosa und Zartgrün. Er kreierte das Bodenrelief, das mit den Füßen getreten wurde und bei den unter ihm wohnenden Hausgenossen lebhafteste Proteste hervorrief. Das Resultat betrachtete er von einer Standleiter. Seine letzte Schöpfung war eine Art Alraune, die er freilich nicht so nannte. Er war ein Gegner von Bezeichnungen. »Das hat unser Freund Klee ganz vierblättrig verstanden«, pflegte er zu sagen. »Seine Titel sind oft das Beste. Das gibt den blöden Spießerköpfen einen Schubs, und sie setzen sich in Bewegung. Ich lasse sie lieber raten und mich überraschen.« Die Alraune nun, die er in dem Garten hinter der Kommandantur aus dem Boden gezogen hatte, war ein verstümmeltes Rübenweibchen mit halben Beinen und fast ohne Arme, wie das schrecklich verkrüppelte Mädchen, das in Paris seine Künstlerfreunde mit Witz und Charme begeistert hatte und zu einer Egeria der Avantgarde geworden war. Bitter schnitt den Kopf ab und setzte an seine Stelle eine halbe Nußschale.

Zwischendurch schnitt er mit dem Taschenmesser aus einem großen harten Gipsscherben, der sich in die Bodenplastik nicht hatte einfügen wollen, eine Gruppe von kühn anspringenden Pferden in Flachrelief heraus, klassisch-griechisch im Stil und sehr lebendig.

Er lud die andern Künstler zur Besichtigung. Groterjahn kam, an seiner Pfeife wie an einem Schnuller saugend; Thumann kam, die ungeschlachten Arme schwenkend, Erich Grimme mit dem blonden Manetbart und auch das Mopsgesicht Lichtenberger.

Baby Bitter forderte sie auf, die Standleiter zu besteigen.

»Es gibt Rundplastik, und ich habe schon daran gedacht, einmal eine Figur auf die Grammophonscheibe zu stellen und sich drehen zu lassen. Das wäre erst die richtige Rund-Rundplastik. Da hätten wir dann die vierte Dimension, wie unser Lametta das so schön ausführte: Die Zeit muß noch dazukommen, die Zeit! Für unsere Zeit, liebe Freunde, die ja etwas ruhelos ist, hatte ich schon vor Jahren die Reiseplastik erfunden, die man aus dem Koffer auszieht und wieder einpackt, schnapp, und mitnimmt und gerade da aufstellt, wo eben Platz und Bedarf danach ist. Auf unsern öffentlichen Plätzen ist doch heute viel zuviel Rastlosigkeit; die Standbilder werden alle Augenblicke abmontiert, wenn die Regierung wechselt. Aber ich hatte das Gefühl, daß wir hier im Camp schon etwas mehr Boden unter den Füßen hätten. Und so habe ich mein Bodenrelief geschaffen, mit meiner Füße Arbeit. Ihr müßt auf die Leiter steigen, von unten seht Ihr nichts.«

Lichtenberger betrachtete inzwischen den Scherben mit den springenden klassisch-griechischen Pferden und sagte:

»Ich verstehe, ich verstehe das nicht. Sie können das doch sehr gut. Warum machen Sie, zum Teufel, machen Sie solchen Unsinn? Finden Sie das schön?« Er wies auf die Alraune. Sein weiches Mopsgesicht war weinerlich verzogen.

»Ich mamamamache das überhaupt nicht«, sagte Baby Bitter. »Es mamamamacht sich von selbst. Alle große K-K-K-Kunst macht sich nämlich von selbst.«

»Ich habe meinen, habe meinen Zungenfehler schon von Kindheit an«, stieß Lichtenberger wütend heraus.

»Meiner ist Kunst«, erklärte Bitter. »Ich bin Kunststotterer. Es gibt viele Kunstarten, von denen Du nichts weißt, Lichtenberger. Von Rahmen verstehst Du etwas.«

»Kunst?« fragte Lichtenberger. »Aber ich denke, denke doch, die macht sich von selbst?«

»Du sollst überhaupt nicht denken«, erwiderte Baby Bitter.

Seine aquamarinblauen Augen begannen zu wandern: »Was ist das, was Du schön nennst oder häßlich? Was ist das: groß oder stark und mächtig öder klein und armselig? Was sind das für Leute, die da jetzt auf den Plätzen stehen und dem öffentlichen Bedürfnis dienen: Hitler, Mussolini, Stalin, Roosevelt? Ich weiß es nicht. Wer bist Du, und wer bin ich? Ich weiß nicht, weiß nicht, wwwwwweiß nicht.« Es klang wie ein Wimmern. Sie schwiegen.

Groterjahn trat mit seinen leisen Panthersohlen an die Alraune heran und betrachtete nachdenklich den halbierten Kopf:

»Seltsam, Baby. Das Innere dieser Nußschale sieht tatsächlich wie die Wandung eines Schädels aus. Es ist unheimlich. Und es ist bösartig, wie Du sie so halbiert hast. Du bist ein böser Mensch.«

Bitter strich mit dem Zeigefinger sehr vorsichtig über den Rand:

»Du weißt nicht, was das ist, Hanno. Ein Matrose gab mir das Ding, als wir von Narvik über die See fuhren und Angst hatten, torpediert zu werden. 'Nimm das' sagte er, 'es schützt Dich! Du kannst damit nie untergehen. Wir sind auch nicht untergegangen.'«

Er nahm die Nußschale von der Figur ab, legte sie auf seine flache Hand und hielt sie den Freunden hin:

»Wißt Ihr, wieviel Menschen hier hineingehen? Dreitausend, und wenn es sein muß noch mehr, mitsamt dem Major und Feldwebel. Ihr alle seid freundlichst eingeladen, Platz zu nehmen, wenn Not am Mann ist. Bitte!«

»Du bist ein guter Kerl, Baby«, sagte Groterjahn. Er nahm seine Pfeife aus dem Munde, trat an Bitter heran, umarmte ihn und deutete eine Berührung auf der Wange an. Bitter umschlang ihn leidenschaftlich mit seinen kräftigen Armen und drückte ihm einen Kuß auf den Mund.

»Du gehst morgen, Hanno«, sagte er.

»Ich gehe morgen«, erwiderte der Bildhauer.

»Und Ihr andern auch?«

»In den nächsten Tagen«, hieß es.

»Ich bleibe«, sagte Bitter. »Was soll ich auch da draußen! Ich kann hier arbeiten. Aber vergeßt mich nicht, Kinder, auch Du nicht, Mopsgesicht, vergeßt mich nicht! Zu Hause bin ich doch schon vergessen. Und Ihr werdet auch bald was Besseres zu tun haben, als an Baby Bitter zu denken. Habt sehr schönen Dank, daß Ihr noch einmal gekommen seid! Auf Wiedernimmersehn also! Schert Euch zum Teufel, Ihr Lumpenhunde!«

Sie stiegen langsam die Treppe hinunter. Einige Hausgenossen Bitters, die gehorcht hatten, drückten sich scheu beiseite.

Die Künstler erhielten ihre Entlassungsorder und gingen, nachdem Groterjahn dem Major noch die fertige Golfspielerin überreicht hatte, die als fünftes Erinnerungsstück nun den Kreis beschloß, der vom afrikanischen Buschmesser, der arabischen Pistole, dem indischen Vorderzeug und dem Dayak-Köpfchen gebildet wurde. Die Professoren gingen, die Kaufleute, die wichtige volkswirtschaftliche Aufgaben zu lösen hatten, die drei Geistlichen verabschiedeten sich, und Rabbiner Wittnitz sagte zu Pastor Agricola:

»Es wird schwer für mich sein in meinem kleinen Nest dort in Wales, wo ich niemand habe. Hier brauchten die Menschen mich, hier hatte ich eine Gemeinde. Ich werde mich erst wieder an die Einsamkeit gewöhnen müssen.«

Pojarski ging, und mit ihm zugleich der Schriftsteller Lesser, der seine Schreibmaschine stolz und offen in der Hand trug und die eben ausgedruckten Probebogen seines Buches ’Our greatest Ally‘ auf beiden Seiten in den Taschen seines Regenmantels verteilt hatte. Elzbacher, der in den letzten Tagen fast trübsinnig geworden war über die Verzögerung seines Antrags und einen geduckten Ausdruck in den Augen bekommen hatte, schritt stolz und aufrecht zur Schleuse. Einer der Heloten trug ihm den schweren schweinsledernen Koffer. Mochow, seinen eisenbeschlagenen Stock schwer auf den Boden setzend, stampfte zusammen mit seinem Freunde, dem rotbäckigen Schreiner, durch das Tor.

»Na, nun ziehn wir mit Gesang / in das nächste Restaurang«, sagte er laut und kniff die schmalen Augen zusammen, bis sie nur noch eine dünne Ritze bildeten. »Es ist eigentlich eine Schande: da hatten wir doch eine Menge Schriftsteller und Musiker und Künstler hier unter uns und den Peter Pojarski dazu, und sie haben uns ja auch allerhand geboten, alles, was recht ist. Aber ein richtiges Lagerlied hat keiner zustande gebracht, das wir nun anstimmen könnten, das gehört eigentlich dazu, das sollte sein, weißt Du, Emil, so wie: In Huddelstohn, da bin ich gewesen, und dann zum Schluß mit: Reserve hat Ruh' oder so ähnlich. Na, es muß auch so gehn. Aber wir merken uns das. Das nächstemal muß das besser klappen.«

»Komm nur, Wilhelm«, drängte der Schreiner, »die warten nicht auf uns! Und was sagst Du da von 'nächstesmal'?«

»Das kann keiner wissen, Emil. Unter Kaiser Wilhelm haben sie mich eingebuchtet, unter der Republik, unter Adolf und nun hier beim Engländer. Und wenn wir wieder nach Hause kommen, dann weiß ich nicht, ob wir da so richtig hinpassen. Da werden sie Wilhelm Mochow womöglich nicht mehr mögen. Der kann die Schnauze nicht halten. Der ist zu alt. Auf die Jugend kommt es an, Emil, die Jugend muß man haben!«

Er stapfte schwerfällig dahin und griff sich von Zeit zu Zeit mit der Linken an die Brustseite seiner abgewetzten Windjacke. Der Schreiner trug ihm seine kleine Blechkiste.

Auch für Gärtner kam die Order. Feldwebel Monihan ließ ihn in sein Büro rufen und übergab sie ihm persönlich. Er zwinkerte mit den Augen und fügte hinzu, er habe aus Port Erin durch eine befreundete Sergeantin gehört, daß auch da Aufbruch- und Auflösungsstimmung herrsche.

»Wenn Sie nach London kommen, dann wird Ihr Mädel schon auf dem Bahnhof stehen. Wollen Sie ihr telegrafieren? Ich kann das durchgeben. Und wenn Sie später mal am Chichester Court vorbeikommen, dann sehen Sie doch bei mir herein und wir haben einen Drink im Restaurant. Wir haben das Restaurant im Haus.« Sein Gesicht verwandelte sich und nahm plötzlich statt des majestätischen Feldwebelausdrucks und der Miene des Herrschers über dreitausend Menschen die Züge des Hauptportiers an. »Vielleicht brauchen Sie auch eine Wohnung nach dem Kriege? Oder die Dame? Oder am besten Sie alle beide, eh? Kommen Sie mal vorbei! Alles Gute inzwischen! Auf Wiedersehn!«

Zusammen mit Gärtner schritt ein ganzer Trupp durch die 'Schleuse', darunter auch der Haltlose, der mit James Pollack in einem Zelt gehaust und immer wieder durch gelegentliche Anfälle Aufsehen und Unruhe erregt hatte. Die Kameraden neckten ihn freundlich und meinten, jetzt werde er wohl mit dem Zupfen am Stacheldraht und seiner Scheu vor dem Gitter Schluß machen können; das sei nun vorüber. Sie schlossen sich enger um ihn zusammen, als wollten sie ihn, wie beim ersten Spaziergang, vorsichtig durch die Schleuse lotsen, und klopften ihm auf die Schulter.

»Laßt das!« rief er ärgerlich und riß sich los. Er sprang zurück und legte plötzlich die Hände auf den Pfosten des Innentores. »Geht nur weiter, lauft zu«, rief er, »ich habe mit Euch nichts zu tun, ich bleibe hier bei denen!«

»Kommen Sie, kommen Sie!« drängten die andern. Auch der Schreiber Quilliam, der sie begleitete, wurde ungeduldig.

Der Haltlose klammerte sich an den Pfosten an und sperrte sich mit Leibeskräften. Einer fragte plötzlich:

»Wo hat er denn überhaupt sein Gepäck gelassen?«

»Ich habe kein Gepäck!« schrie der Haltlose. »Meine Sachen stehen alle in Haus 38. Da gehöre ich hin. Und da bleibe ich. Macht, was Ihr wollt, lauft zu, und laßt mich in Frieden!«

»Reden Sie doch mit ihm, Reihenvater!« wandte sich einer an Gärtner.

»Mein Amt habe ich abgegeben«, sagte Gärtner. »Aber ich glaube, wir lassen ihn. Ich will ganz gern noch einmal mit dem Kommandeur sprechen.«

Der Haltlose stürzte auf ihn zu und preßte ihm zitternd die Hände:

»Tun Sie das, Reihenvater, tun Sie das! Ich will doch gar nichts, ich will nur hierbleiben, nur hierbleiben. Hier kennen sie mich, hier sind sie freundlich zu mir, und der Stacheldraht stört mich überhaupt nicht, ich sehe ihn gar nicht mehr. Ich will bleiben, ich will auch arbeiten und mich nützlich machen, ich will arbeiten wie eine Biene, sagen Sie das dem Kommandeur, er soll nicht glauben, daß ich faul bin. Herrgott, es muß doch einen Paragraph geben, nach dem man hierbleiben kann! Sprechen Sie mit ihm, ich werde Ihnen ewig dankbar sein!«

Er schwankte. Es sah aus, als ob er zu Boden stürzen würde.

»Gehn Sie erst einmal ruhig in Ihr Haus«, sagte Gärtner. »Ich werde den Kommandeur verständigen.«

Der Haltlose machte kehrt und eilte mit angstvoll-hastigen Schritten zurück in die Reihe eins und zum Haus 38.

Der Schreiber Quilliam, der die auf deutsch geführte Auseinandersetzung nicht verstanden hatte, fragte ärgerlich:

»Was ist denn mit der Vogelscheuche? Wo will der denn hin?«

»Er will zurück ins Lager«, sagte Gärtner. »Er will hierbleiben. Ich spreche darüber noch mit dem Kommandeur.«

»Nicht nötig«, sagte Quilliam und zog seine Liste hervor. »Wie heißt er?« Sie nannten ihm den Namen. Er strich ihn von der Liste und nickte: Will hierbleiben? Auch gut; bleibt hier.

»Nun aber vorwärts«, drängte er, »der Dampfer wartet nicht auf Euch! Der ist nicht bloß für Euch gechartert. Ihr seid jetzt wieder ganz gewöhnliche Passagiere.«

Sie zogen hinunter zum Hafen, wo die üblichen vereinzelten Mißvergnügten am Quai umherstanden. Auch die Stadt hatte wie der Feldwebel ihre Miene gewechselt und zeigte ihr Zivilgesicht. Sie war wieder der kleine Badeort, dessen müßige Leute zum Mittagsdampfer oder Abendzug gehen und die Ankünfte oder Abfahrten kontrollieren.

Das Wetter war kühl und leicht diesig. Sie stiegen die Landetreppe hinauf zu dem wartenden Boot und dachten dabei an Lametta, der hier auf den Stufen zusammengebrochen war; sie nahmen Platz unter den spärlichen Fahrgästen, die zu dieser Jahreszeit und bei dem erbärmlichen Gang der Geschäfte auf der Insel den Trip zum Festland machten. Das Schiff steuerte hinaus aus dem Hafen und stapfte, wie mit vorsichtigen Schritten, im Zickzackkurs — der U-Boote und Streuminen wegen — durch die See. Sie blickten zurück auf die eigentümlich gebrochene Kielspur und den Umriß der Menscheninsel, die allmählich zusammenschrumpfte. Immer kleiner wurde sie, immer flacher, bis sie schließlich nur noch wie eine winzige Nußschale auf der grauen Fläche zu treiben schien. Ein Windstoß drückte die Rauchfahne des Dampfers herunter und wischte mit schwarzem Schwamm die letzten Spuren fort.

EPILOG

WIEDERSEHEN UND SCHLUSSREIGEN

Das große Wiedersehen fand einige Monate nach den Entlassungen statt. Marke hatte die Zusammenkunft organisiert und auch das Lokal ausfindig gemacht, eine Art Kantine im ersten Stock eines Gewerkschaftshauses nahe der London Bridge. Man hatte den späten Nachmittag gewählt, denn die meisten Teilnehmer hatten nun, im dritten Jahre des Krieges, Arbeit oder Beschäftigung gefunden, unter den Beschränkungen, die für 'friendly Aliens' galten. Alle waren gekommen, und sie hatten die Frauen mitgebracht. Die Senatspräsidentin saß neben ihrem Mann, in hochgeschlossener dunkler Bluse mit einer Kameenbrosche, Barbara unterhielt sich mit Frau Mochow, und Gundi Weißhäuptl blickte mit düster funkelnden Augen auf die Lagergenossen des Bildhauers. Mit verschwörerisch überlegenen Mienen ließen die Männer den Frauen ab und zu eine Erklärung darüber zukommen, was es etwa mit Ithamar und seiner kurzen Regierungszeit, mit Feldwebel Monihan oder Lametta auf sich gehabt habe. Zuerst und vor allem aber sprachen sie unter sich von dem »unvergeßlichen Jahr« des gemeinsamen Lebens. Wie eine Schulklasse, die sich im späteren Alter noch einmal zum Treffen zusammengefunden hat, schwatzten sie, vergnügt und aufgeregt: »Weißt Du noch...?« oder: »Erinnern Sie sich...?«

Es war spät geworden, und fast alle blieben, bis auf solche, die zur Nachtschicht in einem Betriebe antreten mußten. Auch der

Geiger Schendschersitzki verabschiedete sich, nachdem er ein Kreislerstückchen zum besten gegeben hatte, und ging, den Kasten unter dem Arm, ins »Elyseum«, wo er am Pult des Primgeigers saß. Peter Pojarski verbeugte sich nach allen Seiten: »Ein andermal, Kinder, ich bin heute zu gerührt, da kann man nicht richtig arbeiten, und dann muß ich zur Vorstellung. Grüß' Euch Gott, Ihr treuherziges Gesindel!«

Die Sirenen begannen ihr allabendliches Lied, das wie aus dem Straßenlärm der Großstadt aufstieg. Eine schmutzige Fontäne von Geheul tanzte auf und ab. Hoch oben zog die wilde Jagd der Bomber über den Horizont, gefolgt von der klaffenden Meute der Abwehr. Einschläge hallten fern herüber in kurzen Abständen, wie das ruckweise Einbrechen von mächtigen Mauerwänden. Die Bedienerinnen zogen die schwarzen Verdunkelungsgardinen enger. Sie fragten, ob jemand nicht lieber in den Keller wolle.

»Aber wo«, sagte der Senatspräsident, »wir bleiben zusammen. Wir bleiben hier zusammen.«

Das Haus sprang wie ein Schiff, das auf eine Klippe aufgelaufen ist, in die Höhe, ehe sie den Lärm der Explosion, das Bersten von Gebälk und das scharfe Splittern der Fensterscheiben hörten. Es roch brandig. Die Lampen waren ausgegangen. Die zerfetzten Gardinen flatterten und ließen kurze Stöße von Licht aus der weißglühend erhellten Nacht von draußen herein. Alle blickten nach oben zur Decke.

Sie hielt, bis auf Teile des Bewurfs, die heruntergekommen waren und den Tisch oder Fußboden mit grauen Mörtelbrocken bedeckten. Das alte, morsche Gebäude ächzte in den Fugen und setzte sich langsam. Auf dem Dach klapperten lose Stangen und Sparren. Güsse von Ziegeln rutschten ab und knallten auf das Pflaster.

Gärtner zog eine Taschenlampe hervor und fragte mit ihrem dünnen Strahl die Runde ab. Niemand war verletzt. Schweigend wischten sie sich den Staub und Kalk aus den Haaren. Die Tür war in der Mitte geplatzt und sperrte den Ausgang ab.

Er trat sie zusammen mit dem Schreiner ein und blickte mit der Taschenlampe hinaus. Das Stiegenhaus war eine jäh abstürzende Schutthalde. Er wandte sich an die Bedienerinnen, die an der Wand standen, als hätte sie der Druck der Explosion dort festgedrückt.

»Ist da noch ein anderer Ausgang?«

Das eine der Mädchen schüttelte seinen Rock aus und sagte: aber gewiß, der schmale Gang an den Toiletten vorbei und dann links, da sei eine Notstiege, die werde ja noch heil sein?

Die Stiege war heil geblieben. Nur das Geländer war heruntergebrochen und hing kopfabwärts im Spiegelbild am unteren Rand der Treppenstufen. Gärtner schritt mit dem Schreiner die Strecke bis zum Erdgeschoß ab und räumte einige Trümmer aus dem Wege. Die blechbeschlagene Tür zur Straße war nur leicht verklemmt und ließ sich öffnen.

Sie kehrten zu den andern zurück und nahmen die Frauen in die Mitte.

»Bunte Reihe, meine Damen und Herren«, sagte der Schreiner, »und immer schön mit den Händchen anfassen, dann kann nichts passieren. Macht nichts, macht fast gar nichts, die Stufen sind aus Beton, keine bloße Zimmermannsarbeit wie da vorn, da ist alles Kleinholz. Manchmal sind die Herren Ingenieure uns doch über. Da muß schon mehr kommen als solch eine lausige Fünfhundert-Kilo Bombe, eh das zusammenkracht.«

»Zusammenbleiben, zusammenbleiben!« rief der Senatspräsident. Er streckte die eine Hand nach seiner Frau aus und ergriff mit der anderen Barbaras schmale Linke. Die anderen schlossen sich an. Wie in einem langgezogenen, vorsichtig schreitenden Reigen zogen sie in den dunklen Schacht hinunter, zum Schein von drei oder vier Taschenlampen.

»Die reine Polonäse«, meinte der Schreiner. »Sogar für Lampions ist gesorgt.«

Unwillkürlich blieben sie noch eine kleine Weile Hand in Hand, nachdem sie schon auf die Straße hinausgetreten waren. Die Glasscherben, die handhoch den Bürgersteig bedeckten, knirschten wie Eisbrocken unter ihren Füßen.

An der Straßenecke machten sie halt und ließen die Arme sinken. Die Paare und Pärchen traten zusammen. Still und feierlich nickten sie einander zu, und manche machten eine altmodische Verbeugung, ehe sie auseinandergingen, die einen hierhin, die anderen dorthin, in das Dunkel des Eingangs zur Untergrundbahn oder die flackernde Helle der Straße, in der eine angeschlagene Gasleitung eine turmhohe, donnernde Flamme emporsteigen ließ.

INHALT

DRITTES BUCH

Das Volk auf der Menscheninsel

EPILOG

Richard Friedenthal

Das Erbe des Kolumbus
Novellen. 1985. 256 Seiten. Serie Piper 355.

Kein Biograph unseres Jahrhunderts hat die Kunst des Erzählens
so meisterhaft beherrscht wie Richard Friedenthal, wie diese
Novellen beweisen.

Vom gleichen Autor liegen vor:

Diderot
Ein biographisches Porträt. 1984. 159 Seiten. Serie Piper 316

Goethe
Sein Leben und seine Zeit. 14. Aufl., 148. Tsd. 1985. 669 Seiten.
Serie Piper 248 (Auch als gebundene Ausgabe lieferbar)

Jan Hus
Der Ketzer und das Jahrhundert der Revolutionskriege. 1984.
478 Seiten. Serie Piper 331

Karl Marx
Sein Leben und seine Zeit. 1981. 652 Seiten,
33 Abbildungen auf Tafeln. Leinen

Leonardo
1983. 174 Seiten mit 105 Abbildungen. Serie Piper 299

Luther
Sein Leben und seine Zeit. 13. Aufl., 160. Tsd. 1985.
681 Seiten mit 38 Abbildungen. Serie Piper 259
(Auch als gebundene Ausgabe lieferbar)

PIPER

Die Welt ist ein Versuch

23 Erzählungen
Ausgewählt von Ernst Reinhard Piper.
1986. 374 Seiten. Serie Piper 544

»Die Welt ist ein Versuch« – dieser Satz steht in einer
Erzählung Ingeborg Bachmanns, bei Ernst Bloch findet
sich eine erweiterte Fassung: »Die Welt ist ein Versuch, und
der Mensch hat ihr zu leuchten.« Dieses Licht in der
Dunkelheit der Welt zu finden und aufzustecken ist das
Anliegen aller großen Erzählkunst, als deren Zeugen aus
dem 19. Jahrhundert hier Jean Paul und Dostojewski
stehen, und daneben eine illustre Reihe von Autoren
unseres Jahrhunderts – schon klassische, wie Aldous Huxley,
Federigo Tozzi und Albert Paris Gütersloh, und solche,
deren Bedeutung gerade erst erkannt wird:
Cynthia Ozick, Ludwig Fels oder Antonio Skármeta.
Jede dieser in sich abgeschlossenen Erzählungen bietet
einen literarischen Baustein für das immer noch im Bau
begriffene Haus der Menschheit, ist ein Entwurf im
Experiment Welt und ihrem großen Laboratorium,
der Literatur.

PIPER